Les relations publiques

dans une société en mouvance

PRESSES DE L'UNIVERSITÉ DU QUÉBEC
Le Delta I, 2875, boulevard Laurier, bureau 450
Québec (Québec) G1V 2M2
Téléphone : 418-657-4399 • Télécopieur : 418-657-2096
Courriel : puq@puq.ca • Internet : www.puq.ca

Membre de
L'ASSOCIATION
NATIONALE
DES ÉDITEURS
DE LIVRES

Diffusion / Distribution :

CANADA et autres pays

PROLOGUE INC.
1650, boulevard Lionel-Bertrand
Boisbriand (Québec) J7H 1N7
Téléphone : 450-434-0306 / 1 800 363-2864

SUISSE

SERVIDIS SA
Chemin des Chalets
1279 Chavannes-de-Bogis
Suisse
Tél. : 22 960.95.32

FRANCE

SODIS
128, av. du Maréchal
de Lattre de Tassigny
77403 Lagny
France
Tél. : 01 60 07 82 99

BELGIQUE

PATRIMOINE SPRL
168, rue du Noyer
1030 Bruxelles
Belgique
Tél. : 02 7366847

AFRIQUE

ACTION PÉDAGOGIQUE
POUR L'ÉDUCATION ET LA FORMATION
Angle des rues Jilali Taj Eddine
et El Ghadfa
Maârif 20100 Casablanca
Maroc

Les relations publiques
dans une société en mouvance

4ᵉ édition

Danielle Maisonneuve

2011

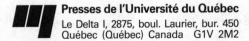

Presses de l'Université du Québec
Le Delta I, 2875, boul. Laurier, bur. 450
Québec (Québec) Canada   G1V 2M2

Catalogage avant publication de Bibliothèque et Archives nationales du Québec et Bibliothèque et Archives Canada

Maisonneuve, Danielle, 1949-

    Relations publiques dans une société en mouvance

    4e éd.

    (Communication, relations publiques)

    Comprend des réf. bibliogr.

    ISBN 978-2-7605-2571-9

    1. Relations publiques. 2. Communication dans les organisations. 3. Relations publiques - Problèmes et exercices. 4. Relations publiques - Cas, Études de. I. Titre. II. Collection: Collection Communication et relations publiques.

HD59.M34 2010   659.2   C2010-940900-0

Nous reconnaissons l'aide financière du gouvernement du Canada par l'entremise du Fonds du livre du Canada pour nos activités d'édition.

La publication de cet ouvrage a été rendue possible grâce à l'aide financière de la Société de développement des entreprises culturelles (SODEC).

Intérieur
Mise en pages: Infoscan Collette-Québec

Couverture
Conception: Richard Hodgson
Illustration: *L'homme qui marche*, du sculpteur Jonathan Borofsky,
               photographié par Jean-Maurice Douesnard.

1 2 3 4 5 6 7 8 9 PUQ 2011 9 8 7 6 5 4 3 2 1

Dépôt légal – 2e trimestre 2010
Bibliothèque et Archives nationales du Québec / Bibliothèque et Archives Canada
Imprimé au Canada

AVANT-PROPOS

Ce livre s'inscrit dans la foulée de l'ouvrage *Les relations publiques dans une société en mouvance* (1998, 1999 et 2003), publié en collaboration avec Jean-François Lamarche et le regretté Yves St-Amand. Nous tenons à rendre hommage à leur contribution dans l'élaboration du manuscrit d'origine. Les auteurs avaient conçu cet ouvrage comme une introduction générale aux relations publiques destinée d'abord aux étudiants universitaires et aux jeunes professionnels, en tant que guide pratique de l'exercice des relations publiques. Cette familiarisation avec quelques thématiques de relations publiques est élaborée dans une perspective sociale et humaniste, en offrant des points de repère réflexifs, sans avoir la prétention d'élaborer une nouvelle approche théorique.

Plusieurs personnes ont apporté leur contribution à la préparation de ce livre : Pierre Bérubé, professeur au Département de communication sociale et publique de l'UQAM et directeur du Centre d'études Communication de risque et de crise, de la Chaire en relations publiques et communication marketing ; Solange Tremblay, ARP, professeure associée au Département de communication sociale et publique de l'UQAM et directrice du Centre d'études Développement durable, éthique et communications, à la Chaire de relations publiques et communication marketing ; Guy Litalien, ARP, conseiller principal Médias, à la Direction principale – Communication d'Hydro-Québec et chargé de cours au Certificat de relations publiques à la Faculté de l'éducation permanente de l'Université de Montréal qui a collaboré à la rédaction du chapitre 9 et qui a généreusement apporté sa contribution en commentant l'ensemble de cette nouvelle édition ; Patrice Leroux, ARP, responsable du certificat de relations publiques de l'Université de Montréal ; Martine Dorval, MAP, Fellow SCRP, présidente de Martine Dorval, Conseil stratégique en communication et relations publiques et chargée de cours à l'UQAM ; Pierre Gince, ARP, président, Direction Communications stratégiques. Nous remercions tout particulièrement Ritha Cossette, Ph. D., chargée de cours au Département de communication sociale et publique de l'UQAM. En plus de signer le chapitre 10 sur l'éthique, madame Cossette a apporté une collaboration appréciée à la relecture du manuscrit. Ses commentaires ont été très éclairants.

Nous remercions Amnistie internationale de nous avoir permis d'utiliser certains documents institutionnels pour illustrer nos propos, et ce, grâce à la collaboration d'Anne Sainte-Marie, M. Sc., responsable des communications. Nos remerciements s'adressent également à la Société québécoise des professionnels en relations publiques qui a fourni les dossiers de ses Prix d'excellence 2009. Nous tenons à souligner la participation des auteurs de ces études de cas qui ont accepté la reproduction de leurs dossiers : Nathalie Pilon, directrice Communications électroniques, Groupe Canam ; pour le cas de la Ville de Sherbrooke, le Cabinet de relations publiques et communication Nadeau Bellavance : Daniel Nadeau, vice-président et directeur général, et Annie-Claude Dépelteau, conseillère en relations publiques et en communication ; Dr André-Marie Gonthier, chiropraticien et président de l'Ordre des chiropraticiens du Québec ; Luci Tremblay, directrice des communications, Festival d'été international de Québec ; Martine Beaugrand, BAA, M. Sc., directrice Communications et développement des affaires ACTI-MENU ; Diane Guilbault, responsable des communications, de l'édition et du transfert de connaissances, AETMIS ; Nicole Pelletier, ARP, directrice des Affaires publiques et des Communications, Fédération des médecins spécialistes du Québec ; enfin, Lisa Neufeld, conseillère en communication, Bombardier Aéronautique. Nos remerciements vont également à Jacinthe Douesnard, Ph. D., pour sa collaboration à la finalisation du chapitre sur la recherche, ainsi qu'à Renaud Carbasse, doctorant en communication, et Dominique Martel, étudiante à la maîtrise en communication, tous deux de l'UQAM, pour avoir participé à la préparation de ce document.

À tous ces collaborateurs, collègues et étudiants, nous adressons notre vive reconnaissance, ainsi qu'à l'éditeur pour son soutien constant dans le développement des connaissances en relations publiques.

Danielle Maisonneuve, Ph. D.
Directrice, Unité de programmes
en communication publique
Faculté de communication
Université du Québec à Montréal

TABLE DES MATIÈRES

Avant-propos vii

Liste des figures xvii

Liste des tableaux xix

**Introduction: Relations publiques
et communication des organisations** 1

CHAPITRE 1
**L'exercice des relations publiques:
de propagande à interinfluence** 9

1.1. Au cœur de l'exercice du pouvoir 10

1.2. Les relations publiques au Québec 13
    1.2.1. L'émergence professionnelle 13
    1.2.2. L'entre-deux-guerres et la crise de 1929 14
    1.2.3. La seconde moitié du XXe siècle 14

1.3. L'apparition progressive de nouveaux modèles 16

1.4. Une déontologie professionnelle en devenir 17

1.5. Relations publiques ou marketing social? 18

1.6. Le consumérisme postcapitaliste
et l'impérialisme néolibéraliste 19

1.7. Nouvelles préoccupations sociales, managériales
et scientifiques 21
    1.7.1. Communication engagée 21
    1.7.2. Prendre en compte les nouvelles pratiques
        de gestion 23

1.8. Communication participative 25

1.9. Les relations publiques: ni placebo, ni remède miracle 28

1.10. L'influence des approches scientifiques sur la pratique
des relations publiques 32

1.11. Un corpus de connaissances centré
sur les meilleures pratiques 39

1.12. L'émergence du courant relationnel 41

Conclusion 42

Étude de cas : Groupe Canam 45

CHAPITRE 2
Les relations transpubliques 53

2.1.   L'intersubjectivité, mythe ou réalité ? 56
      2.1.1.   Première étape : l'éveil 57
      2.1.2.   Deuxième étape : l'intérêt 58
      2.1.3.   Troisième étape : l'évaluation 58
      2.1.4.   Quatrième étape : l'essai 59
      2.1.5.   Cinquième étape : l'adoption 59

2.2.   Utiliser les relations publiques dans ce processus
      d'influence : étude de cas sur le compostage 60

2.3.   Rigueur et créativité : la méthode RACE 64
      2.3.1.   La Recherche, première étape de la méthode RACE ... 65
      2.3.2.   L'Action, deuxième étape de la méthode RACE 66
      2.3.3.   La Communication, troisième étape
               de la méthode RACE 66
      2.3.4.   L'Évaluation, quatrième étape de la méthode RACE .. 67

2.4.   Le cadre normatif d'une politique de communication 67

Conclusion 68

Étude de cas : Ville de Sherbrooke 71

CHAPITRE 3
Le recours à la recherche :
développement des savoirs en relations publiques 79

3.1.   S'ouvrir à une pluralité d'opinions 81

3.2.   Mais de quel type de recherche a-t-on réellement besoin ? ... 83

3.3.   Élargir sa vision de l'organisation 87

3.4.   Multiplier les points de vue et les sources d'information 87
      3.4.1.   Étude de la documentation institutionnelle 88
      3.4.2.   Les rapports de recherche scientifique 89
      3.4.3.   Les revues de presse 90

3.4.4. L'analyse d'impact.. 90

3.4.5. Les sondages... 92

3.5. Le groupe focus... 106

3.5.1. Le recrutement des participants............................ 107

3.5.2. L'élaboration de la grille d'entrevue 107

3.5.3. L'animation du groupe focus 108

3.5.4. L'analyse des résultats 109

3.5.5. La rédaction du rapport 110

3.5.6. Groupes focus : quelques pièges à éviter................. 110

3.6. L'analyse du climat de travail...................................... 112

3.7. Les entrevues individuelles... 113

3.8. Le balisage.. 114

3.9. La veille et l'importance du *feed-forward*................... 114

3.10. Intégrer diverses méthodes de recherche 116

Conclusion.. 116

Étude de cas 1 : Ordre des chiropraticiens du Québec............... 118

Étude de cas 2 : Héma-Québec 124

CHAPITRE 4

Stratégie de mise en relation : favoriser une approche inclusive et interactive 129

4.1. Plan de communication et approche stratégique 130

4.2. Bien connaître les parties prenantes de l'organisation 135

4.3. Un contexte pluridimensionnel....................................... 136

4.4. Caractéristiques générales des publics............................. 138

4.4.1. Les publics ne sont jamais acquis 138

4.4.2. Les intérêts des publics sont situationnels................. 138

4.5. Les publics : segmenter pour personnaliser la mise en relation 142

4.5.1. Les publics internes... 142

4.5.2. Les actionnaires.. 146

4.5.3. Les clients... 148

4.5.4. Les fournisseurs 150

4.5.5. Les associations 151

4.5.6. Structurer les orientations communicationnelles 154

4.6. Opter pour une diversité de moyens et favoriser l'interactivité 155

4.6.1. Macrocatégories de publics..................................... 156

Conclusion 157

Étude de cas : Ville de Québec 158

CHAPITRE 5
**Démocratie et information citoyenne
dans l'espace médiatique** 175

5.1. La diffusion revisitée 178

5.2. Vraiment, une nouvelle d'intérêt public ? 182

5.3. La mise en relation avec les médias 183
    5.3.1. Considérations générales 183
    5.3.2. Les relations avec les blogueurs 184

5.4. Le communiqué de presse : jalons et embûches 185
    5.4.1. La rédaction du communiqué :
           économie de moyens, maximum d'efficacité 186
    5.4.2. Risques et incertitudes de l'embargo 188
    5.4.3. Le titre, centré sur le message principal 189
    5.4.4. Centrer le communiqué sur la nouvelle 190
    5.4.5. Les aléas de la diffusion d'un communiqué 195

5.5. Conférence de presse : y recourir avec discernement 197
    5.5.1. Les listes de presse : suivre les fluctuations
           de l'univers médiatique 198
    5.5.2. Invitations : l'inévitable concurrence
           pour la présence des médias 199
    5.5.3. Formuler l'invitation à une conférence de presse 200
    5.5.4. Planifier le matériel d'information selon les besoins
           des médias 201
    5.5.5. L'emplacement de la conférence de presse 202
    5.5.6. Puis, tout repose sur la compétence
           du porte-parole… 205
    5.5.7. Simulation plutôt qu'improvisation 206
    5.5.8. Avant la conférence de presse 207
    5.5.9. La journée de la conférence de presse 208
    5.5.10. Être ou ne pas être maître de cérémonie ? 209
    5.5.11. Déroulement : cadre traditionnel et créativité 210
    5.5.12. La diffusion d'information à l'interne 211

5.6. L'interview exclusive 211

5.7. Les interviews : mode d'emploi 212
    5.7.1. Comportement professionnel dans le cadre
           d'interviews 214
    5.7.2. L'interview au téléphone 216

5.7.3. Les tribunes publiques à la radio 217

5.7.4. Les blogues des journalistes 218

5.7.5. Offrir des sujets de reportage :
attitude proactive envers les médias......................... 219

5.7.6. Opter pour une tournée médiatique.......................... 219

5.7.7. Surmonter l'angoisse d'être mal cité
dans les médias 220

5.8. La gestion des relevés de presse et leur analyse.................... 221

Conclusion.. 223

Étude de cas : Acti-Menu... 224

CHAPITRE 6

Posture discursive de l'organisation aux tribunes publiques : la rédaction de discours

Posture discursive de l'organisation aux tribunes publiques : la rédaction de discours 239

6.1. D'abord un rôle conseil... 240

6.2. Pas de rédaction sans recherche.................................. 244

6.3. Clarifier le propos : définir un objectif clair et pertinent 244

6.4. Préparer le canevas de base : quelle est l'argumentation ?...... 245

6.5. Rédiger l'allocution 246

6.5.1. Les principales parties du discours...................... 247

6.6. Deux méthodes pour rédiger un discours 248

6.6.1. La méthode IPIC.. 248

6.6.2. Le texte intégral 249

6.7. Stratégies et techniques de rédaction.......................... 250

6.8. Un triple défi 252

6.9. La période de questions.. 253

6.10. Illustrer une allocution... 254

6.11. Retransmission 257

6.12. Pour réussir une présentation orale............................. 259

Conclusion.. 261

Étude de cas : Amnistie internationale 263

CHAPITRE 7

L'organisation d'événements : à la rencontre des publics de l'organisation

**L'organisation d'événements :
à la rencontre des publics de l'organisation**....................... 267

7.1. Le choix d'un thème : fil conducteur de l'événement 269

7.2.   Une logistique à toute épreuve.................................. 271

7.3.   Établir un échéancier réaliste 272

7.4.   La participation des médias à l'événement.............. 274

7.5.   Prévoir les besoins de tous les publics.................... 275

7.6.   Participer à une exposition ou à un salon................. 279

      7.6.1. À la rencontre d'une diversité de publics 280

      7.6.2. Recherché: expert en gestion d'événements 282

      7.6.3. Les événements internationaux....................... 283

      7.6.4. Réseautage et collaboration 285

7.7.   Quelques conseils 285

Conclusion.. 287

Étude de cas: Agence d'évaluation des technologies
et des modes d'intervention en santé (AETMIS) 288

CHAPITRE 8

Gestion de crise: prévention, formation, intervention 301

8.1.   *Act of God* ou négligence criminelle?..................... 303

8.2.   Identification de tous les intervenants...................... 303

8.3.   Conception du plan d'urgence................................. 306

8.4.   Préparation: tout prévoir, surtout l'imprévisible!.............. 308

8.5.   Identifier les potentiels de crise 310

8.6.   Former les intervenants 311

8.7.   La simulation... 313

8.8.   Et survint la crise, dans toute son horreur................. 314

      8.8.1. Piège n° 1: croire que tous seront accessibles............. 314

      8.8.2. Piège n° 2: diffuser sans vérifier les informations
              ou prendre trop de temps pour le faire.................. 315

      8.8.3. Piège n° 3: mal évaluer l'impact médiatique............. 316

      8.8.4. Piège n° 4: ne pas segmenter les médias................ 317

      8.8.5. Piège n° 5: ne pas créer une cellule d'urgence............ 317

8.9.   Intervenir et évaluer les façons de faire 318

8.10. Leadership et contrôle.. 319

8.11. L'après-crise.. 322

Conclusion.. 323

Étude de cas: Fédération des médecins spécialistes
du Québec (FMSQ) 324

CHAPITRE 9

L'évaluation et les indicateurs mesurables en relations publiques 329

Pierre Bérubé, en collaboration avec Guy Litalien

9.1. À la base d'une pratique éclairée des relations publiques 330
    9.1.1. De l'intangible à la démonstration des résultats 330
    9.1.2. Bidirectionnalité et environnement de l'organisation 331
    9.1.3. Les préoccupations pour le retour sur l'investissement (ROI) : la valeur des relations publiques 332
    9.1.4. Les organismes gouvernementaux et la reddition de comptes 338
    9.1.5. Du technicien au gestionnaire 338

9.2. Que peut-on évaluer et quand le faire ? 339
    9.2.1. L'évaluation dans l'approche de gestion des relations publiques 339
    9.2.2. L'évaluation abordée par phases du processus 342
    9.2.3. Mesurer les relations : une voie exploratoire 344

9.3. L'évaluation intégrée à la prestation de services 345
    9.3.1. Recherche, analyse, planification (*input*) 347
    9.3.2. Production, gestion, distribution (*output*) 348
    9.3.3. Exposition, portée (*outreach*) 349
    9.3.4. Réception, compréhension (*outtake*) 350
    9.3.5. Impact, résultats, opinions, relations, évolution (*outcome/outgrow*) 351

9.4. Vers la reconnaissance de la véritable valeur des relations publiques 352

Étude de cas : Bombardier 354

CHAPITRE 10

Quelle éthique pour les relations publiques ? 367

Ritha Cossette

10.1. Vie démocratique et relations publiques 370

10.2. L'exigence éthique 373

10.3. La fonction et les exigences éthiques du métier de relationniste 377
    10.3.1. Parler vrai 379
    10.3.2. Résister à la tentation manipulatrice 383

10.3.3. Comprendre la problématique du secret
et de la transparence 385
10.3.4. Respecter les réputations 386
10.3.5. Donner et inspirer confiance 387
10.4. L'exercice responsable du jugement 389
Conclusion 393

**Conclusion : L'imputabilité sociale
des relations publiques** 395

ANNEXE I
**Code d'Athènes : code d'éthique international
des praticiens de relations publiques** 401

ANNEXE II
**Code de déontologie de la Société canadienne
des relations publiques** 405

ANNEXE III
**Code de déontologie de la Société québécoise
des professionnels en relations publiques** 407

ANNEXE IV
**Quelques pistes de réflexion pour un nouveau code
de déontologie en relations publiques** 409

ANNEXE V
**Déclaration des communicateurs et des professionnels
en relations publiques du Québec à l'égard
du développement durable** 417

Bibliographie 421

LISTE DES FIGURES

Figure I.1   Dimension multidisciplinaire des relations publiques
comme fonction de communication et de gestion   6

Figure 1.1   Les diverses orientations de communication,
selon l'approche « glocale »   27

Figure 1.2   Images du cerveau en action.......................................   34

Figure 2.1   Les étapes du processus d'interinfluence   57

Figure 4.1   Modélisation d'un plan de communication
auprès des parties prenantes   134

Figure 4.2   Impacts des actions des relations publiques.................   141

Figure 5.1   Communiqué de presse – structure du texte.................   191

Figure 5.2   Exemple d'aménagement d'une salle
de conférence de presse...   204

Figure 8.1   Typologie des situations de crise..................................   304

Figure 9.1   Les volets successifs du processus de prestation
de services en relations publiques et les types
d'indicateurs mesurables pouvant leur être associés   346

LISTE DES TABLEAUX

Tableau 1.1 Taux de rétention d'une information
en fonction du mode d'émission.............................. 36

Tableau 3.1 Outils de recherche utilisés par les relationnistes
dans le cadre de leurs activités professionnelles......... 82

Tableau 6.1 Importance de la rédaction par rapport aux autres
activités exercées par les relationnistes québécois...... 241

Tableau 8.1 Les sept étapes de la gestion d'une crise.................... 319

Tableau 9.1 Phases et niveaux d'évaluation des programmes
de relations publiques selon Broom 341

Tableau 9.2 Composantes du processus d'évaluation
des programmes de relations publiques 343

INTRODUCTION
Relations publiques et communication des organisations

Les relations publiques jouent dans la société un rôle de communication encore très méconnu, ce qui semble assez paradoxal puisque les activités du relationniste se déploient principalement dans l'espace médiatique. Souvent confondus avec les attachés de presse, les professionnels en relations publiques occupent pourtant des fonctions très diversifiées dans les organisations et dans les cabinets-conseils. Même l'appellation « relations publiques » entretient une vision assez réductrice du métier car il s'agit d'une traduction fautive de l'américain *« public relations »* qui a plutôt le sens de « relations avec tous les publics ». Cette dimension plus large du travail des professionnels en relations publiques couvre les communications avec toutes les parties prenantes de l'organisation et avec l'ensemble de la population.

UNE FONCTION AMBIGUË, UN RÔLE DE PREMIER PLAN

La place des relations publiques dans l'organisation se situe souvent en porte-à-faux eu égard au marketing, à la publicité et aux ressources humaines. Ainsi, les relationnistes travaillent sous plusieurs titres et occupent divers postes dans l'organigramme des organisations : on les retrouve dans des services portant des noms aussi variés que communication, affaires publiques, information, promotion et parfois... relations publiques (Maisonneuve, Tremblay et Lafrance, 2004b). Qu'on les appelle conseiller, directeur, agent d'information, etc., les relationnistes exercent un métier polyvalent. On les retrouve principalement dans les organisations publiques ou privées, comme c'est le cas de 80 % d'entre eux, alors que 17 % des relationnistes travaillent en cabinets et dans des firmes de communication. Phénomène en émergence, 11 % des relationnistes œuvrent à leur propre compte en tant que travailleurs autonomes, selon les données de l'enquête réalisée au Québec par Maisonneuve, Tremblay et Lafrance (2004a et 2004b).

Dans ce contexte, les professionnels en relations publiques interviennent dans la gestion de l'information et des enjeux organisationnels, au carrefour des pratiques de gestion et de communication. L'exercice de leur métier s'inscrit dans l'évolution des modes de gestion, au sein d'organisations très diversifiées, souvent confrontées à des changements structuraux et sociaux d'envergure. Ayant à s'adapter aux exigences des diverses parties prenantes (Bonnafous-Boucher et Pesqueux, 2006), les organisations sont en effet confrontées à l'émergence des médias sociaux (Millerand, Proulx et Rueff, 2010), des groupes de pression de mieux en mieux structurés, des nouvelles réalités d'affaires et des exigences de saine gouvernance, surtout depuis la crise financière de 2008. Ce contexte organisationnel totalement décloisonné témoigne des mutations sociales accélérées qu'entraînent le phénomène de l'explosion des communications (Breton et Proulx, 2002; Proulx, 2006) ainsi que l'interactivité croissante des échanges (Paquin, 2006).

UNE PRATIQUE PROFESSIONNELLE EN PLEINE ÉVOLUTION, AU CARREFOUR DES SAVOIRS

Selon plusieurs observateurs et communicologues (Castells, 2000a, 2000b; Toledano, 2005; Lavigne, 2008; L'Etang, 2006 et 2008; Ihlen, Van Ruler et Fredriksson, 2009), notre société est entrée dans une phase de profonde mutation de la communication dans l'espace public. De nouveaux enjeux émergent qui modifient en profondeur les institutions humaines. Pour assurer leur développement, les organisations doivent s'adapter à la révolution du savoir qui s'opère dans toutes les sphères de l'activité humaine, alors que les publics évoluent vers une prise en charge de l'expression de leurs opinions, dans un espace public de plus en plus virtuel et interactif.

Le nouvel ordre mondialisé des échanges se caractérise par la numérisation du savoir alors que la communication sur le Web restructure les relations entre les groupes et les citoyens dans le cyberespace (Millerand, Proulx et Rueff, 2010; Charest et Bédard, 2009), redéfinissant ainsi les fondements de l'exercice du pouvoir, dans les structures gouvernementales et organisationnelles. La connaissance échappe désormais au seul contrôle des autorités politiques et managériales. D'une part, les entreprises transnationales étendent maintenant leur hégémonie dans un contexte globalisé où elles échappent de plus en plus à l'État-nation. D'autre part, les interlocuteurs sociaux et les parties prenantes de l'organisation, longtemps considérés comme des récepteurs passifs et dépendants des connaissances détenues par les autorités, deviennent des acteurs qui accèdent directement à l'information et qui la diffusent sur le Web et les médias sociaux, ce faisant une nouvelle forme de pouvoir, d'influence et de décision. Le rôle grandissant des médias interactifs favorise d'ailleurs l'essor d'une parole citoyenne à tous les niveaux de la communauté humaine (Harvey, 2004) tandis que de nouvelles perspectives, tel le développement durable et les responsabilités sociales des entreprises (Tremblay, 2007), changent la posture discursive des institutions et des organisations. Elles doivent maintenant répondre à leurs publics, selon de nouvelles exigences d'imputabilité organisationnelle, en fonction de valeurs prônant une saine gouvernance. Ces transformations modifient à leur tour les fonctions et les responsabilités qu'assument les relationnistes. En témoigne d'ailleurs une nouvelle approche critique des relations publiques, sur la base d'une communication socialement engagée (Toth et Heath, 1992; L'Etang et Pieczka, 2006; Holtzhausen et Voto, 2002).

LES RELATIONNISTES, STRATÈGES OU AGENTS DE CHANGEMENT?

De nouvelles exigences professionnelles interpellent désormais les relationnistes. En effet, les professionnels en relations publiques ont à maîtriser de nouvelles responsabilités, à se familiariser avec des rôles plus complexes et à assumer des responsabilités de gestion globale de la communication dans l'espace public. Par exemple, ils doivent permettre aux organisations de mieux déceler, en filigrane des tendances globales de leur environnement, les éléments porteurs de nouvelles exigences citoyennes auxquelles elles devront répondre. Par la prospection des enjeux, les relationnistes doivent être en mesure de conseiller et d'orienter les organisations en fonction de nouvelles normes d'imputabilité sociale au regard du bien commun et des attentes de leurs divers interlocuteurs: «Les relationnistes doivent pratiquer leur métier de manière éthique comme individus et encourager également leur organisation à développer des codes de conduite éthiques. [...] L'imputabilité en relations publiques signifie que les praticiens doivent envisager les conséquences de leurs activités» (Broom, 2009, p. 137. Traduction libre).

Ce contexte en pleine évolution influe sur les relations avec les différentes parties prenantes des organisations (Freeman, 1984; Bonnafous-Boucher et Pesqueux, 2006), sans oublier leurs premiers publics, à savoir les employés. Ces relations ne peuvent plus s'inscrire uniquement dans un rapport de domination: elles doivent plutôt renverser les paradigmes de la communication pour favoriser un nouveau modèle de relations publiques plus socialement responsables. Aucune organisation n'a actuellement les moyens d'entretenir en permanence des communications unidirectionnelles[1] avec ses publics, encore moins d'avoir recours à des stratégies destinées à tromper les publics. Le rôle des professionnels en relations publiques est plutôt de favoriser les communications transversales avec les parties prenantes de l'organisation, sans oublier les publics indifférents et les publics en émergence. De cette approche relationnelle émergent des perspectives théoriques intéressantes pour le développement de la profession, dans la foulée des travaux de Sriramesh et Vercic (2009), Bruning, Castle et Schrepfer (2004), Ledingham (2003), Ledingham et Bruning (1998 et 2000).

Ainsi, les processus relationnels mis en place par les praticiens des relations publiques dans les organisations peuvent favoriser une approche d'intersubjectivité consistant à se mettre à la place de l'autre, à voir les choses de son point de vue. La contribution des théoriciens au développement des connaissances sur l'information, notamment sous l'angle de la cognition et des pratiques sociales (Edwards, 2006), permet de mieux comprendre l'action des relations publiques en tant que composante de la gestion des flux d'information dans notre société (Castells, 2000), structurant un espace public fortement médiatisé. Ainsi, l'influence des relations publiques s'exercerait de deux manières : d'abord à travers les mécanismes de coconstruction de sens (Mahy, 2009) par l'échange d'informations entre les organisations et leurs publics ; ensuite, par l'impact de l'information sur l'émergence de nouvelles normes de comportement, comme l'illustrent, dans le secteur de la santé, les travaux du Groupe de recherche Médias et santé (Renaud *et al.*, 2010 ; Maisonneuve *et al.*, 2010).

S'ENTENDRE SUR LES TERMES

Décrire correctement le rôle du relationniste dans les organisations, et dans la société en général, suppose de s'entendre d'abord sur la définition des relations publiques, expression qui a évolué depuis le début du XIXe siècle, lorsqu'elle a été employée pour la première fois :

> On attribue souvent la paternité du terme « relations publiques » (*Public Relations*) à Thomas Jefferson (1743-1826), troisième président des États-Unis, qui l'aurait utilisé dans une déclaration au

---

1. Sauf dans les cas où une urgence, une crise ou un besoin ponctuel exige la diffusion unidirectionnelle d'informations, ce qui renvoie à la théorie situationnelle de Grunig, Grunig et Dozier (2002).

Congrès de 1802, pour définir l'état d'esprit des citoyens au sein d'une communauté politique. En 1882, l'avocat Dorman Eaton prononça à la Yale Law School une conférence qui avait pour titre «The public relations and the duties of legal profession» tandis qu'en 1897 on peut trouver le terme *Public Relations* dans le *Year Book of Railway Literature*, organe de l'Association des chemins de fer américains. Mais c'est probablement Newton Vail, président de l'American Telephone and Telegraph Company qui, le premier en mars 1908, emploie le terme dans son acception actuelle, à l'occasion de la présentation du rapport annuel de la société (Lougovoy et Huisman, 1981, p. 3).

Par la suite, plusieurs auteurs et groupes professionnels ont tenté de définir les relations publiques : il existe actuellement des centaines de définitions (dont quelques-unes sont présentées à la fin de cette introduction). Même si chacune de ces définitions est intéressante, retenons celle qui est proposée par la Société québécoise des professionnels en relations publiques du Québec, selon une approche intégrant gestion et communication :

> Les relations publiques sont une fonction de direction, de gestion et de communication, à caractère permanent, grâce à laquelle un organisme public ou privé vise à établir, à maintenir et à promouvoir des relations de confiance fondées sur la connaissance et la compréhension mutuelle entre cet organisme et ses publics, internes et externes, en tenant compte de leurs droits, besoins et attitudes, le tout conformément à l'intérêt du public.

Cette définition recoupe celle proposée par Broom (2009, p. 1) situant les relations publiques à la fois dans le champ des sciences sociales et humaines et dans celui des sciences de la gestion. En tant que pratique multidisciplinaire, ce métier de la communication recouvre des aspects managériaux, stratégiques et techniques, comme le démontre la figure I.1.

Dans un cadre de gestion organisationnelle, les relations publiques ont à redéfinir leur champ d'action afin d'être en mesure d'inscrire leurs activités de manière harmonieuse au sein de l'écosystème social[2]. En effet, les relations publiques peuvent permettre à une organisation de participer plus efficacement aux grands débats de société, contribuant ainsi à l'évolution des savoirs dans l'espace public, au sens où l'entend Habermas (2003). En accordant plus d'importance aux

---

2. L'école systémique considère l'organisation comme un vaste système organique, composé de multiples sous-systèmes en interaction permanente selon la circularité du modèle de communication développé par l'école de Palo Alto (Watzlawik, 1972).

FIGURE I.1

Dimension multidisciplinaire des relations publiques comme fonction de communication et de gestion

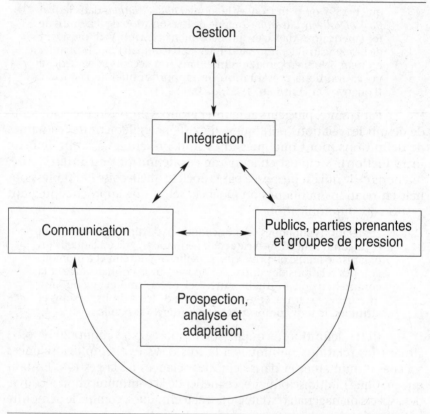

communications avec son milieu, l'organisation participe au développement de ses relations de confiance avec l'ensemble de ses interlocuteurs, selon Joe Epley, président de Public Relations Society of America (Wilcox *et al.*, 1992, p. 16. Traduction libre):

> La mission des relations publiques est d'établir la confiance : de s'assurer que l'intérêt du public est considéré dans l'établissement des stratégies institutionnelles et de développer des programmes de communication efficaces qui favorisent la compréhension et l'acceptation mutuelles.

En fait, le développement d'une organisation est tributaire de la perception qu'en ont ses divers publics et du type de relations qu'elle entretient avec eux. Or, cette perception et ces relations sont conséquentes, en partie, du travail des relationnistes qui ont à créer et à animer des dispositifs de communication permettant à l'organisation de se situer en phase avec ses publics et les grands enjeux de société. C'est dans cet esprit que les chapitres de ce livre présentent quelques approches communicationnelles qui caractérisent la pratique des relations publiques dans les organisations, après avoir retracé l'évolution schématique des relations publiques et présenté quelques repères théoriques.

QUELQUES DÉFINITIONS DES RELATIONS PUBLIQUES

> Les relations publiques sont une activité de direction, à caractère permanent et organisé, par laquelle une entreprise ou un organisme privé ou public cherche à obtenir et à maintenir la compréhension, la sympathie et le concours de ceux à qui elle a ou peut avoir affaire : dans ce but, elle devra adapter autant que possible son comportement et, par la pratique d'une large information, obtenir une coopération plus efficace qui tienne effectivement compte des intérêts communs (International Public Relations Association. Traduction libre).

> Les relations publiques ont précisément pour objet de définir et de mettre en œuvre une politique permanente de communication, destinée à permettre à un groupe d'établir des relations loyales et honnêtes avec les publics internes et externes qui conditionnent son existence et son développement. Les relations publiques doivent constituer une fonction intégrée à la direction du groupe (Code des professionnels de relations publiques, France).

> Par relations publiques, il faut entendre la politique systématique d'un individu ou d'une organisation, publique ou privée, et sa mise en œuvre pour entretenir et améliorer ses relations avec ses différents publics, en vue d'atteindre une meilleure compréhension de son activité et susciter autour d'elle un esprit de confiance et de sympathie (Centre belge des relations publiques)

> Les relations publiques sont les efforts délibérés, planifiés et soutenus en vue d'établir et de maintenir une compréhension mutuelle entre une organisation et ses publics (British Institute of Public Relations. Traduction libre).

> Les relations publiques sont une fonction de gestion qui identifie, établit et maintient des relations mutuellement profitables entre une organisation et les divers publics dont dépend le succès ou l'échec de ses activités (Cutlip, Center et Broom, 1985. Traduction libre).

Définitions de la communication publique :

> L'ensemble des phénomènes de production, de traitement, de diffusion et de rétroaction de l'information qui reflète, crée et oriente les débats et les enjeux publics ; la communication étant non seulement le fait des médias mais aussi des institutions, entreprises, mouvements et groupes qui interviennent sur la place publique (Beauchamp *et al.*, 1991, p. XIII).

1

L'EXERCICE DES RELATIONS PUBLIQUES
De propagande à interinfluence

*La tendance la plus significative en relations publiques
est son évolution d'une perspective fonctionnaliste
à une cocréation de sens par les publics,
en accordant la priorité à l'établissement
de relations avec tous les publics.*
(IHLEN, VAN RULER et FREDRIKSSON, 2009, p. 4.
Traduction libre.)

Les professionnel des relations publiques exercent leurs fonctions de communication sur trois plans : individuel, organisationnel et social (Grunig, Grunig et Dozier, 2002). Leur fonction d'interface s'est longtemps inscrite sous un paradigme essentiellement diffusionniste, comme en témoigne l'origine de ce métier. Pour comprendre l'état des relations publiques telles qu'elles sont pratiquées aujourd'hui, nous en relaterons l'évolution au Québec, après en avoir retracé brièvement les origines en Occident.

1.1.   AU CŒUR DE L'EXERCICE DU POUVOIR

La diffusion d'information remonte aux origines de l'histoire. Longtemps associée aux efforts déployés par les organisations en vue de gagner la confiance de leurs publics, la communication publique a toujours eu pour rôle de légitimer les décisions de ceux qui détenaient le pouvoir et d'assurer le succès de leurs activités. Dès l'Antiquité, on trouve des traces de communication avec les publics : « Les archéologues ont trouvé un bulletin agricole publié en Iraq [alors la Mésopotamie], prescrivant aux fermiers de 1800 avant notre ère des consignes sur les semences, l'irrigation, le contrôle des souris dans les champs et les moyens d'effectuer les récoltes » (Broom, 2009, p. 85. Traduction libre). Dans la Grèce antique, Aristote a développé les fondements de la rhétorique qui énonce certaines prescriptions pour maximiser l'efficacité du langage ; cette rhétorique a été reprise par la suite par certains auteurs romains, tels Quintilien et Cicéron. Rappelons toutefois que pour Aristote, la rhétorique est d'abord liée à des principes moraux et à la sagesse dans l'énonciation d'un discours : « Il y a trois choses qui donnent de la confiance dans l'orateur ; car il y en a trois qui nous en inspirent, indépendamment des démonstrations produites. Ce sont le bon sens, la vertu et la bienveillance » (Aristote, 1991, p. 162). En dépit de ces principes moraux, la rhétorique a été associée à l'art de persuader, voire de tromper les publics. Aujourd'hui encore, les citoyens peuvent se laisser séduire par la rhétorique politique et organisationnelle, essentiellement au service de la propagande et du pouvoir :

> Dans la pensée moderne, la rhétorique s'est souvent vu attribuer le rôle d'ennemie de la communication. Pour les modernistes, la communication est liée à la raison, la vérité, la clarté et la compréhension, alors que la rhétorique concerne essentiellement le traditionalisme, l'artifice, la confusion et la manipulation. [...] Toutefois, dans la tradition rhétorique de la théorie de la communication, la rhétorique a un sens différent et possiblement plus utile [...] Dans cette tradition, la rhétorique signifie une

communication conçue pour rejoindre une audience et éclairer leur jugement sur des objets d'opinion et de décision d'importance (Craig, 2009, p. 19).

Or l'approche rhétorique de la communication publique a connu dans l'Antiquité occidentale un essor important. Ainsi, afin de consolider leur rayonnement dans le monde antique, Athènes puis Rome ont largement eu recours à la rhétorique et à ce que l'on qualifie aujourd'hui de stratégies de relations publiques, notamment pour développer la confiance entre le gouvernement et ses divers publics. Par exemple, Rome diffusait tracts et bulletins d'information rédigés par les scribes pour faire connaître aux administrateurs de l'empire les décisions des gouvernants. Ces pratiques de communication politique, essentiellement de nature autopromotionnelle, ont joué un rôle important dans la cohésion de la civilisation romaine, à travers son vaste empire qui a duré dix siècles. Ainsi, dès 50 av. J.-C., on publiait les *Acta diurna* distribuées quotidiennement à 10 000 exemplaires en vue de diffuser de l'information dite d'intérêt public (Wolgensinger, 1989, p. 14-15). Sous le règne de Jules César, Caius Salluste agissait à titre de rédacteur en chef pour cette publication à laquelle s'activaient pas moins de 300 scribes, faisant office d'agents d'information avant la lettre. Ces textes évoquent pour nous les publications de partis politiques ou certains journaux internes. En effet, il s'agissait de documents d'information visant à rallier l'opinion pour consolider l'ordre établi. Ces publications permettaient également de resserrer les liens entre les administrateurs et l'appareil bureaucratique, surtout à l'extérieur de la Rome antique, pour maintenir la fameuse *Pax Romana*. Bien qu'inexistantes sous l'appellation «relations publiques», ces pratiques avaient comme première fonction de légitimer le pouvoir politique pour assurer la cohésion idéologique du tissu social et de l'appareil politique: rien de bien différent de ce qui est pratiqué encore aujourd'hui dans plusieurs pays.

En relatant l'évolution du journalisme, Wolgensinger (1989) évoque les fonctions de communication publique qui ne relèvent pas uniquement des journalistes. Par exemple, Wolgensinger rappelle qu'au Moyen Âge la coutume était bien établie de faire circuler des manuscrits procurant aux marchands de précieuses informations commerciales. Liés cette fois à la fortune des négociants, ces bulletins d'information contribuaient au rayonnement économique de leur secteur d'activité puisqu'en grande partie l'essor commercial dépendait, et dépend encore, des informations privilégiées dont les commerçants disposent. Ainsi, dès le XIIe siècle, les commerçants rédigent et diffusent, à l'intention des membres de leur confrérie, des documents (tels les *avvisi* en Italie et les *zeytungen* en Allemagne) qui fournissaient les renseignements nécessaires à l'essor de leur commerce.

À ces moyens de communication commerciale correspond l'essor du contrôle des sources de diffusion et des contenus d'information. D'abord, sur le plan religieux, l'Église catholique exerce sur les textes une forme de monopole qui durera plusieurs siècles. Au moyen de la censure, le fameux *imprimatur*, l'Église menace d'excommunication ceux qui sont surpris en possession d'ouvrages interdits. Rappelons, d'ailleurs, qu'une des plus vieilles formes de persuasion du public, la propagande (Ellul, 1962), a souvent servi les fins de nombreuses religions. Ainsi, avec la création d'un ministère de la Propagande (*Congregatio de propaganda*), l'Église catholique visait essentiellement la persuasion par l'enseignement religieux, notamment dans le cadre des activités des missions étrangères. À cette coercition religieuse s'ajoutait le contrôle politique de la liberté d'expression. En témoigne éloquemment Richelieu lorsqu'il affirme que : « Seuls les ministres savent distinguer les choses qui doivent être tues et celles qu'il faut donner au public » (Wolgensinger, 1989, p. 31).

C'est avec l'avènement de la presse à grand tirage et la publication de livres, rendus possibles par l'invention de l'imprimerie au XVᵉ siècle, qu'est apparue la formation de l'actualité et de l'opinion publique, au sens où on l'entend aujourd'hui. Sans le savoir, Gutenberg allait donner aux communicateurs un moyen de diffusion de masse, décuplant ainsi les possibilités de rayonnement des informations désormais accessibles à de vastes publics, du moins en théorie puisque l'alphabétisation des populations a été beaucoup plus lente que le développement technique.

La révolution de l'information n'est donc vraiment apparue qu'au XVIᵉ siècle, avec le bond prodigieux des textes imprimés, distribués en plusieurs exemplaires. L'essor de la presse et la publication d'ouvrages imprimés allaient se poursuivre jusqu'au XXᵉ siècle, prenant la forme d'une véritable explosion de la communication dans toutes les sphères de la société (Breton et Proulx, 1994 ; Proulx et Vitalis, 1998 ; Proulx *et al.*, 2008). Dans ce contexte, les journalistes sont maintenant en quête constante d'informations, principalement avec les canaux d'information en continu auxquels s'ajoutent les technologies interactives, les médias sociaux et la webdiffusion. Politiciens et autres leaders (sociaux, économiques, financiers, culturels et organisationnels) ressentent alors plus que jamais le besoin de recourir aux services de porte-parole, de rédacteurs, de communicateurs, un secteur d'activité en pleine croissance (Broom, 2009). En cela, rien de bien différent de ce qui se passait dans la Rome antique, sauf que les moyens sont devenus beaucoup plus puissants, plus rapides, plus envahissants et surtout plus interactifs.

Mais retournons au XIXe siècle alors que la presse à grand tirage, l'industrialisation accrue et un climat politique prônant la démocratie ont contribué à l'établissement des relations publiques comme discipline intégrée à la gestion. Ainsi, les débuts des campagnes de relations publiques sont le fait de grandes entreprises, telle la Pacific Railroad en 1870 aux États-Unis, avec l'inauguration de la première ligne ferroviaire transcontinentale, ce qui donna lieu à une diffusion en direct de l'information pour couvrir le déroulement de la première traversée de l'Amérique en chemin de fer. En 1889, Westinghouse crée le premier service de relations publiques dans une organisation (Broom, 2009, p. 91). Suivra, en 1906, l'ouverture du premier cabinet de relations publiques, par Ivy Lee, aux États-Unis. Considéré comme le père des relations publiques modernes, Lee a laissé plusieurs exemples de campagnes de relations publiques, dont celles réalisées pour son illustre client, Rockefeller, devenu célèbre en grande partie grâce aux stratégies de ce pionnier des relations publiques, bien que son approche souvent méprisante envers les employés et les citoyens ait été largement critiquée. Parallèlement, Edward Bernays (1952, 1961) étendait son influence de consultant en relations publiques en mettant en œuvre, dès 1920, les premières pratiques stratégiques de notoriété publique pour certaines causes, notamment en santé publique.

En Europe, il faut attendre l'année 1950 pour que soit créé le premier cabinet de relations publiques dans la foulée des expériences américaines. En 1946, à Toronto, on avait déjà ouvert la première firme canadienne de relations publiques (nommée le PIR – Public and Industrial Relations).

1.2. LES RELATIONS PUBLIQUES AU QUÉBEC

Au Québec, les relations publiques se sont progressivement intégrées à tous les secteurs d'activité dans les organisations. En tant que métier de la communication, les relations publiques ont subi une évolution semblable à celle que l'on a observée aux États-Unis et en Europe, mais avec des particularités culturelles qui continuent d'influer sur ses perspectives d'ancrage social.

1.2.1. L'ÉMERGENCE PROFESSIONNELLE

Il faut remonter au début du XXe siècle pour situer l'avènement des relations publiques comme discipline professionnelle dans les organisations du Québec. Paul Dumont-Frenette (1971) relevait 12 facteurs ayant influencé l'émergence des relations publiques dans les sociétés occidentales, facteurs s'appliquant également à l'introduction de ce métier au Québec. Parmi ces facteurs figuraient la croissance du milieu urbain, le progrès de la syndicalisation et l'essor des communications organisationnelles qui ont progressivement façonné les relations publiques en tant que fonction de gestion dans les organisations.

1.2.2. L'ENTRE-DEUX-GUERRES ET LA CRISE DE 1929

Durant les années 1920, informer la population illustrait le lien problématique entre propagande, persuasion et information. Que ce soit pour diffuser les décisions politiques ou les nouveaux mécanismes d'assistance sociale créés pour aider les plus démunis, lors de la crise de 1929, l'objectif des activités de relations publiques se limitait souvent à la persuasion des publics. À cette époque, on ne se préoccupait pas tant de promouvoir des biens, des services ou une image d'entreprise que de justifier les décisions prises par les élus gouvernementaux ou les dirigeants dans les organisations publiques et privées. Par exemple, les relationnistes s'employaient à convaincre la population de participer à l'effort de la Première Guerre mondiale, à grand renfort d'information propagandiste sur le thème de la conscription, sans tenir compte des virulentes objections de l'opinion publique sur ce sujet.

1.2.3. LA SECONDE MOITIÉ DU XXᴱ SIÈCLE

Le développement des communications de masse a fourni aux organisations les moyens d'informer davantage leurs publics et de structurer la pratique des relations publiques. Ainsi, en 1947, le premier cabinet-conseil de relations publiques est créé au Québec, la firme Publicité Services. De cette époque datent les campagnes d'information publique que rendaient possibles la presse à grand tirage, la radio et la télévision, ainsi que la concentration des capitaux permettant la création d'un véritable *establishment* de la communication médiatique. Rappelons les vastes campagnes d'information portant sur la téléphonie ou l'électrification des villes et des régions rurales, le port de la ceinture de sécurité et la généralisation du système métrique. Ces activités de relations publiques ont été gérées par des entreprises de services publics qui réalisaient ainsi l'atteinte de leurs objectifs visant des modifications de comportement chez les citoyens. Il en va de même dans le secteur de la santé, comme le démontre Renaud (2005 et 2010) où les médias contribuent à promouvoir de nouvelles normes sociales.

Durant la seconde moitié du XXe siècle, l'Amérique du Nord allait connaître une période de grande expansion économique et l'avènement concomitant de la société de consommation. S'ensuivit une véritable explosion de la demande pour les biens de consommation, sur la base de l'idéologie du progrès scientifique que l'on identifiait alors à l'amélioration des conditions de vie. Cette philosophie était portée par l'évolution des médias de masse, le développement des moyens de transport et l'amélioration du niveau de vie. Autant de facteurs qui ont encouragé les organisations à transformer leurs modes de communication, pour atteindre un public plus large et de plus en plus instruit. Mais, progressivement, ce public s'est révélé de plus en plus critique envers les médias et la posture autopromotionnelle des organisations qui multipliaient alors les efforts de relations publiques, à grand renfort d'investissements pour assurer leur notoriété.

Cette approche de communication encore très propagandiste, associée au pouvoir accru des médias, a contribué à centrer le rôle des relationnistes en tant qu'interface obligée avec les journalistes. À cette époque, au Québec comme dans le reste de l'Amérique du Nord, les relations avec les journalistes visaient essentiellement des couvertures de presse positives, favorables, régulières et promotionnelles. Pour plusieurs organisations, il fallait à tout prix obtenir le soutien des journalistes, souvent au détriment de l'exactitude de l'information à diffuser.

Le développement des relations publiques s'est aussi effectué en complément de l'essor du marketing (Broom, 2009, p. 8 et p. 68). Dans un contexte de forte concurrence commerciale, la volonté d'accaparer la plus grande part de marché possible et le désir de différencier leurs produits ont amené les organisations à concevoir des stratégies de positionnement commercial afin de se démarquer auprès du public. Ces démarches promotionnelles, ainsi que la primauté accordée aux relations avec les journalistes, ont contribué à renforcer, auprès des médias et du public, l'étiquette de propagandistes accolée au travail des relationnistes.

De plus, certaines pratiques de propagande, notamment dans les sphères politique et financière, ont contribué à l'essor d'une réputation de *spin doctors* (Dinan et Miller, 2007) attribuée aux relationnistes. Leur travail d'imagiste a souvent pour but de «contrôler les dommages» et de détourner l'attention du public, d'une crise ou d'un scandale. À l'origine de cette réputation très négative, on trouve certains mandats de relations publiques qui consistaient surtout à manipuler les médias et à détourner leur attention de situations problématiques, par le recours à des stratégies de diversion. Ces méthodes, si elles ont longtemps marqué les pratiques de relations de presse, ont contribué à la réputation négative des relationnistes, souvent perçus comme des agents promotionnels n'ayant aucun sens éthique dans leur volonté d'influencer les journalistes et de servir de barrière pour les empêcher d'accéder directement aux dirigeants des organisations.

1.3. L'APPARITION PROGRESSIVE DE NOUVEAUX MODÈLES

Les pratiques décrites précédemment sont classées, par Grunig *et al.* (2002), sous le modèle de l'agent de presse/promotion. Selon ces auteurs, il s'agit d'un modèle inefficace en tant que pratique de relations publiques. Visant uniquement à mettre en évidence les aspects positifs des organisations, cette approche promotionnelle, souvent propagandiste, ne peut conduire à l'établissement de relations de confiance à long terme avec les parties prenantes des organisations. Le travail des professionnels en relations publiques se réduit alors à persuader et à imposer un point de vue, en n'hésitant pas à fausser l'information, sans tenir compte de l'opinion des interlocuteurs qui sont en relation avec les organisations.

À ce premier modèle, Grunig *et al.* (2002) en ajoutent trois autres qui témoignent de l'évolution des relations publiques. Selon le deuxième modèle – d'information au public –, le relationniste diffuse une information qui répond davantage aux attentes des différents publics de l'organisation, en fonction de leurs besoins, plutôt que de se limiter à communiquer des informations strictement promotionnelles. Le troisième modèle de relations publiques est celui de la communication asymétrique bidirectionnelle: les relationnistes établissent des mécanismes de communication avec les parties prenantes de l'organisation, pour leur donner la possibilité de s'exprimer, mais sans que cela influe nécessairement sur la prise de décision. On retrouve ce type de pratique dans les organisations qui conçoivent des moyens de consultation et de communication bidirectionnelle afin de se mettre à l'écoute de leurs publics pour établir une dialogue avec eux, ce qui est déjà une amélioration par rapport aux deux modèles précédents (où l'organisation se cantonne à un rôle de diffuseur promotionnel). Toutefois, le troisième modèle est asymétrique puisque seul l'intervenant organisationnel détient le pouvoir de décision en fonction de ses propres objectifs.

Selon Grunig *et al.* (2002), le quatrième modèle, qualifié de communication bidirectionnelle symétrique, est celui qui devrait être favorisé dans les organisations. Les recherches réalisées par ces auteurs arrivent à la conclusion que la communication symétrique bidirectionnelle est le modèle réalisant le mieux l'intégration de l'organisation dans son environnement. Il permet de faire participer les diverses parties prenantes de l'organisation aux prises de décision puisque tous les interlocuteurs détiennent une influence dans le processus communicationnel (selon la théorie de l'excellence élaborée par Grunig *et al.*, 2002). Ce mode de communication conduit d'ailleurs à une gestion participative : plus la communication est symétrique et bidirectionnelle, ou pluridirectionnelle, plus le style de gestion s'éloigne d'une culture organisationnelle autoritaire. « Les cultures organisationnelles participatives sont, quant à elles, basées sur une vision symétrique qui valorise le dialogue et les échanges entre l'organisation et ses publics » (Broom, 2009, p. 217 et 218. Traduction libre). Dans la foulée des travaux de Grunig et Broom, nous privilégions ce modèle pour améliorer la pratique des relations publiques dans un effort de coconstruction de sens avec les publics et les acteurs de l'organisation.

Toutefois, il est important de tenir compte de tous les publics des organisations, et non seulement de ses parties prenantes, puisque plusieurs catégories de publics ne sont pas toujours incluses dans les *stakeholders*, notamment les publics silencieux. Noelle-Neumann a bien cerné l'importance de tenir compte des publics qui ne s'expriment pas, notamment lorsqu'ils sentent que leur opinion n'est pas conforme aux normes ou aux discours dominants : « La peur de l'isolement semble être une force responsable de l'établissement d'une spirale du silence » (Noelle-Neumann, 1984, p. 6. Traduction libre). Par conséquent, dans l'identification des publics auxquels s'adresse le relationniste, il lui faut envisager également tous les interlocuteurs possibles de l'organisation pour aller au-delà de l'opinion publique telle qu'elle s'exprime dans la définition des tendances dominantes issues des sondages, ou dans le discours médiatique et les prises de position des leaders d'opinion. Cette approche inclusive doit se faire de manière à donner à chaque citoyen la chance d'être entendu et de participer aux débats dans l'espace public.

1.4. UNE DÉONTOLOGIE PROFESSIONNELLE EN DEVENIR

Devant le renforcement d'un climat de méfiance à l'endroit des relationnistes, souvent engendré par l'application systématique du premier modèle de relations publiques (agent de presse/promotion), les pressions sociales incitent à l'amélioration des modes de gouvernance et des pratiques de relations publiques. Les exigences du public, incluant celles des médias, contribuent à l'émergence de pratiques socialement responsables, sur la base d'un code de conduite plus éthique pour les professionnels en relations publiques. Actuellement, la pratique des relations publiques est régie par divers codes d'éthique qui sont en vigueur dans plusieurs pays. Tous s'inspirent de manière globale du Code d'Athènes, le premier code d'éthique en relations publiques, adopté par l'International Public Relations Association (IPRA), lors de son assemblée générale tenue à Athènes en mai 1965. Le texte original a été modifié à Téhéran[1], en avril 1968, et il est reproduit intégralement à l'annexe I.

Dans la foulée du Code d'Athènes, la Société canadienne des relations publiques a également adopté un code d'éthique (annexe II), de même que la Société québécoise des professionnels en relations publiques (annexe III). En outre, la Chaire de relations publiques et communication marketing a apporté une contribution supplémentaire en revoyant ces codes d'éthique : au terme de travaux conjoints (réalisés par un groupe de chercheurs universitaires et des représentants de la profession), un nouveau code d'éthique (annexe IV) a été élaboré et présenté aux organismes associatifs. Ce document répond au souci d'apporter rigueur et professionnalisme à l'exercice des relations publiques, dans une perspective de responsabilité sociale et de reddition de comptes. Réalisé sous l'égide de la Chaire, par le Centre d'études Développement durable, éthique et communications, ce code d'éthique s'inscrit dans la foulée des travaux menés sous la direction de Solange Tremblay (2007) qui a également développé un protocole d'engagement envers les valeurs du développement durable. En 2006, cet engagement a été signé par toutes les associations québécoises de relations publiques et de communication. Le texte de cet engagement a été présenté au Service des relations publiques de l'ONU qui en a salué l'avant-gardisme et la pertinence sociale. Le texte de cet engagement est présenté à l'annexe V.

1.5.   RELATIONS PUBLIQUES OU MARKETING SOCIAL ?

La création d'associations professionnelles, l'adoption de codes d'éthique, le développement de la recherche et l'essor des programmes de formation universitaire contribuent à faire évoluer la pratique des relations publiques et à l'orienter vers un modèle plus socialement responsable, au regard du bien commun. Progressivement, de nouvelles approches

---

1.   Lucien Matrat, membre émérite français de l'IPRA, a rédigé le Code d'Athènes ou Code d'éthique international des praticiens de relations publiques.

ont été élaborées dans les années 1970, notamment le marketing social (Lindon, 1976) et le marketing relationnel. À mi-chemin entre le marketing traditionnel et les relations publiques, telles qu'elles ont été définies précédemment, le marketing social consiste à «développer et maintenir des relations avec les membres, les donateurs et les autres représentants des consommateurs» (Cutlip, Center et Broom, 1985, p. 6. Traduction libre). Cette définition s'applique principalement aux organismes sans but lucratif dont les parties prenantes ne sont pas des clientèles au sens commercial du terme. Mais on peut également relever des éléments de marketing social au sein de certaines entreprises.

La notion de marketing social (Donovan et Henley, 2003) est en plein essor pour soutenir diverses causes humanitaires ou d'intérêt public, notamment dans le secteur de la santé. Toutefois, le marketing social peut être perçu comme une forme de récupération des relations publiques par la fonction de commercialisation des organisations. Sans entrer dans ce débat, alimenté par le désengagement des gouvernements du financement de plusieurs organismes sociaux, il convient de souligner l'essor des relations publiques dans les milieux philanthropique, associatif et humanitaire. Ce faisant, des fonctions mixtes de marketing social et de relations publiques, de type philanthropique, se sont développées dans les organisations. Notons toutefois que, dans les organisations de petite taille, en raison des équipes réduites dont elles disposent, le seul communicateur embauché doit souvent faire preuve d'une grande polyvalence, assumant à la fois les fonctions de relationniste, de publicitaire et de responsable du marketing. Au contraire, dans les organisations de plus grande taille, on retrouve des fonctions distinctes pour les relations publiques, les affaires publiques, le démarchage (*lobby*), le marketing et les communications de sollicitation (campagnes de financement appelées à tort levées de fonds, un anglicisme emprunté à l'expression *fund raising*), sans oublier les communications internes, par exemple dans le cadre de négociations (Lavoie et Béliveau, 2005).

1.6. LE CONSUMÉRISME POSTCAPITALISTE ET L'IMPÉRIALISME NÉOLIBÉRALISTE

Les activités de relations publiques s'inscrivent souvent dans le cadre des activités commerciales d'une entreprise. Tout en tenant compte des préoccupations plus exigeantes des citoyens quant à la satisfaction de leurs attentes, les relationnistes ont à colliger les attentes des clients et à développer une information rigoureuse et digne de foi, sur les produits et services offerts par l'organisation, lorsque cela n'est pas confié au service du marketing. Les débats juridiques visant à défendre les consommateurs ont d'ailleurs obligé les relationnistes et les communicateurs en général, incluant les publicistes, à revoir leurs modes de communication pour évacuer l'information mensongère et les fausses représentations. En peu de temps, le courant du consumérisme a contribué à renforcer la prise en compte de l'opinion du citoyen, considéré non plus comme un consommateur mais comme un citoyen dont les besoins doivent être respectés, notamment le droit à une information juste et véridique. Pour être en phase avec ces attentes du public, plusieurs organisations ont alors procédé à la création de comités consultatifs regroupant des consommateurs, en collaboration avec leur Service de marketing ou des relations publiques. Ce qui a été amorcé avec les clients devait s'étendre progressivement à toutes les parties prenantes de l'organisation : employés, actionnaires, médias, groupes de pression, etc. Il ne s'agit plus uniquement de diffuser un message pour y faire adhérer à tout prix les publics concernés, mais plutôt d'engager un dialogue et d'entrer en relation avec ces interlocuteurs institutionnels (Ledingham et Bruning, 2000) : en somme, dépasser la posture diffusionniste pour se préoccuper d'écoute, d'analyse, d'appropriation et d'influence réciproque.

En effet, au-delà de l'impérialisme des marchés, il est possible de favoriser une approche humaniste qui rejoint la tradition phénoménologique de Husserl (1950), comme le rappelle Craig (2009) :

> [...] la communication est théorisée comme *dialogue* ou comme *expérience de l'altérité*. Ainsi théorisée, la communication explique le jeu de l'identité et de la différence dans les relations humaines authentiques et nourrit les pratiques de communication qui rendent possibles et maintiennent des relations authentiques (Craig, 2009, p. 20).

Cette authenticité dans les relations entre individus peut également s'appliquer aux relations développées par les organisations. Cette orientation amène le relationniste à penser la communication des organisations pour que s'établissent des relations harmonieuses avec d'autres organisations, avec ses parties prenantes et autres publics, aussi bien individus que groupes, gouvernements, organismes humanitaires, etc.

1.7. NOUVELLES PRÉOCCUPATIONS SOCIALES, MANAGÉRIALES ET SCIENTIFIQUES

Au début du XXIᵉ siècle, les relations publiques ont connu une évolution accélérée sous l'impulsion des nouvelles pratiques de saine gouvernance et de l'influence du développement de la recherche fondamentale en communication. Cette évolution peut expliquer que, de généraliste qu'il était, le relationniste est souvent amené à se spécialiser dans un secteur, que ce soit les relations de travail, les nouvelles pratiques de gestion, la communication financière, l'organisation d'événement (Branchaud, 2009), le développement durable (Tremblay, 2007) ou la communication scientifique (Schiele, 1994; Malavoy, 1999; Desnoyers, 2005; Hayes et Grossman, 2006; Le Marec et Babou, 2008). Ces nouvelles orientations s'inscrivent souvent sur la trame d'une nouvelle approche théorique qui ajoute au rôle traditionnel des relations publiques une dimension résolument sociale: «Les relations publiques sont souvent étudiées en fonction d'une perspective managériale et instrumentale. Cependant [...] les relations publiques ont également besoin d'être étudiées en tant que phénomène social» (Ihlen, van Ruler et Fredriksson, 2009, p. 1. Traduction libre). Les professionnels en relations publiques sont en effet des acteurs sociaux qui contribuent à l'élaboration de dispositifs communicationnels, dans l'espace public, pouvant faciliter la coconstruction d'un discours inclusif, prenant en compte une grande diversité d'opinions.

1.1.7. COMMUNICATION ENGAGÉE

Au cours des années 1980, des préoccupations environnementales ont suscité des modifications importantes dans la reddition de comptes des organisations envers la société:

> La problématique environnementale présente donc un défi de taille pour la communication tout en la mettant au cœur de son traitement par les collectivités, les groupes sociaux et les corporations. La communication sera donc un facteur déterminant des résultats des débats spécifiques et idéologiques, débats qui se feront toujours entre les connaissances scientifiques, les idéologies, les intérêts corporatifs, relativement à des enjeux économiques, sociaux et politiques au niveau local, national et international (Laramée, 1997, p. 20).

Bilan environnemental, programme écologique, consultation de la population pour la mise en place d'infrastructures d'assainissement des eaux et de l'air, autant d'exemples qui ont progressivement débouché sur le concept plus global de développement durable des ressources, contribuant à l'émergence de nouveaux enjeux en relations publiques.

Car les organisations doivent maintenant assumer leurs responsabilités sociales, en termes d'imputabilité envers le bien public et les générations futures, notamment au regard de la notion de développement durable qui recouvre les «trois aspects des activités humaines : environnemental, économique et social. Ces trois dimensions sont indissociables et définissent le concept même de développement durable» (Tremblay, 2007, p. 37).

Dans ce contexte, on doit également tenir compte des revendications des groupes de citoyens : leur habileté à travailler avec les médias, traditionnels et sociaux, à communiquer publiquement leurs critiques, leurs attentes et leurs exigences, ont amené les relationnistes à réviser leurs façons de travailler pour ces publics ou en concertation avec ces groupes. C'est là une évolution qui en est encore à ses débuts puisque, dans le cadre d'une étude réalisée par la Chaire de relations publiques et communication marketing (Maisonneuve, Tremblay et Lafrance, 2004), il appert que ces préoccupations sociales sont encore peu répandues chez les relationnistes. En effet, il ressort de cette recherche que :

> [...] les enjeux impliquant les dossiers de la responsabilité sociale et du développement durable n'étaient pas encore vraiment inscrits à l'ordre du jour des organisations en 2004 et les communicateurs étaient très peu consultés sur ces questions. Malgré une ouverture importante des communicateurs pour le développement des valeurs sociales dans leur communauté, la majorité des professionnels consultés avaient une connaissance assez vague de la notion de responsabilité sociale ; ou alors l'identifiaient plus spontanément aux dossiers de la philanthropie. En fait, tout comme le reste de la société, les communicateurs étaient eux aussi confrontés au flou général entourant les concepts de développement durable et de responsabilité sociale. Seul un petit nombre pouvait s'exprimer sur ces enjeux et les considérait comme des nouvelles valeurs qui allaient prendre de l'importance pour les communicateurs au cours des prochaines années (Tremblay, 2007, p. 55).

Que ce soit pour les organisations, pour les groupes de pression ou pour diverses associations citoyennes, tant sociopolitiques, culturelles que financières et commerciales, la communication socialement engagée (Toth et Heath, 1992) devient un incontournable dans la pratique des relations publiques dans tous les secteurs d'activité. Pour les entreprises ou pour d'autres groupes sociaux tels les syndicats, les associations, les organismes à but humanitaire ou les groupes citoyens, les relationnistes sont appelés à intervenir dans l'espace public, véritable creuset où s'affrontent différents interlocuteurs sociaux, politiques, culturels, gouvernementaux, par la voix de leurs relationnistes.

1.7.2. PRENDRE EN COMPTE LES NOUVELLES PRATIQUES DE GESTION

Par ailleurs, des publics que l'on tenait pour acquis et que l'on informait de manière assez sporadique, les employés notamment, sont soudainement devenus un objet d'étude pour les chercheurs en communication organisationnelle (Corman et Poole, 2000), en lien avec les nouvelles pratiques de gestion et la dynamique des réseaux (Mongeau et Saint-Charles, 2010 et 2005; Lavigne, 2002b; Lemieux, 1998, 1999 et 2000; Castells, 2000). D'ailleurs, comme l'explique le communicologue André A. Lafrance:

> Si la communication est une condition indispensable pour *être* en organisation et *faire l'organisation*, elle devient un facteur organisant qui ne peut se placer en état de dysfonction par rapport aux autres facteurs. C'est pourquoi on est amené à comparer la matrice communicationnelle (les réseaux) à la matrice organisationnelle (Lafrance, 1996, p. 32).

Ce réseautage n'est d'ailleurs pas qu'organisationnel; il est planétaire et il contribue à ouvrir le travail du relationniste sur un ensemble d'enjeux qui sont interreliés. Comme le souligne Castells (2000, p. 381. Traduction libre): «la nouvelle structure sociale de l'âge de l'information, que j'ai nommé la société en réseau, est constituée de réseaux de production, de pouvoir et d'expérience, construisant la culture de la virtualité dans les flux globaux qui transcendent temps et espace». Ainsi, les interventions du relationniste contribuent à réguler ces flux d'information dans les organisations et dans l'espace public. Leurs activités modulent les relations entre les acteurs, incluant les publics internes puisque: «Les praticiens des relations publiques font des déclarations qui contribuent à l'élaboration de la culture des organisations» (Toth et Heath, 1992, p. 22. Traduction libre).

Quant à l'influence sur les publics externes, elle a davantage été étudiée en menant des recherches ayant pour objets les médias de masse et leur impact sur les changements d'attitudes et de comportements. Or les relationnistes étant la principale source des médias, il est intéressant de considérer le rôle des relations publiques dans l'évolution des flux d'information médiatique. Ainsi, comme le démontrent Glasser et Salmon:

> Parmi les communiqués de presse et autres documents fournis par les relationnistes, 51 % sont acceptés et utilisés par les médias pour élaborer leurs nouvelles. Quand les journalistes utilisent de l'information provenant d'une firme de relations publiques, les nouvelles qui en résultent reflètent l'angle de traitement proposé par le cabinet de relations publiques – c'est donc dire que les relationnistes contribuent à définir l'agenda médiatique. Ou, plus

exactement, les sources des nouvelles peuvent influencer la manière dont un enjeu est présenté. Parmi les conditions pour retenir le point de vue de leurs sources, les journalistes citent : la valeur du sujet ainsi qu'une approche directe et non persuasive ; au contraire, une information présentée de manière tordue par un cabinet de relations publiques [*agency spin*] sera moins influente auprès des médias (Glasser et Salmon, 1995, p. 290. Traduction libre).

Outre leur impact dans les médias, les relations publiques ont une influence sur les centres décisionnels dans les organisations. Les relations publiques ayant à gérer l'information institutionnelle et les relations établies avec les publics de l'organisation (Ledingham et Bruning, 2000), leur rôle s'étend également à la création et au maintien des réseaux organisationnels (Lavigne, 2002b ; Mongeau et Saint-Charles, 2010 ; Lafrance, 1996). Leurs activités influent en outre sur la valeur de l'information en agissant sur les contextes de la communication (Mucchielli, 2000).

Mais bien que leur rôle soit étroitement associé au processus décisionnel dans les organisations, certains relationnistes sont encore cantonnés à des interventions en aval du processus décisionnel. Or, les relations publiques remplissent une fonction qui devrait se situer en amont du processus décisionnel, en associant le relationniste aux travaux de l'équipe de direction afin qu'il apporte sa contribution aux prises de décision. Les relations publiques sont appelées à diffuser l'information, à organiser les événements et les activités de communication, à structurer les modes d'écoute, la rétro-information et la rétroaction, assumant ainsi la dimension communication associée à toute prise de décision. Cette situation est de plus en plus courante, témoignant d'une intégration en amont et en aval des communications entourant tout processus décisionnel :

> La communication stratégique reconnaît la valeur des relations publiques (van Dyke, 1997, 2005 ; Jurkowsky et van Dyke, 2000 ; Kirby, 2000) et procure aux gestionnaires des relations publiques un siège à la table des prises de décisions (Philpott, 1996). [...] Cette spécificité élève les relations publiques à une « approche de pleine participation managériale » (Grunig *et al.*, 2002, p. 383), en ayant à assumer la responsabilité de coordonner les messages, une fonction qui fait partie du processus de prise de décision (Sriramesh et Vercic, 2009, p. 836. Traduction libre).

Mais, selon certains théoriciens des relations publiques, cette profession ne doit pas être considérée comme une fonction de gestion : « Les relations publiques, comme on l'a mentionné à plusieurs reprises, sont une fonction de communication » (Grunig et Hunt, 1984, p. 56.

Traduction libre). Cette opinion est partagée par Ihlen, van Ruler et Fredriksson (2009), qui ont le mérite d'avoir établi des liens entre les principales théories sociales et les relations publiques. Leurs travaux les amènent au constat suivant:

> [...] les perspectives ontologiques des théories présentées impliquent que la communication, la légitimité et la confiance ne sont pas des notions qui peuvent vraiment être *gérées*. Plusieurs théoriciens voudraient que les relations publiques deviennent une discipline de gestion et plusieurs définitions existent pour décrire les relations publiques comme un mode de gestion de la communication ou de gestion des relations. D'autres théoriciens soulignent la futilité de cet idéal. Wehmeier, par exemple, précise que la légitimité est accordée à une organisation par différents publics; dès lors, la confiance et la légitimité ne peuvent être gérés (Wehmeier, 2006). En retenant les principes de la théorie sociale contemporaine, le portrait de la situation devient plus complexe, même frustrant mais il est certainement plus réaliste. Les relations publiques concernent la négociation du savoir, du sens et du comportement; en ce sens, elles représentent un enjeu de pouvoir (Ihlen, van Ruler et Fredriksson, 2009, p. 331. Traduction libre).

Selon ces auteurs, il faut envisager la fonction des relationnistes du point de vue de leur contribution sociale au sens large, puisqu'ils participent à l'élaboration des savoirs dans la société. Ce rôle d'interface que jouent les relationnistes dans les organisations et dans l'espace public s'accompagne d'une fonction de traduction, selon la théorie de l'acteur-réseau et de la théorie de la traduction (Callon, 1988; Latour, 2005; Law et Hassard, 1999). En effet, il revient souvent aux relationnistes de traduire la réalité de l'organisation et les points de vue des divers interlocuteurs en présence pour que s'établisse entre eux un dialogue, préférablement en fonction d'un niveau de langage commun dans les réseaux sociaux et organisationnels (Mongeau et Saint-Charles, 2010). S'ils sont véritablement préoccupés par la réception active de l'information et la mise en relation de l'organisation avec ses parties prenantes, les relationnistes contribuent ainsi à établir une communication pluridirectionnelle entre les acteurs, dans les organisations, dans l'espace médiatique et dans l'espace public.

1.8. COMMUNICATION PARTICIPATIVE

De même que l'imprimerie a transformé la diffusion de l'information, ainsi l'avènement du numérique, l'émergence des médias sociaux, l'influence des groupes de citoyens et leur rôle actif sur le Web (Reber et Kim, 2006) transforment les modes d'échanges entre les êtres humains et les organisations, dans l'espace virtuel qui caractérise la société en réseau (Castells, 2000a et 2000b). Ainsi, la communication interactive à l'échelle planétaire, l'essor des technologies mobiles et l'ouverture à d'autres cultures confèrent une toute nouvelle dimension au travail des relationnistes. Dans ce nouvel espace, leur influence revêt une dimension culturelle encore plus vaste, s'exerçant du niveau micro (individu) au niveau méso (organisation) et au niveau macro (société). En effet, l'inscription culturelle de la pratique des relations publiques peut être envisagée dans la société au sens large puisque le rôle des communications sur la culture organisationnelle s'étend maintenant à l'ensemble de la communauté et de la société :

> [...] la communication est généralement théorisée comme *un processus symbolique qui produit et reproduit des modèles culturels partagés*. Ainsi conçue, la communication explique comment l'ordre social (un phénomène de niveau macro) est créé, réalisé, maintenu et transformé au sein des processus interactionnels de niveau micro. Nous existons dans un environnement socioculturel qui est constitué et maintenu globalement par des codes symboliques et des médias de communication (Craig, 2009, p. 26).

De cette mouvance communicationnelle émerge un phénomène d'intersubjectivité (ou un durcissement des subjectivités) entre les groupes, les organisations et les citoyens de diverses cultures, amenant une complexification du travail des relationnistes, notamment en fonction des spécificités culturelles de chaque communauté, dans les diverses régions du globe. Prenons l'exemple des technologies numériques qui peuvent contribuer à l'établissement de la communication, tout autant qu'à cristalliser des solitudes en créant deux classes de publics à travers le monde : ceux qui ont accès et ceux qui sont exclus de la cybersphère (voir à ce sujet les travaux sur la fracture numérique de Charron et Sciadas, 2003). Le relationniste doit tenir compte de cette fracture numérique dans ses modes de communication. Il doit également élargir la notion de public pour inclure ceux qui ne constituent pas des parties prenantes des organisations (Bonnafous-Boucher et Pesqueux, 2006 ; Hallahan, 2000 et 2001 ; Freeman, 1984) dans l'élaboration de ses stratégies de communication favorisant la compréhension mutuelle entre les différents interlocuteurs organisationnels et sociaux.

Dans ce contexte où ils doivent tenir compte de nombreuses catégories de publics, les relationnistes ont à positionner leur organisation sur la scène mondiale aussi bien que locale. Ce faisant, ils contribuent à l'établissement de réseaux d'échanges entre les citoyens de diverses cultures et les organisations. De fait, il est devenu important pour le relationniste de «reconnaître la nature interculturelle du processus de construction des relations puisque nous vivons dans un monde de plus en plus globalisé» (Sriramesh et Vercic, 2009, p. 57. Traduction libre). Du renforcement des cultures locales et de la mondialisation des échanges, selon l'approche glocale (Feather, 1997), émerge une dynamique communicationnelle complexe s'exprimant en fonction de tensions opposées (voir figure 1.1).

FIGURE 1.1
**Les diverses orientations de communication,
selon l'approche «glocale»**

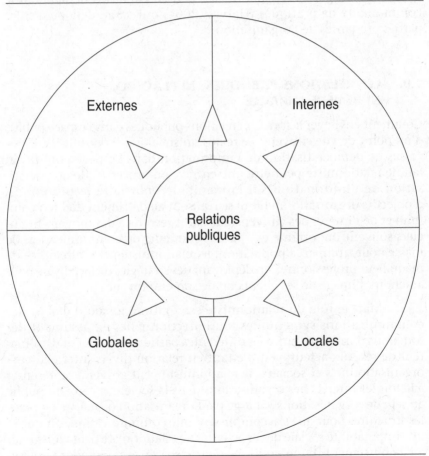

Pour les relationnistes, les pratiques d'intersubjectivité entre les organisations, leurs parties prenantes et les citoyens, doivent contribuer à la réalisation d'un «mieux vivre ensemble dans l'espace public» pour reprendre l'expression de Perraton et Bonenfant (2009) puisque l'intersubjectivité peut être comprise comme une représentation du lien social (Dumais, dans Perraton et Bonenfant, 2009, p. 56). Ces liens sociaux sont en partie développés par le travail des relationnistes dont le principal objectif est de contribuer à établir des relations de compréhension mutuelle entre les organisations et leurs publics, locaux, nationaux et internationaux. En concevant des réseaux et des dispositifs de communication participative (Millerand, Proulx et Rueff, 2010) qui se déploient dans le cyberespace, les relationnistes participent à l'avènement d'une communauté de pratiques (Harvey, 2004) qui va au-delà des seules parties prenantes de l'organisation.

1.9. LES RELATIONS PUBLIQUES: NI PLACEBO, NI REMÈDE MIRACLE

Comment envisager la fonction relations publiques dans l'espace public, d'un point de vue citoyen? Le relationniste aide-t-il ou nuit-il au processus de démocratisation de l'information dans l'espace public? En fait, le relationniste peut être une entrave au processus de démocratisation de l'information s'il la manipule pour faire la promotion d'objectifs organisationnels qui se réalisent au détriment du bien commun et de l'intérêt des citoyens. En ayant recours à des moyens financiers souvent importants et à des instruments de communication de masse pour tromper la population, le relationniste peut faire office de maquilleur professionnel, en déployant des stratégies de façadisme pour améliorer l'image de ses clients ou de son employeur.

Mais le rôle du relationniste est légitime lorsqu'il établit des communications symétriques pluridirectionnelles en assumant des fonctions d'interface entre les différentes parties prenantes et d'animateur de réseaux-acteurs. En mettant en relation divers interlocuteurs organisationnels et sociaux, le relationniste peut arriver à représenter à la fois les intérêts des organisations dans la société et ceux du public au sein des organisations. Chargé par l'organisation de mettre en place les structures pour que s'accomplissent une communication éthique et une imputabilité sociale de ses activités, le relationniste peut contribuer à l'établissement d'une politique de transparence pour aider l'organisation à assumer ses responsabilités comme citoyen institutionnel. L'établissement de cette intersubjectivité entre les acteurs devient alors le résultat recherché par le relationniste, pourvu qu'il conserve une distance critique face aux activités de l'organisation qui l'emploie : « Devant l'incertitude à laquelle oblige la complexité du réel, le pari et la stratégie doublés d'un esprit habitué à l'exercice de la critique seront peut-être garants de l'évolution des formes de subjectivité et corrélativement d'un "vivre ensemble" non pas harmonieux, mais certainement apte au changement et ouvert à la différence » (Dumais, dans Perraton et Bonenfant, 2009, p. 64).

En basant l'exercice des relations publiques sur la notion d'imputabilité, nous soulevons toutefois les risques qui y sont inhérents : risque de réputation, risque de cohésion, risque d'efficience, risques légaux, risque de sécurité sur les marchés et risque de transparence (Bonnafous-Boucher, 2006, p. 99-100). Le risque de transparence repose sur une attitude de reddition de comptes à l'endroit des parties prenantes de l'organisation, mais n'oblige pas à une communication où toute vérité doit être immédiatement diffusée, à tout moment et à tout interlocuteur. La gestion de l'information doit être accomplie par le relationniste selon la perspective des objectifs de l'organisation et de l'intérêt du public, en fonction du bien commun : avant de diffuser une information, il doit donc s'assurer qu'une structure de suivi est en place pour permettre d'en gérer les conséquences, selon l'approche préconisée par Charest et Douesnard (1992). Ces auteurs ont acquis une longue expertise d'intervention auprès des enfants malades, notamment les enfants leucémiques, au regard des choix déchirants que pose constamment la divulgation d'informations sur la mort. Doit-on révéler la vérité, toute la vérité ? Taire et nier la mort imminente ? Ces préoccupations de cliniciennes et cette responsabilité organisationnelle du centre hospitalier peuvent apporter des éléments éclairants sur la fameuse transparence intégrale. Ainsi, Douesnard et Charest (1993) tracent de nouvelles balises dans la recherche d'un équilibre entre vérité et silence, selon des pistes de réflexion qui rejoignent les préoccupations des relationnistes. En effet, ces derniers doivent constamment faire face à la pression exercée par les médias pour que soit diffusée toute la vérité, à tout moment et à tous les publics.

Il est parfois difficile pour les relationnistes de mettre en balance l'intérêt de divulguer et celui de taire l'information. C'est le cas notamment de la diffusion d'informations durant une gestion de crise (voir chapitre 8). Or, pour Douesnard et Charest : « La vérité n'est ni un principe, ni un devoir, ni une règle. La vérité est une atmosphère d'échange, d'écoute et de respect [...] La vérité est un état » (Charest et Douesnard, 1992, p. 473).

Ces auteures déplorent, entre autres choses, la médiatisation à outrance de la mort, une préoccupation que partagent les relationnistes à l'endroit de la surmédiatisation d'informations-catastrophes, tablant sur l'émotion pour retenir l'attention. En effet, selon Dagenais (1999, p. 185) : « Pour augmenter les cotes d'écoute et les tirages, les médias n'hésiteront pas à jouer très fort les informations qui se vendent bien. Celles-ci ne sont plus évaluées à partir de leur signification profonde, mais aussi en fonction de leur valeur marchande. D'où la nécessaire mise en scène de l'information. » L'information présentée comme un spectacle s'articulant sur l'émotion, souvent dénoncée par les journalistes eux-mêmes (Char, 2005), répond à des impératifs commerciaux qui favorisent cette mise en scène du quotidien (Goffman, 1973 ; Char, 2005) par les médias de masse, ne respectant aucun secteur de la vie privée, incluant la mort : « De la contrainte au silence, nous sommes passés à l'impossibilité du silence. [...] La mort est hautement médiatique. En effet, nos médias avides d'émotions scrutent le regard des mourants dans les hôpitaux » (Douesnard et Charest, 1993, p. 17 et 20). Or, le relationniste est, jusqu'à un certain point, le complice de cette marchandisation de l'information par l'émotion, s'il en facilite la diffusion, en la structurant pour retenir l'attention des médias et ainsi avoir plus de chances d'obtenir une couverture médiatique.

En fait, le relationniste doit assumer une double responsabilité : d'abord la diffusion d'information correspondant à la vérité sur la base de ce que Bonnafous-Boucher et Pesqueux (2006, p. 126) appelle l'engagement d'assurance : « l'assurance est une méthode d'évaluation qui s'appuie sur des principes spécifiés pour formuler un jugement sur la qualité d'un "dire" émanant d'une entreprise. Elle peut être décrite comme la part de confiance ou de certitude qu'un professionnel indépendant fournit aux parties intéressées par ce dire ». Outre cet engagement d'assurance, le relationniste doit veiller à ce qu'une structure d'accompagnement soit en place pour gérer les conséquences de la diffusion de l'information sur les publics qui la reçoivent. Car les responsabilités sociales du relationniste l'amènent à tenir compte des répercussions de l'information, par exemple sur la sécurité du public, orientant les choix éthiques de ses prises de décision. C'est ainsi que le travail du relationniste couvre une gamme de fonctions qui dépassent la diffusion tous azimuts de l'information, pour atteindre une responsabilité plus vaste, soit une mise en relation durable des divers interlocuteurs, aussi bien individuels qu'organisationnels.

Par exemple, lors d'arrêts de service dans le métro, le relationniste d'une société de transport est confronté au dilemme suivant : doit-il dire toute la vérité aux médias ? Avec des déclarations telles : « Il s'agit d'un suicide, le cinquième cette semaine... », le relationniste peut contribuer à une recrudescence de suicides, dans les jours suivant la diffusion de cette information, puisque le métro est alors perçu comme un lieu facilement accessible pour mettre fin à ses jours. Par conséquent, le relationniste doit faire preuve de discernement dans l'élaboration de politiques et de stratégies d'information publique, en tenant compte des contextes particuliers, selon la théorie situationnelle de Grunig *et al.* (2002). Bien qu'il ne soit jamais question de mentir ou de dissimuler la vérité, il s'agit plutôt de bien choisir les personnes, les moments, les lieux et les approches pour communiquer l'information dans le respect de tous les interlocuteurs, selon une approche phénoménologique qui s'applique aux communications des individus et des organisations :

> [...] la tradition phénoménologique peut être rendue plausible au profane en faisant rhétoriquement appel aux croyances populaires voulant que nous pouvons et devons nous traiter les uns les autres comme des personnes (Je-Tu) et non comme des objets (Je-Ça) et qu'il est important de reconnaître et de respecter les différences, d'apprendre des autres, de rechercher un terrain commun et d'éviter la polarisation et la malhonnêteté stratégique dans les relations humaines (Craig, 2009, p. 20-21).

Or la tendance à la réification de l'être humain, dans les pratiques de relations publiques, doit rendre conscient de l'obstacle qui se dresse à l'établissement de communication dès que l'on considère l'Autre comme une cible, selon les langages militaire du marketing (stratégies offensives, publics cibles, publics visés, campagnes d'information, etc.). Ce langage guerrier contribue à généraliser une pratique de réification des publics par le relationniste. C'est pourquoi il doit être capable de réflexion critique sur sa pratique, en fonction d'un potentiel « conflit de droits » (droit de savoir, droit à l'information, droit à la vie privée, droit à la protection des mineurs, etc.). Ses actions doivent être constamment requestionnées en vue de réaliser un équilibre entre les besoins des parties prenantes, sur la base de l'écoute active de tous les publics, de la pleine réalisation des responsabilités sociales de l'organisation et d'une gestion responsable des conséquences de l'information qui est diffusée.

La multiplication des sources d'information et la fragmentation sans cesse croissante des intérêts de toutes les parties prenantes[2] ne font qu'accroître la nécessité d'une formation professionnelle de haut niveau pour susciter chez les relationnistes une compréhension globale des

---

2. Aussi bien employés, syndicats, retraités, consommateurs, actionnaires, clients, que fournisseurs, groupes d'intérêt, partenaires financiers, économiques, sociaux et politiques, sur la scène locale, municipale, régionale, nationale et internationale.

enjeux organisationnels et sociaux, des contraintes contextuelles et des exigences éthiques de leur métier. Ainsi, les relationnistes peuvent contribuer à établir un climat de confiance mutuelle entre les différents interlocuteurs, sans avoir la prétention de gérer ces relations de confiance. En mettant en place des dispositifs de communication dialogique, entre les organisations, les groupes et les citoyens, le relationniste peut alors mieux répondre aux attentes de ces acteurs sociaux et organisationnels. En ce sens, le relationniste contribue à relier efficacement l'organisation avec son environnement global, en vue de satisfaire à la fois l'atteinte des objectifs de l'organisation et de ses parties prenantes, dans le respect du bien commun et de l'intérêt public.

1.10. L'INFLUENCE DES APPROCHES SCIENTIFIQUES SUR LA PRATIQUE DES RELATIONS PUBLIQUES

Comme nous l'avons rapidement évoqué, l'évolution des relations publiques est influencée par l'essor des études portant sur la communication : l'exercice des relations publiques est modifié par le développement des connaissances scientifiques dans ce domaine, comme en témoignent amplement les travaux des auteurs cités précédemment. Ce développement des savoirs est très important pour orienter l'ancrage social des relations publiques en fonction des nouvelles connaissances sur l'espace public, les parties prenantes de l'organisation, les médias sociaux et traditionnels, etc. L'intuition du communicateur ne suffit pas dans un monde qui tente de rationaliser tous les processus de l'activité organisationnelle. Sous la poussée des sciences (exactes, humaines ou managériales), les assises conceptuelles des relations publiques évoluent en intégrant les constats avancés par les principales théories de la communication. À la croisée des connaissances issues de plusieurs disciplines, des compétences multidisciplinaires et transversales sont identifiées pour améliorer la pratique des relations publiques. Certaines approches en sciences appliquées, notamment les travaux portant sur la théorie ancrée (Goulding, 2002) ou sur les réseaux (Castells, 2000a ; Lavigne, 2002b) et les approches sociosémantiques (Mongeau et Saint-Charles, 2010), sont des exemples de l'intérêt que représentent des approches théoriques pour l'amélioration de la pratique des relations publiques.

En outre, le recours à la sémiologie, à la psychosociologie, à la psychologie (individuelle, groupale, sociale et industrielle) permet de développer un cadre d'analyse sur les relations publiques en y intégrant les résultats des recherches menées par les universitaires. Cette recherche de validité scientifique s'inscrit dans l'évolution des travaux portant sur la communication organisationnelle, avec la généralisation, entre 1960 et 1970, des possibilités qu'offre la science appliquée :

> Aussi, durant ces années, on verra apparaître une quantité remarquable d'études à caractère méthodologique s'appuyant sur des instruments développés souvent dans différentes disciplines comme la psychométrie (provenant de la psychologie), les études expérimentales en laboratoire (provenant de la psychologie), les analyses de corrélation (statistiques et mathématiques), la sociométrie (sociologie et psychologie sociale), l'analyse de contenu (linguistique), les sondages (sociologie), etc. Cette période fut très influencée par les principes de la méthode scientifique traditionnelle et les auteurs [...] étaient préoccupés par le souci de donner une crédibilité « scientifique » à leurs énoncés théoriques. Ils trouvaient donc cette légitimation dans les méthodes déjà éprouvées par les sciences exactes (Laramée, 1989, p. 27 et 28).

Ainsi, les progrès de la neuropsychologie apportent un éclairage nouveau sur les mécanismes cérébraux en cause dans les composantes biologiques de la communication humaine. En voulant comprendre la complexité biologique et affective des phénomènes de communication, les chercheurs tiennent compte, entre autres, de l'influence des contextes d'intervention (Mucchielli, 2000 ; Hallahan, 2000a, 2000b, 2001). On considère également les émotions à l'œuvre dans la manière de structurer une information pour présenter une histoire (Godin, 2007) afin qu'elle soit signifiante et émotivement attrayante pour les publics visés. Nous commençons à mieux comprendre les ressorts de la motivation, du traitement de l'information, de la formulation de la pensée, de l'assimilation de nouvelles informations, etc. L'expression des idées de manière verbale, non verbale et paraverbale (Turchet, 2000 et 2009 ; Descamps, 1989 ; Mehrabian, 1971) est aussi devenue objet de recherche scientifique, influençant déjà la pratique des relations publiques. Ainsi, la connaissance des processus cérébraux apporte de nouvelles pistes de réflexion sur l'efficacité de la communication. Le cerveau humain commence à être un peu mieux connu grâce aux progrès de l'imagerie médicale qui permettent de situer précisément le siège de la vision, de l'écoute, de la parole et de la conception des mots, comme en témoigne l'illustration du cerveau, issue d'une tomographie par émission de positrons[3], présentée à la figure 1.2.

---

3. <www.aip.org>, site de l'American Institute of Physics. Figure conçue par la Washington University School of Medicine (traduction libre).

FIGURE 1.2
Images du cerveau en action

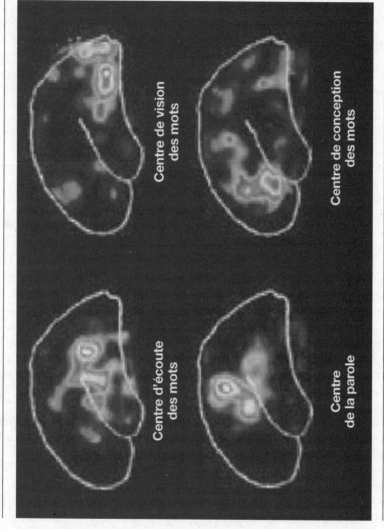

Ces nouvelles connaissances sur le cerveau humain ont de nombreuses répercussions sur le travail des relationnistes, notamment sur la connaissance des modes de diffusion, de réception d'un message (Thayer, 1968) et son appropriation (de Certeau, 1990), par une meilleure compréhension des mécanismes de captation et de rétention des informations. L'imagerie médicale rendant visibles les centres cérébraux sollicités par l'écoute et la parole, nous savons maintenant pourquoi il est possible d'entendre un discours et de décoder simultanément des visuels de soutien, tout en appréciant les odeurs du repas ou le velouté d'une sauce, ces activités sollicitant des régions différentes du cerveau. Par conséquent, il est permis de croire qu'un message peut être mieux compris et son taux de rétention amélioré si l'on intègre le discours et le visuel[4] pour une diffusion plus efficace des idées et une meilleure rétention du message :

> Les cinq sens – la vue, l'ouïe, l'odorat, le toucher et le goût – jouent un rôle important dans la communication. La télévision et le cinéma ou la vidéo, par exemple, sont les plus efficaces des médias parce qu'ils s'adressent aux sens de la vue et de l'ouïe. De plus, ils présentent l'attrait de la couleur et du mouvement. La radio, par contre, fait appel à un seul sens, l'ouïe. Les médias imprimés, bien que pouvant communiquer un grand nombre d'informations, ne sollicitent que la vue.
>
> Or, bien que les individus apprennent par tous leurs sens, les psychologues évaluent que 83 % de l'apprentissage se fait par la vue, 11 % par l'ouïe alors que seulement 3 % de l'information totale est obtenue par le sens de l'odorat. Quant aux sens du toucher et du goût, ils comptent respectivement pour 2 % et 1 % de l'acquisition des connaissances (Wilcox, Ault et Agee, 1992, p. 191. Traduction libre).

Ces chiffres démontrent la complexité des phénomènes de communication, permettant aux relationnistes de réfléchir sur les modes de réception et d'appropriation de l'information. Les stratégies de relations publiques qui sont élaborées bénéficient de cette connaissance des modes multisensoriels par lesquels une information est décodée. Des approches qui intègrent divers moyens de communication sollicitant plusieurs sens peuvent être utilisées pour clarifier certains contenus et faciliter l'intercompréhension entre les acteurs. Voilà pourquoi les conférenciers ont souvent recours à des éléments visuels, graphiques, vidéos, multimédias, tableaux, transparents et diapositives, pour illustrer leur discours. Cela signifie également qu'une variété d'outils de communication – communiqués de presse, présentations audiovisuelles, vidéocassettes, panneaux

---

4. Ce processus repose sur une intégration complexe, souvent associée à l'approche diffusionniste et unidirectionnelle.

d'affichage, tableaux, bulletins, annonces radio, téléclips, webcasting, textos, etc. – peuvent être utilisés pour établir une communication faisant appel à plusieurs sens. «Cette approche pourrait favoriser la clarification des idées et la rétention d'informations. La répétition d'une information présentée sous une variété de formes pourrait aussi améliorer sa clarté» (Wilcox, Ault et Agee, 1992, p. 191. Traduction libre).

Mais attention aux dérives dues à la surcharge d'une sollicitation multisensorielle. Par exemple, si un conférencier peut espérer que l'information qu'il transmet sera davantage comprise en utilisant des éléments visuels (graphiques, tableaux, acétates, éléments multimédias, etc.), il risque aussi de lasser son auditoire. Si certaines études permettent de croire qu'une information obtient un taux de rétention plus élevé en étant communiquée à la fois de manière visuelle et auditive (voir tableau 1.1), il faut bien reconnaître que cette approche comporte également des effets pervers dus à la surexposition d'une information, notamment par le recours aux éléments scriptovisuels (de type Power-Point par exemple). Les modes de diffusion doivent être planifiés avec mesure, en évitant la surcharge qui peut conduire au décrochage de l'attention. En effet, si l'on communique en ayant recours à la fois à «un canal acoustique et un canal optique [...], compte tenu de la densité caractéristique de cette forme de communication et des capacités limitées de traitement de l'information chez l'audio-spectateur "moyen", il importe de s'assurer d'une utilisation optimale de chacun des canaux pour éviter la saturation du récepteur et assurer l'efficacité maximale de l'échange» (Desnoyers, 2005, p. 114).

TABLEAU 1.1
**Taux de rétention d'une information
en fonction du mode d'émission***

Message auditif	Après 3 heures, on en retient 70%.	Après 6 heures, on en retient 10%.
Message visuel	Après 3 heures, on en retient 75%.	Après 6 heures, on en retient 20%.
Message auditif et visuel	Après 3 heures, on en retient 80%.	Après 6 heures, on en retient 40%.

* Adapté de *Courants*, mars 1987, p. 6.

Si la diffusion d'un message sous une variété de formes sollicitant plusieurs sens peut, dans certains cas, faciliter la compréhension de l'information (Wilcox, Ault et Agee, 1992), on comprend qu'il faut échapper au piège de la dispersion de l'attention. D'ailleurs, l'efficacité d'une communication tient plus à la qualité de la relation établie avec les publics qu'à la persuasion unidirectionnelle. C'est pourquoi les pourcentages présentés à la figure 1.3 ne sont que des approximations, pouvant varier d'un individu à l'autre, notamment en fonction de son intérêt envers le sujet de l'information diffusée et selon la compétence communicationnelle de l'émetteur. C'est ce principe de réception active que Thayer (1968 et 1986) qualifie d'aptitude-à-prendre-en-compte et de disposition-à-prendre-en-compte chez le récepteur. Comme l'interprétation de l'information varie chez chaque récepteur, le relationniste doit prévoir des moyens d'évaluation et de rétro-information en fonction de la réception des informations par les publics auxquels il s'adresse. Il pourra ainsi connaître leurs points de vue, documenter leurs besoins et leurs attentes, constater leurs réticences et leurs objections. En clair, le relationniste cherchera à établir une relation d'intercompréhension plutôt que de chercher uniquement à convaincre par la diffusion asymétrique d'information.

Si l'évolution de la pratique des relations publiques oscille entre l'art et la science[5], le développement de connaissances scientifiques enrichit la réflexion des relationnistes sur leurs pratiques, modifiant leurs méthodes de travail selon les résultats des récentes recherches en communication. Celles-ci évoluent d'un paradigme diffusionniste vers une approche dialogique de coconstruction du savoir :

> Dans les dernières années, le modèle de transmission a subi de lourdes attaques. Peters (1989) fait remonter ses origines à l'empirisme du XVIIIe siècle, avec ses postulats individualistes et solipsistes (voir aussi Taylor, 1992, 1997). Carey (1989), Deetz (1994), Pearce (1989) et Shepherd (1993), entre autres, ont argué que le modèle de la transmission est philosophiquement faible, chargé de paradoxes et idéologiquement rétrograde, et qu'il devrait à tout le moins être complété, sinon totalement supplanté, par un modèle qui conçoit la communication comme un processus constitutif qui produit et reproduit un savoir partagé. Ce modèle constitutif offre à la discipline de la communication un point

---

5. « Comprise à l'origine comme un "art", la pratique des relations publiques a évolué vers le domaine des sciences appliquées. On ne veut plus se contenter de pressentiments, de vagues intuitions et d'expériences personnelles comme bases acceptables pour l'élaboration des programmes de relations publiques. Et de moins en moins de gestionnaires ou de clients vont croire sur parole, et sans preuves à l'appui, les recommandations à l'effet qu'une stratégie plutôt qu'une autre devrait être retenue ou qu'un programme de communication a été couronné de succès. Les relations publiques doivent être une fonction gérée scientifiquement [...] comme une partie du processus de résolution des problèmes dans les organisations » (Cutlip, Center et Broom, 1985, p. 199. Traduction libre).

focal, un rôle intellectuel central et une mission culturelle (c'est-à-dire de critiquer les manifestations culturelles du modèle de la transmission) (Craig, 2009, p. 7-8).

En favorisant l'établissement de dialogues entre les différents interlocuteurs organisationnels et sociaux, les relations publiques peuvent apporter leur contribution à l'essor de ce modèle constitutif de la communication (Craig, 2009). Dans l'exercice de sa pratique professionnelle, le relationniste doit ainsi prendre en compte la complexité des nombreux facteurs qui interviennent dans le dispositif communicationnel, tels que la crédibilité des sources, le contexte socioculturel de la communication, la situation des interlocuteurs ou la mouvance organisationnelle, comme le démontre Craig (2009, p. 9):

> [...] la situation sociale en constant changement au sein de laquelle la communication est théorisée appelle de nouvelles manières de penser la communication. Le modèle constitutif est ainsi présenté comme une réponse pratique aux problèmes sociaux contemporains tels ceux qui émergent de l'érosion des fondations culturelles des institutions et des idées traditionnelles, augmentant ainsi la diversité culturelle et l'interdépendance de même que les demandes issues de toute part pour la participation démocratique dans la construction de la réalité sociale. De la même manière qu'un modèle de transmission peut être utilisé pour soutenir l'autorité des experts techniques, un modèle constitutif peut, on l'espère, servir la cause de la liberté, de la tolérance et de la démocratie.

Dans ce contexte, qui influence qui? Et selon quels critères scientifiquement démontrés? Retour à la case de départ: Aristote nous répondrait que cela dépend en partie des intentions sous-jacentes aux habiletés rhétoriques des acteurs en présence dans le processus de communication. Cela dépend également de la capacité des acteurs à satisfaire les exigences sociales de transparence et de véracité de l'information pour que «la pure vérité soit plus qu'une adaptation stratégique d'un message pour une audience» (Craig, 2009, p. 17). C'est pourquoi les médias et la société attendent du relationniste autre chose qu'une approche stratégique d'adaptation du message aux publics à qui il est destiné. Et dans ce processus d'influence, ou plus exactement d'inter-influence, beaucoup d'éléments demeurent encore inconnus pour affirmer que les relations publiques peuvent contrôler tous les impondérables de la communication:

> Pour chaque situation, il est difficile de déterminer si l'opinion publique est dirigée ou dirige, suit ou manipule. La réponse est: les deux à la fois. Les *programmes de relations publiques influencent et sont influencés par l'opinion publique*. Le processus relèvera davantage de l'art que de la science jusqu'à ce que l'on comprenne

mieux ce qui n'est encore qu'à un stade de balbutiement: la connaissance et la science de l'esprit (Cutlip, Center et Broom, 1985, p. 177. Traduction libre; italique dans le texte original).

Si les «arts de la communication» constituent encore une dimension importante du travail des relationnistes, par la créativité qu'ils doivent déployer, la rigueur scientifique est également attendue d'eux. En prenant en compte les connaissances développées en communication, les relationnistes développent de nouvelles approches en lien avec l'essor de la recherche (sujet traité aux chapitres 3 et 9). De plus en plus, un réel souci de crédibilité scientifique préoccupe les relationnistes, car la pertinence sociale et managériale de leur métier a longtemps souffert de la pauvreté du corpus de connaissances scientifiques spécifiquement élaborées sur les relations publiques.

Le cadre épistémologique propre aux relations publiques est très récent alors que les études scientifiques sur ce sujet ont débuté principalement dans les années 1980 avec les travaux de Grunig et Hunt (1984). Ces auteurs de l'Université du Maryland comptent en effet parmi les précurseurs universitaires à avoir problématisé les relations publiques, à avoir mené des recherches scientifiques sur cet objet d'étude et à avoir suggéré des théories pour en appréhender les diverses composantes conceptuelles (théorie de l'excellence, théorie situationnelle, etc.). Leurs travaux ont enrichi une revue de littérature qui, jusque-là, se limitait trop souvent à des ouvrages de pratique professionnelle.

1.11. UN CORPUS DE CONNAISSANCES CENTRÉ SUR LES MEILLEURES PRATIQUES

Prenant surtout la forme de *handbooks*, les premières publications en relations publiques présentaient essentiellement des conseils pratiques pour réussir ce type d'activités professionnelles (notamment Lesly, 1971; Stephenson, 1971; Cutlip, Center et Broom, 1985; Jablin, 1987; Wilcox *et al.*, 1992). Même Heath de l'Université de Houston, qui compte pourtant parmi les premiers à avoir publié des ouvrages critiques (notamment en 1988 et en 1992), a également produit un *handbook* des relations publiques (1994 et 2001). Il a de plus publié une encyclopédie de quelque 800 pages sur la pratique des relations publiques (Heath, 2006). Une partie importante de ce livre, ainsi que la plupart des *handbooks* sur ce sujet (tel celui de Gregory, 2004), met en évidence les meilleures pratiques professionnelles, accompagnées d'un cadre théorique, présenté de manière assez sommaire.

Au Québec, la situation est identique : les quelques publications consacrées aux relations publiques étaient souvent produites par des professionnels, tels Doin et Lamarre (1986). Elles avaient pour objet soit de légitimer cette pratique, soit de présenter les moyens d'en augmenter l'efficacité. L'approche de ces publications s'apparente à la posture adoptée par Bernays (1952, 1961 et 2008), prenant davantage la forme d'un manuel de propagande en ignorant totalement la réflexion critique sur ce que devrait être le rôle social des relations publiques. Heureusement, les chercheurs de l'Université Laval, où un programme de communication publique existe depuis plusieurs années, ont tracé la voie. Ils ont eux aussi publié des guides de la pratique professionnelle (Dagenais, 1990, 1998 et 1999) mais ils ont ajouté une pensée réflexive qui allait donner le ton (notamment Kugler, 2003, 2004 et 2011 ; Beauchamp, 1991 ; Dagenais, 2004 ; Lavigne, 2008).

Il faut toutefois noter qu'aucune revue scientifique, consacrée uniquement aux relations publiques, n'existe dans les universités québécoises bien que la revue *Communication* de l'Université Laval y consacre ponctuellement des articles et un numéro spécial (2004). Depuis 2008, la *Revue internationale de communication sociale et publique* permet également aux chercheurs en relations publiques de publier leurs résultats de recherche. Cette revue a été créée au Département de communication sociale et publique de la Faculté de communication de l'UQAM, en collaboration avec la Chaire de relations publiques et communication marketing. En outre, la création de la collection « Relations publiques » aux Presses de l'Université du Québec a permis la publication d'une vingtaine d'ouvrages entre 1998 et 2010. Ces livres sont utilisés non seulement dans les universités québécoises mais également dans d'autres universités de la francophonie.

Destinées à améliorer le corpus de connaissances, ces réalisations témoignent des efforts pour s'extraire du seul registre des *handbooks* et des manuels offrant une série de conseils pratiques. Afin d'atteindre une réelle dimension critique, une démarche réflexive est en développement pour améliorer les approches scientifiques portant sur les relations publiques. Ainsi, depuis une quinzaine d'années, la situation a commencé à changer et l'apport des universités à travers le monde, qui sont de plus en plus nombreuses à offrir des programmes de relations publiques, a contribué à élaborer un axe de recherche en relations publiques. Celui-ci s'articule dans la foulée des recherches scientifiques menées notamment à l'Université du Maryland par l'équipe de James et Larissa Grunig, mais également à l'Université de Stirling, en Écosse, avec les travaux de l'équipe de Jacquie L'Etang (2006 et 2008) de même qu'à l'Université de Göteborg, en Suède, avec la contribution remarquable de Ihlen, van Ruler et Fredriksson (2009). Mentionnons également les travaux réalisés au Québec par les équipes de chercheurs rattachés à l'Université Laval et à la Chaire de relations publiques et communication marketing de l'UQAM. Les publications de ces auteurs contribuent à structurer un cadre d'analyse plus critique sur ce métier (Gruning *et al.*, 1992 et 2002; Toth et Heath, 1992; L'Etang, 2008; L'Etang et Pieczky, 2004; Moleney, 2000 et 2006; Ihlen *et al.*, 2009; Dagenais, 2004, Lavigne, 2005 et 2008; Kugler, 2003 et 2004).

1.12. L'ÉMERGENCE DU COURANT RELATIONNEL

Ces efforts déployés au Québec pour mieux structurer l'enseignement et la recherche en relations publiques correspondent à un courant émergent dans plusieurs universités en Europe et aux États-Unis, centré sur l'importance de la dimension critique mais aussi sur l'aspect relationnel des relations publiques avec, notamment, l'approche préconisée par Ledingham et Bruning (2000). Basés sur une analyse interdisciplinaire des relations publiques, les travaux de Ledingham et Bruning permettent de mieux comprendre le rôle des relationnistes dans l'établissement de dispositifs relationnels entre les organisations et leurs divers interlocuteurs, dans la foulée des travaux de Freeman sur la théorie des parties prenantes (1984). Ledingham et Bruning étudient la gestion des relations sous un angle qui enrichit le corpus théorique des relations publiques en appréhendant les diverses composantes de cette pratique professionnelle, sans la limiter à la seule dimension médiatique. Il convient en effet de diversifier les études sur les relations publiques pour éviter de les concentrer uniquement sur leurs rapports avec les médias, une distance déjà recommandée par Grunig *et al.* (1992 et 2002), afin de favoriser l'établissement de relations avec l'ensemble des diverses parties prenantes des organisations.

Cette perspective ouvre la voie à de nouveaux axes de recherche sur la pratique professionnelle: ces travaux indiquent des perspectives théoriques intéressantes, sous l'angle relationnel, dans la foulée des publications de Ledingham (2003), Ledingham et Bruning (2000), Bruning, Castle et Schrepfer (2004). Il est maintenant possible d'envisager une réelle théorisation des relations publiques pour qu'émerge une tradition épistémologique rigoureuse et structurante. Cette tradition peut également s'inscrire sous les approches développées dans d'autres cadres d'analyse, notamment l'étude des représentations sociales (Moscovici, 2006), des pratiques et des régulations des rapports sociaux (Jodelet, 2003; Doise, Palmonari et Chombart, 1996), l'interactionnisme symbolique (Blumer, 1969; Goffman, 1973) ou l'approche systémique (Thayer, 1968), pour n'en nommer que quelques-uns. De manière globale, les relations publiques peuvent être envisagées en tenant compte du contexte «des notions de filiation, de rapports d'antagonisme, de pouvoir et de pratiques sociales» (Rouquette, 1998, p. 88-90) qui caractérise les milieux de pratique. En ce sens, les relations publiques représentent davantage une fonction de communication qu'une fonction de gestion puisque: «la communication est un processus symbolique qui intervient chaque fois que la réalité est produite, préservée, corrigée ou transformée» (Carey, 1989, p. 23. Traduction libre).

Ainsi, l'étude des relations intra- et interorganisationnelles témoigne de l'impact des relations publiques sur les enjeux sociaux. L'espace public est, en effet, en partie structuré par la posture discursive adoptée par les relationnistes au nom des organisations qu'ils représentent et du bien commun qu'ils doivent chercher à préserver, même s'ils n'y arrivent pas toujours:

> [...] si les relationnistes ne parviennent pas dans leurs efforts à établir leur point de vue ou à protéger les intérêts de leurs commanditaires et à influencer la direction des entreprises, leurs commentaires font peu à peu partie du système de pensée et éventuellement, des valeurs et des actions sociales. Les relationnistes créent l'opinion et la renforcent ou encouragent la défense de nouvelles opinions et de nouvelles actions (Toth et Heath, 1992, p. 30. Traduction libre).

Cette conception des relations publiques, que Toth et Heath qualifient de communication engagée, témoigne de l'influence de cette fonction professionnelle sur la définition des enjeux et sur l'élaboration d'un agenda communicationnel dans l'espace public, au sens où l'entend Habermas (2005 et 2003).

CONCLUSION

L'évolution des relations publiques s'inscrit en phase avec l'émergence d'une nouvelle écologie communicationnelle, largement influencée par les travaux scientifiques qui sont consacrés aux relations publiques et à la communication organisationnelle. Dans un contexte où ce métier est en plein essor, il faut en effet considérer l'influence du relationniste, responsable «de la gestion des relations entre une organisation et ses publics, l'un des secteurs professionnels qui connaît l'une des plus fortes croissances actuellement à travers le monde» (Broom, 2009, p. 3. Traduction libre). Pratiquées dans le respect de ses dimensions éthiques et déontologiques, les relations publiques peuvent contribuer à l'essor d'une démocratie plus citoyenne, sur la base d'une coconstruction de sens dans l'espace public. L'ouverture au dialogue sur les enjeux qui concernent l'ensemble de la population et des organisations se réalise par le recours aux divers moyens de communication utilisés par les relationnistes. Leurs interventions dans les organisations sont d'autant plus pertinentes qu'elles positionnent les organisations en tant que systèmes ouverts sur l'espace public, comme le souligne Broom :

> La constante diffusion de communiqués de presse et autres moyens traditionnels de réaction utilisés par les relations publiques sont significatifs d'une approche basée sur les systèmes fermés. Cette approche trop fréquente en relations publiques est apparemment le fruit de plusieurs présupposés : 1) que l'utilité des relations publiques se limite à apporter des changements dans l'environnement, 2) que la communication persuasive permet de réaliser ces changements, 3) que la diffusion de messages dans les médias est efficace et, erreur suprême, 4) que les organisations n'ont pas besoin de changer elles-mêmes afin de régler leurs problèmes de relations publiques [...]. Par ailleurs, si la pratique des relations publiques adopte plutôt une approche systémique, reposant sur l'ouverture de systèmes interreliés, elle peut alors jouer un rôle actif dans l'avènement de changements mutuellement profitables : changements dans les organisations et dans leurs environnements (Broom, 2009, p. 180. Traduction libre).

Cette ouverture des relations publiques vers une plus grande imputabilité sociale s'élabore au carrefour des savoirs en gestion, en communication et en sciences sociales, pour appréhender la dimension proprement communicationnelle de l'exercice des relations publiques. Ce métier de la communication contribue à doter chaque situation d'une définition axiologique qui sert les objectifs des organisations, sans perdre de vue le bien public. En ce sens, l'influence des relations publiques se réalise au niveau de la formulation, de la diffusion et de la promotion des intérêts propres à chaque organisation, tout en prenant en compte les valeurs de saine gouvernance, du bien commun et de l'éthique professionnelle.

Considérée comme un processus d'interinfluence entre individus et organisations, « la communication peut se produire en situation de face-à-face ou par l'intermédiaire de médias technologiques et peut circuler d'un à un, de un à plusieurs ou de plusieurs à plusieurs. Dans tous les cas [...], cela implique des éléments qui agissent comme médiateurs entre les individus » (Craig, 2009, p. 24) et comme médiateurs entre les organisations, dans l'espace public. Le travail du relationniste consiste en grande partie à créer et à gérer ce processus de mise en relations et de médiatisation prise au sens très large, ayant recours aux médias traditionnels et aux médias sociaux pour les intégrer aux dispositifs de communication sociale et publique, sur le plan interpersonnel, intraorganisationnel et interorganisationnel. Ce cadre de pratique professionnelle repose sur des principes éthiques cohérents avec une plus grande imputabilité des relationnistes quant aux impacts de leur travail, dans la foulée des préoccupations de la psychologie sociale :

> Ainsi, une théorie psychosociologique de la rhétorique aurait tendance à voir la rhétorique plus comme une technique de manipulation psychologique qu'un art du discours qui éclaire le jugement du récepteur. Toutefois, la psychologie sociale n'est pas sans sa morale propre : elle suppose un fort impératif moral que, comme communicateur ou communicatrice, nous devons faire des choix responsables s'appuyant sur des évidences scientifiques relatives aux conséquences probables de nos messages (Craig, 2009, p. 25).

En tant que communicateur organisationnel, le relationniste est un acteur social influent dans l'espace public et, à ce titre, il est imputable de ses décisions et de ses activités au regard du bien commun dans la société. Même s'il est à l'emploi d'une organisation ou la sert en tant que consultant, le relationniste ne peut évacuer la dimension sociale de ses activités et c'est pourquoi sa responsabilité transcende la seule atteinte des objectifs de l'organisation.

ÉTUDE DE CAS

Entreprise ou organisation
Groupe Canam

Campagne ou action
Facebook
La communauté Canam

Distinction

Prix d'excellence Platine 2009 de la Société québécoise des professionnels en relations publiques (SQPRP)

Catégorie : **Communications électroniques et interactives**

Lauréate

Nathalie Pilon
Directrice des communications électroniques
Groupe Canam

RÉSUMÉ DU PROJET

L'utilisation de Facebook par une entreprise privée pour l'organisation d'un événement corporatif d'une durée de trois jours a été, selon nos recherches, une première dans le monde des médias sociaux. Cette solution innovatrice a été utilisée pour l'organisation de la 5e conférence corporative des cadres de direction de Groupe Canam en juin 2008, un événement trisannuel, organisé à l'interne par les services corporatifs des ressources humaines et des communications (comité organisateur).

En effet, notre expérience est unique en son genre, compte tenu de l'âge moyen de 50 ans des 178 participants, et provenant de cinq pays différents : Canada, États-Unis, Roumanie, Inde et Chine. Ces derniers ne sont pas des natifs de l'ère numérique et avaient de fortes appréhensions liées aux risques de sécurité de l'outil de communication compte tenu que nous sommes une compagnie publique, qui a des actions à la Bourse.

Dix semaines avant l'événement, le thème «La communauté Canam, des gens à découvrir» a été choisi. L'objectif principal de la conférence était que les participants se connaissent davantage en tant qu'individus et entre eux après le congrès, tant sur le plan professionnel que personnel.

Facebook a servi de fil conducteur pour organiser la conférence et rassembler les participants.

LA RECHERCHE

En septembre 2007, le comité Intranet a déposé un dossier d'analyse et des recommandations à la direction sur l'évolution possible de l'Intranet, dans un contexte d'intégration technologique, communicationnelle et collaborative.

Pour recueillir les besoins, nous avons réalisé un sondage auprès des employés, animé sept groupes de discussion, rencontré six groupes de partenaires stratégiques et fait l'analyse des demandes de changements faites par les employés depuis deux ans.

Le principal constat est l'étonnante convergence des besoins tant des employés, des gestionnaires que des experts.

LES BESOINS EXPRIMÉS ONT ÉTÉ REGROUPÉS SOUS QUATRE THÈMES:

- Faciliter et promouvoir l'utilisation de l'Intranet.
- Faciliter la gestion des contenus.
- Faciliter la collaboration et le partage d'expertise.
- Faciliter l'accès.

Ces thèmes doivent permettre au comité Intranet de regrouper les actions à réaliser dans un plan triennal de refonte de l'Intranet. Ce dernier fait partie de la phase 2 de la démarche (Planification).

Le nombre de visites varie entre 40 000 et 50 000 visites par mois et une moyenne quotidienne de 1 600 visites.

Pour une entreprise de la taille de Groupe Canam, c'est peu mais cela correspond aux chiffres du sondage et au nombre d'utilisateurs qui ont un ordinateur et accès à l'Intranet. Toutefois, il faut se souvenir que seulement 56% disent y accéder à tous les jours. Ce qui est aussi intéressant de noter comparativement au sondage, c'est que l'utilisation des applications dépasse de loin celle de l'information.

En résumé, l'Intranet est utilisé régulièrement par la moitié des répondants et est utilisé, sans surprise, pour s'informer et accéder aux applications qui y sont disponibles. Les outils de formation et collaboratifs y sont utilisés de façon marginale.

Dans le cadre de la conférence et en ayant en tête les résultats de cette analyse, le comité organisateur a effectué une recherche dans le but de déterminer quel serait le média social le plus approprié pour réaliser le projet. Notre Intranet n'était pas assez développé pour répondre aux besoins. En effet, nous avions soumis une analyse et des recommandations portant sur le projet de refonte à la direction en septembre 2007, mais le projet était resté en attente.

Deux facteurs ont guidé notre choix vers Facebook, soit notre public cible, composé majoritairement de baby-boomers, et des craintes exprimées par les membres du comité organisateur concernant la sécurité, la facilité d'utilisation et la crédibilité de ce type de réseau public.

Étant donné le thème et l'objectif de la conférence et la très courte période dont nous disposions pour organiser l'événement, Facebook a été retenu comme outil de communication. Les résultats de la recherche ont été significatifs, ce qui nous a permis d'obtenir l'acceptation de la direction à la suite de la présentation du projet.

LA PLANIFICATION

Pour réaliser ce projet, nous avions besoin de la participation des mêmes intervenants que ceux impliqués dans le projet de refonte de l'Intranet, compte tenu de la similarité des tâches à accomplir.

Des rôles et responsabilités ont donc été attribués à la direction, aux équipes des ressources humaines, des communications et de l'informatique. Cela nous a permis de bâtir la programmation de l'événement et de planifier les différentes étapes importantes pour assurer le déploiement de Facebook avec succès.

- Direction (Marc Dutil, Président et chef de l'exploitation) : Volonté corporative d'utiliser Web 2.0 et Facebook, instigateur et promoteur.

- Ressources humaines : Profil des participants au congrès, partage d'expertise et de contenu de la conférence, mémoire d'entreprise, formation, etc.

- Communications : Coordination du projet de création d'un réseau social privé pour le congrès (précongrès, lors de l'événement, postcongrès), diffusion de l'information corporative selon une approche Web 2.0 (sondages, blogues, forum de discussion, etc.), création du programme préliminaire et du formulaire d'inscription en ligne, etc.

- Informatique : Mise en place et administration du réseau social privé dans Facebook, confidentialité des informations, soutien technique aux participants, base de données des inscriptions, logistique avec le centre de congrès, hardware, software, réseau, bande passante, installations des bornes, etc.

L'ANALYSE

Les membres du comité organisateur ont exploré les différentes fonctionnalités qu'offre Facebook pour créer le profil des participants, les relier entre eux, partager des informations, photos, vidéos, connaître leurs intérêts, etc.

Nous en sommes venus à la conclusion que la création d'un groupe privé dans Facebook serait le moyen le plus simple et le plus approprié pour sécuriser les cadres et dissiper leurs appréhensions quant à la sécurité de l'outil de communication.

LA STRATÉGIE

L'utilisation gratuite de Facebook nous offrait la possibilité de démontrer à la haute direction, par un exemple concret, la forme que pourrait prendre notre Intranet dans l'optique du Web 2.0, c'était en quelque sorte un projet pilote dans un environnement structuré.

Par ailleurs, il fallait tenir compte d'un élément important, hors de notre contrôle : la plateforme Facebook pouvait nous faire faux bond en cours de route, mais nous avons évalué ce risque versus les bénéfices et nous avons décidé de poursuivre le projet.

La stratégie était d'utiliser Facebook pour :

- Établir la programmation de la conférence ;
- Favoriser l'interaction entre les participants ;
- Atteindre les objectifs de la conférence ;
- Sensibiliser l'équipe de direction à la puissance des médias sociaux ;
- Leur permettre d'envisager l'impact des médias sociaux sur le développement de l'Intranet de l'entreprise au cours des prochaines années.

Groupe Canam et ses 3000 employés forment une communauté au sein de laquelle le public cible (les cadres) exerce un rôle de gestionnaire. L'objectif de la conférence est de profiter de ces journées pour apprendre à mieux se connaître non seulement en tant qu'individus mais également en tant que leaders.

Le public cible a participé à des ateliers et à des activités de consolidation d'équipe qui lui ont permis de voir combien le fait de travailler de concert peut aider à trouver des solutions qui feront toute la différence. Ces activités mettent en contact les gestionnaires issus de contextes divers mais partageant un but unique, soit celui de faire de Groupe Canam une entreprise innovante, où la rentabilité et le partage de la culture organisationnelle font partie des priorités.

LA RÉALISATION

Le comité a profité d'une rencontre des cadres, qui s'est tenue cinq semaines avant la conférence, pour que Marc Dutil, le président et chef de l'exploitation de Groupe Canam, dévoile le thème de la conférence et l'utilisation de Facebook pour unir la communauté.

M. Dutil a joué son rôle d'instigateur et de promoteur, ce qui était essentiel au succès du projet. Le comité organisateur a guidé les participants dans la création de leur profil lors de la rencontre qui s'est tenue à Saint-Georges de Beauce au Québec. C'était le début de la réalisation du projet puisque les participants devaient avoir développé leur profil pour être en mesure d'accepter l'invitation de M. Dutil à faire partie du groupe privé dans Facebook, spécifique à la conférence.

Une salle a été aménagée pendant les deux jours que durait la réunion des cadres, une rencontre annuelle au cours de laquelle Marc Dutil présente sa vision de développement de l'entreprise pour les 12 prochains mois et qui coïncide avec l'assemblée annuelle des actionnaires de Groupe Canam. Un des trois axes de développement qu'il a dévoilés lors de cette rencontre se réfère à la révolution numérique et à la place que Groupe Canam désire prendre dans ce créneau dans le monde de la construction. Ce fait n'est pas étranger à l'ouverture de Marc Dutil envers le projet Facebook présenté.

Une proportion de 50 % des profils a été créée sur place tandis que le reste a été complété à distance par le public cible dans la semaine suivante. À partir de ce moment, les cadres étaient invités à participer à une activité créée dans Facebook à chaque semaine jusqu'au jour de la conférence.

Nous avons demandé aux techniciens informatiques qui sont présents dans chaque place d'affaires où notre clientèle cible était présente de nous assister dans le projet en soutenant les cadres qui pourraient avoir besoin d'assistance dans la création de leur compte Facebook et l'adhésion à un groupe privé. Une certaine réticence a été ressentie mais la collaboration a bien fonctionné car plusieurs étaient sceptiques au fait d'utiliser Facebook dans le cadre de la conférence corporative et non une application développée à l'interne.

À l'occasion de sa présentation, Marc Dutil avait cependant indiqué à tous les participants qu'il était essentiel que chacun suive toutes les étapes du guide pour assurer un maximum de confidentialité de leurs informations dans Facebook et la bonne marche de la conférence. L'inscription à Facebook et l'adhésion au groupe prenaient une quinzaine de minutes.

LA PRODUCTION

Voici l'ensemble des activités et des moyens qui ont été mis en place afin d'atteindre l'objectif principal de la conférence :

- Rédaction d'un guide imprimé pour la création des profils. Le document a permis de guider les participants à travers les étapes requises pour créer leur compte dans Facebook et devenir membres du groupe privé. Même s'ils étaient familiers avec Facebook, afin de conserver la confidentialité du groupe, nous leur avons demandé de suivre les étapes du guide.

- Création d'un groupe privé spécifique à l'événement, dans Facebook : ce groupe n'est pas visible sur le profil des membres ; seuls les administrateurs peuvent y inviter des membres.

- Mise en ligne d'un programme et d'une fiche d'inscription électronique.

- Invitation aux cadres à inscrire leurs intérêts dans leur profil dans le but de créer des équipes pour certaines activités.

- Élaboration d'un questionnaire portant sur l'intelligence émotionnelle fourni par un des conférenciers et créé à partir d'une application existante dans Facebook.

- Publication du texte d'un des conférenciers ; invitation aux participants à formuler leurs commentaires sur le forum de discussion disponible dans Facebook.

- Réalisation d'un bien-cuit pour la soirée de clôture à l'aide d'éléments recueillis dans les profils des participants.

- Réalisation d'un sondage portant sur l'utilisation de Facebook dans le cadre de la conférence.

BUDGET

Puisque l'événement a été réalisé avec des ressources internes, et que nous avons choisi d'utiliser un média social gratuit et créé un programme et une fiche d'inscription en ligne, les seules dépenses assumées sont pour l'impression d'un guide pour la création des profils et d'un bottin électoral, soit 1500 $.

LA COMMUNICATION

Toutes les communications corporatives destinées aux participants étaient envoyées à partir de Facebook par le comité organisateur, sous la supervision de Marc Dutil. Toutes les communications étaient bilingues, compte tenu de notre public cible. Marc Dutil nous a prêté son nom pour que les communications adressées aux cadres via Facebook proviennent de son profil en tant qu'administrateur du groupe privé. Au total, huit messages ont été acheminés aux participants entre le 29 avril et le 11 juin 2008. La participation des cadres de la direction était essentielle pour l'organisation de la conférence: ils devaient être actifs et non passifs, être dans un mode d'interactivité.

Peu à peu, la Communauté Canam s'est bâtie par l'acceptation de demandes d'ajout à la liste d'amis faites par les membres du groupe, répondant à l'objectif de la conférence, soit de se connaître davantage.

L'ÉVALUATION

Le taux de participation aux diverses activités entourant la conférence via Facebook démontre le succès du projet:

- 99% des participants ont créé leur profil;
- 94% ont complété leur inscription en ligne;
- 89% des répondants ont inscrit leurs intérêts dans leur profil;
- 75% ont complété le questionnaire portant sur l'intelligence émotionnelle;
- 12% ont écrit des commentaires sur le forum de discussion.

De plus, les résultats d'un sondage d'opinion générale réalisé auprès des participants (119 répondants), dont le chiffre 5 signifie très satisfait, démontrent que:

- la qualité et précision du programme préliminaire a obtenu 4,4;
- l'inscription par Internet, 4,1;
- le café Internet, 4,3;
- l'organisation en général de la conférence, 4,8.

Un sondage plus spécifique, portant sur l'utilisation de Facebook, par rapport aux objectifs de la conférence, a également été réalisé auprès des participants (95 répondants).

Ainsi, les répondants croient que:

- l'utilisation de Facebook a contribué à l'atteinte des objectifs de la conférence dans une proportion de 69%;

- 87 % des répondants n'étaient pas membres de Facebook avant l'événement;
- 52 % des répondants désiraient conserver leur compte dans Facebook;
- 69 % des répondants désiraient faire partie d'un groupe dans Facebook destiné à tous les employés de Groupe Canam;
- 42 % des répondants étaient intéressés à assister à une formation d'une heure pour mieux connaître Facebook.

Pour ce qui est du taux de rétention des participants, un total de 122 personnes (sur les 178 inscrits au départ) font toujours partie du groupe privé, créé dans Facebook pour la conférence corporative.

Finalement, l'objectif d'utiliser Facebook pour relancer le projet de l'Intranet a porté fruit. En effet, le comité de refonte de l'Intranet est de nouveau actif depuis janvier 2009, le projet est passé en mode planification et l'expérience Facebook, vécue dans le cadre de la conférence, sert de guide pour la planification des développements.

2

LES RELATIONS TRANSPUBLIQUES

*Les messages de l'organisation ne sauraient être conçus
et leur efficacité évaluée sans tenir compte de cette osmose
entre les publics internes et externes, entres les employés
et les clients, entre les fournisseurs et les actionnaires.
Ces différents publics occupent
des espaces professionnels, récréatifs et sociaux
qui se recoupent et sont donc perméables
à la transmission non seulement des informations,
mais aussi des interprétations qui leur sont données.*

(LAFRANCE, 2004, p. 82.)

Les relations publiques représentent une pratique de communication qui est omniprésente dans notre société, pouvant être analysée sous plusieurs angles. L'approche que nous proposons repose sur la théorie des parties prenantes (Bonnafous-Boucher et Pesqueux, 2006; Hallahan, 2000 et 2001; Freeman, 1984). Nous devons également tenir compte de la théorie des réseaux (Mongeau et Saint-Charles, 2005; Lavigne, 2002b; Lemieux, 1998, 1999 et 2000) et d'une pratique professionnelle plus responsable socialement (Tremblay, 2007). Nous privilégions une posture essentiellement dialogique et relationnelle (Ledingham et Brunig, 2000). En ce sens, le quatrième modèle de Grunig *et al.* (1992 et 2002) répond à ces orientations avec le principe de la communication symétrique bidirectionnelle. Rappelons que les quatre modèles développés par Grunig *et al.* peuvent se résumer de la manière suivante:

> La communication à sens unique concerne uniquement la diffusion d'information; cela demeure un monologue. La communication bidirectionnelle quant à elle permet les échanges d'informations; c'est un réel dialogue. [...] La communication asymétrique est déséquilibrée: elle laisse l'organisation inchangée et tente plutôt d'ajuster le public. Par ailleurs, la communication symétrique est mieux équilibrée; elle permet d'établir une véritable relation entre l'organisation et le public (Grunig *et al.*, 1992, p. 289. Traduction libre).

Dans cet esprit, les relationnistes doivent avoir la préoccupation de dépasser leur simple rôle de diffuseur pour être en mesure de développer un processus d'interinfluence, entre une organisation et ses divers publics. Le relationniste est en quelque sorte le traducteur des réalités de l'organisation ainsi que des attentes de ses parties prenantes. Il est donc à la fois déclencheur, animateur et catalyseur des communications entre l'organisation et ses publics, permettant à chaque émetteur d'être un récepteur actif et un diffuseur, ce que les médias interactifs lui permettent de faire de plus en plus.

En d'autres termes, les relations publiques jouent un rôle dans la communication qui structure les enjeux débattus dans l'espace public. Il ne s'agit pas de faire de la propagande, mais plutôt d'offrir une information qui propose des idées, des produits ou des services, d'animer des débats et de susciter l'émergence d'opinions et de consensus. Ainsi, le processus d'influence est-il envisagé dans les deux sens: permettre à l'organisation d'influencer, mais aussi d'être influencée à son tour.

Ce double processus d'influence (ou d'intersubjectivité) constitue la trame de fond des stratégies de relations publiques. En vue de créer ou de maintenir un climat de confiance, le relationniste met en place ces stratégies par des moyens de communication qui permettent aux divis interlocuteurs en présence d'établir un réel dialogue (selon l'approche de la communication dialogique préconisée par Toth et Heath, 1992, p. XII. Traduction libre):

> En préconisant le dialogue, nous optons pour des échanges utilisant la rhétorique pour créer une dynamique qui permet aux interlocuteurs de trouver des terrains d'entente et d'action. Chaque acteur du dialogue est encouragé à exprimer ses intérêts et à écouter l'expression des intérêts de l'autre. Chaque interlocuteur du dialogue ainsi établi est libre d'accepter ou non le point de vue de son interlocuteur. Par le dialogue et la rhétorique, les acteurs forment leurs opinions et négocient les limites et les obligations qui forment la base de leurs relations – soit leurs intérêts communs.

L'écartèlement que suscite la position du relationniste entre l'organisation et ses divers publics est souvent inconfortable et demande beaucoup de discernement dans l'analyse des enjeux, de sens éthique et d'engagement social. Les choix à faire ne sont pas toujours évidents et c'est pourquoi le relationniste est souvent perçu comme un *outsider* par l'organisation. Elle a parfois tendance à considérer le relationniste comme un partisan des coalitions externes, alors que pour les médias et les groupes de pression, le relationniste est perçu comme un propagandiste au service de l'organisation. Il en résulte une double posture d'inconfort, qu'il est possible de contrer par une meilleure compréhension du rôle que joue le relationniste dans la société.

C'est ainsi que le relationniste peut agir comme un agent de changement dans l'organisation et dans l'espace public. D'ailleurs, ses activités de communication sont souvent qualifiées d'activisme social: «plus l'activisme est fréquent et intense dans une société, plus grand est le besoin pour les relations publiques et plus stratégique sera la nature de ses activités» (Sriramesh et Vercic, 2009, p. 92. Traduction libre). Mais qu'il œuvre pour un groupe de citoyen ou une multinationale, le rôle d'interinfluence joué par le relationniste se réalise essentiellement dans l'établissement de relations entre les acteurs sociaux dans l'espace public. Omniprésentes, les interventions de relations publiques contribuent à structurer l'opinion des individus et celle des organisations, comme le rappellent Cutlip, Center et Broom (1985, p. 175. Traduction libre):

> *Ce que les personnes voient, entendent ou lisent est reconnu comme une force première d'influence sur leurs opinions, suscitant un conflit inévitable entre ce que le public doit ou ne doit pas voir, entendre ou lire. Cette compétition dont l'esprit individuel est l'enjeu devient une bataille de communication et de censure, à coup de slogans, symboles et stéréotypes dans tous les médias de communication, dans*

nos écoles, usines, magasins et bureaux. La communication et la censure, ou leur absence, tendent à diriger l'opinion individuelle et le rythme du changement [souligné dans l'original].

Toutefois, il faut garder à l'esprit que ce rôle d'agent de changement attribué au relationniste s'exerce à deux niveaux, puisqu'il s'agit d'un processus d'interinfluence : un impact de l'organisation sur ses publics et, concomitamment, une modification des cadres de référence de l'organisation.

2.1. L'INTERSUBJECTIVITÉ, MYTHE OU RÉALITÉ ?

On peut qualifier de souhait pieux l'intersubjectivité lorsqu'il est question de relations publiques. En effet, ce métier est souvent envisagé sous un angle diffusionniste puisqu'il consiste à promouvoir idées, attitudes et comportements, au nom d'une organisation. Selon une approche inspirée du behaviorisme social (Staats, 1976), une série de cinq étapes (Wilcox, Ault et Agee, 1992, p. 193) est habituellement envisagée dans le processus d'influence asymétrique : l'éveil, la recherche d'information, l'évaluation, l'essai et l'adoption. Nous illustrerons ces étapes (voir figure 2.1) en prenant comme exemple l'avènement du compostage des déchets domestiques, un projet que les professionnels en relations publiques œuvrant dans plusieurs municipalités et de nombreux groupes environnementaux essaient de promouvoir auprès des citoyens.

Si l'utilisation du bac de récupération est courante aujourd'hui, il n'en fut pas toujours ainsi. Il a d'abord fallu sensibiliser les organisations, incluant les municipalités, puis les citoyens, à l'importance de ce premier pas vers des pratiques plus écologiques. Depuis, c'est le compostage qui fait l'objet d'une campagne de sensibilisation dans plusieurs milieux (Tremblay, 2007), selon une approche qui peut se moduler en cinq étapes (figure 2.1).

Voyons brièvement comment se déroule chacune des cinq étapes de ce processus d'influence, destiné à proposer de nouvelles informations à un public. Le même exemple pourrait s'appliquer à la sensibilisation des municipalités ou des organisations : il s'agit d'un processus identique d'influence, mais réalisé à une échelle différente, avec d'autres moyens de communication, adaptés à ces publics institutionnels. En d'autres termes, les professionnels en relations publiques ont à concevoir des programmes de communication destinés non seulement à la population mais aussi aux organisations : gouvernements, municipalités, associations, syndicats, etc.

FIGURE 2.1
Les étapes du processus d'interinfluence

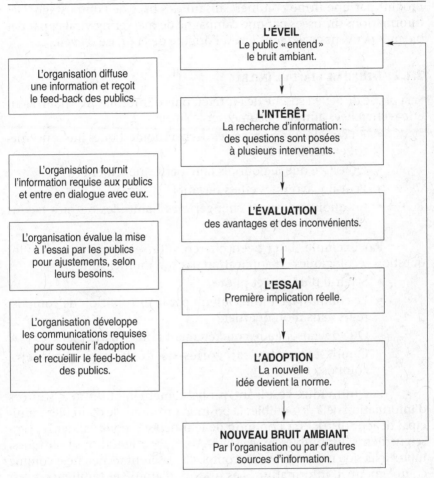

Source : Lionberger, 1960, p. 32. Adaptation libre.

2.1.1. Première étape : l'éveil

Durant cette phase préliminaire, l'interlocuteur à rejoindre détient peu d'information sur le sujet concerné. C'est le « bruit ambiant » qui le renseigne. Dans l'exemple du compostage des déchets domestiques, cette information peut avoir pour source le discours sur l'écologie tenu par un chercheur, par un environnementaliste ou par un groupe de pression. D'autres sources d'information peuvent avoir diffusé une information préliminaire, par exemple des documents distribués lors d'une assemblée du conseil municipal ou le dépliant d'information produit par une firme commercialisant des bacs de compostage. Des informations diffusées par une campagne de marketing viral et par des blogues peuvent également être à l'origine de la phase d'éveil.

2.1.2. DEUXIÈME ÉTAPE : L'INTÉRÊT

Si la phase de l'éveil suscite de l'intérêt, plus d'informations pourraient être recherchées afin de documenter le sujet :

- En quoi le compostage des déchets domestiques me concerne-t-il exactement ?
- Qu'est-ce que je pourrais faire personnellement ?
- Peut-il y avoir des effets négatifs ?
- En quoi cela va-t-il changer mes habitudes ou mes façons de faire ?

Par exemple, le citoyen cherchera à se documenter sur les questions écologiques en application dans sa municipalité :

- S'agit-il d'un projet pilote ?
- Le compostage est-il soutenu par la distribution de composteurs dans mon quartier ?
- Que devrais-je faire concrètement pour y participer ?
- Quelles sont les catégories de déchets pouvant être compostées ?

Les individus voudront probablement ajouter aux sources d'information déjà disponibles la position qu'adopte le conseiller municipal de leur district ou l'opinion de leur député, pour valider les renseignements disponibles sur ce sujet. Ainsi, les orientations politiques, municipales ou nationales sur le compostage, seront recherchées comme compléments d'information. Les réseaux d'amitié et familiaux, ainsi que les leaders d'opinion seront également mis à contribution pour obtenir d'autres informations.

2.1.3. TROISIÈME ÉTAPE : L'ÉVALUATION

Une fois le concept de compostage clarifié, le public en évaluera les avantages et les inconvénients potentiels, en fonction de ses propres valeurs. Au terme de sa recherche d'information, il est possible qu'il en conclut que le compostage est avantageux pour l'environnement. Son attitude peut alors changer (ou non) à l'égard du compostage, mais sans que son comportement soit modifié à cette étape. Il en discutera avec ses collègues de travail, ses voisins ou ses amis, afin de savoir s'ils ont également l'intention de participer à ce projet écologique, dans le but d'obtenir l'opinion ou l'adhésion de son groupe social.

2.1.4. Quatrième étape : l'essai

Certains citoyens commenceront probablement à participer au processus de compostage des déchets domestiques en faisant d'abord un essai. L'individu en phase d'essai se familiarisera avec les catégories de déchets pouvant être compostés : il conservera à cette fin certains déchets de table (même si, au début, il oubliera une fois sur deux de le faire parce que l'habitude n'est pas encore créée). Toutefois, l'idée fera probablement son chemin ou sera rejetée, selon la perception très personnelle de chaque individu, qui pourrait également être influencé par les critiques anticompostages.

Si la personne adopte le compostage, lorsqu'il y aura oubli de sa part, un sentiment de négligence, voire de culpabilité apparaîtra peut-être. Progressivement, le tri des déchets et l'utilisation d'un bac de compostage pourront devenir des habitudes, en voie d'intégration dans son comportement, selon l'émergence d'une nouvelle norme sociale à ce sujet.

Parallèlement, le citoyen concerné par la problématique écologique vérifiera la position de sa municipalité : ce qu'elle avait annoncé au sujet du compostage se déroule-t-il comme prévu ? Est-ce qu'il utilise le bac à compostage pour rien ? Est-ce qu'un grand nombre de personnes participent à ce mouvement écologique ? Que fait la municipalité pour composter les déchets à plus grande échelle ? Il évaluera alors l'importance relative de son geste et il y trouvera une certaine gratification personnelle, si tout se déroule comme prévu.

2.1.5. Cinquième étape : l'adoption

Si l'expérience est concluante, il est possible que l'individu souscrive à l'idée et passe à l'action, c'est-à-dire que le nouveau comportement (compostage des déchets domestiques) devienne pour lui la nouvelle norme, intégrée à son comportement quotidien.

Il faut noter que l'idée ayant été validée et acceptée, toute nouvelle façon de composter les déchets domestiques devra passer par les mêmes étapes pour questionner à nouveau le comportement. Ainsi, une autre source d'information pourra aviser le public que le compostage traditionnel est révolu et qu'il faut dorénavant promouvoir une autre approche pour la gestion des déchets : on retourne alors à la case de départ dans le processus d'influence, pour sensibiliser à nouveau l'opinion dans le cadre d'une autre phase d'éveil, cette fois envers un processus de compostage plus efficace, etc.

2.2. UTILISER LES RELATIONS PUBLIQUES DANS CE PROCESSUS D'INFLUENCE : ÉTUDE DE CAS SUR LE COMPOSTAGE

Les relations publiques jouent un rôle crucial dans l'adoption de nouveaux comportements, en passant par l'énonciation de nouvelles normes sociales, souvent largement médiatisées, un processus bien documenté dans le secteur de la santé (Renaud *et al.*, 2010 ; Maisonneuve *et al.*, 2010). Utiliser les relations publiques, en amont du processus décisionnel, est un choix stratégique de gestion qui contribue à l'identification des enjeux et des tendances montantes afin de connaître les attentes des différents publics pour y répondre de façon satisfaisante. Considérons à nouveau les deux premières phases du processus d'influence et voyons quelles sont les interventions du relationniste dans le cas de la mise en place du compostage des déchets domestiques dans une municipalité.

Phase 1 : L'ÉVEIL

Prenons le cas d'un relationniste œuvrant pour une association de consommateurs. Dans un premier temps, il effectue une recherche pour vérifier si le compostage des déchets domestiques est un service auquel les publics ont accès. Il vérifie, par exemple, si le compostage est un enjeu à l'ordre du jour dans sa région (selon la théorie de l'*agenda-setting* ; McCombs et Shaw, 1972) dans le cadre des débats sur la protection de l'environnement, notamment dans les médias grand public ou les médias sociaux. Au terme de sa recherche, le relationniste pourra mieux camper l'information disponible sur ce sujet dans l'espace médiatique. Il pourra ensuite développer une stratégie d'action ou envisager une stratégie cooptée, en s'associant à un artiste comme porte-parole pour son association.

Le relationniste pourra développer plusieurs moyens de communication dont certaines activités de relations de presse sur ce sujet et le positionnement d'articles bien documentés sur le site Web de son organisation pour expliquer ce qu'est le compostage des déchets domestiques. Il est possible qu'il utilise les médias sociaux (Facebook, Twitter, etc.) pour rejoindre certains publics afin de susciter des échanges sur le compostage. C'est ainsi que commencera à se propager ce que nous avons appelé « le bruit ambiant ». Le relationniste peut alors amorcer progressivement une sensibilisation de l'opinion publique en structurant l'information diffusée de manière à retenir l'attention des groupes qu'il espère rejoindre au sein de la population, notamment les leaders d'opinion, les « publics à coefficient » (soit les influenceurs et les multiplicateurs d'information tels les chefs syndicaux, les artistes ou les dirigeants patronaux). Il ciblera par exemple les associations citoyennes, les chambres de commerce, les municipalités et les groupes de pression afin d'informer les têtes de pont de plusieurs réseaux, lui permettant ainsi de rejoindre de vastes publics, tout en recueillant leurs commentaires.

En outre, la comparaison avec ce qui se fait dans d'autres villes au Canada et à l'étranger sera mise en évidence de même que les économies en frais d'entreposage des déchets et en coûts sociaux (empreinte environnementale des déchets domestiques). Ainsi, le relationniste fera valoir les impacts positifs d'une diminution des ordures domestiques qui ne seront plus acheminées aux sites d'enfouissement municipaux. Ce faisant, il développera un argumentaire basé sur de l'information factuelle, présentée à l'aide de tableaux et de statistiques, transmise aux médias ou directement aux publics concernés.

Par la conception de textes éclairants, le choix d'un argumentaire bien campé, d'un design pouvant capter l'attention, d'un carnet d'interviews pour le porte-parole et autres moyens de communication, le relationniste élabore un processus de mise à l'actualité du dossier. Il choisira peut-être de créer un blogue, de développer une section interactive sur le site Web de son organisation pour recueillir les commentaires des citoyens. Il pourra procéder à de l'affichage, organiser la distribution d'une brochure et tenir des ateliers d'information pour contribuer à éveiller ou à maintenir l'intérêt des publics envers le compostage. Progressivement, il est possible que le cumul de plusieurs moyens de communication contribue à développer une attitude de dialogue avec certains interlocuteurs sociaux au sujet du compostage. Cela permettra éventuellement de modifier les connaissances d'une partie de la population ou d'influer sur les décisions que prennent les municipalités, les gouvernements et les organisations.

Il faut toutefois se garder d'établir trop facilement un lien de cause à effet entre les moyens de communication et les changements d'attitude et de comportement qui sont visés. En effet, au-delà de l'approche rationnelle, illustrée par les cinq étapes du processus d'influence (présenté à la figure 2.1, reprenant le modèle développé initialement par Lionberger, 1960), on doit tenir compte du libre arbitre individuel et du concept d'autopoïèse (Maturana et Varella, 1994 et 1980; Geyer et van der

Zouwen, 2001; Luhmann, 1995). L'approche autopoïétique concerne tout système vivant, organisé et autoreproducteur. Elle met en lumière les efforts déployés par les systèmes pour le maintien de leur cohésion, avec la dimension émotive que cela comporte souvent. Ces efforts influent sur la réaction des individus et des groupes face à la communication qui leur est destinée. Par conséquent, le relationniste doit tenir compte à la fois de la rationalité dans le déploiement de ses activités d'information et de l'émotivité qui intervient dans tout système organisé, notamment les guerres de territorialité pouvant surgir pour protéger le champ d'expertise de chacun ou les positions des clans idéologiques en présence. Des charges émotives vont souvent surgir et se traduire par la formation d'alliances entre certains groupes. Par conséquent, la formation de l'opinion publique, contribuant à camper des prises de position (par exemple pour ou contre le compostage), se fait progressivement, d'une manière qui est loin d'être toujours rationnelle :

> Il est facile d'identifier les fonctions les plus évidentes des relations publiques en tant que discours rationnel auprès de l'opinion, dans l'espace public. Par contre, l'effet plus latent des relations publiques sur l'opinion concerne l'exercice d'un contrôle social visant l'intégration sociale et la réalisation d'un niveau de consensus [...] Cette fonction est tout de même vitale pour la cohésion de la société et elle est source de pouvoir en tant que force sociale (Noelle-Neumann, dans Glasser et Salmon, 1995, p. 86).

Par conséquent, la complexité de la métacommunication dans la société (Thayer, 1968; Renaud *et al.*, 2010; Maisonneuve, 2004a) s'articule sur des bases moins linéaires que la seule rationalité permet de l'envisager. Pour circonscrire de manière plus fine le processus décisionnel chez les publics concernés par ses efforts de communication, le relationniste doit donc tenir compte des passions et des charges émotives liées à l'information qui est transmise aux citoyens. Dans plusieurs contextes d'intervention à forte connotation émotive, le relationniste doit souvent développer des approches plus rationnelles, surtout lorsque ses activités concernent le bien public et l'amélioration du « vivre ensemble dans l'espace public », comme l'évoquent Perraton et Bonenfant : « Cet effort est celui de la raison, et il réussit d'autant mieux qu'il permet à l'individu d'organiser ses rencontres avec les autres de manière à augmenter sa puissance d'agir » (Perraton et Bonenfant, 2009, p. 33).

Par leur libre arbitre, et dans une société qui se veut démocratique, les citoyens conservent l'ultime décision de recevoir (ou non) l'information et d'établir (ou non) la relation qui leur est proposée. C'est à eux que revient la décision finale d'accepter (ou de refuser) l'influence de la communication et d'adopter (ou de rejeter) les nouveaux comportements qui leur sont suggérés dans le cadre des activités menées par les relationnistes. À noter toutefois que sous des régimes politiques totalitaires, ce libre-arbitre subit l'emprise de normes imposées à l'ensemble de la population, d'où l'importance de considérer le contexte politique et culturel propre à chaque pays dans lequel intervient la communication lorsqu'elle se déploie sur la scène internationale.

Ainsi, le processus d'influence en cinq étapes (figure 2.1) ne doit pas être considéré comme une réaction en chaîne inéluctable car elle se réalise rarement de manière linéaire. Il faut garder à l'esprit que le jeu de dominos des cinq étapes peut être interrompu à tout moment. Il est en effet fort probable que la sensibilisation (phase de l'éveil) ne soit pas suivie des quatre autres phases, comme l'ont démontré Grunig *et al*. (2002) et Ray (1973, p. 150). D'ailleurs, rien n'assure le relationniste que les publics franchiront tous en même temps les cinq étapes du processus d'influence. Par contre, pour que cette influence se réalise dans les deux sens, il faudra que le relationniste prévoit des mécanismes de communication multidirectionnelle. Il mettra alors en place des méthodes de collecte de données auprès des publics visés et des dispositifs communicationnels permettant l'expression d'un dialogue avec différentes interlocuteurs. En demeurant attentif aux besoins des acteurs de la communication, le relationniste enrichit le dossier en y ajoutant les points de vue des divers publics et en les transmettant à l'organisation.

Phase 2 : LA RECHERCHE D'INFORMATION

Pour revenir à l'étude de cas sur le compostage des déchets domestiques, la seconde phase du processus concerne la recherche d'information à laquelle doit répondre le relationniste en fournissant aux publics concernés tous les éléments d'information qu'ils requièrent sur ce sujet. Par exemple, il devra s'assurer que des agents d'information municipaux sont prévus pour répondre aux questions des citoyens sur le compostage, tout en prenant en compte leurs objections et leurs besoins spécifiques. Plusieurs autres moyens d'information seront aussi élaborés pour que le public trouve facilement tous les renseignements dont il a besoin : un colloque sur le compostage, la publication de divers documents, l'insertion d'encarts dans certains médias de masse, la distribution d'affiches dans les lieux publics, le tenue d'événements telle une « Semaine de l'environnement », la mise en ligne d'une section du site Web municipal consacrée au compostage, l'animation de forums de discussion et de blogues avec les citoyens, des ateliers de compostage dans divers lieux communautaires ou en milieu de travail, etc.

Dans la mise en œuvre d'une campagne d'information, le relationniste doit également considérer les effets du phénomène de la dissonance cognitive (Festinger, 1962), théorie selon laquelle les individus discriminent l'information qui leur est soumise en fonction de leurs intérêts, pour ne retenir que ce qui correspond à leur propre opinion, à leurs comportements actuels et à leurs valeurs personnelles. Par conséquent, même transmise correctement, l'information risque de n'être retenue que par des publics déjà sensibilisés aux questions écologiques et qui, d'entrée de jeu, sont favorables au compostage. Il s'agira donc pour le relationniste d'évaluer l'intérêt de chaque public envers ce sujet, puis de déterminer l'argumentaire auquel il sera le plus sensible, afin d'arriver à capter l'intérêt du plus grand nombre possible de personnes, tout en tenant compte de leurs réactions et de leurs objections.

Dans un tel contexte, comment le relationniste arrive-t-il à structurer ses interventions, à choisir les moyens de communication qui lui permettront d'atteindre ses objectifs d'influence, pour arriver à modifier les valeurs, les attitudes et les comportements au sujet du compostage? Dans le cas d'une problématique environnementale, comme pour tout autre sujet, le relationniste peut avoir recours à certaines méthodes de travail pour minimiser les effets aléatoires des communications et l'investissement inefficace de temps, d'énergie et d'argent. La méthode de travail RACE (présentée dans la section ci-dessous) est probablement l'une des plus pertinentes et ses principes fondamentaux peuvent être appliqués dans tous les contextes d'intervention bidirectionnelle.

2.3. RIGUEUR ET CRÉATIVITÉ : LA MÉTHODE RACE

Pour réaliser un processus d'interinfluence orienté vers l'atteinte d'objectifs organisationnels et répondre aux attentes du public, le relationniste peut utiliser la méthode RACE qui propose un canevas de travail permettant de structurer son travail. Les quatre composantes de la méthode RACE sont la Recherche, l'Action, la Communication et l'Évaluation (Cutlip *et al.*, 1985, p. 200). L'origine de la méthode RACE remonte aux années 1960 :

> Les relations publiques peuvent aussi être définies comme un processus – c'est-à-dire une série d'actions, de changements ou de fonctions qui produisent un résultat. La manière populaire de décrire ce processus, et d'en retenir les composantes, est l'acronyme RACE, conçu à l'origine par John Marston dans son livre *The Nature of Public Relations*, New York, Toronto, McGraw-Hill, 1963. Essentiellement, RACE signifie que l'activité de relations publiques se résume à quatre éléments clés :

- Recherche – Quel est le problème?
- Action et planification – Qu'allons-nous faire à ce sujet?
- Communication – Comment en parler au public?
- Évaluation – Le public a-t-il été rejoint et quel en a été l'effet? (Wilcox *et al.*, 1992, p. 10. Traduction libre).

Cette méthode de travail est celle qui est reconnue par la Société canadienne des relations publiques. La méthode RACE peut être critiquée, notamment dans ses similitudes avec les approches de marketing; mais au-delà de ces réserves, elle reste valable pourvu que l'on s'en serve dans un esprit de coconstruction de sens. En tenant compte des attentes formulées par les diverses parties prenantes de l'organisation, il est possible d'avoir recours à la méthode RACE pour élaborer des activités de relations publiques dans tous les types de contexte. L'avantage de la méthode RACE est qu'elle peut s'appliquer aussi bien aux entreprises qu'aux organismes sans but lucratif, aux groupes de pression et aux groupes citoyens, pour encadrer la planification à court, moyen et long terme de leurs activités de relations publiques.

Cette approche peut aider le relationniste à structurer ses activités en facilitant la réalisation des différentes étapes de son travail. Le relationniste dispose ainsi d'un cadre opérationnel lui permettant d'établir un dialogue entre les acteurs sociaux en présence et de contribuer à la démocratisation de l'information dans l'espace public, tout en atteignant les objectifs de son organisation.

2.3.1. La Recherche, première étape de la méthode RACE

La recherche permet de documenter les composantes d'une intervention de relations publiques (problèmes à corriger, attitudes et comportements à modifier). Elle procure une meilleure connaissance des opinions des publics, des enjeux sociaux entourant le sujet, des attentes de la population ou de certains groupes, etc. Ainsi, la recherche est une étape essentielle, trop souvent escamotée dans le désir de passer rapidement à l'action. Elle représente une phase cruciale pour laquelle de nombreux outils existent: sondages, entrevues (individuelles, dirigées et semi-dirigées), groupes de discussion, analyse des contenus médiatiques, incluant ceux des médias sociaux ou des sites Web, etc. (voir le chapitre 3 pour plus détails sur la recherche et le chapitre 9 consacré à l'évaluation et la mesure).

2.3.2. L'Action, deuxième étape de la méthode RACE

L'élaboration de stratégies d'action constitue la deuxième phase de la méthode RACE permettant de développer des solutions au problème visé par une intervention de relations publiques. Cette stratégie doit être adaptée aux opportunités et aux risques qui ont été relevés à l'étape de la recherche. Les éléments d'une stratégie d'action sont alors élaborés en fonction de chaque public concerné. Après avoir segmenté les publics à rejoindre, des objectifs quantifiables et mesurables sont établis de manière à rejoindre chacune des catégories de publics. Par exemple : augmenter de 35 % la participation de la population de Trois-Rivières aux activités de compostage des déchets domestiques durant les six premiers mois de l'année pourrait être l'un des objectifs quantifiables et mesurables du plan de communication de cette municipalité. Un axe de communication ou message moteur sera ensuite déterminé et adapté en fonction de chacun des publics, en fonction des objectifs fixés dans le plan d'action.

2.3.3. La Communication, troisième étape de la méthode RACE

S'inscrivant dans la foulée des deux étapes précédentes, la communication est la troisième phase de la méthode RACE permettant de dresser la liste des moyens retenus pour informer les publics et pour recevoir leur *feed-back*. En planifiant et en réalisant tous les moyens de communication requis, on obtient une mise en relations des publics par un processus d'échanges d'information qui permettront de faire valoir le point de vue de l'organisation ainsi que les opinions des publics concernés.

Les interventions des divers interlocuteurs dans l'espace public seront prises en compte de manière à établir un processus d'inter-influence, selon l'évolution séquentielle de la diffusion des informations et en fonction des réactions des groupes en présence. Ces derniers peuvent, eux aussi, avoir élaboré une stratégie de relations publiques en vue d'atteindre leurs propres objectifs. Idéalement, chaque action de relations publiques devra être conçue en tenant compte de la posture discursive des différents acteurs en présence : la stratégie déployée est donc essentiellement évolutive et chaque intervention doit être envisagée en lien avec les précédentes. C'est l'aspect itératif (*build up*) des moyens de communication qui sont déployés dans le temps, selon une planification stratégique conçue de manière à rejoindre graduellement tous les publics de l'organisation et à tenir compte de leurs prises de position.

2.3.4. L'ÉVALUATION, QUATRIÈME ÉTAPE DE LA MÉTHODE RACE

En cours de réalisation, les activités de communication doivent être évaluées, de même qu'à la fin du processus de communication (voir le chapitre 9 à ce sujet). Il s'agit de mesurer le plus scientifiquement possible l'atteinte des objectifs (Bérubé, 2005) et, selon les résultats obtenus, de rectifier le tir ou même de modifier la stratégie.

Tout d'abord, il faudra recueillir le feed-back des publics concernés. La collecte et l'analyse des données peuvent se faire selon diverses techniques : prétest, test et post-test des moyens d'information, sondages, groupes de discussion, analyse des contenus de la presse traditionnelle, des médias sociaux, des blogues, des sites Web, analyse des résultats de ventes, atteinte quantitative des objectifs (par exemple le nombre de bacs de compostage qui ont été distribués) ou atteinte qualitative des objectifs (amélioration de la conscientisation environnementale d'une population ou d'une organisation).

Cette évaluation peut se faire de manière sectorielle, selon chaque type de public et selon les objectifs et sous-objectifs à atteindre. L'évaluation se fait également de manière globale (Bérubé, 2005), à la fin du processus de communication, tout en considérant le retour sur l'investissement, au regard du budget consacré à chaque moyen de communication.

2.4. LE CADRE NORMATIF D'UNE POLITIQUE DE COMMUNICATION

Au-delà de l'approche diffusionniste encore largement utilisée par les organisations qui ont recours aux services d'un relationniste, on peut envisager des interventions plus interactives avec les publics. Une approche plus symétrique peut être proposée pour contribuer à ouvrir l'organisation aux influences de ses parties prenantes, des groupes et des citoyens. Si nécessaire, un document statuant sur les grandes déclarations de principe, la vision et les valeurs de l'organisation en matière de communication sera produit : il s'agit de la politique de communication. Au moment de la conception et de la rédaction de cette politique, on recommande de procéder à une consultation avec les employés et les parties prenantes externes puisqu'ils peuvent contribuer à l'élaboration de ce document. Il n'en sera que plus facile par la suite d'appliquer la politique de communication si elle est issue d'un consensus avec tous les partenaires de l'organisation qui participeront à la mise en place de cette orientation communicationnelle, comme partie intégrante de la culture organisationnelle.

Ainsi, l'énoncé d'une politique de communication institutionnelle, officiellement entérinée par la direction et par le conseil d'administration de l'organisation, peut contribuer à instaurer de nouvelles pratiques de communication. Selon Dagenais (1998, p. 259), une politique de communication doit être élaborée comme :

> Un ensemble de règles qui doivent gérer la communication dans l'entreprise. Ces règles traitent de programme d'identité visuelle, de l'identification du porte-parole, de la diffusion des communiqués, des prises de position publique, des règles de la publicité et de la commandite [...] Au-delà de ces règles, on présente également le système de valeurs qui doit guider le personnel.

La politique de communication est habituellement rédigée sous forme d'une déclaration de principes qui définit les valeurs d'une vision à long terme des communications institutionnelles, en tant que composante de la culture organisationnelle. Avec un tel document, le relationniste dispose de la marge de manœuvre nécessaire pour réaliser des interventions et entreprendre des actions proactives, au lieu de se contenter de réagir de manière défensive aux problèmes qui surviennent ponctuellement. On évite ainsi les situations où il est trop tard pour agir sur les causes réelles d'un problème.

CONCLUSION

Pour réaliser un double processus d'influence, le relationniste intervient à la fois dans les organisations, dans l'espace médiatique et dans la société au sens large. Pour structurer ses activités, il peut utiliser la méthode RACE (Recherche, Action, Communication, Évaluation). Il peut également concevoir, en partenariat avec les principales parties prenantes de l'organisation une politique de communication, précisant les valeurs d'engagement social et d'imputabilité de l'organisation, ses règles de conduite (codes d'éthique et de déontologie).

Reposant sur des principes de communication symétrique bidirectionnelle avec les parties prenantes de l'organisation, une telle politique est essentielle pour structurer, en cours de mandat, les interventions, les planifications stratégiques et les programmes annuels (ou même ponctuels) de relations publiques. Définie en fonction de la mission de l'organisation, la politique de communication varie donc d'une organisation à l'autre, bien que le canevas général demeure assez similaire.

Pour rappeler la différence entre une politique, une stratégie et un plan de communication, nous proposons quelques définitions :

- Une politique de communication est une déclaration de principe clarifiant les grandes orientations et les engagements de l'organisation en matière de relations avec ses divers publics.

  Par exemple, une entreprise peut adopter une politique de communication proactive selon des valeurs de transparence et de reddition de comptes.

- Une stratégie de communication est une orientation d'intervention destinée à résoudre une problématique ou à réaliser un projet d'intervention : la stratégie précise comment réaliser une action en vue d'atteindre un objectif de communication. Chaque dossier de relations publiques commande donc sa propre stratégie de communication.

  Par exemple, une stratégie de sensibilisation aux effets positifs du compostage consisterait en une approche proactive s'appuyant sur les leaders communautaires pour sensibiliser certains segments de la population à la protection de l'environnement par des actions concrètes, posées par chaque citoyen pour réduire les déchets domestiques par le compostage.

- Un plan de communication regroupe un ensemble d'activités et de moyens de communication sur un sujet précis. Le plan de communication consiste en une structuration séquentielle et ordonnée des différentes composantes des activités communicationnelles à réaliser, en vue d'atteindre l'objectif ou les objectifs communicationnels et comportementaux visés. Le plan de communication se présente généralement sous la forme d'un document succinct décrivant ses différentes composantes. Ce document est primordial et fondamental puisqu'il sert de référence et de guide de réalisation de la campagne (Laramée, 1997).

Le plan de communication sera préparé par le relationniste en concertation avec ses différents partenaires internes et externes. Puis, il sera approuvé par la direction de l'organisation avant d'être réalisé.

En définitive, la planification stratégique des actions de communication permet au relationniste d'élaborer des actions concertées visant l'atteinte des objectifs de l'organisation et sa mise en relation avec ses diverses parties prenantes (Freeman, 1984). L'élaboration de ces relations s'effectue à travers des réseaux de liens, de contrôles et de transactions (Lavigne, 2002b). Mais qui dit mise en réseaux et prise en compte des attentes des parties prenantes dit ouverture à l'inter-influence. L'organisation ne peut faire partie de réseaux uniquement pour en contrôler les flux d'information ; elle doit également être ouverte à l'influence provenant de ses parties prenantes et des membres de ses réseaux. Il se crée ainsi un équilibre dans la réalisation de dialogues, chacun exprimant ses idées et recevant l'information de ses interlocuteurs ; il se développe en outre une porosité de l'information qui ne vise plus uniquement le consensus (L'Etang, 2008) mais ce que Holtzhausen et Voto (2002) qualifient de dissensus, souvent plus dynamiques au regard des débats dans l'espace public car ils permettent une coconstruction de savoirs et de sens (Broom, 2009 ; Mahy, 2009).

ÉTUDE DE CAS

Entreprise ou organisation
Ville de Sherbrooke

Campagne ou action
Comité Dialogue-citoyens Sherbrooke

Distinction
   **Prix d'excellence Or 2009 de la Société québécoise
   des professionnels en relations publiques (SQPRP)**
   Catégorie : **Gestion des enjeux et communication de crise**

Lauréat
Daniel Nadeau
Vice-président et directeur général
Cabinet de relations publiques
et communication Nadeau Bellavance

En collaboration avec Annie-Claude Dépelteau
Conseillère en relations publiques et en communication

Nadeau Bellavance
cabinet de relations publiques et de communication

1. RECHERCHE ET ANALYSE

Le projet présenté au Prix d'excellence de la SQPRP par le Cabinet de relations publiques et communication Nadeau Bellavance concerne le projet Comité Dialogue-citoyens Sherbrooke, un processus novateur de participation citoyenne, mis en place pour le compte de la Ville de Sherbrooke.

Ce projet, conceptualisé entièrement par les professionnels du cabinet, visait principalement à relancer tout le processus de planification urbaine du territoire de la Ville de Sherbrooke, processus qui était, jusqu'en avril 2008, complètement bloqué.

Au printemps 2007, la Ville de Sherbrooke présentait à sa population son nouveau plan d'urbanisme unissant les plans d'urbanisme des 10 anciennes municipalités maintenant fusionnées. Ce nouveau plan d'urbanisme a soulevé beaucoup d'opposition tant de la part de la population que de certains organismes et groupes d'intérêts. Les débats concernaient surtout des choix faits par la Ville de Sherbrooke, dans le cadre de son plan d'urbanisme, en ce qui a trait aux préoccupations environnementales et à nos vieilles habitudes de consommation et de production. Ces débats se sont soldés par le rejet du plan d'urbanisme, par la population sherbrookoise, lors du référendum tenu sur ce sujet en mai 2007. Prenant acte du résultat démocratique du référendum, la Ville de Sherbrooke s'est cantonnée, par le travail de son Comité d'urbanisme, dans la gestion des projets en conformité avec les 10 plans d'urbanisme qui s'appliquent toujours sur le territoire de la ville de Sherbrooke.

Beaucoup d'information et de désinformation ont circulé pendant la période référendaire. Cette surabondance de «discours aux contenus opposés» a laissé des marques dans l'opinion publique sherbrookoise. Certains voyaient leurs politiciens comme *des gens qui ont des intérêts cachés*, d'autres voyaient les groupes de pression comme des *empêcheurs de tourner en rond* opposés à tout développement. Cette période référendaire à Sherbrooke a été marquée par des querelles de nature politique et partisane et par la création d'une dynamique de confrontation entre les groupes et intervenants.

Afin de bien documenter notre analyse des enjeux sous-jacents de la situation, nous avons procédé à la tenue de groupes de discussion, avant la rédaction du plan de communication. Nous souhaitions, entre autres, valider dans quelle mesure les discours tenus par les participants étaient empreints de *spins* développés par les opposants au plan d'urbanisme tout en recueillant de l'information sur la vision des participants quant à la suite des choses dans le dossier du plan d'urbanisme.

Ces groupes de discussion, auxquels 31 Sherbrookois de tous âges et de tous arrondissements confondus ont participé, ont permis de dresser quelques constats menant à l'établissement d'un diagnostic précis de la situation. En définitive, il était très clair que l'opinion publique sherbrookoise était fortement teintée par les argumentaires des opposants à la Ville de Sherbrooke. Il était manifeste également que la meilleure façon de désintéresser davantage les citoyens – déjà faiblement intéressés par les questions municipales – était de laisser encore une fois toute la place à des querelles partisanes. Les citoyens souhaitaient la reprise du dialogue entre tous les groupes intéressés par des échanges sains où des experts, n'ayant pas d'intérêts personnels à défendre, émettent une pluralité de points de vue permettant ainsi aux citoyens de se forger leurs propres opinions. Ces groupes de discussion nous ont permis de voir l'ampleur de la tâche à communiquer ce dossier aux citoyens qui étaient, à l'époque, très cyniques à l'égard de l'administration municipale en place.

En févier 2008, le conseil municipal de Sherbrooke a donc confié le mandat au cabinet de relations publiques et communication Nadeau Bellavance d'élaborer une stratégie de relance du processus de décision en matière de planification urbaine. Il était convenu de laisser une large place au dialogue, au-delà de la dynamique de confrontation entre les groupes impliqués.

2. PLANIFICATION ET MISE EN ŒUVRE

2.1. Le projet

Les objectifs de communication pour ce projet étaient les suivants:

- relancer, de façon durable et harmonieuse, le processus de planification urbaine du territoire de Sherbrooke;

- mettre en valeur la volonté des élus de Sherbrooke de tourner la page sur le passé et de consulter les groupes concernés par les questions de développement du territoire ;

- informer de façon régulière et constante la population de Sherbrooke de l'avancement des travaux, en communiquant efficacement et de façon transparente.

Au printemps 2008, le cabinet de relations publiques et communication Nadeau Bellavance a donc conceptualisé une nouvelle approche de la participation citoyenne : le Comité Dialogue-citoyens Sherbrooke qui repose sur la démocratisation de la planification urbaine du territoire. Ce projet a été présenté aux élus de Sherbrooke qui l'ont, par la suite, adopté.

Concrètement, le Comité Dialogue-citoyens Sherbrooke (un comité *ad hoc*) avait le mandat de faire le point sur trois thèmes constituant les principales préoccupations de la population sherbrookoise :

- la protection des aires écologiques et la protection du bois Beckett dans l'arrondissement de Jacques-Cartier ;

- le développement commercial dans l'arrondissement de Fleurimont ;

- le développement de nouveaux axes routiers avec la construction de l'axe René-Lévesque dans l'arrondissement Rock-Forest–St-Élie–Deauville.

Le comité a donc mis sur pied trois tables thématiques, chacune traitant spécifiquement de l'un des thèmes mentionnés. Il est essentiel de rappeler ici que les tables thématiques avaient comme mandat de trouver des solutions concrètes à certaines problématiques de l'arrondissement étudié, et ce, en regard de la thématique de la table. Le groupe de travail devait aussi développer un modèle théorique d'analyse pouvant être applicable à d'autres arrondissements de la ville.

Le Comité Dialogue-citoyens Sherbrooke était constitué de 10 personnes qui y siégeaient bénévolement : trois citoyens issus du comité consultatif d'urbanisme de la Ville de Sherbrooke, le président nommé du comité, les trois présidents des tables thématiques, la directrice du Service des communications de la Ville de Sherbrooke, le directeur général adjoint de la Ville de Sherbrooke et le directeur du Service de la planification du territoire de la Ville de Sherbrooke.

Mentionnons qu'un soin particulier a été accordé au choix du président du Comité Dialogue-citoyens Sherbrooke et aux trois coprésidents des tables thématiques. Il nous apparaissait essentiel de faire appel à des « personnalités transcendantes » pour diriger les travaux de ce vaste chantier. Puisque nous souhaitions casser l'image de partisannerie de ce dossier, les têtes d'affiche se devaient d'être des personnalités reconnues socialement à Sherbrooke, mais n'ayant aucune allégeance politique connue.

Pour ce qui est des tables thématiques, un appel général de candidatures a été fait dans les journaux couvrant le territoire. Ainsi, les tables thématiques étaient toutes constituées de 13 personnes soit un président désigné, un expert désigné, recommandé par la fonction publique, quatre à cinq citoyens intéressés par la question et trois à six représentants de groupes d'intérêts liés à la problématique étudiée.

Chacune des tables thématiques s'est réunie de 7 à 10 reprises, entre les mois de mai et de novembre 2008. Une liberté entière était donnée aux tables thématiques quant à leur sujet d'étude et leurs recommandations. Les membres avaient le loisir de demander l'éclairage de n'importe quel expert, de consulter toutes les études disponibles, etc. Bien que chacune des tables eût ses propres procédures et règles du jeu, elles devaient toutes fournir un rapport préliminaire, contenant des recommandations, pour le mois d'octobre 2008.

Tous les rapports préliminaires des tables thématiques ont été soumis lors d'assemblées publiques citoyennes dans les arrondissements concernés. Cette étape s'avérait essentielle dans tout le processus démocratique du Comité Dialogue-citoyens Sherbrooke : donner la parole aux citoyens pour permettre à ces derniers d'influencer véritablement les visions d'avenir et les priorités à mettre en œuvre, au cours des prochaines années. La population de Sherbrooke a participé en grand nombre à ces consultations publiques afin de bonifier les rapports préliminaires des tables thématiques. Par la suite, chacune des tables s'est réunie une dernière fois pour rédiger un rapport final qui a été remis au Comité Dialogue-citoyens Sherbrooke. Les trois rapports finaux ont été déposés aux élus lors d'une assemblée publique du conseil municipal au mois de décembre 2008.

La stratégie soutenant la création du Comité Dialogue-citoyens Sherbrooke était de permettre aux citoyens d'être de véritables acteurs du processus qui se déroule normalement entre les experts, les élus et les fonctionnaires. Il ne s'agissait pas de retirer la responsabilité décisionnelle aux élus, mais bien d'ajouter un acteur essentiel à ce processus de décision : le citoyen. Il n'en reste pas moins que l'instance finale de tout ce processus est le conseil municipal de Sherbrooke. Ce dernier s'est formellement engagé à tenir compte de la démarche et des recommandations des groupes. Les élus sherbrookois ont bien saisi que le Comité Dialogue-citoyens Sherbrooke, c'est-à-dire cet exercice de démocratie participative, ne remplace pas la démocratie représentative, mais en est un excellent complément.

2.2. Liens entre actions et objectifs

Dès le début du projet, les notions de transparence et de communications fréquentes s'avéraient essentielles à sa réussite. Le conseil municipal et le Service des communications devaient travailler à rétablir un dialogue entre la Ville de Sherbrooke, sa population et les groupes d'intérêts, et ce, dans un contexte où la Ville était aux prises avec un important déficit de crédibilité. Le Comité Dialogue-citoyens Sherbrooke ne pouvait donc se permettre aucun faux pas et devait avoir comme leitmotiv la transparence, à toutes les étapes du projet.

Ainsi, un très grand souci a été accordé à la qualité des communications et de l'information diffusée sur ce projet auprès de la population sherbrookoise. Une revue, intitulée *Nous*, a été diffusée à tous les citoyens de Sherbrooke à deux reprises (présentation du projet et présentation des recommandations de toutes les tables). Nous avons créé un site Internet sur lequel les citoyens retrouvaient toute la documentation utilisée par les tables : ordres du jour et procès-verbaux des réunions, publicité pour inciter à participer aux tables thématiques et aux assemblées publiques.

De multiples conférences de presse ont été organisées et plus d'une trentaine de communiqués de presse ont été diffusés auprès des médias de la région. Tout cela avait pour but d'informer adéquatement la population sherbrookoise du « vaste chantier de consultation » qu'était le Comité Dialogue-citoyens Sherbrooke et de rétablir de façon durable le dialogue entre tous les groupes de la société civile.

2.3. Le Comité Dialogue-citoyens Sherbrooke et le développement durable

Élaboré par les professionnels du Cabinet de relations publiques et communication Nadeau Bellavance, ce projet s'appuie fortement sur les bases du développement durable. La lecture de la Déclaration sur le développement durable signée par les grands intervenants du milieu des communications du Québec lors d'un colloque sur ce thème en 2006 nous a permis d'établir plusieurs parallèles entre notre projet et les grands principes de développement durable, notamment concernant les points suivants :

- favoriser une économie respectueuse des impacts de ses activités [...] dans une perspective d'amélioration de la vie des personnes et de préservation des ressources ;
- apporter une contribution professionnelle à la sensibilité des différentes collectivités, organisations et entreprises de la société québécoise envers les pratiques respectueuses des principes de développement durable ;
- encourager le dialogue avec les groupes de citoyens et les différentes parties prenantes des organisations et des entreprises ;
- favoriser la concertation, la collaboration et l'imputabilité des décideurs face à ces questions.

2.4. L'échéancier et le budget

Ce projet s'est vu confier un budget d'environ 80 000 $, couvrant la conceptualisation, la réalisation des divers outils, la réalisation des conférences de presse, le suivi rigoureux auprès du comité et des trois tables thématiques. Il est important de mentionner que la réalisation des outils a été confiée à une autre firme. Ce budget ne prend pas en compte toutes les ressources internes de la Ville de Sherbrooke qui ont travaillé étroitement à la réussite de ce projet. Concernant l'échéancier, tout le travail a été accompli dans une période relativement courte, soit de mars à décembre 2008.

3. RÉSULTATS ET ÉVALUATION

3.1. L'impact des messages et les réactions des publics

Les retombées du projet ont été multiples pour la population sherbrookoise, et ce, à plusieurs niveaux. Abordons tout d'abord les retombées médiatiques du projet. Le Comité Dialogue-citoyens Sherbrooke a défrayé les manchettes pendant plusieurs mois. Tous les sujets à l'étude ont été l'objet de reportages à de multiples reprises tant par les médias écrits qu'électroniques. Peu de sujets en lien avec l'administration municipale ont retenu autant l'attention des médias que le Comité Dialogue-citoyens Sherbrooke durant l'année 2008.

De façon plus importante, le projet a atteint son objectif principal, soit de sortir de l'impasse dans laquelle se trouvait la Ville de Sherbrooke en matière de planification urbaine du territoire. Le Comité Dialogue-citoyens Sherbrooke a permis de rétablir le dialogue entre la Ville, ses citoyens et les groupes d'intérêts.

Évidemment, tout cela ne s'est pas fait sans heurts. À l'intérieur même des tables thématiques, il y a eu des accrocs, des sujets où ont surgi des dissensions. Le processus et la crédibilité de quelques participants, incluant les présidents, ont parfois été mis à rude épreuve. Mais tout cela est normal puisque la Ville de Sherbrooke construisait véritablement un nouveau mode de dialogue. *A posteriori*, il est possible d'affirmer que le jeu en valait la chandelle et que tous ces désaccords ont permis aux divers intervenants de s'exprimer autant qu'ils le souhaitaient... La diversité des opinions et des visions a été entendue et débattue sur toutes les questions soulevées, et ce, dans un contexte où l'issue d'un tel projet n'était pas connue à l'avance.

Même si plusieurs citoyens et quelques groupes s'étaient élevés contre telle ou telle recommandation, ces personnes ont, pour la plupart, salué l'initiative de la Ville de Sherbrooke et reconnu qu'un grand pas avait été franchi à Sherbrooke en termes de démocratie municipale.

3.2. Des résultats concrets

La très grande majorité des recommandations des trois tables a été acceptée d'emblée par le conseil municipal qui s'est réuni à la fin de janvier pour doter la Ville de Sherbrooke d'un plan d'action concret sur les sujets étudiés. Ce plan d'action prend en compte toutes les recommandations contenues dans les rapports finaux et dote ces dernières d'un échéancier de réalisation.

Lors du référendum sur le plan d'urbanisme en 2007, trois thèmes litigieux avaient sonné la défaite de l'administration municipale. En plus de permettre la reprise du dialogue, les trois tables thématiques sont arrivées à des consensus sur ces questions épineuses :

- il y aura la construction d'un axe dans l'arrondissement de Rock-Forest–St-Élie–Deauville (nommé axe René Lévesque) qui comptera deux voies au lieu de quatre comme prévu à l'origine ;

- la superficie du bois Beckett sera doublée et 12 % du territoire de la ville de Sherbrooke sera protégé en tant qu'aires écologiques ;

- un pôle commercial de calibre local sera construit dans l'arrondissement de Fleurimont, mais la construction devra préserver certaines zones écologiques ciblées.

3.3. Respect du mandat

Nous citerons ici un extrait d'une lettre ouverte parue dans *La Tribune* du 6 février 2009 :

> La création du Comité Dialogue-citoyens et [...] ont marqué une volonté d'ouverture digne d'éloges. Souhaitons que l'effort entrepris se poursuive et touche tous les aspects de la vie municipale.

Cette lettre d'opinion, rédigée par une dame associée étroitement aux opposants de l'administration municipale en place, nous permet d'affirmer que nous avons réussi à modifier le climat entre les citoyens de Sherbrooke et l'administration municipale en place quant aux questions de développement du territoire. Ce processus a permis de désamorcer les tensions et juguler la grogne qui régnait à l'époque.

De plus, le maire de Sherbrooke, Jean Perrault, répondait à un journaliste lui demandant de quelle façon il aborderait ses électeurs s'il décidait de se présenter aux prochaines élections municipales : « Je prendrais l'essentiel des recommandations du comité Dialogue-citoyens ayant trait au développement durable et j'en ferais mon programme électoral. » (*La Tribune*, samedi 27 décembre 2008, p. 4.)

Ces témoignages et plusieurs autres attestent de l'atteinte des objectifs de ce vaste projet de démocratie citoyenne.

LE RECOURS À LA RECHERCHE

Développement des savoirs en relations publiques

*La communication des connaissances
parmi les membres d'une société
représente naturellement un progrès de la civilisation.*

*L'acquisition de connaissance vise à réduire l'incertitude
dans la sélection d'une solution
à un problème organisationnel.*

(GAUTHIER, 2009, p. 31 et p. 635.)

L'évolution des relations publiques tend à dégager cette pratique des formes improvisées d'intervention : l'étude réalisée par Maisonneuve, Tremblay et Lafrance (2004b, p. 7) démontre que les professionnels en relations publiques considèrent la recherche importante bien qu'elle soit toujours le parent pauvre de leurs priorités. Toutefois, l'essor de la recherche dans la pratique des relations publiques traduit de plus en plus un souci de rigueur dans les interventions. D'ailleurs, le développement des connaissances scientifiques en communication (Bonneville, Grosjean et Lagacé, 2006) ainsi que la formation universitaire des relationnistes leur donnent maintenant accès à de nouvelles approches en recherche qui les aident à mieux structurer leur travail. De plus en plus de méthodes de recherche, quantitatives et qualitatives, sont maintenant intégrées au cursus universitaire en relations publiques :

> Le recours à la recherche a beaucoup évolué dans les habitudes de travail des relationnistes. Bien qu'elle soit encore l'activité à laquelle se consacrent le moins de relationnistes, ils sont tout de même deux fois plus nombreux à recourir à la recherche. En effet, en 1990, près de 90 % des relationnistes affirmaient ne pas utiliser la recherche sur une base régulière (jamais ou occasionnellement) alors qu'en 2003, ce pourcentage n'atteignait que 46,5 % des relationnistes (Maisonneuve, Tremblay et Lafrance, 2004b, p. 7).

Il est maintenant reconnu (Grunig, Grunig et Dozier, 2002) dans la profession que pour concevoir une stratégie de relations publiques pertinente, il faut s'appuyer sur les résultats de recherche qui documentent les enjeux en cause, les besoins des publics auxquels on s'adresse, ainsi que l'organisation concernée. Une bonne configuration de la recherche formative, réalisée en amont de toute élaboration de stratégie de communication, contribue à mieux cerner les enjeux organisationnels. Quant à la recherche évaluative, effectuée en aval d'un plan de communication, elle est traitée au chapitre 9.

Idéalement, le relationniste doit être l'une des personnes qui connaissent le mieux l'organisation et les attentes de ses parties prenantes, sans oublier les préoccupations des autres publics (les publics latents, les publics indifférents et la population en général). Dagenais qualifie ces publics de primaire, secondaire et marginal :

> Dans un plan de communication, le public primaire est celui qui est le plus concerné par la situation. Lors d'un désastre écologique, par exemple, le public primaire, ce sont les gens qui habitent directement autour de la zone dévastée.
>
> Le public secondaire est un public un peu moins concerné par la situation. Dans l'exemple cité plus haut, il sera composé des gens qui habitent aux limites de la zone touchée ou des agriculteurs qui habitent une région limitrophe et qui ont peur des répercussions pour leurs cultures.

Le public marginal est un public qui est concerné par ce qui se passe, mais à un degré éloigné. Ainsi, tous les groupes préoccupés par la sauvegarde de l'environnement peuvent devenir des intervenants critiques dans une telle situation, même s'ils ne sont pas touchés directement (Dagenais, 1998, p. 161).

Une connaissance approfondie des catégories de publics et la spécificité de la problématique à résoudre est essentielle au relationniste pour effectuer une lecture juste de la situation, au regard des intérêts de l'organisation, de ses publics et de la société. La documentation d'une problématique et la cartographie des enjeux peuvent être réalisées avec des méthodes qualitative et quantitative de recherche (Gauthier, 2009), sans oublier la connaissance des théories de la communication qui servent de cadre d'analyse.

3.1. S'OUVRIR À UNE PLURALITÉ D'OPINIONS

Le relationniste peut avoir l'impression de connaître les enjeux et les spécificités des situations auxquelles il est confronté dans l'exercice de ses fonctions. Mais il est facile de tenir pour acquis que l'expérience antérieure, plus ou moins complétée par quelques commentaires émis par la direction d'une organisation, fournit suffisamment d'information pour être en mesure d'élaborer une intervention. Einstein et Infeld nous rappellent d'ailleurs qu'il faut se méfier de ses premières impressions et que la recherche basée sur des méthodes scientifiques est importante pour bien documenter un sujet puisque : « La découverte et l'emploi du raisonnement scientifique par Galilée est l'une des conquêtes les plus importantes dans l'histoire de la pensée humaine. Cette découverte nous a appris qu'il ne faut pas toujours se fier aux conclusions intuitives basées sur l'observation immédiate, car elles conduisent parfois à des fils conducteurs trompeurs » (Einstein et Infeld, 1948, p. 10).

Ainsi, une recherche doit être menée avant le début d'un mandat pour s'assurer que toutes les dimensions d'un problème sont documentées, incluant les positions que défendent les groupes de pression, les médias, etc. En relations publiques, la recherche est en effet de toute première importance puisqu'elle permet de transcender les biais personnels, ceux du relationniste comme ceux de son mandant (patron ou client) afin de comprendre une réalité dans toute sa complexité. C'est pourquoi les professionnels en relations publiques ont de plus en plus recours aux différents moyens de recherche comme illustré au tableau 3.1.

TABLEAU 3.1

Outils de recherche utilisés par les relationnistes dans le cadre de leurs activités professionnelles*

	Très souvent	Souvent	Total «très souvent» et «souvent»	Parfois	Jamais	Total «parfois» et «jamais»	Non-réponse	Total
Recherche sur le Web	148 **54,2%**	80 **29,3%**	228 **83,5%**	30 11,0%	4 1,5%	34 **12,5%**	11 4,0%	100,0%
Analyse de documents et de données	76 **27,8%**	106 **38,8%**	182 **66,7%**	45 16,5%	29 10,6%	74 **27,1%**	17 6,2%	100,0%
Analyse de presse	88 **32,2%**	86 **31,5%**	174 **63,7%**	51 18,7%	36 13,2%	87 **31,9%**	12 4,4%	100,0%
Sondage	29 **10,6%**	68 **24,9%**	97 **35,5%**	138 50,5%	24 8,8%	162 **59,3%**	14 5,1%	100,0%
Groupe de discussion	17 **6,2%**	60 **22,0%**	77 **28,2%**	122 44,7%	58 21,2%	180 **65,9%**	16 5,9%	100,0%
Entrevue en profondeur	19 **7,0%**	56 **20,5%**	75 **27,5%**	99 36,3%	79 28,9%	178 **65,2%**	20 7,3%	100,0%
Évaluation du profil des utilisateurs de sites Web (pour vos clients ou pour votre propre organisation)	26 **9,5%**	47 **17,2%**	73 **26,7%**	87 31,9%	90 33,0%	177 **64,8%**	23 8,4%	100,0%
Analyse de données financières	16 **5,9%**	43 **15,8%**	59 **21,6%**	72 26,4%	120 44,0%	192 **70,3%**	22 8,1%	100,0%

* Les pourcentages de ce tableau sont calculés en référence au nombre total de personnes ayant répondu au sondage (273).
Source: Maisonneuve, Tremblay et Lafrance, 2004, p. 39.

Quel que soit le moyen utilisé, entreprendre une recherche peut paraître irréaliste lorsque le temps et les ressources financières sont très limités : on imagine un processus long, des coûts prohibitifs, plusieurs intermédiaires, des tableaux complexes à analyser, etc. Tout cela est vrai puisque la recherche scientifique ne s'improvise pas, mais lorsque le temps manque, on peut avoir recours à des firmes de recherche et à des chercheurs universitaires pour approfondir une problématique. Il vaut mieux effectuer une recherche exhaustive et rigoureuse avant de réaliser une activité de communication plutôt que de risquer une intervention inadéquate parce mal préparée.

3.2. MAIS DE QUEL TYPE DE RECHERCHE A-T-ON RÉELLEMENT BESOIN ?

Puisqu'il est facile de confondre recherche et documentation, distinguons : 1) la recherche scientifique, comme celle réalisée dans un cadre universitaire, 2) la recherche commerciale qui permet de réaliser des mandats ponctuels et 3) la documentation d'un sujet que réalisent eux-mêmes les relationnistes dans le cadre de leurs fonctions courantes. Comme les relationnistes ne sont pas tous des chercheurs de carrière[1], ils peuvent être amenés à confier certaines de leurs activités de recherche à des chercheurs universitaires ou à des firmes commerciales de consultants.

En recherche, plusieurs méthodes de travail peuvent être utilisées : l'analyse des publications scientifiques pour constituer une revue de littérature, l'analyse de contenu de diverses publications tels les sites Web, les blogues et l'analyse d'impact des couvertures de presse (Chartier, 2003 et 2005). Sans oublier la collecte d'information de manière quantitative (Blais et Durand, 2009) qui permet de documenter certains enjeux et des situations spécifiques, notamment à l'aide de questionnaires. La recherche qualitative peut avoir recours aux entretiens individuels (Desanti et Cardon, 2007), aux entretiens de groupes (Geoffrion, 2009), à la recherche action (Christen-Gueissaz, 2006) et à l'observation participante (Laperrière, 2009). Des méthodes quantitatives et qualitatives sont souvent employées de manière concomitante pour enrichir les données obtenues.

---

1. Sauf ceux qui détiennent une formation de cycles supérieurs en recherche. Ces relationnistes se spécialisent souvent en recherche, notamment dans certains grands cabinets de relations publiques.

Si l'on désire confier une recherche à un centre universitaire, on peut le faire de diverses manières : par exemple, en finançant le programme de recherche d'une chaire, en confiant un mandat ponctuel à un chercheur ou en offrant un terrain de recherche à un étudiant de maîtrise ou de doctorat. Ce dernier pourra alors consacrer son mémoire ou sa thèse sur un objet de recherche organisationnelle. Il faut toutefois se rappeler que toute recherche universitaire demande du temps, ce qui est normal compte tenu des processus méthodologiques requis dans les universités afin de garantir la rigueur scientifique des résultats.

Pour compléter une première étape de documentation, on peut avoir recours à des entrevues avec quelques acteurs clés afin de situer le contexte global de l'intervention. On peut ainsi obtenir des informations plus précises sur les perceptions à l'égard de l'organisation, de ses produits et de ses activités. Les diverses parties prenantes de l'organisation peuvent avoir des perceptions très différentes selon leur opinion individuelle ou groupale, celles-ci étant modulées par plusieurs facteurs, notamment la nature de l'enjeu auquel elles sont confrontées. En effet, les études démontrent que si l'on aborde ces mêmes publics en d'autres situations, leur perception face à une organisation pourra varier considérablement au regard de ce nouvel enjeu.

En effet, comme le précise la théorie situationnelle de Grunig *et al.* (1984, p. 147 et 2002, p. 324), la perception des publics sur un enjeu organisationnel est d'abord et avant tout contextuelle et elle fluctue en fonction de chaque situation. C'est pourquoi de nouvelles recherches doivent être menées chaque fois que l'on veut évaluer le positionnement d'une organisation relativement à une nouvelle situation. Ainsi, bien qu'un public perçoive favorablement la position d'une organisation dans un dossier X, à un moment Y, rien ne garantit que cette perception demeurera positive ultérieurement sur un autre sujet ou sur ce même sujet.

Une nouvelle situation peut changer complètement la perception. Ainsi, une organisation peut jouir d'une excellente réputation pour la qualité de ses activités communautaires dans sa région. Mais cela n'empêche pas la population d'avoir d'autres opinions sur cette organisation, par exemple sur la qualité des produits, du service à la clientèle ou de la protection de l'environnement. Le public appréciera le soutien financier accordé par cette entreprise à des organismes communautaires de la région, sans pour autant être favorable envers ses positions d'affaires.

Dans le domaine très complexe des perceptions, le principe des vases communicants s'applique rarement. Les individus conservent leur esprit critique en fonction de chaque situation : l'effet d'une commandite ou d'un succès commercial est loin de neutraliser toutes les oppositions ou les perceptions négatives à l'endroit d'une organisation (Grunig et Hunt, 1984, p. 132. Traduction libre) :

> Un exemple peut être apporté avec le «Syndrome de la petite ligue de baseball». Des personnes peuvent croire qu'une organisation fait quelque chose de répréhensible en matière de pollution de l'air. Pour changer cette opinion, l'organisation commanditera l'équipe de baseball locale. Elle espère ainsi que la perception favorable eu égard à son engagement communautaire auprès des jeunes reléguera aux oubliettes l'opinion défavorable au sujet de la pollution. Or, en réalité, le mieux qui peut être attendu de la commandite est de remplacer l'opinion totalement négative par une opinion mixte, à la fois favorable et défavorable. La population appréciera l'équipe de baseball mais n'oubliera pas pour autant la pollution.

C'est pourquoi la recherche doit être suffisamment approfondie pour capter les variations les plus subtiles de l'opinion de chaque public ou pour cerner toutes les causes d'un problème, en fonction de chaque situation. On doit également rester attentif aux personnes dont l'opinion ne s'inscrit pas en phase avec l'opinion publique. Souvent, ces individus développent des points de vue en marge des courants dominants. Ils peuvent alors s'abstenir de formuler leurs idées sur la place publique, donnant lieu à ce que Noelle-Neumann appelle la spirale du silence :

> La spirale du silence est une réaction à la fluctuation de l'opinion publique qui approuve ou désapprouve une myriade de valeurs dans la société. La question est de savoir quelle opinion compte vraiment. En ce sens, l'opinion publique ne concerne pas uniquement les personnes qui forment le «public engagé politiquement» (Habermas, 1962, p. 117) car l'opinion de chaque personne compte (Noelle-Neumann, 1984, p. 64. Traduction libre).

Cette réflexion très juste de Noelle-Neuman démontre l'importance de considérer les pistes fournies par les résultats de recherche pour documenter l'opinion de tous les acteurs en présence. Cette démarche fournit également des données sur les causes d'un problème, la perception des individus consultés, les pistes de solution émanant des publics concernés, etc. Par contre, selon Frenette (2010), si l'on ne tient pas compte des résultats de la recherche scientifique sur un sujet, on se prive de sources d'information très précieuses :

[...] selon certains chercheurs, le succès relatif de plusieurs campagnes sociales s'expliquerait par le fait qu'on évalue mal la complexité du problème, d'une part, et qu'on exploite mal les concepts explicatifs et les méthodologies des sciences humaines, d'autre part. Ainsi, il arrive souvent qu'on sous-estime l'importance d'un bon fondement théorique, la nécessité d'une recherche détaillée sur la problématique en amont de la création et la pertinence d'examiner d'autres campagnes sur la même thématique avant d'arrêter une stratégie de communication (Frenette, 2010, p. 3).

Comme le recommande Frenette (2010), le relationniste doit d'abord disposer de cadres d'analyse rigoureux pour être en mesure de réaliser ses interventions à la lumière des résultats des recherches existantes ou des nouvelles recherches qui seront effectuées. En consultant des ouvrages qui présentent des cadres théoriques pertinents au domaine des relations publiques (à titre d'exemple, *Public Relations and Social Theory: Key Figures and Concepts*, de Ihlen, van Ruler et Fredriksson, 2009), le relationniste se familiarise avec des courants de pensée et des concepts pouvant lui être utiles pour mieux cerner les aspects multidisciplinaires de son domaine d'intervention. En effet, Ihlen *et al.* (2009), de même que Grunig *et al.* (2002), ne manquent pas d'établir des liens entre la pratique des relations publiques et les approches théoriques qui sont présentées, tant en gestion, en communication et, de manière générale, en sciences humaines.

Ainsi, les données que procure la recherche au relationniste rendent possible l'élaboration de stratégies d'intervention prenant appui sur des prémisses plus objectives que les idées préconçues et les biais inhérents au genre, à la culture, aux habitus de classe et de formation, pour n'en nommer que quelques-uns. Par exemple, la dissonance cognitive (Festinger, 1962) peut être une source de distorsion des opinions. Il s'agit d'un processus par lequel les individus tentent d'échapper à une mise en contradiction de leurs agissements avec leurs valeurs personnelles ou leurs connaissances. Pour éviter cette dissonance, ils discriminent l'information qui leur est soumise, en fonction de leurs partis pris, de leurs préjugés, de leurs croyances, de leurs valeurs personnelles et de leur propre comportement. L'évitement de la dissonance cognitive fait en sorte qu'un individu élabore ses opinions pour justifier son comportement. Il évite ainsi d'être placé en situation de contradiction avec les éléments d'information qui lui sont transmis et qui vont à l'encontre de ses valeurs, se construisant alors une opinion qui légitime son comportement.

3.3. ÉLARGIR SA VISION DE L'ORGANISATION

Un programme de recherche ne portant que sur l'organisation n'est pas toujours suffisant. Il vaut mieux étendre cette étude au secteur d'activité dans lequel évolue l'organisation. Par exemple, si un relationniste œuvre dans le secteur des pâtes et papiers, il doit être en mesure de cerner les enjeux qui touchent l'ensemble de cette industrie, souvent représentée par une association. Il faudra chercher à comprendre sur quels sujets précis et pour quels motifs des représentations sont faites auprès des gouvernements ou quels sont les problèmes récurrents qui se posent aux entreprises de ce secteur d'activité. Par conséquent, la recherche doit permettre de documenter de manière large une situation globale, en fonction de plusieurs paramètres humains, économiques, sociaux, politiques et culturels. Ces études permettent également de tracer l'évolution d'un enjeu, si la collecte de données se poursuit sur plusieurs années : « Même les sondages les plus banals dans l'instant peuvent, sur une longue période, devenir sujets d'étude significatifs, tant l'analyse des évolutions et des modifications des mentalités peut être révélatrice de processus politiques ou sociétaux fondamentaux » (Cayrol, 2000, p. 128). En ce sens, les résultats de recherche peuvent être utiles dans l'immédiat comme ils peuvent l'être à plus long terme, permettant alors de développer une vision longitudinale d'un problème.

3.4. MULTIPLIER LES POINTS DE VUE ET LES SOURCES D'INFORMATION

Le relationniste qui est sensibilisé à l'importance de la recherche n'a pas toujours à la réaliser lui-même, comme mentionné précédemment. Il peut faire affaire avec des firmes commerciales de consultants ou établir des ententes de collaboration avec des chercheurs universitaires. Dans tous les cas, il est intéressant d'obtenir des résultats de recherche portant sur plusieurs aspects d'un problème, auprès de plusieurs catégories de personnes, si l'on veut obtenir un portrait global de la situation. Il faut également tenir compte des publics qui ne s'expriment pas haut et fort sur la place publique, que Noelle-Neumann (1984) qualifie de majorité silencieuse, selon la théorie de la spirale du silence, revisitée par Broom (2009, p. 197. Traduction libre) :

> Les individus qui pensent que leur opinion est en conflit avec celles de la majorité ont tendance à demeurer silencieux sur un enjeu. [...] Leur silence et leur inactivité peuvent conduire à une conclusion erronée voulant que peu de personnes soutiennent tel ou tel point de vue. Par ailleurs, des individus qui pensent que

plusieurs autres personnes partagent leurs opinions ou que leur nombre s'accroît rapidement seront plus enclins à exprimer leurs opinions.

Ainsi, en demeurant conscient de la fluctuation de l'opinion dominante et de l'émergence possible des silencieux, le relationniste tient compte d'une multitude d'opinions. Il peut multiplier la collecte de points de vue pour enrichir sa lecture de la situation et diminuer le risque de myopie intellectuelle. Il existe de nombreux moyens de recherche disponibles ; nous en présentons quelques-uns afin d'illustrer certaines possibilités. Signalons toutefois que ces sources d'information sont souvent accessibles au relationniste désirant lui-même mener certaines études, alors que, dans d'autres cas, il préférera confier à des chercheurs de carrière la réalisation de certaines recherches lorsqu'il pense n'avoir ni le temps, ni la compétence de les réaliser.

3.4.1. ÉTUDE DE LA DOCUMENTATION INSTITUTIONNELLE

Par l'étude de la documentation disponible, on obtient un éventail de renseignements contribuant à cerner une problématique. Plusieurs catégories de textes peuvent faire l'objet d'une analyse : rapports annuels, brochures, textes d'allocution, publications institutionnelles et documents promotionnels transmis aux clients, correspondance, contenus de sites Web, blogues et forums de discussion en ligne, etc. Ainsi, on peut analyser les textes publiés sur le Web participatif, en effectuant une vigie qui permet d'identifier les signes avant-coureurs de certaines tendances. Par exemple, lorsqu'un blogueur influent traite d'un enjeu touchant l'organisation, ses opinions peuvent être prises en compte sur deux plans : pour ce qu'elles représentent en soi ainsi que pour l'éventuel intérêt que pourraient y porter les médias de masse. Peuvent également être consultés les documents produits par les gouvernements, par les associations sectorielles et les regroupements d'entreprises évoluant dans un même secteur.

En recueillant plusieurs catégories de documents, le chercheur peut monter une base de données sur laquelle il peut ensuite appliquer la méthode de l'analyse de contenu dont les avantages sont importants : « cette méthode est non réactive et permet d'étudier une grande quantité de données textuelles, de même que du matériel non structuré. Elle permet de dépasser les impressions subjectives sur le contenu d'une grande diversité de documents, en fournissant des données descriptives étayées » (Frenette, 2010, p. 85). L'analyse de cette documentation lui permet alors de mieux connaître :

- l'organisation elle-même : son historique, l'évolution de ses activités ; ses enjeux publics, ses débats juridiques, son réseautage, ses avancées technologiques, les risques inhérents à son secteur d'activité et les crises précédemment vécues par l'organisation, sans oublier les réglementations et législations touchant cette organisation, etc. ;
- son contexte d'affaires : l'évolution et la répartition des parts de marché, sa réputation commerciale, la qualité de ses services et de ses produits, la philosophie de service à la clientèle, son environnement concurrentiel et ses projets de développement ;
- ses employés : l'état des relations entretenues avec les personnels, leur profil sociodémographique, le taux de roulement, les raisons d'absence au travail, la proportion d'employés syndiqués, l'historique des relations patronales-syndicales, les programmes de formation des employés et des cadres, l'état du dossier santé-sécurité et autres sujets permettant de documenter la dimension ressources humaines de l'organisation ;
- ses parties prenantes : les interlocuteurs de l'organisation et leurs attentes ; les relations entretenues avec les gouvernements et les leaders d'opinion dans ce secteur d'activité ; les revendications des groupes citoyens et des groupes de pression, à titre d'exemple.

3.4.2. LES RAPPORTS DE RECHERCHE SCIENTIFIQUE

Il est essentiel de consulter les sites Web des centres de recherche universitaires ainsi que les bases de données rassemblant les publications scientifiques (telle Cairn) pour obtenir les résultats de recherches consacrées au sujet que le relationniste désire documenter. On y trouve divers types de rapports, d'études, de comptes rendus, des mémoires et des thèses[2], les études menées par les chaires universitaires, les centres de recherche, etc. Les universités offrent aussi des services de consultation en ligne, donnant accès à de nombreux centres de documentation, facilitant ainsi la recherche.

---

2. On peut consulter le répertoire des thèses de doctorat déposées dans les universités américaines (depuis 1861), canadiennes et européennes. University Microfilms International, *Dissertation Abstracts International*, Ann Arbor, Michigan, 1861.

3.4.3. LES REVUES DE PRESSE

Elles constituent un autre élément à ne pas négliger : la couverture médiatique permet d'obtenir une vue d'ensemble de la perception que véhiculent les journalistes sur un enjeu ou sur l'organisation. L'analyse des revues de presse fournit des renseignements précieux qui complètent d'autres aspects de la recherche. Des firmes spécialisées peuvent fournir quotidiennement cette revue de presse, si le relationniste n'a pas retenu les services d'un employé pour faire ce monitorage des médias imprimés et électroniques. Outre une revue de presse régionale, nationale et internationale, ces entreprises fournissent des services de veille internationale pour documenter l'évolution des tendances de l'opinion médiatique.

3.4.4. L'ANALYSE D'IMPACT

L'étude d'impact des couvertures médiatiques et de divers documents entourant un débat public, telles les opinions exprimées dans la blogosphère, peut contribuer à approfondir un sujet. Ainsi, l'analyse des contenus médiatiques peut être réalisée dans le but de cerner les positions des principaux interlocuteurs s'exprimant dans les médias. Cette analyse a également pour but de mesurer le taux de pénétration des informations dans l'espace médiatique, tout en identifiant les enjeux institutionnels, les crises en émergence, les critiques des journalistes, les opinions du public par l'entremise des lettres ouvertes dans les journaux ou des tribunes téléphoniques à la radio.

Pour ce faire, plusieurs méthodes peuvent être utilisées et des firmes spécialisées peuvent fournir une analyse périodique de contenu de presse, selon les sujets de recherche identifiés par le relationniste. Ces analyses de contenus médiatiques permettent de dégager le sens global qui émerge des revues de presse puisque :

> Par-delà le contenant, il y a le contenu
> Par-delà le texte, il y a le contexte
> Par-delà l'événement, il y a son sens
> Par-delà la nouvelle, il y a sa tendance
> Par-delà les apparences, il y a la réalité
> Par-delà l'informateur, il y a l'informé
> Par-delà l'émission, il y a la réception
> Par-delà l'énoncé, il y a le suggéré
> Par-delà l'affirmation, il y a l'allusion
> Par-delà la cacophonie des nouvelles qui s'entrechoquent, il y a l'harmonie d'un unique récit qui s'écrit
> Par-delà le journal qui chaque soir se meurt, il y a son discours qui demeure
> Par-delà l'image qu'on émet, il y a l'image qui est perçue

> Par-delà l'image qu'on veut projeter, il y a l'image qu'on
> projette
> Par-delà le sondage d'opinion, il y a les idées qui cheminent
> L'analyse de presse, par la qualité de sa technique, peut déceler
> tous ces «par-delà»[3].

À titre d'exemple, considérons la méthode conçue par la sociologue Violette Morin (1969), de l'École des hautes études en sciences sociales à Paris (EHESS) et développée par Lise Chartier (2003) qui a fondé le Laboratoire d'analyse de presse Caisse Chartier, de la Chaire de relations publiques et communication marketing (Université du Québec à Montréal). Cette méthode d'analyse de contenu permet d'évaluer la manière dont les médias transmettent l'information relative à une organisation, un événement ou un thème particulier. La méthode Morin-Chartier consiste à fragmenter les extraits de nouvelles de tous genres, notamment les articles de journaux, en unités indépendantes qui sont appelées unités d'information. Celles-ci, une fois codifiées et catégorisées, procurent une vue globale de l'approche médiatique.

L'unité d'information est extraite de l'écriture de presse pour désigner l'information rémanente qui se dégage d'un contenu de presse (ou de tout autre document). La compilation de ces unités d'information permet d'obtenir, sur un sujet précis, des indices de fréquence, de partialité, d'orientation et de tendance. Pour assurer la fiabilité des résultats obtenus, on peut soumettre à quelques personnes les contenus à analyser. De cette manière, on évacue la subjectivité possible d'un seul codeur (Grawitz, 2001). La méthode d'analyse de presse permet d'obtenir une compilation des unités d'information dans une base de données qui facilite la compréhension de l'opinion médiatique, comme le précise l'auteure de cette méthode (Naville-Morin, 2003, p. 18):

> Il y a dans la répétition d'une information, et précisément à travers les variantes de chacun de ses univers sémantiques, un rapport associatif neuf, une mise en place de significations nouvelles. Si l'on veut bien considérer comme déterminante l'idée de Lasswell que le contenu des communications actuelles dépend de plus en plus de l'attention que le public prête aux répétitions, ces significations nouvelles seront celles que le public retiendra l'événement terminé, les journaux oubliés: ce seront les significations rémanentes de l'information. Si l'on veut également considérer, toujours avec Lasswell, qu'elles ne peuvent être saisies que dans un tout et quantitativement, l'analyse se doit de les rassembler toutes pour saisir dans chacune sa signification rémanente.

---

3. Jean-Guy Primeau et Le réseau Caisse, Chartier, *L'analyse d'impact de couvertures de presse selon la méthode Caisse, Chartier*, brochure, s.d.n.l.

Pouvant s'appliquer à la couverture de presse ainsi qu'à d'autres types de documents d'information, incluant le contenu publié sur le Web et les communiqués, la recherche par l'analyse de contenu peut se faire sur des dossiers ponctuels ou en continu, sur plusieurs mois, voire plusieurs années. On dispose alors de données permettant de suivre l'évolution du discours médiatique, pour en dégager des indices sur la notoriété et pour évaluer la réputation médiatique d'une organisation, l'évolution des enjeux, l'efficacité des porte-parole, la portée des interventions de relations publiques, etc.

Rappelons que les analyses de contenu sont largement utilisées partout dans le monde, de nombreuses méthodes d'analyse de contenu ayant été développées. En effet, plusieurs firmes, cabinets et chercheurs ont mis au point diverses méthodes d'analyse de contenu, comme en témoigne l'AMEC (Association for Measurement and Evaluation of Communication). Des informations supplémentaires sont fournies sur quelques approches d'évaluation au chapitre 9. De manière générale, on peut retenir que l'analyse de contenu procure des données très intéressantes, que peuvent compléter d'autres modes de recherche. En intégrant ce mode d'analyse aux autres approches de recherche, le relationniste dispose d'un tableau de bord lui permettant d'évaluer les effets de ses interventions ou le positionnement de l'opinion. Ainsi, les résultats de l'analyse de presse peuvent être confrontés à ceux obtenus par d'autres études, notamment pour documenter l'opinion publique, laquelle peut différer de l'opinion médiatique.

3.4.5. LES SONDAGES

Le sondage est devenu un outil de recherche si connu que l'on a tendance à le banaliser, peut-être à cause de la surutilisation que certains partis politiques en font. Heureusement, le sondage ne sert pas qu'à connaître les intentions de vote aux prochaines élections ou à un prochain référendum! Un sondage peut apporter une multitude de renseignements qui permettent d'étayer l'évaluation d'une situation et d'élaborer une stratégie de relations publiques efficace, car ils sont «des instruments scientifiques fiables de mesure du pouls de l'opinion» (Beauchamp, 1991, p. 176). Pour atteindre ces objectifs, plusieurs formules sont proposées par les firmes qui offrent leurs services pour la réalisation de sondages. Il peut s'agir d'un sondage autonome ou bien d'un sondage omnibus (où plusieurs sujets sont abordés pour des clients différents). On peut aussi faire appel à un centre de recherche universitaire pour la réalisation d'une enquête par questionnaire. Les firmes commerciales et les chercheurs universitaires peuvent ainsi procurer des informations sur les tendances générales ou valider quantitativement des hypothèses, mais à condition que sa valeur scientifique soit assurée par une gestion très rigoureuse du processus de collecte de données et de leur analyse : « le sondage n'a de réelle validité que s'il est utilisé dans un cadre de nature scientifique – quelle que soit la profession de celui qui s'en sert, scientifique patenté, journaliste, ou citoyen » (Cayrol, 2000, p. 128). Le sondage a souvent pour but de vérifier, c'est-à-dire qu'il contribue à « assurer la validité et la généralité d'une affirmation donnée que l'on appellera, dans ce contexte, une hypothèse. Le but, ici, est de pouvoir affirmer avec plus ou moins de certitude que telle ou telle chose est vraie ou fausse. On associe d'ordinaire cette approche à un processus déductif dans la mesure où les hypothèses que l'on cherche à vérifier sont déduites d'études ou de théories préalables » (Mongeau, 2008, p. 31).

3.4.5.1. Quelques pièges à éviter

Tout d'abord, il faut se garder de mener des recherches pour lesquelles on ne dispose pas des compétences scientifiques requises. Le relationniste doit connaître ses limites à ce sujet et ne pas hésiter à recourir aux services d'un expert. Mais pour être en mesure de travailler efficacement avec ces spécialistes, il faut connaître quelques règles de base, ou du moins les principaux pièges à éviter.

Piège 1 : N'utiliser que des sondages préfabriqués

Il s'agit d'une erreur qui risque d'orienter sur de fausses pistes la compréhension d'une situation de sorte que les stratégies de relations publiques seront ensuite développées sur des bases très imprécises. Certains sondeurs proposent des questionnaires conçus pour d'autres clients, lors de sondages réalisés antérieurement, ce qui est assez fréquent pour des études réalisées auprès des employés, à titre d'exemple. Or il faut être prudent car tous les questionnaires ne s'appliquent pas nécessairement à l'organisation qui commande une étude. Il est important de revoir l'ensemble des questions pour s'assurer qu'elles cernent précisément l'objet de recherche afin de bien documenter les spécificités de l'organisation et sa problématique. Parfois, un questionnaire déjà élaboré pourra fournir quelques éléments utiles mais mieux vaut concevoir un nouveau questionnaire pour chaque sondage à réaliser.

Piège 2 : Modifier les variables en cours de sondage

Lorsqu'un protocole de sondage a été élaboré, le chercheur ne peut le changer en cours de route sous peine d'invalider tout le processus. Il doit donc faire preuve de rigueur dans l'administration du sondage afin de réduire les sources d'erreur :

> La mesure des variables doit donc se dérouler de façon standardisée. L'administration en face à face de questionnaires demeure à la fois la façon la plus populaire et considérée comme la plus rigoureuse de faire remplir un questionnaire. Cela peut se faire individuellement ou en groupe. Peu importe le contexte, l'administrateur doit prendre conscience que toute modification aux consignes ou aux items risque d'invalider sérieusement et de façon imprévisible la validité ou la fidélité d'un questionnaire (Bouchard et Cyr, 2005, p. 295).

Il faut donc obtenir toutes les approbations requises avant de débuter l'administration d'un sondage pour éviter d'avoir à en modifier les paramètres en cours de réalisation. Un prétest du questionnaire est d'ailleurs fortement suggéré pour s'assurer qu'on peut le réaliser sans problème, que les questions sont comprises par le public concerné et que les résultats peuvent être compilés et analysés facilement. On minimise ainsi les risques d'avoir à apporter des modifications en cours de processus lors de l'administration du sondage.

Piège 3 : Expédier un sondage en quelques heures

Il faut consacrer le temps nécessaire à la conception, à la validation, aux prétests et à la réalisation d'un sondage ainsi qu'à l'analyse des résultats ; or tout cela demande beaucoup de temps. D'où la nécessité de prévoir un échéancier réaliste ainsi qu'une bonne marge de manœuvre financière. Parfois, le manque de temps amène à recourir au sondage en ligne qui permet une administration plus rapide, notamment pour la compilation des réponses. Toutefois, pour concevoir et valider le questionnaire, puis analyser les résultats obtenus, cela demande aussi beaucoup de temps. L'élaboration d'une problématique de recherche (c'est-à-dire cerner très précisément l'objet d'étude et ses objectifs) demande à elle seule beaucoup de réflexion (Olivier, Bédard et Ferron, 2005) et requiert un calendrier de réalisation assez étendu, surtout si ce travail est accompli en partenariat avec plusieurs intervenants de l'organisation, dont le président, les vice-présidents et certains experts (comptables, légaux, etc.).

Piège 4 : Croire qu'un sondage a un effet neutre sur les participants

Il est possible qu'un sondage soit perçu par certains participants comme une façon détournée d'obtenir des informations confidentielles ou pouvant servir à des fins de manipulation. On peut soupçonner le relationniste de vouloir accroître son pouvoir d'influence auprès des publics qu'il a à rejoindre (Jallot, 2007 ; Kessler, 2002). Au contraire, il faut envisager le sondage simplement comme un moyen d'améliorer ses connaissances sur une problématique organisationnelle. Mais la connaissance étant un processus irréversible, les informations obtenues lors d'un sondage ont toujours un impact (négatif ou positif), non seulement sur les publics de l'échantillon mais également sur l'organisation qui commande la recherche et qui prend en compte les résultats.

Prenons le cas d'une entreprise qui mène un sondage auprès de ses clients pour connaître leur opinion envers sa notoriété en tant que citoyen corporatif et son sens des responsabilités sociales. Si les participants au sondage expriment des points de vue négatifs à l'égard du comportement antiécologique de l'entreprise, les dirigeants de cette firme ne pourront plus l'ignorer. Bien que la plupart des organisations ne réagissent pas immédiatement aux résultats d'un sondage, les nouvelles données finissent habituellement par faire progresser les idées et peuvent influer sur les prises de décision, immédiates ou ultérieures. Un rapport de sondage pourrait ainsi être l'un des moyens contribuant à transformer la conscience sociale de l'organisation et à modifier son comportement. Naturellement, cela ne se fait pas sur la simple présentation d'un rapport de sondage. Y contribuera également l'adoption d'une politique de communication basée sur l'écoute et le respect des droits de tous les publics de l'organisation.

Il est aussi possible qu'un rapport de sondage confidentiel et réservé aux publics internes d'une organisation soit communiqué à des journalistes qui en diffuseront les résultats, soulevant ainsi une polémique sur la place publique. C'est là une illustration de l'effet rebond de l'information (Lafrance, 2004) qui peut se propager d'un public à l'autre d'autant plus facilement que les médias sociaux peuvent à tout moment prendre le relais.

En outre, selon la notion de relations transpubliques (Lafrance, 2004), un effet de porosité entre les publics opère à la manière de vases communicants entre les différentes strates de la population. Ainsi, les employés d'une organisation, concernés au premier chef par un sondage auquel ils ont participé, pourraient voir leurs enjeux de gestion interne portés sur la place publique et débattus par divers interlocuteurs. Il faut donc garder en tête les effets potentiels de la divulgation de résultats de recherche ainsi que leurs répercussions sur certains publics et sur l'évolution des enjeux organisationnels.

Par conséquent, un sondage, comme tout autre moyen de recherche faisant appel à la participation de personnes, produit toujours un effet sur les publics concernés et même d'autres publics pouvant accéder aux résultats. Avant d'entreprendre ce type de recherche, il faut aussi s'assurer que l'on ne crée pas d'attentes qui risquent d'être déçues si aucun changement n'est apporté au terme de la recherche. Un mécanisme de rétro-information, idéalement de rétroaction, doit être mis en œuvre à l'issue d'un sondage. Cela s'applique tout particulièrement aux publics internes de l'organisation : les employés devraient toujours être informés des résultats d'une recherche réalisée à l'interne et des mesures mises en place pour donner suite aux suggestions qui ont été formulées. Il faut également leur expliquer pour quelles raisons d'autres commentaires exprimés par une majorité de répondants ne peuvent être pris en compte, si tel est le cas dans l'immédiat ou à long terme.

Piège 5 : Se substituer au chercheur scientifique

Chacun son métier… la recherche quantitative demande une expertise qui ne s'acquiert que par la formation et une longue pratique. Il est important de faire appel à des spécialistes lorsqu'un sondage est requis et de valider les approches dont se réclament les firmes commerciales ou les chercheurs universitaires. Tous ne sont pas de la même école, certains sondeurs ayant une approche plus marketing de l'analyse ; d'autres, à l'inverse, adoptent un cadre d'analyse plus social et s'attarderont davantage à cerner les attitudes ou les comportements sociaux. Il convient d'apporter beaucoup de soin au choix du consultant ou du chercheur. Pour vérifier l'adéquation entre son expérience et les besoins du relationniste, on peut consulter les publications du chercheur ou les clients de la firme commerciale dont on désire retenir les services.

Si une étude de tendances doit être réalisée rapidement, certains professionnels en relations publiques seront amenés à utiliser un logiciel de sondage en ligne pour une première collecte de données qu'ils peuvent réaliser eux-mêmes (voir quelques conseils à ce sujet à la section 3.4.5.2). D'ailleurs, plusieurs professionnels en relations publiques ont développé des habiletés dans l'analyse des résultats de sondage ; c'est d'ailleurs à cette fin que des cours d'initiation aux statistiques et aux méthodes quantitatives sont offerts dans les programmes universitaires de relations publiques. Toutefois, ces quelques cours ne font pas automatiquement du relationniste un chercheur émérite. Dès que des données scientifiques sont requises, il vaut mieux s'entourer de chercheurs pour lesquels les méthodes quantitatives n'ont plus de secrets et qui pourront garantir la fiabilité de leurs résultats. Outre les données de base, les experts en méthodes quantitatives et les chercheurs universitaires peuvent fournir des analyses rigoureuses de la collecte par questionnaires. Ils ont l'expérience nécessaire pour tirer un maximum de renseignements des résultats d'un sondage et pour les analyser avec toute la rigueur scientifique qui est attendue d'eux, notamment lorsque des mesures d'association sont requises.

Piège 6 : Réagir trop émotivement aux commentaires exprimés

Les personnes qui assistent à des groupes focus doivent être préparées à cet exercice de confrontation avec les opinions qui sont exprimées. Celles qui assistent à la séance derrière une glace sans tain doivent garder une attitude d'ouverture face aux différents types de commentaires tout en faisant preuve d'une grande modestie. Les opinions exprimées par les participants peuvent être assez déstabilisantes pour certains observateurs, surtout s'ils sont directement touchés par la thématique sur laquelle porte le groupe focus.

3.4.5.2 Le sondage en ligne

Dans le cadre d'une recherche menée soit par le relationniste ou par un expert externe, le sondage en ligne peut s'avérer une méthode intéressante puisque plusieurs avantages y sont reliés, notamment «une grande flexibilité pour le répondant, de même qu'une plus grand efficience pour le chercheur qui peut profiter des systèmes informatisés pour compiler les données recueillies sous format numérique, plutôt que d'effectuer une saisie manuelle de chaque réponse» (Broom, 2009, p. 290. Traduction libre).

Le sondage en ligne permet de proposer sur le Web un questionnaire que certaines personnes vont pouvoir remplir. Pour assurer à ce type de sondage certaines conditions de réussite, quelques conseils[4] de base peuvent servir de guide sur :

- le choix d'un logiciel ;
- la clarification des objectifs du sondage ;
- les contraintes spécifiques au sondage en ligne ;
- l'équilibre à respecter dans le questionnaire ;

---

4. Parmi ces conseils pour réaliser un sondage en ligne, plusieurs règles s'appliquent également au sondage administré de manière conventionnelle.

- l'identification du chercheur et son engagement déontologique;
- la planification de l'échantillon;
- la création d'un microsite, le prétest et la mise en ligne;
- l'identification des paramètres du sondage;
- la gestion de la diffusion du questionnaire;
- la récupération des données et leur analyse.

Choisir le logiciel en fonction de ses besoins

Tout d'abord, il est important de bien cerner les besoins de l'organisation et du chercheur avant d'arrêter son choix sur un logiciel de sondage en ligne. Il faut prévoir un logiciel permettant de répondre à l'évolution des besoins du sondeur. Les premières expériences de sondage en ligne sont souvent très simples mais, après quelques essais, l'utilisation se raffine tout en se complexifiant. Le logiciel doit pouvoir répondre aux besoins évolutifs du sondeur pendant quelques années. Par conséquent, il est conseillé de retenir un logiciel bien soutenu techniquement par une firme qui offre un excellent service à la clientèle, pouvant être obtenu dans la langue désirée et accessible en tout temps.

Il vaut mieux opter pour un logiciel tout aussi performant sur l'Internet que sur un Intranet afin d'être en mesure de réaliser des sondages auprès de publics fermés, tels les membres d'une organisation ou d'une association. En s'informant sur les caractéristiques du logiciel, on s'assure qu'il est en mesure de gérer les sondages destinés à quelques centaines ou plusieurs milliers de répondants. Attention aux logiciels qui ne permettent pas la gestion d'un grand nombre de courriers électroniques à la fois ni la compilation des réponses à des questions différentes. La rapidité du traitement des réponses, la diversité des tableaux pouvant être produits, la possibilité de réaliser des analyses par associations doivent aussi faire l'objet d'une évaluation minutieuse avant d'arrêter son choix sur un logiciel de sondage en ligne. Il faut également considérer la possibilité d'inclure un accès par mot de passe car cela peut être requis dans le cas de sondages confidentiels.

Clarifier les objectifs du sondage, et ne jamais les perdre de vue

Pour tout sondage, incluant celui qui est administré en ligne, il faut prendre le temps de définir la problématique de la recherche et les objectifs du sondage. C'est la responsabilité du relationniste de clarifier, avec le chercheur ou la firme de sondage, le but et les objectifs de l'étude avant d'amorcer le travail. S'il s'agit d'un contrat de recherche avec des fournisseurs externes, cette première étape doit faire l'objet d'un consensus entre les parties et d'une ratification par écrit dans un document qui stipule toutes les conditions du contrat, en spécifiant clairement les objectifs à atteindre.

Éviter les objectifs qualitatifs pour les sondages qui relèvent d'une méthodologie quantitative. Bien que des questions ouvertes puissent être incluses dans le questionnaire en ligne, il faut bien garder à l'esprit qu'il ne s'agit pas d'une méthode qualitative, tels le groupe focus ou l'entrevue individuelle.

Les objectifs doivent être réalistes, clairs et précis. Il faut éviter les objectifs trop ambitieux qui commanderaient à eux seuls trois études différentes. Mieux vaut étudier à fond une problématique plutôt que d'essayer d'en cerner un grand nombre de manière superficielle. D'ailleurs, il est recommandé d'éviter les questionnaires comportant un nombre très élevé de questions pour éviter la perte de concentration et le désistement des répondants. C'est pourquoi on doit restreindre une étude par voie de sondage à un maximum de deux ou trois objectifs, idéalement un seul, permettant un nombre raisonnable de questions. Ainsi, on évite d'irriter le répondant avec l'administration de questionnaires trop longs. Chaque question doit être en lien avec l'objectif. La conception d'un questionnaire doit respecter le principe de l'entonnoir et procéder du plus général au plus précis, permettant ainsi d'atteindre l'objectif de manière séquentielle.

Tenir compte des contraintes spécifiques au sondage en ligne

La création d'un questionnaire en ligne doit respecter les mêmes règles que pour un questionnaire traditionnel, administré sur support papier ou oralement, au téléphone ou en face-à-face. Les doubles questions et les questions biaisées orientant les réponses sont à éviter. Il faut aussi porter une attention particulière à la formulation du questionnaire afin d'éviter de suggérer une réponse dans l'énoncé de la question ou dans les choix de réponses. Ces règles de base sont d'autant plus importantes que le sondage en ligne ne permet pas la clarification des consignes pendant que le participant y répond, comme ce pourrait être le cas lors d'un sondage administré en face-à-face.

Distinguons trois types de questions, selon les possibilités offertes par le logiciel qui identifiera de manière différente les questions ouvertes (à développement), les questions fermées (avec choix de réponses) et les questions à pointage (selon l'échelle de Likert, par exemple). Il faut également définir les questions qui seront obligatoires et les distinguer des questions optionnelles. Habituellement, le répondant ne peut transmettre son questionnaire si certaines questions obligatoires n'ont pas été remplies. Un message apparaîtra alors demandant de répondre à la question x avant l'envoi des réponses.

On peut conserver les questions des sondages réalisés antérieurement dans une bibliothèque de questions, sans toutefois y référer systématiquement. Mais, dans certains cas, cela permet d'utiliser certaines questions déjà créées, notamment les questions portant sur le profil sociodémographique.

Équilibrer les types de questions

Des questions ouvertes, fermées et à pointage peuvent être prévues dans un sondage tout en veillant à maintenir un équilibre entre ces catégories de questions. Par exemple, les questions ouvertes sont intéressantes pour ajouter une dimension qualitative aux résultats d'un sondage. L'analyse des questions ouvertes peut se faire par certains logiciels de sondage, tels NVivo ou Sémato (Plante, Dumas et Plante, 2010).

Attention aux espaces prévus pour inscrire les commentaires à une question ouverte : la plupart des logiciels limite le nombre de caractères admissibles dans ces cases pour les questions ouvertes. Certains logiciels ignorent tout simplement les commentaires dépassant 255 caractères, sans que le répondant en soit avisé. Il suffit alors de préciser dans l'énoncé de la question ouverte le nombre de caractères que permet d'écrire le logiciel dans la case prévue à cette fin.

Les questions fermées prévoient un choix de réponses couvrant l'ensemble des options possibles, incluant « ne sais pas » ou « sans opinion ». Quant à l'option de réponse « autres », elle est suivie d'une question ouverte demandant au répondant de préciser sa pensée. Un prétest permettra souvent d'ajouter des choix de réponses, oubliées par les concepteurs du sondage, ce qui permettra de réduire au minimum le recours à la réponse « autres » par les répondants au sondage.

Lorsqu'on formule des questions à choix multiple, tenir compte des possibilités offertes par le logiciel de sondage en ligne. Habituellement, le logiciel permet deux types de réponse à une question à choix multiple : une réponse unique ou plusieurs réponses à une même question. Dans le premier cas, on demande au répondant de choisir une seule réponse, celle qui correspond prioritairement à son opinion. S'il « clique » sur une seconde case, parmi les autres choix de réponses, sa première option sera automatiquement effacée, rendant ainsi impossible l'inscription de deux réponses à une même question. Les réponses à choix unique doivent être formulées de manière équilibrée, en prenant soin d'éviter de trop grands écarts entre les choix de réponse. Voici un exemple de choix non équilibré : « toujours » et « jamais ». Il manque au moins l'option « souvent », à positionner entre « toujours » et « jamais ». Cela s'applique également aux sondages qui ne sont pas réalisés en ligne. Dans le cas de sondage en ligne, la plupart des logiciels offerts sur le marché donnent des exemples de formulation équilibrée des choix de réponse, simplifiant ainsi la conception du questionnaire.

Lors de la conception du questionnaire, il est possible d'opter pour une catégorie de réponse permettant au répondant de cocher plusieurs options pour une même question. Le répondant peut alors cocher tous les choix qui correspondent à son opinion, chaque fois que le sondeur aura précisé à la fin de la question : « Vous pouvez cocher plusieurs réponses. »

En outre, il est préférable d'éviter les choix de réponses formulées uniquement de manière négative, ce qui peut amener des distorsions dans la compréhension des questions, biaisant ainsi les résultats. Le logiciel retenu peut présenter des exemples de formulation neutre des questions : on peut s'en inspirer pour créer des questionnaires dont la formulation clarifie les énoncés et n'induit pas une réponse au détriment des autres choix possibles.

Par ailleurs, il faut réduire le nombre de questions reportées (ex. : « Si vous avez répondu non, passez à la question 12 ») car il peut devenir difficile pour le répondant de sauter d'une question à l'autre à l'écran de son ordinateur. On risque de lasser le répondant s'il y a trop de questions reportées, diminuant ainsi le taux de réponse au sondage. Notons que la plupart des logiciels offrent une bonne interface permettant de résoudre ce problème, faisant en sorte qu'après avoir répondu à une question, le répondant est automatiquement renvoyé à la question suivante, en fonction de son choix de réponse.

Prévoir l'identification du chercheur et son engagement déontologique

Dès la page d'accueil du site Web qui présente un sondage en ligne, on doit préciser l'engagement de confidentialité et la garantie d'anonymat des répondants, lorsque cela s'applique. Dans ces cas, il faut éviter les questions permettant d'identifier des répondants par déduction. Il faut également prendre les mesures nécessaires pour restreindre l'accès à la base de données aux seuls chercheurs qui ont signé l'entente de confidentialité.

Lorsque des sondages en ligne sont effectués pour des personnes ou des organismes soumis à un code de déontologie, le chercheur devra en prendre connaissance avant la conception du questionnaire. Il pourra ainsi tenir compte des prescriptions de ce code et le faire signer par tous les chercheurs de l'équipe de recherche, incluant le personnel de soutien. Par exemple, les universités et certains ministères ont développé leur propre code d'éthique en matière de recherche sur des sujets humains. Voici un exemple de texte devant être publié sur le site Web du sondage, destiné à rendre publiques les prescriptions déontologiques auxquelles souscrivent les chercheurs : « Les informations que vous allez nous transmettre seront conservées de manière anonyme, dans des fichiers à accès restreint (par mot de passe) ou, lorsque les résultats seront imprimés, dans un classeur sous clé. Aucune donnée à caractère nominatif ne sera divulguée. Seules des informations anonymes seront publiées. À cet égard, les chercheurs se sont engagés par écrit à respecter les recommandations relatives au respect de ces consignes d'anonymat. » Dans le cas où l'anonymat n'est pas requis, un espace est prévu au questionnaire pour entrer les coordonnées de chaque répondant au sondage. Il peut s'agir d'une option laissée au choix du répondant.

Planifier l'échantillon

L'un des choix les plus importants pour la validité des résultats d'un sondage concerne la représentativité de l'échantillon en fonction de la population visée par l'étude. Pour ce faire, il faut :

- identifier la population (sur qui porte l'étude) puis l'échantillon retenu (le groupe précis qui sera invité à participer au sondage) ;
- tenir compte du biais induit par la diffusion en ligne du sondage ; un sondage en ligne présente la particularité d'exclure de l'échantillon les personnes qui n'ont pas accès à un ordinateur et à l'Internet ;
- formuler les questions en fonction de la population concernée. Éviter les termes abstraits et les questions très longues dans le cas d'un échantillon de sujets peu scolarisés. Les répondants doivent comprendre la formulation de chaque question avec le moins de distorsion possible dans l'interprétation des termes utilisés (Blais et Durand, 2009).

Lorsque l'échantillon est défini, deux choix s'offrent pour le rejoindre : d'abord, l'envoi par courrier électronique d'un court message d'invitation à participer au sondage. Cela requiert la création d'une liste d'envoi composée des adresses électroniques de tous les destinataires.

On peut également utiliser d'autres moyens d'information pour inviter les personnes à se rendre sur le site Web du sondage afin de participer à l'enquête : courrier, blogue, section d'un site Web, message texto, télécopieur, babillard, journal, etc.

Créer un microsite, prétester puis mettre en ligne

Il est important de vérifier la fonctionnalité de la page Web où le sondage est positionné avant de débuter l'envoi. Lors de la conception du design visuel du site, on doit éviter certains choix de couleurs ou d'animation qui pourraient provoquer de la fatigue oculaire chez le répondant. D'ailleurs, certains logiciels ont prévu cette dimension importante dans la gestion des paramètres de la mise en ligne et ils offrent des modèles de page Web préformatés en fonction de paramètres ergonomiques. Dans tous les cas, il faut faire preuve de sobriété car un sondage en ligne n'est pas une page publicitaire.

Lorsque le sondage est mis en ligne, l'étape du prétest est incontournable avant de procéder à la diffusion de l'invitation à participer au sondage. Ce prétest doit être administré auprès d'un groupe restreint, représentatif des personnes faisant partie du public étudié. On doit recueillir les commentaires des répondants au prétest et tenir compte de leurs suggestions. Le prétest permet entre autres de vérifier si les questions sont comprises de manière uniforme par les personnes qui y ont participé. On minimise ainsi les risques de distorsion dans l'interprétation des questions auprès de l'ensemble des répondants au sondage. À la suite du prétest, des ajustements peuvent être apportés au questionnaire en fonction des recommandations des participants. Le prétest permet également d'évaluer le temps requis pour compléter le questionnaire. Si des changements majeurs sont requis, ne pas hésiter à procéder à un second prétest pour valider la nouvelle formulation des questions.

Établir clairement les paramètres du sondage

Certaines informations générales doivent être positionnées sur le site du sondage :

- indiquer les dates de début et de fin du sondage dans le texte de présentation, dès la page d'accueil du site Web où est positionné le questionnaire du sondage ;
- préciser ou non l'identité de la personne ou de l'organisation pour laquelle est mené ce sondage. Certains sondages doivent être faits à l'aveugle pour ne pas biaiser les réponses ou pour

respecter l'anonymat du chercheur ou de l'organisme qu'il représente. Dans d'autres cas, on doit identifier l'organisme qui commande le sondage et qui recevra le rapport ;

- lorsque le répondant a complété le questionnaire, le diriger vers une page Web où on le remercie de sa participation. On peut également ajouter quelques questions supplémentaires, par exemple pour le recrutement de participants à un groupe focus sur le même sujet, de manière à monter une banque de participants potentiels ;

- expliquer sur le site Web du sondage l'utilisation qui sera faite des résultats car les participants se posent toujours des questions à ce sujet. Il vaut donc mieux préciser les modes de diffusion des résultats. Exemple : indiquer aux répondants de quelle manière le rapport du sondage leur sera communiqué ; rappeler également l'anonymat des résultats lorsqu'ils seront publiés, si tel est le cas ;

- ajouter une section, à la fin du questionnaire, demandant aux personnes qui ont participé au sondage si elles souhaitent recevoir d'autres sondages, de manière à monter une banque d'adresses électroniques pour des recherches ultérieures. À cet effet, certaines questions cernant les intérêts du répondant peuvent être posées de façon à «cataloguer» ces adresses en fonction des types de publics recherchés.

Gérer la diffusion du questionnaire

La diffusion du questionnaire peut se faire par courrier électronique, à partir des listes d'adresses électroniques correspondant à l'échantillonnage. Un message général présentant le but de l'enquête et réclamant la participation du destinataire doit être rédigé de manière à ce que le courrier électronique ne soit pas classé dans la corbeille, car il risque parfois d'être considéré comme un pourriel. L'envoi du questionnaire à l'échantillon peut s'effectuer :

a) à partir des listes d'envoi du chercheur ;

b) à partir des listes d'envoi de l'organisation-cliente si celle-ci préfère le faire elle-même afin de ne pas donner accès à un tiers à sa base de données ;

c) à partir des listes d'envoi d'organismes spécialisés dans la vente d'adresses électroniques.

L'origine de la diffusion du sondage est importante car elle indique la source de l'étude. En outre, la personne qui diffusera le message d'invitation à participer au sondage devra effectuer les rappels préplanifiés, souvent effectués automatiquement par le logiciel. Il faut toutefois éviter que tout l'échantillon reçoive ces rappels qui ne doivent être adressés qu'aux personnes n'ayant pas répondu au sondage. On peut planifier ces rappels en fonction du taux de réponse (ex.: sur la base d'un rappel hebdomadaire). La fréquence des rappels par voie électronique dépend naturellement de la durée du sondage. La date de la fin du sondage doit d'ailleurs être clairement spécifiée dès le premier envoi du courrier électronique invitant les personnes à participer à un sondage.

Récupérer avec flexibilité, analyser avec objectivité

La méthode du sondage en ligne permet de récupérer les réponses en temps quasi réel. On peut ainsi produire des rapports descriptifs très fréquemment (par exemple à chaque heure, si désiré). Le logiciel peut alors générer des tableaux de résultats indiquant l'évolution de l'opinion dans le temps. On peut également mesurer la réaction de l'échantillon à l'actualité, par exemple l'impact de la publication d'un communiqué de presse ou l'effet d'une publicité, selon l'influence perçue par les répondants au sondage.

Les logiciels de sondage en ligne permettent de produire des tableaux et des graphiques de manière très rapide, ainsi que des diagrammes indiciels, des tableaux croisés, des graphiques de distribution des réponses, etc. L'analyse des données est une étape très importante qui sera plus ou moins facilitée par la flexibilité offerte par le logiciel et l'expertise du chercheur. Les analyses statistiques ainsi que la présentation des données obtenues par le sondage peuvent être générés par le logiciel. Cela permet au chercheur de se concentrer sur le traitement des résultats, bien qu'ils doivent maîtriser les fondements des analyses statistiques (Alonzo, 2006; Chanquoy, 2005), tout en prenant en compte les limites inhérentes aux sondages autoadministrés:

> [...] la validité des questionnaires autoadministrés dépend de la capacité des individus à être des observateurs attentifs de leurs processus affectifs, cognitifs et comportementaux. [...] Les représentations de soi d'un individu ou sa perception d'une situation peuvent être biaisées par une déformation consciente ou inconsciente de la réalité. Il n'existe pas encore de questionnaires imperméables au mensonge et à la tromperie. Il existe cependant des méthodes pour examiner l'effet de la propension d'un individu à se mentir à lui-même ou à projeter une impression favorable de soi (Bouchard et Cyr, 2005, p. 312-313).

Ces réserves sont souvent justifiées car il est toujours difficile de cerner la véritable opinion des personnes consultées et encore plus de généraliser les résultats d'un sondage à l'ensemble de la population. C'est pourquoi il faut les analyser avec prudence et circonspection. Mais en dépit des limites d'un sondage ou de toute autre méthode de collecte de données, la recherche est tout de même essentielle aussi bien avant d'élaborer une intervention de relations publiques que pendant ou après une activité dont on veut mesurer les impacts auprès des publics concernés.

3.5. LE GROUPE FOCUS

En recherche, le groupe focus est une méthode qualitative utilisant habituellement un schéma d'entretien qui permet de recueillir, sur un sujet précis, les opinions des participants. Le groupe focus peut être utilisé seul ou en complément avec d'autres méthodes, tel le sondage. Le groupe focus permet d'approfondir certains aspects des thématiques étudiées. Il peut cerner des tendances, creuser les attentes de certains groupes ou dévoiler les particularités d'un enjeu. Il peut également mesurer les retombées de la diffusion des messages, leur taux de rétention, la modification des attitudes et des comportements.

L'intérêt des groupes focus est de permettre d'identifier les positions d'un groupe d'individus qui ont le temps d'exprimer en profondeur leurs opinions. Même si une différence peut exister entre les propos d'un participant et sa réalité, le groupe focus permet tout de même de recueillir des éléments d'information très utiles pour comprendre une situation. Ayant d'abord servi surtout pour des études en marketing (Mayer et Ouellet, 1991 ; Simard, 1989), le groupe focus repose essentiellement sur les échanges entre les participants, permettant d'aborder quelques thèmes proposés à la discussion d'un nombre restreint de participants (idéalement entre 8 à 12 personnes). Ce mode de recherche qualitative doit respecter cinq étapes de base pour assurer rigueur et cohérence à l'ensemble de la démarche :

1. le recrutement de participants représentatifs de la population visée ;
2. l'élaboration d'une grille d'entrevue plus ou moins détaillée, selon qu'il s'agit d'un entretien qui préconise l'expression libre, semi-dirigée ou structurée ;
3. l'animation de la discussion ;
4. la compilation et l'analyse des résultats ;
5. la rédaction du rapport.

Certains relationnistes peuvent se spécialiser dans l'animation de groupes focus, alors que d'autres confieront ce travail à des spécialistes et se contenteront d'en coordonner la réalisation. Dans les deux cas, on doit en connaître le processus, de manière à garantir la rigueur méthodologique ainsi que la fiabilité des résultats. C'est pourquoi nous proposons un résumé de chacune des cinq phases de la méthode du groupe focus.

3.5.1. LE RECRUTEMENT DES PARTICIPANTS

Pour les sondages comme pour les groupes focus, la plus grande attention devra être apportée au choix de l'échantillon, en fonction de la population dont on désire connaître l'opinion. La segmentation de la cible est importante mais également le mode de sélection. Deux grandes catégories d'échantillonnage sont possibles (Gauthier, 1984, p. 175): les échantillons non probabilistes (accidentels, de volontaires, systématiques, par choix raisonné, par quotas) et les échantillons probabilistes (aléatoires simples, systématiques, aréolaires, en grappes, stratifiés. etc.).

Par exemple, si l'on recrute des participants parmi les clients d'une organisation, afin d'obtenir leur participation à des groupe focus, les banques de données de l'entreprise, plus précisément du Service de la commercialisation, peuvent être utilisées pour effectuer un choix de participants, en respectant la représentativité géographique et démographique de l'échantillon. Quel que soit le mode de recrutement des participants, il est clair qu'aucun parti pris ne doit intervenir dans ce recrutement, au risque de mettre en péril la validité de tout le processus de recherche.

3.5.2. L'ÉLABORATION DE LA GRILLE D'ENTREVUE

Plus on élabore avec soin l'échantillon et la grille d'entrevue, plus les résultats obtenus seront fiables et permettront d'atteindre l'objectif de la recherche.

Tous les thèmes de base se rapportant au sujet de la recherche doivent faire l'objet de questions. Divisé par blocs thématiques, le schéma d'entretien propose un enchaînement séquentiel des sujets abordés durant la discussion, souvent conçu sur le modèle de l'entonnoir, soit des sujets les plus généraux vers les plus précis. Même si le relationniste ne mène pas lui-même l'activité de recherche et qu'il commande la tenue d'un groupe focus à une firme spécialisée ou à un centre de recherche universitaire, il doit tout de même collaborer de près avec le fournisseur ou le chercheur retenu, notamment pour la définition de la problématique et des objectifs de recherche, l'élaboration de la grille d'entretien et la définition des catégories d'analyse qui seront appliquées aux résultats.

3.5.3. L'ANIMATION DU GROUPE FOCUS

Selon Brouillet (1998), l'animateur doit susciter des échanges avec tous les membres du groupe afin que les résultats soient pertinents par rapport aux objectifs de la recherche. Il doit également veiller à la qualité des interactions entre les participants. Les échanges doivent se dérouler de manière fluide, dans le respect des idées exprimées par chacun. La pleine participation de tous est encouragée par l'animateur qui doit susciter un grand nombre d'interventions. Il revient aussi à l'animateur d'équilibrer les tours de parole pour que tous les participants puissent intervenir, en s'assurant que les verbomoteurs n'accaparent pas tout le temps de parole.

La rencontre d'un groupe focus dure environ deux heures et comporte trois moments charnières, à savoir l'ouverture, le déroulement et la clôture (Brouillet, 1998) :

- L'ouverture permet à l'animateur et aux participants de se présenter, puis de clarifier l'objectif de la rencontre tout en définissant la participation attendue, le temps prévu, les règles de fonctionnement du groupe focus, le caractère anonyme des discussions et les suites prévisibles du projet. C'est à ce moment qu'on peut suggérer l'enregistrement des échanges.

- Le déroulement du groupe focus s'articule en fonction du plan d'entretien prévoyant les principaux thèmes à débattre, selon les objectifs de la recherche. À noter toutefois que dans les cas difficiles, lorsque le climat est très tendu chez les participants à cause des difficultés qu'ils vivent, il est souvent nécessaire de mener une première séance sans schéma d'entretien afin de leur permettre de se vider le cœur. La discussion orientée en fonction du schéma d'entretien se tient par la suite, lors d'une seconde séance, alors que les participants sont habituellement plus disponibles pour aborder les sujets proposés par l'animateur. Si le temps le permet, on peut réaliser une troisième séance pour permettre à l'animateur de présenter aux participants les résultats globaux de la collecte de données. Cette troisième rencontre offre ainsi la possibilité de valider les informations colligées par le chercheur et de rectifier, le cas échéant, les biais ou les erreurs d'interprétation.

- Dans le cadre d'une animation de groupe focus réalisé en une seule séance, le bloc de clôture se situe à la toute fin des entretiens et permet à l'animateur de remercier les personnes présentes pour leur participation. Il présente une brève synthèse des échanges afin de valider l'essentiel des propos recueillis, en prenant soin de faire état de tous les points forts de la discussion, incluant les divergences d'opinion.

3.5.4. L'ANALYSE DES RÉSULTATS

Les informations obtenues lors de groupes focus sont soumises à une transcription mot à mot de tous les échanges verbaux enregistrés durant les groupes focus. Ce verbatim est utilisé pour encoder les opinions exprimées afin d'en faciliter l'analyse. On procède à une catégorisation des résultats et à une analyse en profondeur du contenu. L'analyse doit porter sur les propos tenus dans chacun des groupes focus qui ont été tenus. Selon Simard (1989, p. 42-45), il y a quatre étapes à suivre pour construire le corpus des messages clés :

1. Construire la grille d'analyse de contenu en précisant les regroupements de thèmes.

2. Relever les messages clés, c'est-à-dire toute opinion énoncée par un participant (et qui comporte une seule idée). Ainsi, une intervention est scindée en autant de messages clés qu'elle comporte d'idées différentes. Pour effectuer ce relevé, on utilise la technique de l'arborescence : en classant les opinions exprimées en catégories, elles constituent les branches qui correspondent à tous les sous-thèmes du cadre d'analyse. Chaque message clé doit pouvoir être retracé par une énonciation concise et claire. C'est l'extrait brut – le *verbatim* – qui précise le message clé.

3. Associer une citation à chaque message clé puis établir un regroupement de messages clés pour chacun des sous-thèmes de l'arborescence.

4. Finalement, pour chaque thème du plan d'entretien, mettre en évidence les aspects principaux et secondaires ainsi que les convergences et les divergences d'opinion, tout en tenant compte des variables d'âge, de scolarité et d'appartenance culturelle (selon les données fournies par le participant).

Enfin, dans le but de maximiser la qualité de l'analyse des résultats et d'assurer leur validité (crédibilité, transférabilité, cohérence interne, fiabilité), des procédures de triangulation peuvent être utilisées. La triangulation consiste à recourir à plusieurs sources, observateurs ou méthodes d'enquête au cours de l'investigation (Poupart *et al.*, 1997; Pourtois et Desmet, 1988; Cohen, Manion et Morrison, 1980). On peut soumettre l'analyse des discussions à des analystes différents, pour réaliser cette procédure de triangulation. Cela permet ainsi de minimiser la marge d'erreurs inhérente à la subjectivité de l'analyste.

3.5.5. LA RÉDACTION DU RAPPORT

Comme pour les autres méthodes de recherche, un rapport devra être produit, synthétisant les données principales, les interprétations et les recommandations du chercheur. La clarté de ce rapport et la pertinence des données, en fonction de l'objectif de la recherche, doivent en faire un outil de travail permettant au relationniste d'établir les assises de ses stratégies d'action. Naturellement, s'il s'agit d'une recherche post-intervention, les résultats de la recherche mettront en évidence l'opinion des personnes, en fonction de leur libre arbitre: le principe de la réception active chez les individus explique qu'ils interprètent chaque information reçue en fonction de leur propre subjectivité. Eux seuls décident ou non d'adopter une nouvelle information, de changer d'attitude ou de comportement: «de façon générale, il n'y a pas plus de 20% du public cible qui s'engage dans un comportement et ce comportement peut être positif ou négatif (par rapport au changement souhaité)» (Grunig et Hunt, 1984, p. 133. Traduction libre).

3.5.6. GROUPES FOCUS: QUELQUES PIÈGES À ÉVITER

Piège 1: S'improviser animateur

Animer des discussions semble parfois facile et on peut se demander pourquoi le relationniste a besoin d'embaucher un animateur. Or il est souvent important de déléguer à des experts l'animation d'un groupe focus:

> [...] ce genre de recherche qualitative doit être mené par des professionnels et non par des amateurs, par des chercheurs compétents et non par des animateurs marginaux. La meilleure façon d'identifier les bons animateurs est par l'entremise des anciens clients. Allez parler à ces clients, demandez à voir les rapports d'animateurs (Grunig, 1992, p. 194. Traduction libre).

En fait, on embauche un spécialiste parce qu'il connaît les pièges à éviter, qu'il maîtrise les techniques de discussion de groupe, qu'il possède les techniques pour gérer le déroulement des échanges, contrôler l'influence du leader naturel qui accapare tout le temps de parole, etc.:

Il oriente la discussion en utilisant une technique d'écoute active. Souvent, un stimulus est utilisé (objet, dessin…) pour démarrer la discussion [...] L'animateur nourrit alors les commentaires des différents participants, les dirige sur les sujets dont ils se sont éloignés et obtient une information plus complète de la part des participants (Grunig, 1992, p. 192. Traduction libre).

Le relationniste recrute donc un animateur pour lui confier cette fonction cruciale dans la réalisation de groupes focus. Il sera choisi en fonction de certaines qualités tel l'art de faire parler les participants en les encourageant à aller au bout de leur pensée et sa neutralité dans le respect des opinions de chacun. L'animateur doit également être capable de bien saisir les objectifs que vise l'organisation par cette recherche et qui servent de trame de fond au scénario d'entretiens.

Piège 2 : Niveler la dispersion situationnelle et géographique

Toutes les situations ne se prêtent pas à la tenue d'un groupe focus. D'abord, cette méthode est relativement coûteuse et comporte un certain nombre de limites. Par exemple, si une organisation mène des activités dans différentes régions du pays, il est probable que des groupes focus ne pourront être tenus à tous ces endroits. Or, les opinions des individus varient considérablement selon leur culture, leur milieu, les situations particulières qu'ils vivent, etc. Il faudra donc éviter de généraliser à l'ensemble des publics les renseignements sectoriels obtenus par des groupes focus réalisés dans une seule région.

Piège 3 : Tirer ses propres conclusions de manière subjective

S'il décide d'animer lui-même les groupes focus ou d'en rédiger le rapport, le relationniste doit demeurer conscient de ses propres biais et de ses propres a priori. Il peut lui être difficile de s'en dégager pour réaliser une animation impartiale puis une analyse réellement objective, surtout s'il est à l'emploi de l'organisation qui commande la recherche. Il doit donc s'assurer de faire état uniquement des données recueillies auprès des participants, sans exprimer ses propres opinions dans l'analyse des résultats et la rédaction du rapport.

Piège 4 : Personnaliser les commentaires

De l'autre côté du miroir sans tain, le relationniste et certains représentants de l'organisation peuvent assister aux entretiens d'un groupe focus : il est toutefois essentiel que les observateurs respectent l'anonymat des personnes qui s'expriment, notamment dans le processus de prise de notes et lors de la rédaction du rapport de recherche. Par exemple, pendant un groupe focus avec des employés ou des actionnaires, le relationniste obtiendra des informations privilégiées qui devront rester sous le sceau de l'anonymat. Le relationniste doit alors faire abstraction de ces données nominatives, pour s'en tenir à l'essentiel des informations qui devront être traitées de manière anonyme.

3.6. L'ANALYSE DU CLIMAT DE TRAVAIL

En milieu de travail, l'analyse des perceptions et de l'opinion des employés, des syndicats, des cadres et des retraités est nécessaire à la compréhension des enjeux organisationnels. Approfondir sa compréhension de certains sujets et la perception des employés au sujet des problématiques qui les touchent est essentiel. On peut ainsi documenter par la recherche les changements structurels qui surviennent dans l'organisation, l'impact de modifications technologiques majeures, la perception des orientations prises par la direction, etc.

Les travaux de recherche à l'interne devraient toujours donner lieu à une diffusion systématique des résultats (Bergier, 2000). Nous l'avons déjà mentionné, procéder à une recherche crée des attentes. Ne pas divulguer les résultats de la recherche laisse souvent entendre que ce que l'on a trouvé est sans intérêt et le rapport sera remisé sur une tablette. Cela pourrait aussi être interprété de manière très négative : les résultats obtenus sont si dramatiques que l'on préfère s'abstenir de les diffuser auprès des employés. Dans un cas comme dans l'autre, les attentes créées par la recherche ne seront pas satisfaites, risquant ainsi d'envenimer la situation.

Le climat de travail peut faire l'objet d'une recherche ponctuelle ou longitudinale : cette dernière est utile afin de mesurer l'évolution dans le temps de toute problématique institutionnelle. Plusieurs outils de mesure peuvent alors être utilisés. Outre le sondage et le groupe focus, les entrevues individuelles sont souvent très utiles pour documenter en profondeur les points de vue de certains publics internes, choisis parce qu'ils sont représentatifs de leur milieu de travail ou parce qu'ils détiennent des informations pertinentes. L'audit interne sert à préparer une cartographie des opinions, des enjeux et des risques potentiels pouvant toucher la gestion d'une organisation et son climat de travail.

3.7. LES ENTREVUES INDIVIDUELLES

Que ce soit auprès des publics internes ou externes, une source d'information précieuse demeure la rencontre avec les personnes directement touchées par une problématique. L'entrevue est d'ailleurs une méthode de recherche considérée comme «un procédé d'investigation scientifique, utilisant un processus de communication verbale pour recueillir des informations en relation avec le but fixé» (Grawitz, 2001, p. 591). Pour ce faire, on peut mener une série d'entrevues avec les représentants de la population étudiée, par voie téléphonique ou en face-à-face:

> Dans les enquêtes par échantillon, on peut rencontrer des populations qui nécessitent des modalités d'enquête différenciées dans quelques sous-groupes. Une telle situation, qui est de plus en plus fréquente, se présente dans les enquêtes téléphoniques auprès des personnes ou des familles, lorsque quelques-unes d'entre elles ne peuvent pas être atteintes par un tel moyen. Dans ce cas, il faut combiner les interviews téléphoniques avec d'autres [...] comme les interviews personnelles (Droesbeke et Lebart, 2001, p. 294).

Dans le cadre d'entrevues individuelles, il est nécessaire de multiplier les rencontres afin de cerner tous les aspects du sujet à l'étude. Par des entretiens en face-à-face, le relationniste (ou le chercheur dont il a retenu les services) obtiendra ainsi un nouvel éclairage sur la problématique étudiée. La recherche permettra de mieux comprendre ce qui suscite, par exemple, l'insatisfaction des parties prenantes de l'organisation ou les causes de nouvelles tendances pouvant influer sur l'évolution de l'organisation, pour ne mentionner que ces exemples.

En tout temps, l'intervieweur doit conserver une grande neutralité afin de ne pas biaiser les idées exprimées par les personnes rencontrées, ce qui représente une condition *sine qua non* de validité scientifique. C'est donc en conservant à l'esprit les objectifs de la recherche que le chercheur prépare son schéma d'entretien lequel l'aide à garder le cap sur les thématiques d'enquête en recadrant d'éventuelles dérives lors des échanges en entrevue.

À l'issue des entrevues individuelles, on procède à la transcription des enregistrements et à l'analyse des données. On pourra comparer les réponses obtenues avec d'autres résultats de recherche. Par exemple, lors d'entrevues réalisées avec différents interlocuteurs internes, on établit des liens avec les opinions exprimées par des clients, avec le contenu de la couverture médiatique ou avec les représentations faites par un groupe de pression. Cela permet d'évaluer le degré de convergence ou de divergence entre les perceptions des différents publics.

3.8.   LE BALISAGE

En vue de comparer la situation d'une entreprise avec ce que vivent d'autres organisations, on peut procéder à un balisage permettant, par exemple, de connaître les diverses solutions élaborées pour résoudre des problématiques similaires. Par exemple, un relationniste pourra consulter ses pairs pour résoudre un problème de notoriété en documentant les pistes de solution élaborées par d'autres professionnels en relations publiques œuvrant dans des organisations aux prises avec des contraintes similaires.

Le réseautage d'affaires, les colloques internationaux, les forums sur le Web, les échanges utilisant les médias sociaux et l'analyse d'études de cas (présentant les meilleures pratiques dans un domaine précis) sont quelques moyens qui permettent de réaliser un balisage ou *benchmarking*. Cependant, on doit souvent mettre en perspective les renseignements obtenus par balisage. En effet, les éléments d'information recueillis doivent être resitués dans le temps et dans le contexte de la macroculture (Bartoli, 1990, p. 108) propre à chaque collectivité puisque les opinions, les perceptions des publics et les données doivent être interprétées de manière situationnelle (Grunig *et al.*, 2002). Comme le contexte social, économique, politique et culturel évolue toujours très vite, des changements, même mineurs, peuvent fausser considérablement l'analyse du balisage si les informations ne sont pas mises en perspective. Il faut donc mettre fréquemment à jour les résultats d'une recherche par balisage en actualisant la collecte et l'analyse des données comparatives, chaque fois que leur contexte global subit des transformations significatives. Comme le rappelle Descarie (2010), l'importance du contexte doit être prise en compte par le chercheur afin de fournir des données qui sont utiles pour le communicateur, en général, et pour le professionnel des relations publiques, en particulier.

3.9.   LA VEILLE ET L'IMPORTANCE DU *FEED-FORWARD*

Des mécanismes permanents de veille informationnelle peuvent s'ajouter aux méthodes de recherche déjà utilisées. Une organisation doit demeurer à l'écoute des attentes de son environnement, de l'évolution de ses divers marchés, des nouveaux besoins de ses employés et des exigences de ses parties prenantes. Pour ce faire, le relationniste peut instaurer un réseau de communication prospective, pour prévoir l'évolution des enjeux et des risques. Ce *feed-forward* permet d'anticiper l'évolution de l'environnement global de l'organisation et de ses milieux d'opération, tout en identifiant les tendances micro, méso et macro de l'environnement (Naisbitt, 1982).

Plusieurs moyens peuvent être utilisés pour réaliser cette vigie institutionnelle : l'abonnement à des organismes de veille nationale ou internationale, l'adhésion à des groupes de discussion sur le Web, à certains médias sociaux ou à des associations professionnelles. La participation à des recherches dans le secteur d'activité de l'organisation permet également d'être au courant des valeurs montantes, des tendances émergentes, des valeurs sociales prônées par certains groupes de citoyens et des nouvelles attitudes des consommateurs.

Par exemple, dans le cadre d'une recherche menée dans divers pays, la consultation de grandes études réalisées auprès de ces populations peut aider à déterminer l'envergure d'une situation ou d'un problème : «l'Eurobaromètre, les enquêtes sur les valeurs des Européens, l'International Social Survey programme (ISSP) constituent des exemples intéressants et des sources de référence majeures en matière de mesure des attitudes, opinions et comportements sociopolitiques» (Droesbeke et Lebart, 2001, p. 100). Les informations fournies par l'Eurobaromètre peuvent être utiles aux relationnistes ayant à intervenir sur la scène européenne, plusieurs organisations développant leurs marchés ou leurs activités de réseautage en Europe :

> L'accessibilité des données de l'Eurobaromètre pour des analyses secondaires approfondies a permis à certains secteurs de recherche de connaître des développements très importants, notamment celui des analyses d'Inglehart sur la montée des valeurs «postmatérialistes» en Europe (Droesbeke et Lebart, 2001, p. 100).

Signalons également que l'on peut obtenir sur le Web les résultats des études menées par plusieurs groupes sur l'essor des macrotendances ou par divers centres de recherche universitaires, ce qui permet au relationniste d'accéder en ligne aux données de diverses recherches. Par exemple, le relationniste est souvent trop sollicité par le reste de ses tâches pour effectuer lui-même une cartographie des caractéristiques des publics internes et externes. Il peut alors recourir aux services de firmes spécialisées ou de centres universitaires qui ont développé les outils de recherche pour mener à bien l'évaluation des caractéristiques liées aux publics de son organisation ou à son secteur d'activité.

Il faut toutefois s'assurer que la cartographie produite tient compte de toutes les composantes psychosociales, économiques, politiques, sociales et culturelles des publics étudiés. Cela est d'autant plus complexe à évaluer que certaines catégories de publics vivent dans des régions urbaines multiculturelles. Pour permettre de suivre l'évolution des enjeux, il est nécessaire de répéter ce type de recherche à intervalles réguliers pour mesurer l'évolution des attentes et des opinions des divers publics à l'égard de l'organisation ou de certains enjeux de société. Ce faisant, on dispose de recherches permettant d'évaluer de manière très fine les effets des programmes de communication ou de toute autre problématique touchant une organisation.

3.10. INTÉGRER DIVERSES MÉTHODES DE RECHERCHE

L'intégration de plusieurs moyens de recherche (Creswell, 2003) permet de varier les sources consultées et surtout d'interpréter de manière plus nuancée les résultats obtenus grâce au croisement des données. On est ainsi en mesure de mieux comprendre une problématique ou les spécificités d'une situation pour l'analyser en profondeur. C'est ce que Ferron appelle l'approche heuristique lorsqu'on mène une recherche : «En termes scientifiques, l'approche heuristique correspond à la "recherche pure" [...], elle est l'équivalent de "comprendre" ou "acquérir de l'expérience". Ces principes militent en faveur de programmes intégrés de recherche, par opposition aux sondages isolés» (1994, p. 198).

Par conséquent, plus la problématique à investiguer est complexe, plus l'approche heuristique est importante, permettant ainsi d'accomplir la première étape de la méthode RACE, soit la recherche (Broom, 2009), dans un souci de rigueur scientifique. Cette approche heuristique s'inscrit de manière large «dans le prolongement d'une sociologie compréhensive qui prend en considération la liberté du sujet, captant son expérience vécue et le sens qu'il confère à son agir social» (Bergier, 2000, p. 145). En prenant soin d'obtenir des résultats de recherches validés scientifiquement, réalisées par des experts ou des chercheurs universitaires, le relationniste dispose de résultats fiables qui lui permettent d'élaborer des stratégies d'intervention plus fines et plus adéquates.

CONCLUSION

La recherche apporte au relationniste des données contribuant à cerner avec justesse et rigueur la situation ou l'enjeu sur lequel il doit réaliser une intervention. Par la recherche, il améliore la compréhension de la situation (Bonneville *et al.*, 2006) et s'ouvre au point de vue de plusieurs acteurs dont les opinions permettent d'approfondir la connaissance du problème à résoudre. C'est ainsi que le relationniste peut ensuite concevoir des dispositifs communicationnels qui prennent en compte toutes les dimensions d'une situation en faisant participer tous les acteurs à la recherche de solution, ce que Broom (2009, p. 207) qualifie de «*coorientational approach*». C'est sur une telle approche de coconstruction de sens qu'une communication participative repose. En faisant émerger des définitions communes aux problèmes à résoudre, les solutions s'élaborent sur la base d'échanges auxquels tous peuvent participer, selon l'approche préconisée avec justesse par Mahy (2009). Au terme d'une recherche exhaustive et scientifique, le relationniste dispose donc des données requises pour connaître les publics et leurs postures discursives, ainsi que leurs problématiques spécifiques, comme l'affirme Broom (2009, p. 291. Traduction libre):

> [...] les résultats de recherche, combinés à l'expérience et au jugement, procurent les bases pour définir les problématiques en relations publiques et pour élaborer les programmes d'intervention sur ces sujets. En d'autres termes, la recherche permet de développer les fondements d'informations qui sont requis pour réaliser des pratiques efficaces en gestion des relations publiques.

Par conséquent, le relationniste doit prévoir à son budget les sommes requises et à l'échéancier le temps nécessaire pour la réalisation d'activités de recherche. Il est alors en mesure de mieux cerner les attentes des parties prenantes de l'organisation puis de développer des stratégies d'intervention adaptées à la spécificité des enjeux organisationnels. Cela présuppose que les dirigeants de l'organisation fassent preuve d'ouverture envers ce que leur révèlent les résultats obtenus par la recherche.

ÉTUDE DE CAS 1

Entreprise ou organisation

Ordre des chiropraticiens du Québec

Campagne ou action

La recherche : au cœur de la démarche de communication

Distinction

**Prix d'excellence Or 2009 de la Société québécoise
des professionnels en relations publiques (SQPRP)**

Catégorie : **Programme global de relations publiques**

Lauréat

Pierre Gince, ARP
Président
Direction Communications stratégiques
<www.direction.qc.ca>

DIRECTION
COMMUNICATIONS STRATÉGIQUES

L'intervention de la firme-conseil DIRECTION Communications stratégiques auprès de l'Ordre des chiropraticiens du Québec a été menée dans le contexte suivant :

- les services de Direction Communications stratégiques ont été retenus, à l'automne 2007, à la suite d'un appel d'offres sur invitation et d'un processus de sélection rigoureux ;

- ce mandat s'inscrivait dans le cadre d'orientations stratégiques adoptées par la nouvelle direction pour l'Ordre des chiropraticiens du Québec qui a adopté une vision institutionnelle, qui a actualisé sa mission, mettant en lumière des valeurs communes au sein de la profession et qui a conçu un plan stratégique de développement ;

- l'Ordre a tenu à implanter une nouvelle dynamique basée sur deux valeurs jugées essentielles par son équipe d'administrateurs : l'ouverture et le respect. Cela a contribué à faire évoluer sainement et rapidement la culture de communication à travers cette profession qui réunit quelque 1200 docteurs en chiropratique et une équipe en appui (ressources à temps plein et quelques consultants);

- un plan stratégique quinquennal s'appuyant sur cinq axes a été mis en place, et ce, à peine quelques mois après l'arrivée de nouveaux administrateurs. Cela a permis à l'ensemble des administrateurs de mieux identifier et analyser les enjeux qui auront des impacts à court, moyen et long terme sur la profession chiropratique et le vaste secteur de la santé au Québec.

1. CERNER LA NATURE DE LA CHIROPRATIQUE

Afin de mieux comprendre la situation du mandat de communication que nous avions à réaliser pour l'Ordre des chiropraticiens du Québec, il était essentiel de nous familiariser avec deux réalités qui sont intimement liées : la chiropratique et le système professionnel québécois.

Au terme d'une première étape de recherche, nous ayant permis d'analyser une abondante documentation portant sur ce domaine, nous avons été en mesure de cerner les spécificités de la chiropratique dont nous présentons un bref résumé:

- Tout d'abord, le nom de cette profession – la chiropratique – tire son origine étymologique des mots grecs *kheir*, qui signifie « mains », et *praktikos*, pour « faire ou exercer ».

- Il s'agit d'une profession de la santé qui mise sur la capacité inhérente du corps humain à se maintenir en santé et à se guérir de divers problèmes de santé sans médicament ni chirurgie. Elle met l'accent sur la relation entre la structure (principalement la colonne vertébrale) et la fonction, telle qu'elle est coordonnée par le système nerveux. Pratiquée depuis plus d'un siècle, la chiropratique est à la fois préventive, curative et sécuritaire.

- Tous les chiropraticiens du Québec sont soumis au Code des professions, à la Loi sur la chiropratique et aux nombreux règlements qui les régissent.

- L'exercice de la profession chiropratique est encadré, depuis 1974, par un ordre professionnel (l'Ordre des chiropraticiens du Québec), sous la responsabilité de l'Office des professions du Québec.

- L'Office des professions du Québec est un organisme gouvernemental qui veille à ce que les ordres professionnels assurent la protection du public utilisateur de services professionnels. Ainsi, le public est bien protégé par la compétence et l'intégrité de plus de 1200 professionnels et par l'action de l'Ordre qui vérifie que ses membres détiennent les connaissances ainsi que le savoir-faire nécessaires en observant un comportement empreint de professionnalisme.

- La chiropratique est une profession d'exercice exclusif. Le titre académique « Docteur en chiropratique » est exclusif.

- Le titre « Chiropraticien » est réservé par la Loi et la formation est accréditée par un organisme national.

- Il existe une standardisation internationale de la formation en chiropratique.

2. ALLER AU-DELÀ DES ÉVIDENCES...

La recherche permet de mesurer l'importance relative qu'il faut accorder à une série de facteurs qui ont de l'influence sur l'organisation. Dans le cas de l'Ordre des chiropraticiens du Québec, les dirigeants étaient éminemment conscients de l'importance à accorder, en tout premier lieu, à la recherche. En tant que scientifiques, ils n'ont été nullement surpris par les nombreux éléments qui leur ont été proposés pour documenter le dossier, principalement via un audit (auprès des chiropraticiens) et des groupes focus (auprès des patients en chiropratique et des citoyens). Ils comprenaient très bien l'importance de mener une démarche quantitative et qualitative afin d'approfondir les divers éléments de la problématique, de la considérer sous différents angles au moment de l'analyse, avant de passer à l'étape plus concrète de la communication.

Tout au long du processus de recherche, nous avons respecté des critères de rigueur et d'objectivité. Toutefois, nous étions conscients des partialités inhérentes aux perceptions de chaque intervenant, ce qui est tout à fait normal dans une démarche de recherche impliquant des êtes humains. Ainsi, nous avons tenu compte de la vision du président de l'Ordre des chiropraticiens du Québec, Dr André-Marie Gonthier, chiropraticien, qui a donné sa propre évaluation de la situation, sur la base de son expérience à l'OCQ. Dès son entrée en fonction, en avril 2007, il a fait part à ses collègues de l'importance qu'il accorderait à la communication afin que l'Ordre remplisse de façon encore plus complète son mandat de protection du public. Sur la base de cette ouverture, ses collègues du comité exécutif (Dr Georges Lepage, Dr Pierre Paquin, D[re] Danica Brousseau, D[re] Marie-Sylvie LeBlanc et Dr Jean-François Henry, tous chiropraticiens) ont participé à la consultation tout au long de l'étape de recherche à laquelle ils ont apporté une contribution importante.

3. ENTREVUES INDIVIDUELLES AVEC LES CHIROPRATICIENS

Des rencontres individuelles ont été tenues dans presque toutes les régions du Québec, permettant de recueillir les propos de 28 chiropraticiens dont l'âge (de 23 à 82 ans) et les types de pratique variaient beaucoup. Ces chiropraticiens sont engagés de différentes façons dans leur milieu et au sein de leur profession (notamment comme bénévoles auprès de leur ordre professionnel ou de l'Association des chiropraticiens du Québec, de la Fondation chiropratique du Québec et de Chiropratique sans frontières).

Nous avons respecté plusieurs critères dans la réalisation de cet audit, notamment l'anonymat des personnes interrogées, un échantillonnage très représentatif, un schéma d'entretien qui permettait de mesurer des éléments précis et la réalisation des entrevues par une même personne.

a) La confidentialité

Puisqu'un ordre professionnel est l'organisme de réglementation d'une profession, il faut comprendre que les chiropraticiens pouvaient parfois être nerveux lorsqu'ils recevaient un appel visant à obtenir une rencontre... Mais en vertu du principe d'anonymat que nous avons fait valoir pour préserver l'identité de toutes les personnes rencontrées, la confiance s'est vite installée.

Ainsi, une lettre confirmant le respect de la confidentialité des propos était remise aux participants, conformément aux codes d'éthique de la Société québécoise des professionnels en relations publiques (SQPRP) et de l'Alliance des cabinets de relations publiques du Québec (ACRPQ). Nous leur confirmions également que, tout comme eux, l'intervieweur était assermenté par l'Ordre des chiropraticiens du Québec.

b) Un échantillonnage représentatif

Puisqu'il était impossible de rencontrer 1 200 chiropraticiens sur une base individuelle, nous avons constitué un échantillonnage le plus représentatif possible de la population étudiée, soit les chiropraticiens du Québec (selon la représentativité des hommes/femmes, les strates d'âge, les régions, les lieux de formation, les années de pratique, les types de pratique et l'engagement au sein de la profession).

L'organisation des entrevues s'est relativement bien déroulée : même si quelques-uns ont refusé l'invitation et qu'il a été impossible de faire coïncider les horaires dans quelques cas, nous avons pu rencontrer plus de chiropraticiens que le nombre visé, ce qui explique que nous avons tenu trois rencontres de plus, soit 28 entrevues au lieu des 25 rencontres prévues initialement.

c) Le schéma d'entretien

Le schéma d'entretien a été élaboré sur divers thèmes permettant de cerner la perception des chiropraticiens. Voici quelques thématiques du schéma d'entretien : le développement de leur profession, tant dans leur région qu'à travers le Québec, l'essor d'autres professions et champs d'activité dans le domaine de la santé, les raisons de leur engagement (ou non) au sein de leur profession, leur fierté (ou non) d'être des docteurs en chiropratique, les outils de communication qu'ils aimeraient avoir à leur disposition, etc.

Toutes les rencontres ont été menées en fonction du canevas du schéma d'entretien. Chaque personne interrogée l'a été comme si elle était la première rencontrée, sans que l'intervieweur soit influencé par les entrevues précédentes.

d) La réalisation des entrevues par une même personne

Afin d'obtenir une véritable uniformité dans la collecte de renseignements, il nous semblait important qu'une même personne réalise toutes les entrevues. Cela a permis de respecter les mêmes paramètres dans l'administration du schéma d'entretien auprès des 28 chiropraticiens rencontrés.

4. RAPPORT DES ENTREVUES INDIVIDUELLES

Il est souvent utile que le communicateur prépare une version préliminaire de son rapport, puis qu'il laisse décanter l'analyse durant quelques jours avant d'entreprendre la rédaction du rapport final. Le simple fait de pouvoir s'isoler du quotidien pour rédiger et peaufiner le rapport final procure toujours une grande satisfaction. Et il en est de même au moment de sa diffusion – généralement à un comité restreint dans un premier temps, puis à un public élargi.

Ce rapport d'entretiens comportait les éléments suivants :

- la description du mandat et ses paramètres (objectifs, durée, etc.) ;
- le contexte des entrevues ;
- les renseignements relatifs à l'échantillonnage des personnes rencontrées ;
- les renseignements sur l'intervieweur et son serment de confidentialité ;
- une analyse de la situation générale ;
- l'énoncé de quelques problématiques et enjeux particuliers ;
- les éléments spécifiques qu'il fallait documenter ;
- les consensus qui ont émergé des entrevues ;
- les suggestions venues des personnes rencontrées ;
- les recommandations du communicateur ;
- le schéma d'entretien.

5. POUR OBTENIR LE POINT DE VUE DES QUÉBÉCOIS : DES GROUPES FOCUS

Pour compléter la collecte de données par l'analyse de la documentation secondaire, et par les entrevues menées avec des chiropraticiens, nous avons réalisé huit groupes focus, tenus à Montréal, à Québec et dans deux autres régions du Québec. Ils se sont déroulés sur une courte période, soit environ deux semaines.

Dans chaque ville, deux catégories de participants ont été constituées : tout d'abord, un groupe de patients en chiropratique et ensuite un groupe de personnes intéressées de manière générale par la santé (sans être des patients en chiropratique). Quelques membres du conseil d'administration de l'Ordre ont assisté, derrière le miroir sans tain, au déroulement de ces groupes focus.

Nous avions convenu avec l'Ordre des chiropraticiens du Québec de confier l'animation à une firme de recherche spécialisée dans l'animation de groupes focus. Cette firme a élaboré le schéma d'entretien, avec notre collaboration, puis a désigné l'un de ses animateurs pour animer tous groupes focus tenus à travers le Québec.

Les groupes focus visaient à documenter les opinions des Québécois envers la chiropratique en abordant avec les participants l'état de leurs connaissances sur la profession et son développement, la formation des chiropraticiens, la nature des différents traitements, etc. Toute une série de faits et de mythes a été soumise à la discussion par chacun des groupes. Puisque leur profil variait (des patients et des non-patients), les réponses étaient souvent différentes aux mêmes questions, ce qui a évidemment enrichi le rapport.

Un rapport a été produit pour chaque groupe focus puis un rapport final a permis de tracer un portrait d'ensemble de la perception des Québécois à l'égard de la chiropratique.

À la lumière du rapport des entrevues et du rapport des groupes focus, une consolidation des informations a été rédigée sous la forme d'un rapport global de recherche. C'est sur le contenu de ce dossier qu'a été élaboré le Plan de communication pour l'Ordre des chiropraticiens du Québec qui s'est mérité le Prix d'excellence Or 2009 de la SQRRP.

ÉTUDE DE CAS 2

Entreprise ou organisation
Héma-Québec

Campagne ou action
Quand le journal interne devient participatif

Distinction
Prix d'excellence Or 2009 de la Société québécoise des professionnels en relations publiques (SQPRP)
Catégorie : **Projets imprimés**

Lauréates
Josette Martel, LL.B., ARP
Conseillère principale aux communications internes
Annie Dallaire
Conseillère aux communications internes
<www.hema-quebec.qc.ca>

HÉMA-QUÉBEC

 *...quand le journal interne devient participatif !*

Un journal interne n'a rien de révolutionnaire en soi ; c'est un outil de communication présent dans la plupart des entreprises du Québec, souvent produit et rédigé par les professionnels en communications de l'organisation. Cependant, lorsque l'on sort des sentiers battus en optant pour un processus plus participatif, cet outil peut devenir un moyen de communication des plus rassembleurs. C'est ce que nous avons constaté en nous lançant dans cette transformation du journal d'Héma-Québec.

UN BON POTENTIEL... À EXPLOITER!

En 2007, Héma-Québec effectuait un sondage d'opinion auprès du personnel qui a notamment révélé que le journal interne existant, *Les Mots d'Héma*, était de façon générale assez lu (34% des répondants se disant totalement d'accord et 56% plutôt d'accord avec le fait qu'ils en prennent connaissance), mais qu'il ne répondait pas particulièrement à leurs besoins en information (22% seulement des répondants étant totalement d'accord avec le fait que les renseignements qui y sont contenus répondent à leurs besoins). Notre constat : la publication a un bon potentiel, mais il ne semble pas être bien exploité. Par ailleurs, la lecture des commentaires recueillis dans le cadre du sondage a démontré qu'il y avait une certaine confusion entre les différents moyens de communication utilisés, particulièrement entre l'*Info Héma – Québec* (bulletin destiné aux donneurs, mais distribué aux employés à titre informatif) et *Les Mots d'Héma* (journal du personnel). Une importante refonte du journal interne s'imposait afin qu'il tienne mieux compte du personnel, de ses besoins et de ses préoccupations.

Nous avons d'abord effectué une recherche comparative auprès d'entreprises ayant des réalités similaires aux nôtres (taille de l'organisation, statut paragouvernemental, réalité opérationnelle). Nous avons questionné leurs responsables des communications afin de connaître la méthode de production de leur journal interne et avons obtenu quelques exemplaires de leur publication. De la recherche sur Internet a également été faite afin de trouver de l'information sur les communications internes et la production de journaux d'entreprise.

Enfin, nous avons analysé les dernières parutions des *Mots d'Héma* afin d'identifier plus précisément les éléments à améliorer. Nous avons entre autres remarqué que les textes publiés étaient parfois redondants d'un média interne à l'autre (sujets déjà couverts) et que, visuellement, la «une» était plutôt uniforme au fil des numéros.

POURQUOI UNE REFONTE?

Le projet de refonte du journal interne visait les objectifs suivants : augmenter le sentiment d'appartenance des employés à l'égard de leur journal, augmenter le taux de lecture de la publication (taux de totalement d'accord), augmenter la satisfaction du personnel par rapport à son contenu et susciter l'intérêt des employés pour leur journal.

UN PUBLIC AVEC UNE RÉALITÉ PARTICULIÈRE

La publication *Les Mots d'Héma* s'adresse aux quelque 1 300 employés d'Héma-Québec, regroupés sous 11 vice-présidences. Ceux-ci travaillent dans deux établissements : un à Québec (environ 400 employés) et l'autre à Montréal (environ 900 employés). Près de la moitié de ces employés exercent leur emploi en collectes mobiles ou dans l'un des trois centres des donneurs du sang et sont donc plus difficiles à rejoindre. L'autre moitié des employés occupent principalement des postes de «bureau» ou travaillent dans les laboratoires. Soulignons enfin que la main-d'œuvre d'Héma-Québec est fortement syndiquée (880 syndiqués).

UN BUDGET LIMITÉ

Héma-Québec étant un organisme géré avec des fonds publics, les budgets ne peuvent pas être extravagants. L'ensemble du travail nécessaire à la refonte de la publication a donc été réalisé à l'interne, principalement par l'équipe des Communications internes composée de deux personnes. Par conséquent, le budget se limite à la production du journal lui-même, c'est-à-dire 2 000 $ de frais d'impression et 700 $ d'infographie par parution. La fréquence de parution étant de trois numéros par année, le budget accordé annuellement au journal, qui était de 8 100 $, a été respecté.

UN COMITÉ DE RÉDACTION EST CRÉÉ

Pour faire de la publication *Les Mots d'Héma* un outil de communication qui soit plus près du personnel, de ses besoins et de ses préoccupations, nous avons misé sur un processus de création et de production plus participatif, et ce, par la constitution d'un comité de rédaction. Sélectionnés à partir de critères bien définis, les membres de ce comité regroupent des représentants de presque toutes les vice-présidences (11 personnes), en plus de l'équipe des Communications internes. Leur rôle consiste principalement à rédiger des textes sur les activités de leur vice-présidence, être un agent de liaison avec leurs collègues, alimenter la publication en contenu en étant à l'affût des sujets pouvant intéresser l'ensemble du personnel, participer au processus de sélection des sujets et prendre des décisions sur des sujets soumis par les Communications internes relativement à sa production. Cette nouvelle orientation permet à notre édition d'être plus «branchée» sur le terrain en donnant l'opportunité au personnel de s'exprimer, en mettant le personnel à l'avant-plan et en misant sur la communication entre pairs.

Au regard du fond et de la forme, *Les Mots d'Héma* demeure un journal institutionnel et les textes publiés visent à informer le personnel sur les activités de l'entreprise. De plus, la Vision 2005-2010 d'Héma-Québec, qui place l'engagement, le soutien et la reconnaissance du personnel au cœur de son orientation, donne le ton aux textes publiés. Ceux-ci sont souvent positifs et motivants pour le personnel. Dans cette optique, on a choisi de reconnaître davantage le personnel en intégrant des chroniques dressant des profils d'employés ou d'équipes et en donnant de la visibilité aux rédacteurs. Pour rapprocher le contenu de l'édition des besoins du personnel, des chroniques utiles au quotidien du personnel ont été intégrées.

Enfin, le visuel, la grille graphique et le format du journal interne ont été modifiés afin de marquer le changement de formule et d'orientation et ainsi éviter toute confusion avec le bulletin destiné aux donneurs (*Info Héma-Québec*). Pour la plupart de ces aspects, les Communications internes ont consulté le comité de rédaction. En effet, celui-ci a choisi le nouveau visuel de la publication parmi les cinq propositions soumises par les Communications internes. Notons que le visuel retenu reprend des mots propres aux activités d'Héma-Québec (collectes de sang, cellules souches, etc.) dans un en-tête qui rappelle le nom de la publication. Le comité a aussi été consulté pour faire le choix des différentes chroniques récurrentes et leur trouver des noms. Par la suite, le travail de fond a commencé pour les membres du comité de rédaction, c'est-à-dire la recherche de sujets et la rédaction. Ensuite, les Communications internes ont pris le relais avec la révision des textes et l'infographie. Ce processus s'est répété pour chacun des numéros subséquents.

Les Mots d'Héma nouvelle version a été distribué à tout le personnel pour une première fois en mai 2008. Sa distribution a été précédée de l'envoi d'une accroche par courriel afin de piquer la curiosité des lecteurs. Cette façon de faire est reprise pour chaque nouvelle parution. Soulignons également que nous avons profité du *momentum* du premier numéro pour renommer et changer le visuel du bulletin interne *L'INFO Express*, qui s'appelle maintenant *L'Express d'Héma*, et ce, pour renforcer encore une fois le lien entre les différents médias internes.

DES RÉSULTATS QUI PARLENT D'EUX-MÊMES

Dès la première parution, nous avons sondé le personnel afin de connaître son opinion sur la nouvelle formule du journal *Les Mots d'Héma*. Dès lors, nous avons pu constater les excellents résultats de la nouvelle approche. En effet, 92 % des répondants à ce sondage voluntaire se sont dits très satisfaits de la nouvelle formule et des chroniques, 90 % très satisfaits de l'aspect visuel, 88 % très satisfaits des sujets traités et 81 % très satisfaits de la longueur des textes. Les fiches d'évaluation contenaient également de nombreux commentaires écrits, très positifs.

Un an après la refonte et trois numéros plus tard, nous avons inclus un nouveau sondage dans la parution de février 2009. En plus de diverses questions sur la satisfaction relativement au contenu des *Mots d'Héma*, ce sondage comprenait deux questions qui figuraient dans le sondage d'opinion de 2007. Encore une fois, les résultats ont été des plus positifs. Alors que les résultats du sondage 2007 signalaient que 34 % des répondants se disaient totalement en accord avec l'affirmation « Je prends connaissance des *Mots d'Héma* », ceux de 2009 révèlent à présent que 82 % des répondants sont totalement en accord, une augmentation de 48 %. Aussi, en 2007, 22 % étaient totalement en accord avec l'énoncé : « L'information qui se trouve dans *Les Mots d'Héma* correspond à mes besoins. » En 2009, ils sont 54 % à être totalement en accord avec cette affirmation, une augmentation de 32 %. Les réponses aux autres questions sont tout aussi bonnes. Sur l'ensemble des questions, seulement 19 répondants se sont dits insatisfaits, la plupart se situant à la question sur la fréquence de parution (12) et réclamant plus de publications par année (ce qui finalement constitue un « beau » problème !). Enfin, les commentaires écrits sont positifs dans la grande majorité des cas, sinon constructifs.

Notons aussi qu'avant d'entreprendre le travail pour le numéro suivant, un bilan du numéro précédent est établi systématiquement avec le comité de rédaction. Ceux-ci nous font part des commentaires qu'ils ont reçus au sujet de la dernière parution. Jusqu'à présent, les commentaires sont positifs.

Pour terminer, une employée nous a confié dernièrement : « J'attends toujours chaque parution [de *Les Mots d'Héma*] avec impatience. Lorsqu'elle arrive, je me précipite et je la lis d'un couvert à l'autre. » Voilà un commentaire qui parle de lui-même et qui nous confirme que nous avons réussi à faire de la publication *Les Mots d'Héma* un journal rédigé pour le personnel, par le personnel !

4

STRATÉGIE DE MISE EN RELATION
Favoriser une approche inclusive et interactive

Par l'identification des facteurs de tension,
les relationnistes contribuent à promouvoir et créer
des situations permettant l'émergence
de nouvelles significations issues
des différences et des oppositions

(HOLTZHAUSEN, 2000, p. 107.)

Selon la méthode RACE, acronyme pour Recherche, Action, Communication, Évaluation (Marston, 1963 ; Broom, 2009), la recherche est l'étape préliminaire à toute planification en relations publiques ; elle permet de documenter un enjeu, un problème ou une situation, comme indiqué au chapitre précédent. Puis elle permet d'évaluer et de mesurer les impacts d'une intervention, comme Bérubé et Litalien le présentent au chapitre 9. Entre ces deux étapes de recherche, le relationniste élabore une stratégie d'action et un programme de communication pour réaliser une intervention. Cette planification peut être effectuée pour un projet ponctuel ou pour une orientation à moyen terme (un plan triennal ou quinquennal, par exemple). Rappelons cependant que les orientations d'un plan de communication ne doivent en aucun moment être un carcan à la créativité : le relationniste doit allier la rigueur managériale à l'innovation, tout en ayant recours à des méthodes de travail éprouvées. De cette manière, il peut élaborer des stratégies d'action qui orientent par la suite le choix des moyens de communication puisque : « La stratégie détermine les approches requises pour réaliser le plan » (Dagenais, 1998, p. 146). Établi en fonction des ressources disponibles et d'un échéancier précis, le plan de communication présente un ensemble de projets ou d'actions séquentielles, orientées vers l'atteinte d'objectifs prédéterminés à l'étape de l'analyse de la situation.

4.1.   PLAN DE COMMUNICATION ET APPROCHE STRATÉGIQUE

Après avoir réalisé l'étape de la recherche selon la méthode **R**ACE, le relationniste doit élaborer une stratégie d'**A**ction : c'est la seconde étape de la méthode RACE. Cette approche stratégique répond à la définition suivante des relations publiques :

> Les relations publiques sont une approche de communication stratégique que différentes organisations utilisent pour établir et maintenir des relations symbiotiques avec ses nombreux publics, plusieurs appartenant à diverses communautés culturelles (Sriramesh et Vercic, 2009, p. xxxiv. Traduction libre).

Cette définition met en évidence la dimension stratégique du plan de communication. Par conséquent, stratégie et communication sont indissociables dans la pratique des relationnistes :

> Le spécialiste des relations publiques arrive à développer des stratégies adéquates en menant une recherche (audit environnemental) pour comprendre les besoins, les valeurs et les attentes des publics de l'organisation. Si cette dernière fait preuve de sagesse, elle utilisera ces informations pour développer des stratégies

globales afin de chercher à comprendre les cultures et les valeurs de ses publics et répondre tout autant à leurs besoins qu'à leurs attentes (Sriramesh et Vercic, 2009, p. xxxiv. Traduction libre).

L'élaboration de stratégies est l'une des pierres angulaires du travail des professionnels en relations publiques (Smith, 2009). Ces stratégies peuvent être conçues selon différentes approches, en fonction des situations et des problématiques rencontrées. On peut les qualifier de stratégies défensives, offensives, cooptées, de diversion, de ballons d'essai, de coulage d'information, de recrutement, de promotion, de proximité, d'évitement, de consensus, de partenariat, pour n'en nommer que quelques-unes. La nature des stratégies développées est par essence une approche téléologique, c'est-à-dire orientée vers l'atteinte d'un but et d'objectifs précis. Peu importe le type de stratégie retenu, il servira d'assises au plan de communication pour l'atteinte de ces objectifs. Ce plan est en ce sens l'un des principaux instruments de gestion dont dispose le relationniste pour structurer ses interventions.

Pour guider la préparation d'un plan de communication, rappelons qu'il comporte habituellement 10 volets:

1. Introduction
   - Indiquer le mandat confié au relationniste par l'organisation?
   - Décrire la situation actuelle et la situation souhaitée (mise en contexte).
   - Préciser les paramètres généraux de l'intervention à réaliser. Quelle est la problématique générale à résoudre?
   - Situer l'unité de l'organisation dont relève le relationniste.
   - Préciser les intervenants dans le dossier, les publics visés et le temps imparti au mandat.

2. Définition du but et des objectifs à atteindre
   - le but doit être formulé de manière très globale;
   - les objectifs sont plus précis: identifier un objectif principal et des objectifs secondaires; les formuler si possible de manière quantifiable et mesurable.

3. Recherche et analyse de la situation
   - définir les enjeux, les opportunités et les risques;
   - documenter la problématique par des recherches approfondies;
   - effectuer une cartographie de l'environnement global de l'organisation et du milieu concerné par l'intervention.

4. Identification du sujet de l'intervention et des publics
   - cerner avec précision le problème à résoudre ou l'intervention à réaliser ;
   - segmenter les publics à rejoindre.

5. Proposition d'une stratégie globale et d'un positionnement
   - concevoir une stratégie d'action ;
   - définir un axe de communication et le message moteur décliné en fonction des divers publics cibles. L'axe de communication permet de définir le positionnement d'une organisation ou d'un enjeu. En s'inspirant des réflexions de Dagenais, on peut concevoir l'axe de communication comme étant :

     [...] l'idée essentielle, l'idée de base, l'idée maîtresse autour de laquelle tous les messages seront construits. C'est elle qui donnera le ton à la campagne. C'est en quelque sorte la thématique de la campagne. On l'appelle l'axe car elle doit être la colonne vertébrale ou l'épine dorsale autour desquelles doivent pivoter tous les éléments de la campagne. [...] On l'appellera tantôt l'idée charnière, l'élément fédérateur des messages, le fil conducteur de la campagne. Il devra servir à l'articulation des thèmes entre eux, ce qui permettra une plus grande cohérence et une uniformité dans les messages (Dagenais, 1998, p. 235).

6. Moyens de communication
   - établir la liste des moyens de communication pour atteindre les objectifs fixés ;
   - identifier des moyens généraux et des moyens spécifiques à chaque public cible.

7. Échéancier
   - planifier le temps requis pour réaliser chaque étape du plan.

8. Ressources
   - prévoir les ressources humaines requises, incluant les employés, les pigistes, les contractuels, les fournisseurs internes et externes ;
   - identifier les besoins en ressources documentaires, matérielles et technologiques.

9. Budget
   - établir toutes les catégories de dépenses prévues pour la réalisation du plan de communication dans ses moindres détails ;
   - intégrer les revenus prévus au budget ;
   - prévoir également les salaires et les frais de consultants, de fournisseurs, etc.

10. Évaluation et rétro-information
    - évaluer l'atteinte des objectifs;
    - mesurer les effets produits par les moyens de communication;
    - identifier les réactions des publics et documenter leurs attentes durant le déploiement du programme de communication ainsi qu'à la fin de l'intervention;
    - corriger le tir, au besoin, en prévoyant de la rétro-information auprès de certains publics.

Ces étapes d'un plan de communication (schématisées à la figure 4.1) permettent de structurer l'approche dialogique du travail de planification effectué par le relationniste. Ces étapes peuvent varier selon les circonstances, mais elles s'articuleront essentiellement autour d'une dynamique d'interactions itératives avec les parties prenantes de l'organisation. À noter que ces interventions ne visent pas nécessairement l'atteinte d'une seule finalité, à savoir le consensus à tout prix avec tous les interlocuteurs. En effet, selon une perspective postmoderne des relations publiques, on doit également encourager l'expression et la confrontation des idées, comme le souligne L'Etang, évoquant le point de vue de Holtzhausen:

> Il faut libérer les relations publiques de sa définition étroite de gestion de la communication organisationnelle alors que la symétrie peut être considérée comme de la manipulation et un contrôle de la part de la direction. Holtzhausen préfère soutenir que le « relationniste postmoderne » doit plutôt « agir en tant que conscience de l'organisation et agent de changement » (Holtzhausen, 2000:105). [...] ce n'est pas le rôle des relations publiques « de chercher les consensus » (comme cela est prôné dans le paradigme dominant), mais d'identifier les « agents de tension entre l'organisation et ses publics internes et externes » afin de mettre au jour et de prendre acte des différences de points de vue (L'Etang, 2008, p. 258-259. Traduction libre).

Cette ouverture à la pluralité des opinions doit servir de trame de fond pour l'élaboration du plan de communication. Celui-ci devra être présenté à la direction de l'organisation pour discussion et approbation. En recevant l'aval de la direction, le relationniste obtient son appui quant à l'orientation de base des communications institutionnelles, les stratégies d'action et les moyens de communication suggérés. L'approbation du plan de communication assure également les ressources et la marge de manœuvre décisionnelle requises pour mener à terme le mandat global.

FIGURE 4.1

Modélisation d'un plan de communication auprès des parties prenantes*

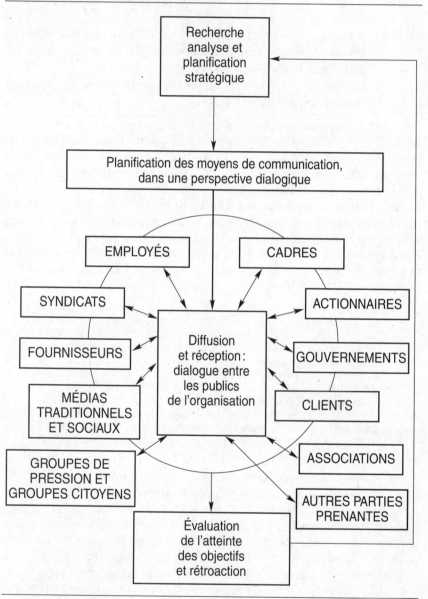

* Cette séquence peut s'appliquer à tout le processus de la communication transversale, c'est-à-dire ascendante, descendante, latérale, diagonale, interne, externe, régionale, nationale ou internationale.

4.2. BIEN CONNAÎTRE LES PARTIES PRENANTES DE L'ORGANISATION

Toute démarche de communication doit viser l'établissement d'un processus d'intersubjectivité avec les parties prenantes de l'organisation, comme le précise Sriramesh et Vercic (2009, p. xxxv. Traduction libre) :

> Toute communication doit être symbiotique, ce qui signifie que la communication doit viser l'établissement et le maintien de relations mutuellement profitables entre l'organisation et ses divers publics plutôt que de créer des relations asymétriques, ce qui est habituellement le cas lorsqu'on tente de faire uniquement de l'autopromotion. Par conséquent, la motivation à la base de l'établissement de relations avec les publics de l'organisation ne doit pas être de manipuler l'opinion ou d'exploiter le public.

Cette approche symbiotique des relations publiques est essentiellement dialogique et repose sur la connaissance des publics-interlocuteurs de l'organisation, tout en tenant compte de leur diversité. En effet, la population ne forme pas un bloc monolithique et l'opinion publique n'est pas aussi homogène qu'on veut bien le croire : «Concernant le grand public, il est un principe à retenir : faire une campagne où la cible est le public en général est assurément une campagne ratée, car on ne peut pas parler de la même façon à tout le monde» (Dagenais, 1998, p. 225). En fait, les groupes auxquels l'organisation s'adresse par l'entremise de son relationniste peuvent être très hétéroclites ; lorsque fragmentés en sous-groupes, ils sont souvent plus faciles à rejoindre. En outre, l'individualisation[1] représente une tendance marquée de la société actuelle, appelée l'égonomie ou l'économie centrée sur l'individu. S'il en est ainsi dans le secteur économique, cette caractéristique est tout aussi forte sur les plans idéologique, sociopolitique et culturel. Que ce soit par leur genre, leur origine culturelle, leur formation, leur groupe d'âge, leur revenu, leur orientation religieuse, politique ou sexuelle, ou tout simplement parce qu'elles sont fumeurs ou non-fumeurs, amateurs d'opéra ou de jazz, les personnes sont conscientes de leur individualité

---

1. Cette tendance à l'individualisme est fortement contestée : à l'instar de John Saul (1993), on peut considérer les sociétés humaines comme étant de plus en plus homogènes : nivellement de l'opinion publique et absence d'opposition idéologique forte, issue d'une pensée critique originale. «Nous sommes assez conteste au paradis de l'individu. Nous en avons suffisamment de preuves autour de nous […] Et pourtant, qu'est-ce que le véritable individualisme dans un État laïc contemporain? S'il s'agit de simple autosatisfaction, nous vivons une époque dorée. S'il tient à un engagement public personnel, nous assistons en fait à la mort de l'individu, dans une période de conformisme sans précédent.» John Ralston Saul, *Les bâtards de Voltaire : la dictature de la raison en Occident*, Paris, Payot, 1993, p. 497.

et cela les amène à se regrouper en fonction de leurs affinités. Le marketing tribal (Gicquel, 2006) l'a très bien compris lorsqu'il conçoit l'orientation de ses approches publicitaires en fonction des regroupements d'individus partageant les mêmes affinités, selon une segmentation très fine des marques de biens et services.

Ainsi, les professionnels en relations publiques ne s'adressent que rarement à la population en général ; il leur faut plutôt concevoir leurs actions et leurs communications à l'intention de publics précis. Outre par leurs caractéristiques propres, les groupes se forment en fonction de leur idéologie, notamment selon leur engagement envers une cause, une problématique, un sujet de l'actualité. Il existe donc des publics dits «circonstanciels», c'est-à-dire des groupes qui se constituent autour d'un événement, d'une cause ou d'une activité spécifique. Il ne s'agit pas de personnes qui partagent une passion ou des préoccupations sur tous les sujets mais plutôt des gens rassemblés autour d'une situation ponctuelle, et ce, uniquement pour une certaine période de temps et selon des circonstances particulières.

Les citoyens sont plus instruits et plus exigeants, tout en étant plus conscients de leurs droits. Mais, les individus manquent de temps pour prendre connaissance des milliers de messages auxquels on les soumet quotidiennement. Chacun procède donc à une discrimination, selon une grille de rétention de l'information qui permet de sélectionner les éléments utiles tout en éliminant l'information inutile, envahissante, polluante et agressante.

Le relationniste qui veut capter l'attention très volatile de certains publics et engager avec eux des échanges interactifs et mutuellement profitables doit parfois déployer beaucoup d'efforts pour établir une relation basée sur la confiance réciproque. Pour ce faire, la segmentation des différentes catégories de parties prenantes de l'organisation tient compte d'une typologie de publics qui varie selon le contexte : certains groupes sont passifs, d'autres très engagés et même combatifs alors que certains individus démontrent une totale indifférence envers l'organisation ou l'objet de la communication. Dans tous les cas, la planification des activités de relations publiques sera établie en fonction des spécificités de chaque public.

4.3. UN CONTEXTE PLURIDIMENSIONNEL

Le relationniste doit définir les facteurs qui influent sur les attentes, les attitudes et les comportements des différents publics de son organisation. Souvent, cet intérêt pour les attentes des publics est dicté par des impératifs commerciaux, donnant lieu à des études de marché pour cibler les besoins des diverses clientèles de l'organisation. Mais comme le relationniste s'adresse à l'ensemble des citoyens, dans la société en général (et non seulement à des clients dans des marchés), il doit déployer des stratégies qui transcendent les seuls aspects commerciaux de la communication.

Cette identification plus globale des attentes et des besoins exprimés par les parties prenantes de l'organisation permet de transmettre ces attentes à la direction et aux employés de l'organisation. La prise en compte de l'expression de ces besoins doit déboucher sur des actions et pas seulement faire l'objet de belles déclarations de principe sous le couvert d'une stratégie de façadisme, celle-ci consistant à communiquer des engagements que l'on n'a pas l'intention d'honorer. Une structure de gestion doit être mise en place pour que les déclarations se traduisent en actes.

L'important est que la posture discursive de l'organisation corresponde à sa réalité afin d'assurer la cohérence entre les intentions, le discours et les actions d'une organisation. C'est en ce sens que le relationniste peut être considéré comme un agent de changement (Holtzhausen, 2000 ; Holtzhausen et Voto, 2002), puisque cette orientation de gestion des communications peut entraîner, chez les décideurs de tous les niveaux, des modifications à leur façon de gérer ou à leurs prises de décision. Autrement, le relationniste ne fera que maquiller la réalité, utilisant les mots qui correspondent aux attentes des publics, créant ainsi l'effet pervers de la propagande : endormir les publics à l'aide de leurs propres mots qui expriment leurs attentes, sans nécessairement avoir l'intention de les satisfaire, en fonction d'une stratégie de façadisme. Celle-ci est à terme vouée à l'échec puisque ce genre de positionnement ne résiste pas à une reddition de comptes dans l'espace public, en général, et dans l'espace médiatique, en particulier.

Par conséquent, il faut aborder l'étape de définition des publics avec une grande ouverture d'esprit pour éviter de diffuser de vains discours, ponctués de beaux slogans et de mots creux : toute la panoplie des *buzz words* pourrait être citée en exemple, comme autant de notions qui servent à blanchir l'information (ou à la « *greenwasher* » dans le cas d'organisations voulant se doter d'une bonne conscience à peu de frais sur le plan du développement durable). Ici encore, la communication symétrique bidirectionnelle est essentielle, une approche est centrée sur la notion de récepteurs-décideurs-acteurs, au sens où l'entend René-Jean Ravault :

[...] ce qui compte ce ne sont pas les intentions ou les désirs des émetteurs, ni ce que des observateurs extérieurs décryptent dans le contenu des «messages» qui circulent, mais ce que les destinataires font des produits [de communication] diffusés, une fois qu'ils y ont été ou s'y sont exposés et qu'ils se les sont appropriés en en construisant la signification finale. Cette ultime signification est la seule qui compte (Ravault, 1990, p. 54)!

Ainsi, selon le principe du libre arbitre, l'individu est le seul à décider s'il va s'«exposer» ou non à une information, puis s'il va décider ou refuser de changer d'opinion, d'attitude ou de comportement. En tenant compte de ce principe de la réception active, le relationniste doit faire preuve de modestie: il peut toujours orienter la planification de ses activités de relations publiques en fonction des besoins de son organisation et des attentes de toutes ses parties prenantes, mais il faut les segmenter avec beaucoup de soin pour les rejoindre, leur transmettre une information et engager avec eux des échanges: le reste relève en grande partie de leur libre arbitre.

4.4. CARACTÉRISTIQUES GÉNÉRALES DES PUBLICS

4.4.1. LES PUBLICS NE SONT JAMAIS ACQUIS

Même pour les publics qui semblent acquis d'avance, il faut investir efforts et temps pour maintenir des relations harmonieuses avec eux, pour les écouter et les informer, en vérifiant leurs réactions aux messages de l'organisation. Les politiciens ne connaissent que trop bien cette volatilité de l'opinion publique; le même phénomène s'applique à l'établissement de relations de confiance entre une organisation et ses divers publics.

4.4.2. LES INTÉRÊTS DES PUBLICS SONT SITUATIONNELS

Pour le relationniste, le seul élément stable est l'instabilité de l'opinion. Les intérêts, les attitudes, les opinions des publics fluctuent constamment. Lorsque les enjeux en cause sont internationaux, il devient encore plus difficile de cerner l'évolution des perceptions et des prises de position. C'est le cas dans toutes les problématiques que doit affronter l'organisation, notamment les questions environnementales:

[...] cette internationalisation de l'environnementalisme vient complexifier et compliquer la problématique environnementale par le fait que les enjeux économiques et historiques sous-jacents aux politiques et aux normes environnementales ne sont pas les mêmes pour les habitants des pays industrialisés et pour ceux qui sont en voie d'industrialisation de sorte que le débat écologique va créer nécessairement un nouvel affrontement idéologique dans les pays en voie de développement qui sont, comme on le sait, confrontés de manière tragique à leur survie socioéconomique (Laramée, 1997, p. 18).

Par conséquent, même si le relationniste communique avec un public à l'aide de moyens parfaitement adaptés à ses besoins, il atteindra rarement l'ensemble des individus. Une partie des personnes qui composent ce public ne recevra pas l'information ou y sera indifférente, surtout si le public à rejoindre est disséminé dans plusieurs pays : «Au tournant du millénaire, la montée de l'informationalisme est inséparable de l'essor des inégalités et des exclusions sociales partout dans le monde» (Castells, 2000b, p. 66. Traduction libre). Le taux de pénétration d'une information n'est donc jamais garanti à 100%, loin de là, et la réactivité des publics peut se révéler tout à fait imprévisible. Ainsi, un public très actif envers une cause forme un groupe socialement engagé et, dès lors, plus averti et plus critique que le reste de la population (Grunig et Hunt, 1984, p. 146. Traduction libre) : «En fait, un public actif communique plus souvent dans le sens prévu par la théorie de la dissonance cognitive [...] Il est à la recherche d'informations de manière sélective et il retient celles qui renforcent ses attitudes et ses comportements.»

La théorie situationnelle de Grunig et Hunt permet d'analyser de manière systémique le déploiement des stratégies d'action, en tenant compte du positionnement des différents systèmes et sous-systèmes en présence. Selon ce cadre d'analyse, Grunig et Hunt (1984, p. 134. Traduction libre) recommandent les approches suivantes pour maximiser l'efficacité des stratégies de communication qui sont déployées par le relationniste :

- diffuser une information claire et signifiante pour tous les publics ;
- s'assurer qu'elle est reçue et entamer une action de rétro-information destinée aux publics non rejoints ;
- vérifier si l'information est comprise : en évaluer le taux de rétention, parfois en lien avec la fréquence de diffusion et sa bidirectionnalité ;
- mesurer l'impact de l'information sur les attitudes ;
- mesurer les changements de comportement, tout en étant à l'écoute des réactions des publics, à chacune de ces étapes, avec la volonté d'en tenir compte et éventuellement de proposer des modifications à la direction de l'organisation.

En d'autres termes :

ce n'est pas parce qu'un message est diffusé, qu'il est reçu ;
ce n'est pas parce qu'un message est reçu, qu'il est compris ;
ce n'est pas parce qu'un message est compris, qu'il est accepté ;
ce n'est pas parce qu'un message est accepté, qu'il change les attitudes ;
et ce n'est pas parce qu'un message change les attitudes, qu'il modifie les comportements[2].

Cette approche séquentielle des effets communicationnels est une autre façon de formuler la théorie du domino (Grunig et Hunt, 1984, p. 124) selon laquelle la diffusion d'un message ne crée pas une réaction en chaîne, de la réception à la modification du comportement, puisqu'il s'agit d'un processus rarement réalisé jusqu'au bout. En effet, le relationniste doit demeurer conscient que la chute des dominos (diffusion, réception, compréhension et rétention du message, changement d'attitude et changement de comportement) est souvent interrompue en cours de processus : il ne s'agit nullement d'un processus linéaire inéluctable (figure 4.2), tout simplement parce que, selon Ravault (1990), le message du diffuseur diffère souvent du message que reconstruit le destinataire, en fonction de sa propre réalité personnelle, sociale, culturelle, etc. Ce phénomène s'applique également aux communications ayant recours aux nouvelles technologies. Par exemple, dans le cas des pages Web qui sollicitent l'internaute, la qualité de l'information, fluctuante, s'accompagne d'un *ethos* qui fait référence à l'état psychique dans lequel se situe l'usager qui consulte les pages Web :

L'*ethos* est en quelque sorte la force de caractère, le système de valeurs que tout acte d'énonciation met en œuvre. Ce concept, issu de la rhétorique classique, désignait à l'origine les traits de caractère que l'orateur devait montrer à l'auditoire pour donner de l'autorité à ce qu'il disait, pour garantir son discours. [...] à une époque où chaque annonceur doit prendre sa part dans la guerre des signes, y compris et surtout désormais *via* le multimédia sous toutes ses formes médiatiques interactives, on doit prendre conscience qu'à travers les interfaces des « pages-écrans », l'énonciateur invite l'usager à se retrouver dans la représentation qu'il donne de lui. Cette représentation se veut alors morale au sens de manière de vivre en société, au sens de forme sociale relationnelle (Pignier, 2009, p. 105).

2. Extrait d'un exposé de formation donné le 11 mars 1998 devant des membres du Réseau Exec-U-Net Canada, par Agathe Plamondon, présidente de Communicateurs du fauve et présidente de l'Association des professionnels en communication (Association of International Business Communicators [AIPC], section Québec, 1994-1995).

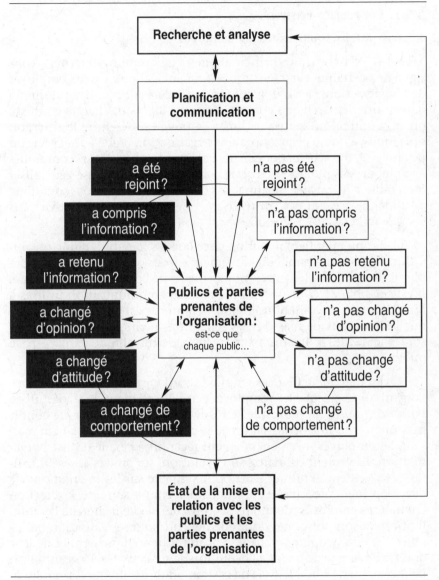

FIGURE 4.2
Impacts des actions des relations publiques

4.5.   LES PUBLICS: SEGMENTER POUR PERSONNALISER LA MISE EN RELATION

4.5.1. LES PUBLICS INTERNES

4.5.1.1. Mieux comprendre les employés

Même si ce livre traite principalement des publics externes, nous signalons certaines caractéristiques pouvant s'appliquer aux employés de l'organisation, car ils doivent être considérés de manière prioritaire dans toute démarche de communication. Bien sûr, chaque contexte organisationnel présente un climat de travail différent et la situation des employés varie beaucoup d'une organisation à une autre. Mais on peut relever, très schématiquement, certaines caractéristiques communes à la plupart des publics internes, si tant est que l'on puisse généraliser d'un milieu de travail à un autre. Les observations ci-dessous sont donc à valider au cas par cas, en réalisant une recherche exhaustive dans chaque milieu d'intervention.

En premier lieu, il faut préciser que les membres d'une organisation forment des publics relativement captifs que l'on peut rejoindre plus facilement que les autres interlocuteurs de l'organisation. En outre, il est possible de contrôler les moyens de communication utilisés à l'intérieur de l'organisation: un journal interne est plus facile à utiliser que les journaux de masse et les rencontres permettant des échanges sont plus faciles à organiser sur les lieux de travail que dans l'espace public.

En deuxième lieu, les employés sont en relation d'intérêt avec l'organisation puisque leur emploi dépend directement de ses destinées. Pour cette raison, à moins de se trouver dans une période de conflit majeur ou dans une organisation où le climat est particulièrement malsain, les employés sont généralement réceptifs à ce que diffuse l'organisation. Ils veulent connaître son évolution, ses projets et ses difficultés et ils veulent exprimer leurs points de vue sur les orientations de développement préconisées par leur employeur. De son côté, la direction connaît ses employés (du moins le croit-elle) et elle recherche la mobilisation de son personnel dont elle dépend pour la réalisation de ses objectifs. Elle se doit donc de les consulter périodiquement et de leur donner l'heure juste quant à l'évolution de ses activités. L'organisation peut également, selon le style de gestion pratiqué, inviter les employés ou leurs représentants syndicaux à prendre part aux prises de décision par la voie d'une communication participative et responsabilisante, à laquelle peuvent participer les différents interlocuteurs internes.

En troisième lieu, toute information aux employés qui concerne des changements les touchant directement fait l'objet d'une interprétation souvent très critique. L'un des facteurs d'interprétation réside dans l'incidence de ces changements sur l'emploi des employés : À la suite d'un changement envisagé dans l'organisation, qu'arrivera-t-il de leur emploi ? Envisage-t-on des restructurations dans la hiérarchie, des modifications quant aux habiletés requises pour occuper certains postes, des connaissances supplémentaires à acquérir, de nouveaux processus de travail ?

En quatrième lieu, les employés ont besoin de motivation et doivent trouver un sens à leur travail. Ils veulent être tenus au courant de tout ce qui concerne leur organisation. Diffuser d'abord l'information à l'interne et établir des mécanismes d'écoute démontrent l'importance qu'on attache à ces partenaires privilégiés que sont les employés.

Enfin, en tant que public directement impliqué dans les destinées de l'organisation, les employés affichent des comportements dont voici quelques traits. Même s'ils ne sont pas nécessairement généralisés à l'ensemble des personnels de l'organisation, on remarque souvent :

- le sens critique des employés : parce qu'ils connaissent (une certaine) réalité de l'organisation, ils peuvent interpréter de manière parfois acerbe les décisions prises par la direction. Les situations qu'ils ont vécues dans le passé conditionnent, entre autres, leurs réactions ou leurs réticences. La mémoire collective des cadres et des employés contribue à définir la posture discursive interne de l'organisation d'où émerge une coconstruction des cultures internes de l'organisation ;
- l'indépendance des employés : bien que l'organisation soit une partie importante de leur vie, ce n'est pas toute leur vie. Les employés sont conscients que très peu d'emplois sont encore assurés à vie dans les organisations. Leur sentiment d'appartenance peut ainsi s'effriter, notamment durant les périodes de fortes rationalisations des effectifs ;
- un état d'esprit sceptique, voire ironique, est souvent observé, particulièrement dans les organisations qui ont vécu des conflits de travail importants ou qui sont menacés de faillite. Les employés ont souvent l'impression qu'on leur cache une partie de la vérité.

Pour s'assurer que toute communication diffusée à l'interne répond réellement aux attentes des employés, le relationniste doit tenir compte des particularités de chaque organisation, telles qu'elles ont été identifiées lors de l'étape «recherche». De plus, le plan de communication doit prévoir l'impact à l'interne de la diffusion des informations destinées aux publics externes. En effet, les employés de l'organisation sont également des citoyens; par conséquent, ils reçoivent l'information externe que leur organisation diffuse, par l'entremise des médias traditionnels et des médias sociaux. Ils peuvent y réagir de manière très critique, par exemple en mettant en évidence les contradictions entre ce que l'organisation leur tient comme discours sur les lieux de travail, comparativement à ses déclarations dans les médias.

La cohérence de l'information est essentielle pour arriver à créer une relation de confiance avec les employés de l'organisation. Par conséquent, la distinction entre communication interne et externe est assez ténue: on doit plutôt concevoir une communication intégrée, transversale et interactive avec toutes les parties prenantes de l'organisation.

4.5.1.2. Les exigences de communication avec les employés

Diffuser l'information à l'interne d'abord

Toute nouvelle doit d'abord être diffusée aux employés d'une organisation. Il est très malsain pour le climat organisationnel (et irrespectueux envers les publics internes) que les employés apprennent les nouvelles touchant leur organisation par les médias ou par l'entremise des concurrents de l'organisation.

> La plus élémentaire prudence conduit à tester le message à l'intérieur de l'entreprise avant de le rendre public. Cela permet de vérifier qu'il est porteur des vraies valeurs et de s'assurer qu'il puisse être adopté et diffusé par le personnel. Il n'est pas possible de prôner une communication externe dynamique, et de négliger la communication interne (Westphalen, 1994, p. 10).

Par exemple, si une entreprise procède à une fusion avec une autre organisation et que les négociations ont été menées secrètement, le relationniste se doit d'informer les employés de la transaction, ne serait-ce que quelques heures avant que la nouvelle ne soit annoncée publiquement aux actionnaires et aux médias. Idéalement, plus l'information sera transmise tôt aux employés, plus grande sera leur possibilité d'y réagir. Toutefois, plusieurs transactions d'affaires se négocient à huis clos pour éviter de faire avorter le projet, auquel cas la communication à l'interne survient à la toute dernière minute.

Mettre de l'avant la contribution des employés dans les communications externes

Comme les employés représentent la valeur la plus importante de l'organisation, il est essentiel que leur contribution, leurs réalisations et leurs initiatives soient diffusés à l'interne et à l'externe.

Éviter de faire reposer toutes les responsabilités sur les épaules des employés

L'*empowerment* est un mode de cogestion qui vise l'élargissement des responsabilités des employés et leur contribution au développement de l'organisation, en les faisant participer au pouvoir décisionnel. Mais il ne faut pas créer une pression indue sur les employés par des communications internes qui leur transfèrent tout le poids des décisions stratégiques, lesquelles peuvent ne pas correspondre à leur compétence ou à leur espace d'intervention. Une déclaration du genre: «Si nos employés réussissent à atteindre les objectifs de développement des marchés, notre entreprise pourra enfin atteindre la rentabilité...» peut avoir des effets aussi négatifs que de dire «Si seulement nous avions de meilleurs employés, nous ne serions pas en si mauvaise posture financière». Or, il faut être conscient que pour la plupart des employés, l'atteinte des objectifs globaux de l'organisation dépasse souvent leur champ d'action et ne correspond pas à la marge de manœuvre dont ils bénéficient dans le cadre habituel de leurs fonctions.

En tenant compte de ces réserves et du principe de la réception active, le relationniste doit mettre en place des processus permettant d'être à l'écoute des employés: ces structures de communication leur permettant de s'exprimer, le relationniste contribue ainsi à l'établissement d'un climat d'échanges transversaux dans l'organisation.

Bannir le ton condescendant et paternaliste: il est souvent interprété comme du mépris

Dans le cadre des communications internes, le ton adopté véhicule un message aussi important que le choix des mots. Que ce soit dans l'approche rédactionnelle ou élocutoire, le respect et l'appréciation à l'égard des employés doivent soutenir toute démarche de communication avec eux. Ainsi, en cas de conflit de travail ou de gestion de crise, toute moquerie ou agression verbale de la part de la direction peut être interprétée comme du mépris qui nuira grandement à la résolution de la situation. En outre, il ne faut pas oublier que les choses reviendront à la normale un jour et ce qui restera gravé dans l'esprit des employés risque d'être l'attitude méprisante ou agressive de la direction. Il faut donc adopter un ton juste et respectueux, sans condescendance ni persiflage, dans toutes les communications internes et en toutes circonstances. Par exemple, les entreprises qui se permettent de déclarer de manière ironique : «Nous remercions nos employés pour la "bonne publicité" qu'ils nous font pendant cette grève!» pourront éprouver des difficultés à rétablir le climat de confiance à l'issue d'un conflit.

4.5.2. LES ACTIONNAIRES

4.5.2.1. Caractéristiques des actionnaires

Du point de vue de la communication organisationnelle, les actionnaires présentent certaines similitudes avec les employés, à tel point qu'ils sont parfois considérés comme des publics internes. Mais leur vie professionnelle n'étant généralement pas liée de manière directe et quotidienne à celle de l'organisation, nous croyons qu'il s'agit d'un public charnière, à la fois interne et externe. Comme propriétaires d'une partie de l'entreprise, dont ils détiennent les actions, les actionnaires possèdent habituellement les caractéristiques suivantes :

- une opinion favorable mais critique envers l'organisation ;
- une relation d'intérêt financier avec elle, donc en engagement personnel envers l'organisation ;
- un lien d'affaires asymétrique puisque l'organisation dépend en partie de leur fidélité pour assurer son développement ou sa survie.

Dans ce contexte, l'information fournie aux actionnaires peut avoir une influence sur leur décision de demeurer avec l'organisation ou de retirer leur financement. Contrairement aux employés, les actionnaires ne dépendent pas de l'organisation pour vivre, c'est plutôt le contraire :

> [...] tout programme d'information financière a pour objectifs généraux de renseigner les publics financiers, de susciter la compréhension et la confiance des publics et, à l'occasion, d'exécuter des actions qui rehausseront le prestige de l'entreprise toujours en concurrence sur le marché, aussi bien pour ses produits que pour obtenir l'argent qui lui servira à financer son activité (Blouin *et al.*, 1971, p. 199).

Dans le développement de ses stratégies d'action et de communication, le relationniste tient donc compte du fait que les actionnaires sont largement sollicités par d'autres organisations et que leur allégeance est parfois fluctuante. Les communications d'une entreprise avec ces publics doivent donc mettre en évidence le dynamisme de ses dirigeants, la justesse de leur vision, la viabilité du plan d'affaires et la qualité de ses projets de développement pour accroître la crédibilité de l'organisation auprès de ses actionnaires, pourvu que ces éléments correspondent à la réalité. En fait, les actionnaires demeurent toujours très critiques par rapport à tout ce que l'organisation entreprend et chaque document publié, chaque information sur le Web et chaque article dans les médias peuvent avoir une influence directe sur les décisions des actionnaires et sur le cours des actions de cette entreprise à la Bourse.

Les actionnaires sont sensibles à ce qui se fait dans d'autres organisations et sur d'autres marchés. Ils comparent la qualité de l'information financière qu'ils reçoivent en fonction des possibilités d'investissement et de la rentabilité de l'entreprise. La communication destinée aux actionnaires s'inscrit dans un contexte hautement concurrentiel, obéissant à des règles et à des lois qui encadrent les modes de diffusion de l'information financière, surtout depuis les crises et les poursuites légales qui se sont multipliées dans le secteur financier, en 2007-2008.

4.5.2.2. Les exigences de communication avec les actionnaires

Pratiquer la technique de la comparaison stratégique

Pour mettre en évidence les avantages concurrentiels d'une organisation, le relationniste peut comparer ses résultats financiers avec les résultats de ses concurrents ou de l'ensemble de son secteur d'activité. Il est cependant important d'utiliser des paramètres vraiment comparables qui mettent en lumière le rendement réel de l'entreprise.

N'avancer que les données rigoureusement exactes

Une erreur produite dans le rapport annuel ou sur le site Web de l'entreprise peut avoir des conséquences très négatives : le relationniste doit être conscient du caractère officiel de l'information financière qu'il publie. Il faut donc demeurer vigilant en s'assurant de la fiabilité des informations qui sont publiées et surtout ne pas hésiter à soumettre les textes au long processus des approbations internes pour en garantir l'exactitude la plus rigoureuse possible. Les crises financières vécues en 2008 ont donné lieu à des législations plus sévères pour la diffusion des informations financières et la reddition de comptes : le relationniste joue un rôle important dans ces processus de communication publique et il doit s'assurer de la véracité de toute information diffusée publiquement.

Situer l'information dans son contexte

Lorsque présentée sans référence contextuelle, une information peut être interprétée de manière inadéquate. Le contexte doit être expliqué pour bien saisir la nature des informations qui sont diffusées, dans tous les documents institutionnels, notamment dans le rapport annuel et dans les rapports trimestriels d'une entreprise.

Il faut garder à l'esprit que l'actionnaire moyen – surtout le petit investisseur – n'est pas toujours au courant des subtilités inhérentes au secteur d'activité de l'entreprise. Ce public diffère de l'investisseur professionnel qui scrute à la loupe l'évolution des entreprises dont il possède des actions. Il faut donc faciliter la tâche à l'actionnaire peu averti en rendant limpide l'information publiée sur l'organisation. Elle doit être à la fois rigoureusement exacte et parfaitement claire, tout en respectant les directives prévues par le législateur en matière d'information financière pour les entreprises cotées en Bourse. Ainsi, le travail du relationniste en est un de « traducteur » qui vulgarise l'information financière en vue de faire état de la réalité complexe de l'organisation, de ses orientations, de ses succès comme de ses difficultés, des risques inhérents à son secteur ainsi que de ses résultats financiers.

Favoriser la cohérence

Dans une perspective éthique, le relationniste doit diffuser des informations exactes et pertinentes, non seulement pour ses actionnaires mais pour toutes ses parties prenantes. Ce que dit l'entreprise doit correspondre à ce qu'elle publie et à ce qu'elle fait. En outre, le format choisi pour diffuser l'information doit être pertinent et cohérent avec le contenu. Par exemple, en période de baisses de profits, ce n'est pas le moment de produire un rapport annuel luxueux. Les actionnaires savent très bien ce que coûtent de tels moyens de communication. Il en va de même pour l'assemblée annuelle organisée à l'intention des actionnaires. Cet important événement doit aussi refléter la situation globale de l'organisation.

4.5.3. Les clients

4.5.3.1. Caractéristiques des clients

Les clients d'une organisation entretiennent avec elle une relation plus ou moins stable car ils sont constamment sollicités pour faire affaire avec des concurrents. En fait, les clients ont le droit de vie ou de mort sur l'organisation : ils paient pour la qualité des produits ou des services qu'ils reçoivent et ils ne doivent rien de plus à l'entreprise que le paiement de leurs factures. L'objectif des communications d'affaires avec la clientèle est donc en grande partie de comprendre ses attentes et de répondre à ses besoins en vue de la fidéliser et de la développer. Une organisation qui connaît bien les besoins de ses clients a de meilleures chances d'établir une relation d'affaires à long terme avec eux. Mais, fondamentalement, la relation client-organisation ne comporte aucune garantie de fidélité, d'où l'importance de prévoir des communications suivies avec ces publics fluctuants, tout-puissants et souvent très avertis. De plus en plus informés, les clients souhaitent traiter avec des organisations expertes dans leur secteur, fiables et responsables socialement (Tremblay, 2007).

4.5.3.2. Les exigences de communication avec les clients

Connaître les raisons pour lesquelles ils achètent

L'un des rôles du relationniste est de colliger l'information en provenance des clients et de la transmettre à la direction de l'organisation. Dans la majorité des milieux d'affaires, ce type d'activités relève du Service du marketing. Mais ce n'est pas le cas partout : plusieurs professionnels en relations publiques doivent également documenter le comportement du consommateur et les raisons qui motivent les clients à acquérir biens et services. C'est notamment le cas dans les petites entreprises qui ne peuvent embaucher plusieurs experts en communication. Le relationniste s'occupe alors de communication marketing, en sus de ses propres activités de relations publiques.

Établir et garder un contact personnalisé avec les clients

Il faut que l'information véhiculée aux clients leur confirme que : « si nous sommes en affaires, c'est grâce à vous : d'abord et avant tout, nous sommes là pour vous servir ». Les clients doivent sentir la préoccupation constante de l'organisation de les satisfaire, dans tout ce qu'elle dit ou fait. C'est pourquoi le relationniste doit éviter le piège de remettre aux clients uniquement les documents destinés aux actionnaires ou aux employés, sans jamais concevoir des moyens de communication qui leur sont spécifiquement destinés. Il faut au contraire établir et entretenir un contact personnalisé avec la clientèle (encore une fois, cette responsabilité peut relever du Service du marketing).

Ne pas se laisser oublier

Pour établir des relations basées sur la confiance, il est important que les communications soient transparentes, véridiques, soutenues et inter-actives. La livraison du produit ne suffit pas à établir une relation d'affaires durable; elle doit être accompagnée de la documentation appropriée et d'une ouverture au dialogue. Le client doit sentir qu'il est la raison d'être de l'organisation et qu'elle communique régulièrement avec lui pour assurer une bonne qualité de service à la clientèle, pour évaluer son niveau de satisfaction, pour recueillir ses suggestions, ses commentaires et ses plaintes afin d'y donner suite.

4.5.4. LES FOURNISSEURS

4.5.4.1. Caractéristiques des fournisseurs

Il existe deux catégories de fournisseurs avec lesquels le relationniste entretient des relations suivies : d'une part, les fournisseurs qui tra-vaillent pour le relationniste et, d'autre part, les fournisseurs de l'orga-nisation. Dans le premier cas, le relationniste est amené à effectuer un choix parmi les différents fournisseurs selon ses besoins d'affaires, en fonction de critères de professionnalisme, de compétence, d'inno-vation et de complicité professionnelle, tout en développant avec certains d'entre eux un partenariat à long terme. Souvent, le relation-niste est appelé à déléguer à ses fournisseurs des dossiers importants pour l'idéation, la création et la réalisation des projets de communica-tion. Il est donc important de les choisir de manière éclairée, de les informer correctement sur la culture de l'organisation et sur la complexité des mandats.

Quant aux autres fournisseurs de l'organisation, ils feront également l'objet de communications d'affaires, selon les politiques institutionnelles en cours. Par exemple, dans une organisation publique ou parapublique, il est important de se conformer à la politique de non-favoritisme et de respect des procédures gouvernementales d'appels d'offres. Il reviendra au relationniste de faire connaître ces politiques pour que les employés de l'organisation respectent les législations et les procédures en vigueur. Les communications externes de l'organisa-tion devront également être en mesure de témoigner du respect de ces normes ou d'expliquer aux médias pourquoi elles n'ont pas été mises en application, le cas échéant.

En outre, les fournisseurs doivent souvent faire l'objet de pro-grammes d'information sur les nouvelles exigences, les normes de qua-lité, les changements technologiques, les développements de nouveaux marchés (à l'international, par exemple), le respect des normes écologiques ou des pratiques de développement durable, etc. Cette communication s'établit en mettant en place la structure nécessaire à la diffusion des informations et à la réception des commentaires exprimés par les fournisseurs. Ainsi, un Intranet permettra de favoriser les échanges entre les représentants de l'organisation et ses fournisseurs.

4.5.4.2. Les exigences de communication avec les fournisseurs

Communiquer les normes de qualité

Cette pratique s'étend à tous les aspects de l'activité d'une organisation incluant la communication imprimée, multimédia et visuelle. Par exemple, la préparation d'un cahier de normes graphiques peut s'avérer très utile pour favoriser le respect de l'image institutionnelle par tous les fournisseurs de l'organisation.

Considérer les fournisseurs comme de réels partenaires

Les fournisseurs sont des partenaires importants et doivent être informés sur tous les changements pouvant les toucher, tels que l'implantation d'une nouvelle technologie, la modification du système de livraison ou l'installation de nouveaux codes à barres sur les produits. Cette information technique doit être fournie avec diligence, tout en gardant en tête que ces changements auront des répercussions sur la manière de transiger avec ces fournisseurs.

4.5.5. LES ASSOCIATIONS

4.5.5.1. Caractéristiques des associations

Les professionnels en relations publiques travaillent aussi dans le domaine associatif regroupant soit des individus, soit des organisations ; souvent les deux catégories de membres sont acceptées dans une association. Des communications doivent alors être établies régulièrement avec les membres de ces associations qui peuvent représenter, par exemples, l'ensemble des organisations formant une industrie ou les militants d'un secteur d'activité qui font des représentations auprès des diverses instances : gouvernementales, médiatiques, groupes de pression, etc.

Un des avantages que présente le public associatif est que ses membres appartiennent tous à une même confrérie, partageant globalement les mêmes préoccupations. Dans un monde où l'individu est souvent sans repères, l'association contribue à le réseauter au sein d'une communauté de personnes possédant des points communs. Cette orientation associative par une communication de liens est bien documentée en communication marketing (Cordelier et Turcin, 2005, p. 48), selon une approche qui s'applique également en relations publiques : « Détaché des catégories qui permettaient auparavant à l'entreprise de le cibler efficacement, l'individu est volatile. "Polyfacétique", il s'intègre dans diverses formes associatives, fréquente des sphères sociales variées, parfois même antagonistes. » Les efforts de communication qui incluent la diffusion et la réception d'information par l'entremise du milieu associatif contribuent à rejoindre des partenaires ayant des intérêts communs. Les associations forment ainsi un public à coefficient en ce qu'elles permettent de rejoindre facilement plusieurs groupes d'individus ou un ensemble d'organisations qui sont membres de ces associations. Comme celles-ci ont habituellement pour but de défendre les intérêts de leurs membres, elles doivent élaborer des stratégies communes d'action et de communication, nécessitant un échange d'information entre les participants.

Dans le cadre de leurs fonctions dans le milieu associatif, les professionnels en relations publiques contribuent à l'atteinte de l'objectif global de toute association : créer un environnement favorable à la défense des intérêts de ses membres de manière à faciliter l'atteinte de ses objectifs. Comme le rappelle (Cultip *et al.*, 1985), les relationnistes jouent un rôle de premier plan pour répondre aux besoins de leurs membres, qu'il s'agisse de :

- fournir de l'information pertinente aux membres ;
- contribuer à l'essor de l'association par la communication de recrutement (de nouveaux membres, de fonds, de partenaires, etc.) tout en prenant soin de fidéliser les membres actuels par des activités et des informations régulièrement diffusées à leur intention ;
- faire valoir la contribution du secteur associatif tel l'industrie, la profession ou l'idéologie en cause ;
- augmenter la notoriété et riposter aux controverses ;
- favoriser la formation continue des membres en communication afin que certains puissent jouer un rôle actif sur la scène publique et dans les médias ;
- communiquer aux membres les valeurs et la mission de l'association.

4.5.5.2. Les exigences de communication avec les associations

Les liens du relationniste avec une association peuvent être multiples : il peut être employé, contractuel, pigiste, consultant, bénévole ou membre de cette association. Quel que soit son statut, le relationniste peut apporter une contribution professionnelle : il peut concevoir des stratégies et des plans de communication, produire des rapports annuels, des communiqués de presse, divers documents d'information, un site Web, animer des médias sociaux ou y participer.

Porter un regard externe

Sauf s'il agit en tant que membre d'une association de relationnistes ou de communicateurs, le relationniste employé par une association ou consultant pour cette association ne fait pas partie de la « confrérie » et demeure quelque peu *outsider*, avec les inconvénients et les avantages de cette position. En effet, bien qu'employé ou consultant pour une association, le relationniste est rarement un membre professionnel de l'association (par exemple, il n'est pas ingénieur, notaire ou médecin, comme les autres membres de ces ordres professionnels pour lesquels il travaille. Cette posture externe lui permet d'apporter une double contribution à l'association : celle de son propre champ d'expertise en tant que relationniste et celle d'un regard critique extérieur permettant d'explorer une problématique sous d'autres angles. Même si l'association possède des ressources professionnelles (avocats par exemple) pour traiter les différents problèmes de son secteur d'activité, le relationniste peut apporter un point de vue complémentaire : il pourra traduire les attentes du public, des médias, des groupes de pression, pour anticiper et évaluer les retombées communicationnelles des prises de décision de l'association.

Présenter l'association comme une autorité en la matière

Le relationniste doit parfaitement connaître l'association et les attentes de ses membres afin de contribuer à son évolution. Il sera ainsi en mesure d'alimenter les débats auxquels participe l'association tout en suscitant des communications qui reflètent les besoins souvent très variés de ses membres. Cette approche peut contribuer à positionner l'association comme un leader dans son domaine ainsi qu'un acteur social crédible et influent dans son secteur d'activité. Ainsi, le relationniste participe de manière privilégiée au positionnement de l'association, à l'atteinte de ses objectifs et à sa mise en relation avec d'autres interlocuteurs, institutionnels, gouvernementaux ou citoyens. Les communications qu'il développe peuvent ainsi contribuer à maximiser le rayonnement de cette association, sa mise en réseau et son insertion sociale.

Faire preuve de solidarité... et d'esprit critique

Les membres d'une association ont besoin de sentir que leur relationniste pratique la «communication engagée» (Toth et Heath, 1992). Ils attendent de lui qu'il fasse preuve de solidarité et d'enthousiasme envers les causes défendues par l'association. Dans un espace public où s'expriment parfois les rivalités de ses membres, le relationniste doit développer des stratégies de communication qui favorisent un positionnement associatif clair, tout en participant aux débats dans l'espace public. Pour ce faire, il doit être en mesure d'exercer un esprit critique éclairé sur les enjeux qui concernent l'association.

4.5.6. STRUCTURER LES ORIENTATIONS COMMUNICATIONNELLES

L'exercice de définition des publics et de leurs attentes permet au relationniste d'orienter la conception de stratégies et de contenus d'information autour d'un message central, à la fois cohérent et pertinent, destiné à toutes les parties prenantes de l'organisation. Ce message moteur est habituellement formulé de manière concise afin d'être bien compris du public visé. Il est essentiel de n'avoir qu'un seul message de base – l'axe de communication principal ou message moteur – décliné en quelques sous-messages servant d'argumentaire global et de trame conceptuelle au développement des produits de communication institutionnelle.

Les organisations qui ne savent pas dégager un message clair de leurs positionnements dans l'espace public risquent de diluer l'information ou d'engendrer de la confusion. Dans un contexte hypermédiatisé, l'individu est confronté à plusieurs sources d'information, voire de désinformation. Il devient alors difficile pour lui de recevoir plusieurs messages différents sur une pluralité de sujets. Pour se démarquer, une organisation a généralement avantage à n'émettre qu'un seul positionnement institutionnel à la fois. Ce message central constitue en quelque sorte l'armature de toute la communication organisationnelle. Naturellement, l'axe de communication et le message moteur ne sont utilisés que pour la diffusion concertée d'informations institutionnelles et non comme balises aux échanges relationnels avec les diverses parties prenantes de l'organisation. Ces échanges doivent être établis non seulement sur les éléments d'information que l'organisation souhaite diffuser mais aussi en fonction des besoins d'information exprimés par ses différents interlocuteurs.

Après avoir identifié les contenus d'information pour chaque public, le relationniste élabore les moyens qui sont les plus susceptibles de le rejoindre. Pour ce faire, il doit tenir compte essentiellement de quatre variables :

a) un message personnalisé : trouver le bon angle pour traiter l'information, de manière à interpeller les publics en s'adressant à eux en tant qu'individus ou en tant que membres d'un groupe ;

b) les chances d'atteindre la cible : retenir les moyens d'information (interactifs si possible) offrant la possibilité d'atteindre le plus grand nombre de personnes faisant partie des publics visés et permettant d'entrer en dialogue avec eux ;

c) le coût : tenir compte d'une approche de gestion rigoureuse des efforts de communication, selon les coûts par mille, les coûts par individu ou autre mesure d'évaluation (voir chapitre 9), tout cela en respectant les limites budgétaires autorisées ;

d) le temps : respecter les délais impartis pour atteindre les différents publics visés.

4.6.   OPTER POUR UNE DIVERSITÉ DE MOYENS ET FAVORISER L'INTERACTIVITÉ

Plusieurs moyens de communication peuvent être énumérés dans un plan de communication afin que leur cumul permette de rejoindre les publics, tout en établissant avec eux des échanges dans le cadre d'activités aussi diverses que celles-ci : organisation d'événements, qu'ils soient sporadiques ou récurrents ; réalisation de concours, congrès, colloques, symposiums, assemblées annuelles ou occasionnelles ; participation à des tribunes publiques par des discours, débats, tables rondes, etc. L'élaboration de documents, imprimés, audiovisuels ou multimédias interactifs fait aussi partie de l'arsenal du relationniste, ainsi que le recours aux médias sociaux, aux réseaux citoyens, au démarchage, etc.

Dans le choix des moyens les plus efficaces pour rejoindre les publics, il faut tenir compte des possibilités qu'offrent la communication B2B (*business to business*) et C2C (*consumer to consumer*) et la communication tribale, les médias sociaux et le Web 2.0. Pour connaître plusieurs plans de communication, présentant l'articulation de divers moyens de communication, on peut consulter les études de cas en fin de chapitre ainsi que Kugler (2004 et 2011).

4.6.1. Macrocatégories de publics

Outre les catégories de public décrites précédemment, plusieurs autres segmentations existent pour identifier avec plus de précision certains publics de l'organisation. Grunig, Gruniz et Dozier (2002) proposent les catégories suivantes, en fonction de la théorie situationnelle :

- les publics qui reconnaissent l'existence d'un problème ;
- les publics qui éprouvent des difficultés face au problème ;
- les publics ayant un degré élevé d'engagement ou d'implication à l'égard du problème ;
- les publics qui ne savent pas qu'un problème existe.

Dans la foulée des travaux de Grunig *et al.*, on peut peaufiner cette segmentation en ajoutant d'autres variables, selon le comportement des publics : capacité ou volonté d'affronter un problème, comportement subissant plus ou moins de contraintes, comportement fataliste face à un problème, etc. Ces catégories permettent d'obtenir une segmentation très précise des publics, selon leurs attitudes et leurs comportements eu égard à un enjeu. En effet, on communique différemment avec un public qui ne sait pas qu'un problème existe et avec un public fortement engagé dans la résolution de ce problème.

Si l'on considère la communication du point de vue du récepteur et non de celui du diffuseur, selon la théorie de l'appropriation (de Certeau, 1990), le relationniste est amené à tenir compte du rôle très actif que jouent les acteurs de la communication dans leur capacité «à s'approprier, filtrer, négocier ou rejeter un message, un outil ou un produit communicationnel» (Charest et Bédard, 2009, p. 27). Lorsque ce récepteur appartient à un groupe ethnoculturel différent de l'émetteur, la segmentation du public prend encore plus d'importance, compte tenu du phénomène de l'altérité : «cette tendance à la fragmentation et à la segmentation des collectivités nationales et régionales, selon des critères techniques, linguistiques, culturels et religieux n'a peut-être pas encore été appréhendée dans toute son ampleur» (Ravault, 1990, p. 78).

CONCLUSION

L'élaboration de stratégies d'action et de communication fait partie intégrante du travail de relations publiques (Smith, 2009). Il s'agit essentiellement de concevoir des approches qui permettront de définir comment atteindre les objectifs fixés pour réaliser un projet de communication. Comme le précise Broom (2009, p. 26. Traduction libre):

> La planification stratégique commence par l'identification des conditions qui caractérisent une situation, ses forces et ses acteurs, les objectifs à atteindre pour chaque public à rejoindre et le but général à atteindre. Les programmes de relations publiques déterminent comment l'organisation va progresser, de sa situation actuelle vers la situation qu'elle désire atteindre.

En relations publiques, l'élaboration d'une stratégie pour réaliser un mandat fait appel au jugement, à la créativité et à l'expérience du relationniste. Celui-ci s'appuie sur les résultats de recherche et l'identification des publics à rejoindre pour développer une stratégie d'action: « L'analyse de la situation nous a permis de connaître l'entreprise, ses publics, son environnement et ses rivaux. On sait maintenant ce que l'on veut dire, à qui on veut le dire, mais on ne sait pas encore comment le dire. La stratégie va nous aider à trouver ce comment » (Dagenais, 1998, p. 245). Aux stratégies que nous avons présentées dans ce chapitre (les stratégies défensives, offensives, de positionnement, de recrutement, ballon d'essai, coulage d'information, cooptée, de proximité, de diversion, etc.), on peut ajouter la stratégie de pression et d'attraction: « Aussi connue sous ses vocables anglais de *push and pull*, cette stratégie implique deux tendances, soit que l'on pousse le produit ou le service vers le client, soit que l'on attire le client vers le produit. Dans le premier cas, on incite le client à essayer le produit en le lui offrant et, dans le deuxième cas, on demande au client de venir lui-même se procurer le produit » (Dagenais, 1998, p. 261). Mais quelle que soit la stratégie retenue, elle ne doit jamais avoir comme intention la propagande ni la manipulation de l'opinion.

ÉTUDE DE CAS

Entreprise ou organisation
Ville de Québec

Campagne ou action
Le 400ᵉ anniversaire de Québec :
De « ratage historique » à « conte de fées »,
chronique d'un succès pas si fortuit que ça…

Distinction
**Prix d'excellence Or 2009 de la Société québécoise
des professionnels en relations publiques (SQPRP)**
Catégorie : **Événement**

Lauréate
Luci Tremblay
Directrice des communications
Festival d'été international de Québec
et
Directrice des communications
de la Société du 400ᵉ anniversaire de Québec

En collaboration avec l'équipe de relationnistes :
Elisabeth Farinacci, François Paquet, Hélène Sauvageau
et Roxanne St-Pierre.

Relations tendues avec les médias, inquiétude de la population, crises internes et démissions, peu de gens à l'automne 2007 aurait eu l'audace – ou l'insouciance – de parier sur le succès de l'aventure du 400ᵉ, ces festivités organisées par la Société du 400ᵉ anniversaire de Québec afin de célébrer en 2008 la naissance du fait français en Amérique. En dépit d'un budget de 90 millions de dollars et de plusieurs années de préparation, l'organisation était devenue l'objet de critiques quotidiennes à Québec, à Montréal, et même parfois au-delà des frontières. À quelques semaines du coup d'envoi des célébrations, le 31 décembre 2007, le cynisme était à son paroxysme et l'ambiance, à couteaux tirés dans la capitale. Malgré tout, la population souhaitait fêter et les gens sont venus en grand nombre au lancement des festivités ce 31 décembre 2007. Leurs attentes ont cependant été cruellement déçues. Et cette déception a achevé de briser le lien de confiance, qui ne tenait déjà plus qu'à un fil, entre l'organisation, les médias et la population. D'où le changement de garde à la tête de l'organisation, le 2 janvier 2008.

Un an plus tard, cet événement est considéré, unanimement, comme un des plus grands succès de foule au Québec. La participation et l'implication de la population ont été sans équivoque : près de 7 millions de personnes ont participé à plus de 150 activités au cours des 12 mois de célébrations, des milliers de bénévoles ont répondu présents, des spectacles exclusifs et uniques ont exposé Québec partout dans le monde. Aujourd'hui, une fierté à nulle autre pareille flotte à Québec, heureuse, satisfaite d'être parvenue à faire de cette aventure un succès international et… pour beaucoup inattendu.

Que s'est-il passé ? Comment, en quelques mois à peine, la Société du 400e anniversaire de Québec est-elle arrivée à remplacer le succès mitigé de « Québec 84[1] » par un événement d'un succès tel qu'il est devenu un cas d'étude pour l'industrie des événements et des communications ? Comment la Société du 400e a-t-elle réussi à renouer le contact avec ceux qui étaient au cœur de la fête et qui pourtant n'osaient même plus y croire, tant au sein de la population que des médias québécois ? Et si le succès du 400e n'était pas si inattendu que ça ? Si c'était tout simplement le succès d'une vision claire et transparente, qui a su maximiser les atouts de relations publiques équilibrées, mobilisatrices et humaines, basées sur les compétences ?

1. OBJECTIF : RÉTABLIR LA CONFIANCE ET RENOUER LE CONTACT AVEC LA POPULATION

Le 2 janvier 2008, l'annonce de l'entrée en fonction d'un nouveau directeur général à la tête des célébrations du 400e, Daniel Gélinas, confirme la situation d'urgence dans laquelle se trouve l'événement. Une situation de rattrapage, de correction qui a imposé des gestes importants posés très rapidement pour être efficaces.

1.1. Une stratégie de communications intense, axée sur la transparence, est mise de l'avant pour développer un climat de collaboration avec les médias, rétablir un lien de confiance avec la population et l'informer adéquatement afin qu'elle participe aux célébrations et qu'elle en soit fière.

1.2. Parallèlement, Daniel Gélinas va mener une refonte de la programmation en fonction de l'atteinte de trois objectifs précis : la présence des grands noms de la chanson québécoise, la visite de vedettes importantes de la francophonie et le passage d'artistes internationaux de renom. Ces objectifs seront mentionnés et expliqués aux médias. Pour la première fois, la direction avait donné à la population les moyens d'évaluer sa performance. Les mêmes objectifs se sont transformés en un message

---

1. Les célébrations de Québec 84 marquaient le 450e anniversaire du premier voyage de Jacques Cartier au Canada.

fort et les annonces qui ont suivi situaient systématiquement les ajouts ou les changements de programmation en regard de ce message. La démarche était devenue claire et suscitait l'adhésion.

1.3. La nouvelle direction a également souhaité mettre de l'avant l'expertise des organisateurs d'événements de Québec, un souhait qui trouvait un écho dans les médias et la population. Pour marquer le rapprochement avec les grands événements, il a été convenu de tenir une conférence de presse en présence des dirigeants d'organisations telles que le Carnaval de Québec, les Grands Feux Loto-Québec ainsi que le Festival d'été de Québec. Cette conférence envoyait le message au public que les forces de la région allaient désormais s'unir pour travailler au succès des célébrations.

Tout alors était en place pour déployer en quelques semaines à peine un plan stratégique de relations publiques reposant sur la transparence, l'équilibre et la performance.

2. L'ÉQUIPE SUR UN PIED D'ALERTE

Constituée d'un noyau principal de six personnes, l'équipe des communications du 400e a compté jusqu'à 15 personnes, au plus fort de l'événement, pendant l'été 2008.

- huit personnes étaient affectées aux relations publiques, notamment aux relations de presse;
- trois personnes se sont occupées à la fois du pavoisement et de la publicité;
- deux personnes avaient la responsabilité du site Internet dont une à titre d'édimestre;
- une rédactrice à laquelle s'est ajoutée, en juin, juillet et août 2008, une rédactrice pigiste qui est venue prêter main-forte, le volume de textes à produire étant trop important.

S'ajoute l'adjointe administrative de la directrice des communications qui a fait un peu de tout: accueil à la salle de presse d'Espace 400e et aux conférences de presse, montage de pochettes, etc.

3. LA STRATÉGIE DE COMMUNICATION, BASÉE SUR LA TRANSPARENCE

3.1. Le pavoisement: afficher les couleurs de la fête

En janvier 2008, il a été décidé de modifier la signature graphique du 400e utilisée jusqu'ici – les rubans – pour renforcer la reconnaissance et le sentiment d'appartenance de la population de Québec envers cet anniversaire afin qu'elle s'approprie la fête et la fasse sienne. C'est ainsi que la signature « Fêtons nos 400 ans » a été adoptée.

Une plus grande opération de pavoisement et de présence urbaine s'est alors mise en branle pour ajouter à ce qu'il y avait déjà dans les rues de Québec et sur certains édifices dont le 400 lumineux, allumé le 31 décembre 2007 sur une des façades de l'édifice Marie-Guyart:

- des oriflammes sur les principaux boulevards, avenues, rues et places de Québec;
- des bannières géantes sur les édifices des partenaires de la Société du 400e (Pepsi, SAQ, SRC/CBC etc.);
- des bannières géantes ou des rubans autocollants sur des édifices bien visibles et stratégiquement bien positionnés tels le siège social de CAA-Québec, l'édifice Delta sur le boulevard Laurier, la SAAQ et le Centre des congrès de Québec;
- les bailleurs de fonds gouvernementaux ont pavoisé leurs édifices:
- le gouvernement fédéral a été le premier à s'afficher et à pavoiser tous ses édifices à Québec aux couleurs du 400e: bureaux de poste, édifices à bureaux, port de Québec etc.;
- la Ville de Québec a également pavoisé tous ses édifices: bureaux d'arrondissement, centres de loisirs, bibliothèques, etc.;
- le gouvernement provincial n'a pavoisé que quelques édifices dont le ministère de la Culture et des Communications;
- des panneaux le long des autoroutes et aux entrées de la ville de Québec;
- un affichage particulier (rubans) sur les panneaux que la Commission de la capitale nationale du Québec (CCNQ) possède aux abords de la ville pour souhaiter la bienvenue aux visiteurs;
- une vingtaine de pancartes de type électoral à des carrefours stratégiques;
- des traverses de rue formées d'un gros 400 lumineux dans six rues commerciales de Québec: Saint-Joseph, Grande-Allée, Cartier, Saint-Jean, Petit-Champlain et Maguire;
- de petits 400 lumineux accrochés aux lampadaires dans le Vieux-Québec, sur la 3e Avenue à Limoilou et sur la rue Saint-Vallier dans les quartiers Saint-Roch et Saint-Sauveur;
- 170 parasols aux couleurs du 400e et portant l'inscription «Fêtons nos 400 ans» ont été distribués aux restaurateurs qui ont des terrasses sur les rues Grande-Allée, Cartier, Saint-Jean, Saint-Joseph, Myrand, Maguire, dans le Vieux-Port et dans le Petit-Champlain l
- un écran a aussi été installé au carrefour d'autobus de Place d'Youville pour annoncer la programmation et les événements à venir.

À tout ce pavoisement s'ajoute celui pensé et installé spécifiquement pour les événements organisés par la Société du 400e, mais aussi pour les événements de la programmation associée: *beachflags*, housses de clôture, banderoles de drapeaux etc. Par exemple, le terrain des sports des plaines d'Abraham a été entièrement pavoisé pour les spectacles de Céline Dion, Paris-Québec et l'Orchestre symphonique de Québec.

En quelques semaines, la ville est vite devenue colorée et a pris des airs de fête, contribuant grandement à développer le sentiment de fierté des gens de Québec envers leur ville et cet anniversaire. Pour les touristes, il était clair, devant tant de bannières et d'oriflammes, qu'un événement important se déroulait. Le fait de pavoiser les sites des festivités a de plus permis de guider les spectateurs et visiteurs.

3.2. Samuel de Champlain : donner vie à l'histoire

Il a été décidé au mois de janvier 2008 d'utiliser le personnage emblématique du fondateur de Québec, Samuel de Champlain. Un comédien a alors été engagé et a joué ce rôle toute l'année. Il a, entre autres, animé des conférences de presse, a été maître de cérémonie à l'occasion de plusieurs événements (remises de médaillons) et a participé à des activités de sensibilisation dans les écoles. Au printemps 2008, une tournée a été montée en collaboration avec la Commission scolaire de la Capitale. Le personnage de Samuel de Champlain venait rencontrer les élèves et les invitait à fêter. Près d'une quarantaine de sorties ont ainsi été organisées dans ce contexte, entre mars et juin 2008, permettant également de remettre aux enfants des dépliants de la programmation, spécialement conçus pour eux, avec les principales activités jeunesse.

Champlain, sympathique et chaleureux, imposant par sa notoriété, sa stature et ses réalisations, a vite rallié les troupes et a joué un rôle déterminant dans la fête. Les enfants couraient vers lui, les médias se l'arrachaient pour des entrevues ou de la coanimation, et tous voulaient se faire photographier avec lui !

À peu près toutes les opérations de relations publiques auxquelles la Société du 400e a participé au cours de l'année 2008 se sont faites en présence de Samuel de Champlain. Associations professionnelles, fêtes de quartier, regroupements de services publics, vernissages d'expositions, dévoilement de cadeaux, de souvenirs, autant d'occasions où Champlain a grandement contribué à propager l'esprit de la fête. Il est devenu tellement populaire que le gouvernement du Québec et les délégations du Québec à l'étranger, principalement aux États-Unis, l'ont réclamé pour animer des activités protocolaires ou de promotion en lien avec le 400e anniversaire. Avec son message de ralliement et ses textes d'interventions toujours pertinents, Champlain ajoutait une belle chaleur à chacun des événements de relations publiques auxquels il a participé. Sa présence a rapidement apporté crédibilité et notoriété à nos activités.

3.3. Les relations de presse : rétablir le contact et instaurer un lien de confiance

À l'automne 2007, les critiques de la presse étaient nombreuses envers l'organisation du 400e : manque de disponibilité des porte-parole, information inaccessible, perception de conflits d'intérêt... Cette tension atteint son apogée avec l'article publié par *Le Devoir* au lendemain du coup d'envoi : « Un ratage historique ». Aussi, dès le 2 janvier 2008, le nouveau directeur général de l'organisation, qui bénéficie d'une grande crédibilité dans ses fonctions au Festival d'été de Québec, impose sa marque en devenant l'unique porte-parole officiel. Dès son entrée en fonction, celui-ci a demandé des rencontres éditoriales avec les principaux médias de Québec et certains animateurs de radio pour qu'il y ait à tout le moins un dialogue entre la Société du 400ᵉ et les médias.

Des rencontres de presse tenues à chaque deux semaines, les *Rendez-vous du 400ᵉ*, ont aussi été instaurées au cours desquelles un bulletin d'information était distribué. Devant la quantité d'information à révéler, ce rythme des rencontres s'est cependant vite accéléré et le bulletin a été abandonné.

Dès le mois de mars 2008, les conférences de presse sont devenues hebdomadaires et il est parfois arrivé d'en tenir deux ou trois par semaine.

La stratégie était simple : un seul sujet, autant que possible, c'est-à-dire un événement par conférence de presse, animée par le directeur général, avec la participation du président du conseil d'administration et des créateurs, dans un lieu ayant un lien avec l'événement.

La conférence de presse pour annoncer le spectacle *Rencontres* par exemple s'est faite dans le hall de l'Hôtel du Parlement puisque le spectacle se déroulait sur la place de l'Assemblée nationale. Le metteur en scène Pierre Boileau était sur place pour expliquer ses choix artistiques et dévoiler la présence de quelques-uns des artistes. La conférence de presse pour le spectacle *Le Chemin qui marche* s'est déroulée dans le pavillon d'accueil de la Baie de Beauport en présence du concepteur, Olivier Dufour. Des images de la scène et des décors, de même que des costumes étaient dévoilés aux journalistes.

À partir de l'ouverture d'Espace 400ᵉ en juin, les installations sur place ont été mises à contribution, soit la Grande Place ou plus souvent, le Salon Feuille d'érable Air Canada au 3ᵉ étage du Pavillon. Pratiques, conviviales, bien équipées, à quelques pas de la salle de presse aménagée pour l'été, ces installations facilitaient le travail des médias et leur offraient un cadre visuel intéressant et pertinent, en plus de limiter les déplacements inutiles et énergivores dans la ville.

Cette régularité et cette transparence dans la communication ont permis de rétablir un lien de confiance avec les journalistes, de démontrer l'état d'avancement des projets, de susciter l'intérêt des médias et de la population. La présence des artistes et des créateurs et le dévoilement de certains éléments des grands événements ont, quant à eux, fait naître la curiosité et l'envie de découvrir, de participer.

Une seconde conférence de presse appelée «logistique et mesures d'encadrement» a précédé chacun des grands événements. Organisées en collaboration avec le Bureau des grands événements de la Ville de Québec, les services de police et des transports de la Ville de Québec et le Réseau de transport de la Capitale, ces conférences avaient comme objectif de transmettre de l'information pratique à la population : rues fermées, stationnements, parcours d'autobus, accès au site, sécurité, etc. Ces conférences se sont avérées utiles et nécessaires, les médias ont pu aborder les divers sujets qui leur ont été présentés ; à titre d'exemple, les imprimés ont publié les schémas et les plans, réduisant ainsi les embouteillages et les problèmes inhérents à l'orientation et à la circulation.

Cette collaboration entre les différents services de la Ville de Québec et de la Société du 400ᵉ a permis d'attirer l'attention de tous sur des sujets souvent moins intéressants, moins spectaculaires, mais tout aussi importants pour la réussite de l'événement. Le rassemblement à une même table de concertation d'intervenants crédibles et sérieux a certainement contribué à rassurer la population sur la qualité de l'organisation.

Parallèlement, une tournée des régions a été organisée pour diffuser l'information à l'ensemble de la province et surtout inviter tous les Québécois à participer aux festivités. Cet anniversaire, en plus d'être celui de la fondation de Québec, était aussi celui du premier établissement français permanent en Amérique, message que la Société souhaitait porter en régions. Avec la collaboration de celui qui était alors le ministre responsable de la région de Québec, monsieur Philippe Couillard, et le maire de Québec, monsieur Régis Labeaume, les villes de Saguenay, Sherbrooke, Trois-Rivières et Gatineau ont été visitées. Partout, les mairies locales ont accueilli l'équipe du 400ᵉ et les maires ont participé à ces conférences de presse en invitant leur population à participer au 400ᵉ. Le directeur général de la Société du 400ᵉ a de plus réalisé plusieurs entrevues avec les médias locaux dans chacune de ces villes.

Montréal a été traitée différemment de manière à attirer l'attention des médias nationaux. À la fin de cette tournée régionale, en mai 2008, une conférence de presse importante avec plusieurs artistes, metteurs en scène, concepteurs a été organisée à Ex-Centris. La couverture de presse a été bonne et le 400ᵉ avait réussi à piquer la curiosité des journalistes montréalais.

Ce sont toutefois les rencontres éditoriales organisées la veille de cette conférence de presse, le 14 mai, qui ont donné les meilleurs résultats. Les discussions avec les éditorialistes du *Devoir,* de la *Presse,* du *Journal de Montréal* et de *The Gazette* ont été déterminantes et ont fait en sorte que ces médias ont choisi d'accorder de l'importance au 400ᵉ et d'en intensifier la couverture. C'est après cet échange par exemple que le *Journal de Montréal* a décidé de consacrer au 400ᵉ de Québec deux pages de son édition week-end pendant tout l'été.

De janvier 2008 à janvier 2009, la Société du 400ᵉ anniversaire de Québec a organisé 76 conférences de presse et publié 119 communiqués de presse. L'équipe des relations de presse a travaillé sans relâche à organiser ces conférences et à rédiger les communiqués mais aussi à accueillir les journalistes d'ici et d'ailleurs, à répondre à leurs questions, à gérer les demandes d'entrevue pour des membres de la direction générale, artistes et producteurs et à monter des carnets d'entrevue pour les artistes participant aux festivités. L'équipe de communicateurs a beaucoup collaboré avec les recherchistes de différentes émissions de télévision et radio, réalisées sur le site d'Espace 400ᵉ durant l'été. En outre, l'équipe a initié ou participé à des conférences et à des rassemblements originaux et uniques : ceux de l'Institut du Nouveau Monde, de la semaine Ubisoft à Espace 400ᵉ, de lancements de livres, etc.

3.4. Promotion touristique

Dès le début 2006, une personne est entrée en poste afin de mettre en place une stratégie de promotion touristique et de relations de presse nationales et internationales. Les premières actions ont consisté à rassembler l'industrie touristique de Québec autour d'une même cause : la promotion du 400e. Nous avions besoin d'ambassadeurs ! Toutes les équipes de ventes des hôtels majeurs de la ville ont été rencontrées. Des équipes qui font le tour du monde et participent à de nombreux événements pouvaient alors relayer l'information. Le but était aussi de voir les hôtels pavoisés et d'assurer la collaboration des personnes à l'accueil, des concierges, des serveurs, etc. Ils portaient déjà un macaron ou autre signe que le 400e arrivait à grands pas. De nombreuses formations ont également eu lieu avec tout le personnel hôtelier chaque fois qu'un nouvel élément était ajouté à la programmation. Ainsi, dans chaque région où des activités avaient lieu, le personnel était toujours informé des derniers développements.

Une alliance a également été créée avec l'Office du tourisme de Québec (OTQ) ainsi qu'avec le ministère du Tourisme du gouvernement du Québec afin qu'ils intègrent le 400e à leur offre touristique. Des rencontres mensuelles avaient lieu afin de préparer conjointement des interventions et des publicités. C'est ainsi qu'ensemble il a été décidé d'assister à plusieurs salons touristiques destinés aux grossistes en voyage et aux journalistes. De plus, toutes les brochures de l'OTQ et du ministère soulignaient le 400e et une campagne de publicité spéciale a été menée, hors province de Québec d'une valeur totale de près de 5 millions de dollars. Les marchés visés étaient bien évidemment les marchés de proximité, l'Ontario, les Maritimes, la Nouvelle-Angleterre, etc. Une image de marque qui intégrait bien celle de l'OTQ, du ministère et du 400e avait spécialement été conçue pour rejoindre ces publics. Des groupes de discussion à Toronto et à Boston ont même eu lieu afin de bien préparer cette action. Cette campagne spéciale, en plus de la campagne habituelle de l'OTQ et du ministère, s'est déroulée de novembre 2007 à août 2008. De plus, les employés de l'OTQ et du ministère ont eux aussi reçu une formation, chaque fois qu'une nouvelle activité majeure était ajoutée au calendrier. Tous les employés étaient rejoints, de la personne qui répond aux touristes dans les bureaux d'information touristique aux secrétaires dans les bureaux. De plus, un système de partage de l'information a été mis en place afin d'assurer aux personnes concernées une très grande disponibilité des renseignements dont elles avaient besoin.

Conjointement avec l'OTQ et le ministère, le 400e a organisé des tournées de familiarisation avec des groupes de journalistes et de grossistes ainsi qu'avec des journalistes de façon individuelle. On s'est aussi assuré que d'autres événements organisés à Québec, tels le Carnaval ou les Fêtes de la Nouvelle-France, participent à la promotion du 400e. Puisque ces événements reçoivent chaque année des dizaines de journalistes étrangers, ils ont permis aux organisateurs du 400e de les rencontrer lors des présentations spéciales de leurs festivités. Toutes ces rencontres ont permis de présenter les célébrations et de s'assurer que les journalistes étrangers écrivent des prépapiers incitant les touristes à choisir Québec comme destination.

Enfin, un appui a été apporté au département des Relations nationales et internationales afin d'organiser des missions de promotion dans plusieurs villes canadiennes, américaines et européennes, conjointement avec les délégations du Québec à l'étranger et les ambassades canadiennes.

Entre mars 2006 et juillet 2008, la Société a participé aux activités suivantes :

Salons destinés aux journalistes	15
Salons destinés aux grossistes	5
Salons destinés aux consommateurs	6
Missions à l'étranger	14
Tournées de presse (en groupe) reçues à Québec	29
Tournées de presse (individuelles) reçues à Québec	57
Tournées de familiarisation (grossistes) reçues à Québec	4
Présentations à l'industrie touristique	50
Articles publiés	Plus de 1 000

Cette collaboration entre le personnel du 400e et l'industrie touristique (tant ses instances officielles que les hôteliers et les restaurateurs, sans oublier une présence lors de divers événements) a contribué au déploiement d'un air de fête dans la ville de Québec. Tous ces partenaires ont collaboré à faire rayonner la fête et ils ont tous invité, à leur façon, la population d'ici et d'ailleurs à participer au 400e. L'appui indéniable de l'OTQ et du ministère du Tourisme a permis de réaliser des campagnes de publicité et de rencontrer de nombreux grossistes et des journalistes qui, à leur tour, ont parlé des célébrations et incité les citoyens à ne pas manquer ce moment marquant de l'histoire nord-américaine !

3.5. Médias et grands événements : ouverture et équité

Pour chacun des grands événements, que ce soit pour la première du Moulin à images, Rencontres, les spectacles de Paul McCartney, de Céline Dion, etc., un système d'accréditation simple et surtout équitable envers tous a été mis en place. Tous les médias pouvaient s'inscrire via la salle de presse virtuelle du site Internet MonQuebec2008.com. Les accréditations étaient attribuées selon le nombre de places disponibles dans l'espace réservé aux médias, lors de chaque spectacle.

Dans cet espace, chaises, tables de travail et connections Internet ont été systématiquement fournis pour faciliter le travail des journalistes et des photographes, leur permettant ainsi de respecter leurs heures de tombée. Pour la plupart des grands événements, un point de presse ou *scrum* était organisé sur place immédiatement à la fin du spectacle, afin de permettre un partage sur les premières impressions des organisateurs et des journalistes.

L'équipe des relations publiques du 400e a également réuni les directeurs techniques des chaînes de télévision SRC/CBC, TVA, TQS et CTV avant chaque grand événement afin d'établir avec eux le plan de couverture, les possibilités d'accès au site, les besoins techniques, etc., de sorte que tous disposaient de la même information, savaient à quel endroit se rendre et quelles étaient les possibilités de tournage.

Cette approche d'ouverture, d'équité et de collaboration avec les médias a fait qu'ils se sont sentis accueillis, reconnus, attendus, impliqués dans la fête sans toutefois que nous intervenions dans la couverture en tant que telle.

3.6. Le site Internet MonQuebec2008.com : plateforme centrale des communications

Le taux de fréquentation très élevé du site Web du 400e indique à quel point cet outil de communication s'est avéré utile et nécessaire. En effet, près d'un million et demi de personnes ont visité le site Internet pour un total de 2 235 530 visites. Au cours du seul mois de juillet 2008, 550 000 visites ont été enregistrées et la journée du 3 juillet a été la plus achalandée avec un nombre record de 44 000 visites.

Le calendrier d'activités a évidemment été la section la plus fréquentée du site, avec plus d'un million de visites suivies du blogue, preuve de la pertinence de cet élément du site Internet. La souplesse et la versatilité du calendrier permettent en effet de diffuser plusieurs types d'informations. C'est l'édimestre qui en a assuré la rédaction, utilisant les communiqués de presse et autres documents pertinents.

Enfin, ce sont les spectacles avec billets gratuits tels ceux de Céline Dion et du Cirque du Soleil qui ont reçu le plus grand nombre de visiteurs, de même que le Moulin à images.

La Société du 400e a également diffusé une Infolettre, outil de communication utile avant l'arrivée de l'été (mars, avril et mai 2008). Elle a permis, entre autres, d'informer les internautes sur les événements à venir. Au cours de l'été 2008, l'Infolettre n'a plus été utilisée que pour diffuser de l'information de manière ponctuelle (des précisions envoyées en septembre sur le spectacle du Cirque du Soleil, par exemple). Il n'était plus nécessaire d'utiliser ce moyen pour informer les internautes sur les activités puisque ces derniers avaient déjà pris l'habitude de visiter <MonQuebec2008.com> pour obtenir les renseignements voulus.

Le site Internet a aussi été un moyen privilégié pour la diffusion de l'imagerie du 400e (rubans et «Fêtons nos 400 ans»). Les logos du 400e pouvaient être téléchargés directement et gratuitement à partir de la page des normes graphiques. Cette dernière a reçu plus de 38 000 visiteurs entre le 1er novembre 2007 et le 8 janvier 2009.

3.7. La ligne info 400 : informer, informer et informer

En 2007, le nombre d'appels et de courriels formulant des demandes d'information à la Société du 400e a atteint un tel niveau d'achalandage qu'il est vite devenu trop lourd à gérer pour la réceptionniste et l'équipe des communications. Différentes solutions ont alors été évaluées et c'est vers Tourisme Québec que s'est tournée la Société du 400e. En effet, Tourisme Québec dispose d'un centre d'appels ouvert à l'année pour répondre aux demandes d'information des visiteurs locaux et étrangers. L'infrastructure technique et le personnel nécessaire pour accomplir cette tâche y sont déjà en place. Une entente a donc été conclue avec le ministère pour que ce centre d'appels réponde également aux besoins de la Société du 400e.

Le service a été offert du 1er novembre 2007 au 31 octobre 2008 et la ligne téléphonique a été accessible 7 jours par semaine de 9 h à 21 h et les soirs de grands événements, le service était prolongé pour répondre à la demande.

Le 400e a joui d'un service exceptionnel de la part des préposés affectés à cette tâche. Bien qu'en poste à Montréal, ces employés ont compris l'importance du 400e pour l'industrie touristique et ont passé des milliers d'heures à répondre patiemment aux questions des visiteurs désirant venir à Québec pour participer aux activités. Du côté du 400e, une personne avait été désignée afin d'être la répondante du chef de service en poste à Tourisme Québec afin de répondre adéquatement et en temps réel aux nombreuses questions des préposés qui souvent avaient besoin d'information complémentaire avant de répondre à leurs clients.

Bilan – Ligne Info 400

Période	Appels répondus	Courriels traités	Total d'appels et de courriels
Novembre 2007	11	17	28
Décembre 2007	607	639	1 246
Janvier 2008	866	1 181	2 047
Février 2008	331	1 040	1 371
Mars 2008	482	1 085	1 567
Avril 2008	661	1 073	1 734
Mai 2008	1 390	1 359	2 749
Juin 2008	3 378	2 198	5 576
Juillet 2008	7 379	2 910	10 289
Août 2008	6 840	1 645	8 485
Septembre 2008	2 252	1 570	3 822
Octobre 2008	441	563	1 004
Total	24 638	15 280	39 918

3.8. Les partenaires médias : une collaboration généralisée

Radio-Canada avait été désignée comme partenaire principal du 400e ; c'est donc sur cette chaîne ainsi qu'à RDI et ARTV que la principale campagne télé a été diffusée. D'autres ententes avec les deux autres chaînes télé québécoises, TVA et TQS, ont également été négociées en leur attribuant chacune un des grands événements du 400e. Ainsi TVA est devenu le présentateur de *Viens chanter ton histoire* et TQS, celui du *Grand rassemblement familial*. Cela leur permettait d'être associés à la fête tout en faisant leur propre promotion.

Astral Média est devenu le principal partenaire radio du 400ᵉ en raison de la force de son réseau Énergie et Rock-Détente, mais de la publicité a également été placée à Radio Classique pour le concert de l'OSQ, à CFOM 102,9 pour les spectacles *Viens chanter ton histoire* et *Salut 400ᵉ!* de même qu'au FM93 pour *Paris-Québec à travers la chanson*.

Du côté des médias imprimés, tous les journaux ont été utilisés, du *Devoir* au *Chronicle Telegraph*, sans oublier le quotidien publié par les employés en lock-out du Journal de Québec, le *MédiaMatinQuébec*. Une entente privilégiée a été signée avec *Le Soleil* qui avait déjà accordé une commandite au 400ᵉ. L'ensemble du groupe Gesca a été sollicité, ce qui comprend *La Presse, La Tribune, Le Nouvelliste, Le Quotidien, Le Droit* et l'hebdo *La Voix de l'Est* ainsi que *Le Journal de Québec*, le *Journal de Montréal* et les hebdos du groupe Quebecor.

À noter que de la publicité a été achetée dans le journal *Voir*, le *Québec Scope* et utilisée dans le réseau *Zoom Média* pour le spectacle *Le Chemin qui marche*, de manière à rejoindre un public plus jeune particulièrement visé par cet événement.

Le fait d'opter pour une approche permettant de travailler avec l'ensemble des médias – en fonction de leur public et du type de spectacle présenté, (ex: OSQ/radio Classique) – a contribué à rehausser rapidement l'image du 400ᵉ. Une fois le premier succès reconnu, lors de la première du *Moulin à images*, tous les médias ont voulu faire leur part. Quelques opérations de promotion ont ainsi pu prendre forme.

3.9. La campagne de publicité 2008: mettre de l'avant le produit

À partir du mois de mai, nous avons lancé une vaste campagne de publicité, à Montréal d'abord puis dans toute la province. Notre campagne comportait trois volets: la publicité générique, le calendrier de la programmation et la publicité spécifique pour chacun des grands événements.

La stratégie publicitaire était simple: mettre de l'avant le produit. Qu'est-ce qu'on pouvait voir à Québec cet été qu'on ne pouvait voir ailleurs? En sont des exemples éloquents: le spectacle de Céline Dion, spécialement conçu pour le 400ᵉ, le *Moulin à images* de Robert Lepage, *Le Louvre*, le *Potager des visionnaires*, le spectacle exclusif du Cirque du Soleil. Cette stratégie s'est développée autour de la connaissance qu'avaient les Québécois du 400ᵉ anniversaire de Québec; tout en sachant qu'il se passait quelque chose d'exceptionnel dans la capitale nationale, les citoyens avaient peu d'informations précises, ce qu'est venue combler la publicité, de manière sommaire mais éloquente. À titre d'exemple, les panneaux ne portaient que trois noms: Céline, Robert Lepage, Cirque du Soleil. La publicité télé suivait la même logique: peu de mots, des images, des noms, des émotions.

4. LE DÉVELOPPEMENT DURABLE: VALEUR FONDAMENTALE DES CÉLÉBRATIONS

Dès sa création en 2000, la Société du 400ᵉ anniversaire de Québec s'est dotée d'une mission de développement durable. Une personne de l'organisation était d'ailleurs affectée à la sensibilisation à temps plein, tant auprès des employés que pour l'ensemble des événements associés et des sites. En 2008, les communications de la société ont donc naturellement été effectuées sur la base de ce principe fondateur, rejoignant ainsi trois sphères importantes : environnementale, sociale et économique.

4.1. La sphère environnementale

Plusieurs actions ont été prises afin de s'assurer du respect de l'environnement lors des événements de presse ou de communications pour le 400e.

- Conférences de presse à Espace 400e : dès son ouverture au mois de mai, les conférences de presse de la programmation des grands événements du 400e se sont tenues à Espace 400e. Cet édifice a été construit selon les normes environnementales LEED. Donc, en plus de prendre place dans un endroit écoconçu, tout déplacement de matériel était réduit à son minimum puisque nous retrouvions tout sur place, de la sonorisation au traiteur. De plus, Espace 400e était le rendez-vous des médias durant l'été, certaines télévisions ayant même des installations permanentes sur le site. Donc, les déplacements des médias ont eux aussi été réduits pour les conférences de presse.

- Salle de presse Web : l'équipe des relationnistes du 400e a aussi mis sur pied une salle de presse Web afin de réduire la quantité de papier ; CD et clé USB étaient donnés aux médias. Via le site Internet officiel du 400e anniversaire de Québec, les médias qui en faisaient la demande obtenaient un code d'accès afin d'obtenir une copie électronique des documents ou au matériel visuel du 400e. L'accréditation des médias s'est également faite via le site Internet tout au cours de 2008.

- Communications écrites : grâce à la salle de presse Web, les communications écrites du 400e étaient réduites au minimum. Les communiqués et les annexes étaient imprimés recto verso et l'impression couleurs n'était utilisée qu'en de rares occasions. Dans le même ordre d'idées, les plans et les visuels expliqués aux journalistes lors des conférences de presse étaient toujours dévoilés sur des écrans, pendant qu'une version électronique était disponible dans la salle de presse Web.

4.2. La sphère sociale

La création d'un événement passe primordialement par la communication avec la population. Cette communication doit s'établir avant, pendant et après les célébrations.

- Une écoute du citoyen : la Société du 400e anniversaire de Québec était à l'écoute de la population qui désirait célébrer, mais aussi à l'écoute des résidants avec qui les festivités partageaient la scène. Lors des tests du *Moulin à images*, notamment en juin 2008, des lettres d'information ont été envoyées aux résidants vivant à proximité du site afin de les tenir informés. De plus, des soirées spéciales ont été organisées afin de remercier les citoyens de leur collaboration et de leur compréhension. La Société demeurait particulièrement à l'écoute des résidants du Vieux-Québec via des liens constants avec l'équipe des relationnistes.

- Le transport en commun : le 400ᵉ a entretenu une collaboration étroite avec le Réseau de transport de la Capitale pour encourager la population et des employés du 400ᵉ à utiliser les transports communs. Plusieurs moyens ont été mis à contribution afin d'informer et de sensibiliser l'ensemble des publics envers le transport en commun : campagnes d'information, ajouts de parcours, diffusion de l'information sur des écrans géants lors des spectacles, etc. De même, sur le site d'Espace 400ᵉ, 400 supports à vélo ont été mis à la disposition des visiteurs et les employés du 400ᵉ étaient incités, dans la mesure du possible, à se déplacer en vélo ou en transport en commun.

4.3. La sphère économique

La dimension économique était un aspect important pour les communicateurs et la population. Le sentiment d'incertitude face aux dépenses de la Société du 400ᵉ a cédé la place à un sentiment de confiance.

- Imputabilité : après les « déboires » médiatisés et bien connus de la population au début de l'année 2008, l'arrivée en poste de la nouvelle direction a été l'occasion de mettre en évidence l'importance accordée à l'imputabilité. Accompagné d'un comptable expérimenté et membre du conseil d'administration, le porte-parole du 400ᵉ s'est fait un devoir de répondre à toutes les questions des journalistes et de la population sur les aspects financiers.

- Réduire, réemployer et recycler : l'aspect économique comptant, les événements de relations publiques et de presse ont été planifiés en maximisant la réduction des coûts. Réduction à la source, réemploi des matières ainsi que le recyclage étaient au cœur même des préoccupations quotidiennes de l'équipe des communications.

Dès l'arrivée de Daniel Gélinas aux commandes des célébrations, le mot d'ordre dans la programmation, comme dans les communications, a été l'équilibre. Un équilibre que la Société du 400ᵉ est parvenue à créer entre les acteurs de la société, l'environnement et l'aspect économique de la fête. Le développement durable était non seulement une valeur véhiculée, mais faisait partie intégrante du mode de travail des relationnistes du 400ᵉ.

5. ÉVALUATION

5.1. La couverture de presse : de « ratage historique » à « conte de fées »

La couverture de presse a été abondante, ici comme à l'étranger. Le travail de démarchage et de sensibilisation effectué en collaboration avec l'Office du tourisme de Québec a porté fruit : plus de 1 000 articles ont été publiés à l'extérieur du Québec sur le 400ᵉ. Des grands reportages sur Québec dans le *New York Times* jusqu'à un article en Azerbaijan.

Les médias québécois (en dehors de la ville de Québec) ont mis du temps à entrer dans l'esprit de la fête. À compter de la première du *Moulin à images*, le 20 juin 2008, leur intérêt a commencé à se faire sentir pour les célébrations du 400ᵉ. Jusque-là, la couverture était plutôt négative et seules

les mauvaises nouvelles étaient rapportées par les réseaux nationaux. Il aura fallu la conférence de presse tenue à Montréal le 15 mai 2008 et, surtout, les rencontres éditoriales avec les principaux médias nationaux pour faire tourner le vent médiatique.

Le succès toujours grandissant au fil de l'été a fait en sorte que tous les médias ont finalement couvert le 400e. Après l'article foudroyant publié dans *Le Devoir* le 2 janvier 2008, intitulé « Un ratage historique », 10 mois plus tard, la même journaliste revenait sur les grands moments du 400e dans un article titré « Du cauchemar au conte de fées ».

Selon le rapport annuel de l'actualité d'Influence Communication, *État de la nouvelle : Bilan 2008*, le 400e anniversaire de Québec s'est classé au 7e rang des événements les plus couverts par les médias au Québec cette année, après la crise politique à Ottawa, les élections fédérales et les Jeux olympiques.

À compter du 3 juillet 2008, la couverture médiatique a explosé et la présence de journalistes montréalais à Québec s'est fait nettement sentir. Ce sont les cérémonies de la journée anniversaire, le spectacle de Paul McCartney et la prestation de Céline Dion sur les plaines d'Abraham qui ont le plus attiré les médias.

L'analyse de la couverture médiatique révèle que les nouvelles sur le 400e proviennent des journaux à 73 %, de la radio à 22 % et de la télévision à 5 %.

Au Canada, le 400e a fait parler de lui dans toutes les provinces, principalement en Ontario et dans les Maritimes.

5.2. Achalandage et cotes d'écoute « historiques »

5.2.1. L'achalandage

La Ville de Québec a évalué que plus de 7 millions de personnes ont participé aux différentes activités offertes par la Société du 400e anniversaire et d'autres événements au cours de l'année 2008.

Les chiffres avancés par les médias, les services de sécurité et les services policiers sont les suivants :

- le *Coup d'envoi*, le 31 décembre 2007 : 35 000 personnes ;
- le *Parcours 400 ans chrono*, les 5 et 6 janvier : 21 000 personnes ;
- *Rencontres*, les 3, 4 et 5 juillet : 45 000 personnes ;
- les feux d'artifice, le 3 juillet : 300 000 personnes (Québec et Lévis) ;
- la *Grande rencontre familiale*, le 6 juillet : 4 000 personnes ;
- *Viens chanter ton histoire*, le 15 juillet : 60 000 personnes ;
- *Paul McCartney*, le 20 juillet : 260 000 personnes ;
- *Le Chemin qui marche*, le 15 août : 60 000 personnes ;
- *Céline sur les Plaines*, le 22 août : 200 000 personnes ;
- *Paris-Québec à travers la chanson*, le 24 août : 80 000 personnes ;
- *Pleins feux sur l'OSQ*, le 25 août : 40 000 personnes ;

- le Cirque du Soleil, les 17, 18 et 19 octobre : 80 000 personnes ;
- *Salut 400ᵉ*, le 31 décembre 2008 : 30 000 personnes.

À ces chiffres, il faut ajouter la présence des personnes ayant fréquenté Espace 400ᵉ, soit plus de 1 200 000 personnes dont 600 000 seulement pour le Moulin à images.

5.2.2. Les cotes d'écoute

Quelques spectacles du 400ᵉ anniversaire de Québec ont été diffusés sur les ondes des télévisions générale et payante.

- *Rencontres*/SRC – 4 juillet : 641 000 personnes
- *Paul McCartney*/Illico – 20 juillet : 71 000 achats au Canada TVA – 31 décembre : 711 000 personnes
- *Le Chemin qui marche*/TQC – 7 septembre : 250 000 personnes
- *Céline sur les Plaines*/Illico – 22 août : 70 000 achats au Canada TVA – 21 septembre : 1,7 million de personnes
- *Paris-Québec*/SRC – 12 septembre : France 2 – 21 septembre : 3,6 millions de personnes

CONCLUSION

La célébration du 400ᵉ anniversaire de la ville de Québec aura laissé beaucoup de souvenirs : qu'ils soient originaires de Brossard ou de Sept-Îles, qu'ils aient participé à l'une des 79 représentations du *Moulin à images* ou au spectacle unique de Paul McCartney, rares sont ceux au Québec qui seront demeurés indifférents à la grande aventure du 400ᵉ. Cette aventure qui semblait se diriger droit vers un échec à l'automne 2007 s'est transformée, en quelques mois, en l'aventure d'une vie pour beaucoup des membres de l'équipe ou pour tous ceux, à Québec, qui ont pris part à son succès. La recette ? La conviction d'une équipe qui, autour d'un visionnaire comme Daniel Gélinas, a développé des relations publiques basées sur la transparence, le respect et la fiabilité.

L'histoire du 400ᵉ n'est finalement que celle de professionnels qui, nourris autour du défi commun de réussir, se sont dépassés pour faire de cette aventure celle de toute une carrière. Ou même d'une vie.

DÉMOCRATIE ET INFORMATION CITOYENNE DANS L'ESPACE MÉDIATIQUE[1]

La communication de masse et la communication interpersonnelle médiatisée sont au cœur de la modernité tardive et de la condition postmoderne.

(IHLEN, VAN RULER et FREDRISSON, 2009, p. 336.)

---

1. Ce chapitre a bénéficié de la collaboration de Martine Dorval, présidente de Conseil stratégique en communication et relations publiques et chargée de cours à l'UQAM, et de Patrice Leroux, responsable du Certificat de relations publiques et du Certificat général en communication appliquée, à la Faculté de l'éducation permanente de l'Université de Montréal.

Les relations avec les médias représentent l'une des fonctions les plus courantes dans l'éventail des tâches du relationniste. En effet, selon une étude réalisée par la Chaire de relations publiques et communication marketing de l'UQAM, 77 % des relationnistes effectuent des relations de presse dans le cadre de leur travail quotidien (Maisonneuve, Tremblay et Lafrance, 2004). Ce sont donc les trois quarts des relationnistes qui interviennent auprès des médias au nom de l'organisation qu'ils représentent, comme employés, cadres ou consultants. En tant que sources des médias, les relationnistes sont fortement sollicités pour alimenter en contenus les productions médiatisées réalisées par les journalistes, les recherchistes, les chroniqueurs, les reporters et les éditorialistes (Boily et Chartrand, 2010).

Mais l'évolution des médias, notamment avec la concentration de la presse, les réseaux d'information continue à la télévision et l'émergence plus récente des cybermédias ainsi que des médias sociaux, change la donne du paysage médiatique et les habitudes du public pour s'informer. L'impact d'Internet et des médias sociaux a en effet transformé la pratique du journalisme et donc celle des relations publiques :

> La technologie a changé la notion de média, surtout le concept de média de masse. Trois changements principaux ont eu un impact majeur sur le travail des relationnistes : 1) les publics sont devenus fragmentés, créant des niches médiatiques encore plus petites, centrées sur leurs propres besoins, contrairement aux médias de masse plus indifférenciés ; 2) les publics sont plus actifs, optant pour des médias interactifs ; 3) un « journaliste » aujourd'hui est toute personne[2] ayant une caméra sur téléphone cellulaire ou disposant d'un accès à Internet, par opposition au professionnel formé pour couvrir les nouvelles (Broom, 2009, p. 235. Traduction libre).

En outre, les professionnels en relations publiques diffusent de plus en plus leur information directement auprès des publics qu'ils désirent joindre. Ces publics sont également devenus eux-mêmes diffuseurs, sans avoir recours ni aux relationnistes ni aux journalistes. L'avènement des « médias individuels de communication de masse » (Proulx, 2009, p. 64) reconfigure totalement le paysage médiatique, modifiant le travail des communicateurs : « L'Internet soulève des questions de pratique tout autant que d'éthique sociale. Il transforme le travail des journalistes, des auteurs, des artistes, des communicateurs en général et il amène à s'interroger sur la légitimité de nouvelles

---

2. Broom utilise ici le mot « journaliste » au sens large. Naturellement, les journalistes de profession peuvent s'objecter puisqu'ils disposent d'une formation et d'un mandat centré sur l'information du public, dans le cadre de leurs fonctions dans les entreprises de presse.

pratiques» (Char et Côté, 2009, p. 3). On constate d'ailleurs que ces nouvelles pratiques s'inscrivent dans une tradition qu'Aristote n'aurait pas reniée. En effet, selon Prozorov, l'émergence des médias sociaux repose elle aussi (à l'instar des médias traditionnels) sur les trois catégories de la rhétorique, identifiées par Aristote: l'épopée, le lyrique et le drame:

> L'épopée sert à décrire les événements plus au moins importants en élargissant notre horizon. Le lyrique représente le monde de nos sentiments. Le drame reflète notre rapport, souvent difficile, avec d'autres «Je», évoque nos liens avec d'autres individus; c'est aussi une façon de surmonter notre solitude, une recherche de ponts à établir, une atmosphère de débats animés (Prozorov, 2009, p. 79).

Dans ce contexte, les citoyens reconfigurent eux-mêmes l'espace public, souvent sans avoir besoin de la médiation réalisée par le relationniste et le journaliste. Leurs préoccupations citoyennes et privées envahissent le cyberespace et les réseaux de communication sociale, recadrant ainsi la gestion médiatique des affaires publiques. Avec l'avènement des médias sociaux, et au premier chef l'appropriation du blogue, non seulement par des journalistes professionnels, mais par quiconque souhaite faire connaître ses opinions, le journalisme – comme l'ensemble du monde de la communication publique – subit de profonds bouleversements, entraînés par la mutation du modèle de la diffusion vers un modèle de la participation et de la contribution (Millerand, Proulx et Rueff, 2010).

Le journaliste américain Dan Gillmor (2004) souligne que la diffusion des «nouvelles» n'est plus seulement l'apanage des grands groupes médiatiques. Les frontières traditionnelles entre les journalistes professionnels, les gens qui «font la nouvelle» et le grand public – qu'il qualifie d'ancien auditoire (*the former audience*) – se confondent de plus en plus. En outre, certains blogueurs ont atteint un tel niveau d'influence qu'on les nomme maintenant des «citoyens-journalistes». Selon Gillmor (2004), ces nouvelles pratiques multiplient les voix dans l'espace médiatique, contribuant ainsi à la diversité des opinions.

La prolifération d'auteurs et de canaux, leur influence et leur portée posent aussi des défis particuliers aux praticiens des relations publiques. Jusqu'ici, les professionnels en relations publiques pouvaient exercer une certaine influence sur la diffusion de l'information auprès des médias traditionnels. Aujourd'hui, il leur faut apprendre à composer avec une plus grande diversité de sources, de commentateurs et de relayeurs d'information. L'enquête menée par le cabinet de relations publiques Edelman (2010) sur les sources perçues comme crédibles révèle plusieurs points intéressants. Par exemple, si les médias traditionnels exercent toujours une influence considérable, d'autres moyens d'information sont reconnus comme des sources importantes : les conversations avec des employés d'une organisation, les échanges avec des pairs ou des amis et les informations obtenues sur Internet par divers moteurs de recherche. Dans sa recherche d'informations crédibles, le public préfère recourir à plusieurs sources : c'est l'effet mosaïque de la quête d'information qui amène les relationnistes à tenir compte des médias sociaux dans leur pratique quotidienne. Le communiqué de presse traditionnel, d'abord conçu pour la presse écrite, doit maintenant coexister avec d'autres types d'outils tels que les communications multimédias, notamment les communiqués de médias sociaux. Ces derniers s'adressent aux blogueurs mais aussi à tous ceux qui préfèrent des informations qui, d'une part, enrichissent le support écrit (image, vidéo et podcast, par exemple) et, d'autre part, permettent de les relayer, de les remixer et de les intégrer plus facilement à d'autres canaux (blogues, microblogues et sites de réseaux sociaux, entre autres). Plusieurs entreprises craignent de perdre le contrôle de leur communication par cet effet migratoire et la combinaison de certains de ses propres éléments de contenus vers d'autres canaux ou vers des plateformes multimédias. En fait, il s'agirait d'une crainte exagérée puisque plusieurs recherches en communication démontrent que le grand public a toujours contrôlé les messages auxquels il s'expose (Grunig, 2002 ; Muzi Falconi, 2009).

5.1. LA DIFFUSION REVISITÉE

Dans ce contexte social en profonde mouvance, le travail du relationniste s'inscrit dans une redéfinition des publics à coefficient, essentiellement composés les médias traditionnels qui permettaient de rejoindre plusieurs segments de la population. Les journalistes représentaient un public privilégié pour les relationnistes puisqu'il donnait accès à plusieurs autres publics. À présent, il est maintenant possible de rejoindre directement ces publics, sans nécessairement passer par les médias traditionnels. Dans une société où une pluralité d'acteurs occupe l'espace médiatique, de nouvelles pratiques émergent face à cette mise en réseau des individus et des groupes :

> [...] les fonctions dominantes et les processus à l'ère de l'information sont de plus en plus organisés autour des réseaux. Ceux-ci structurent la nouvelle morphologie sociale de nos sociétés ; la diffusion selon la logique du réseautage modifie les opérations et les produits en termes de production, d'expérience, de pouvoir et de

culture [...] Le nouveau paradigme technologique de l'information procure le matériel de base pour son expansion à travers toute la structure sociale (Castells, 2000a, p. 500. Traduction libre).

Ce décloisonnement de l'information transforme la pratique des relations publiques, notamment par l'émergence des médias sociaux (Millerand, Proulx et Rueff, 2010), du phénomène de la communautique (Harvey, 2004), de la communication mobile (Fusaro, 2002) et de la blogosphère (Boulianne, 2009). Dorénavant, le relationniste n'est plus le seul à chercher un angle intéressant pour diffuser une information ; il doit maintenant composer avec les citoyens devenus eux-mêmes créateurs de contenus et diffuseurs. En ce sens, il n'y a plus de public qui est uniquement récepteur ; tout public peut devenir auteur et diffuseur. Le relationniste doit donc restructurer son travail en fonction des impacts de cette nouvelle réalité, tout en travaillant encore avec les médias traditionnels :

> En dépit du déploiement des nouveaux médias, l'idée que « les médias traditionnels sont morts » est un mythe. En fait, le sondage mené par Ketchum PR sur les médias démontre que 73,6 % des consommateurs regardent les nouvelles télévisées, que 71,4 % regardent les nouvelles sur les grandes chaînes et que 68,9 % lisent un journal local. Ainsi, les médias traditionnels demeurent encore la base de la pratique de la majorité des relationnistes (Broom, 2009, p. 236. Traduction libre).

Bien que l'on envisage des transformations radicales dans la nature des médias traditionnels au cours des prochaines années (Char et Côté, 2009), les relationnistes continuent d'exercer une partie de leur métier en lien avec les médias traditionnels. Ceux-ci évoluent dans un contexte dont le relationniste doit tenir compte : les difficultés financières que vivent les médias traditionnels ont conduit à des coupures importantes et à des rationalisations radicales de leurs effectifs au début des années 2000, quand ce n'est pas à des fermetures de salles de nouvelles, voire à la disparition de certains organes de presse. Ce contexte de restructuration des médias traditionnels s'observe d'ailleurs dans plusieurs pays.

En dépit du repositionnement des médias traditionnels, les relations avec les journalistes continuent d'accaparer beaucoup de temps dans l'agenda du relationniste : transparence et compétence dans la diffusion des informations demeurent les deux piliers d'une communication respectueuse des besoins des journalistes et de la population. Ce travail de mise en relation d'une organisation avec les médias s'effectue à travers plusieurs aspects du travail des relationnistes :

- concevoir des politiques et des plans de communication qui précisent les principes et les modes de relations avec les médias;
- diriger les activités de communication bidirectionnelle avec les journalistes, ce qui se traduit au quotidien par:
  - les réponses à leurs questions;
  - la préparation de dossiers de presse et la rédaction de communiqués;
  - la gestion d'une salle de presse interactive, sur le site Web d'une organisation, pour diffuser des documents destinés aux médias;
  - l'organisation de webdiffusions à l'intention des médias;
  - l'élaboration et la diffusion de documents multimédias destinés aux journalistes;
  - l'organisation de conférences de presse (Dagenais, 1996), de déjeuners de presse (Bordeau, 2008), de points de presse[3];
  - la planification et la réalisation de tournées médiatiques, etc.

Le choix des moyens dépend, certes, de l'importance de la nouvelle à diffuser mais aussi des publics à rejoindre et des objectifs poursuivis. Par exemple, le travail en interface avec les grandes agences de presse nationales et internationales (Boily et Chartrand, 2010) permet encore d'atteindre rapidement plusieurs médias, localement et partout dans le monde. Toutefois, ces moyens traditionnels sont dorénavant couplés aux nouveaux modes de diffusion que représentent le multimédia interactif, en général, et les médias sociaux en particulier. Ils forment un réseau de diffusion où s'expriment aussi bien les citoyens qui parlent en leur nom personnel que les groupes représentant les intérêts de leurs membres. Comme ceux-ci s'expriment de plus en plus dans la blogosphère, les professionnels en relations publiques doivent comprendre les besoins mais également les attentes des blogueurs.

En matière de besoins, on doit reconnaître que les blogueurs et les journalistes qui écrivent pour le Web ont moins de contraintes que ceux dont l'espace se limite au support papier. C'est dans cette perspective que Defren (2006) propose un gabarit qu'il nomme le communiqué de médias sociaux. Le communiqué multimédia intègre les actifs, voire

---

3. La différence entre une conférence de presse et un point de presse est assez simple: la première est une activité plus formelle et de grande envergure, alors que le point de presse est une activité de presse *ad hoc*, souvent organisée sur les lieux mêmes de l'action.

les ressources des réseaux sociaux de l'entreprise et de ceux à qui la communication s'adresse (journalistes, blogueurs, consommateurs, analystes, grand public). Ces actifs sont par exemple un compte Twitter, une page d'adeptes Facebook, un canal YouTube pour des vidéos, un fil RSS, un compte social de signets (*bookmarking*) de type Delicious, le compte LinkedIn du responsable des relations avec les médias (l'émetteur de l'information), un compte Flickr pour des images, un ensemble de mots clés (*tags*) pour un classement standard, un espace pour laisser ou lire des commentaires, etc.

Tous ces actifs peuvent donc être intégrés dans le communiqué dit de médias sociaux. Ils servent à rehausser l'information, voire à établir des connexions qui multiplient les ressources dans un but de partage, de rétroaction et de retransmission de l'information. Ces actifs permettent donc aux récepteurs de choisir, parmi un ensemble de ressources, celles qui conviennent le mieux à leur contexte particulier. Par exemple, si un blogueur souhaite intégrer un segment vidéo dans un de ses billets, l'émetteur peut lui faciliter la tâche en le rendant disponible par le biais de balises multimédias, accessibles en un clic de souris ou par une procédure de copier-coller primaire. Toutefois, les communiqués de médias sociaux doivent également tenir compte de la valeur réelle et de l'intérêt de l'information, de la qualité de la rédaction, de l'angle de traitement et des approches de transmission. Ce sont sur ces derniers points que les critiques s'expriment avec le plus de virulence.

Par ailleurs, les approches de transmission visant des publics internationaux doivent tenir compte des obstacles liés à la fracture numérique (George et Granjon, 2008; Brunel et Charron, 2002; Charron et Sciadas, 2003) et au déséquilibre entre la situation des médias du Nord et du Sud, comme le rappelle Char (1999, p. 3):

> Ce déséquilibre entre les «ventres pleins» et les «ventres vides» de l'information plonge implacablement le monde dans un ghetto global. Ce déséquilibre entre le Nord, frappé de plus en plus par le syndrome de la fatigue de l'information, et le Sud, qui rêve de télécopieur, d'Internet, de boîtes vocales et autres banques de données informatisées, n'est pas nouveau. Il avait fait déjà l'objet de débats passionnés à l'Unesco lorsque l'Organisation des Nations Unies pour l'éducation, la science et la culture décida de se faire le porte-voix des pays dits en développement qui réclamaient avec force [...] un Nouvel Ordre mondial de l'information et de la communication (NOMIC).

En ce sens, l'approche cas par cas dans l'établissement de relations avec les médias locaux et internationaux rejoint la théorie situationnelle de Grunig, Grunig et Dozier (2002), exigeant du relationniste une adaptation fine des moyens qu'il utilise pour rejoindre certains publics internationaux. Comme tous ne disposent pas du même accès aux technologies de l'information, chaque plan de communication doit prévoir des stratégies adaptées à la situation du pays avec lequel on souhaite établir une communication, tout en tenant compte de la fracture numérique, comme le rappelle Granjon (2009, p. 94):

> Les dispositifs techniques doivent ainsi être considérés comme dépositaires d'une histoire qui, sous sa forme objectivée (une inscription), joue un rôle à part entière dans le jeu des univers sociaux au sein desquels ils sont mobilisés par les agents. Considérant que la technique peut être appréhendée comme un rapport social matérialisé, l'objectif est de prêter quelque attention à la part prescriptive des supports matériels dans la configuration des interactions sociales et d'envisager la façon dont les TIC participent au maintien ou au déplacement des inégalités sociales.

Globalement, il est indéniable que les technologies interactives modifient en profondeur l'exercice des relations publiques. Cette transformation est envisagée à trois niveaux par Broom (2009, p. 248. Traduction libre):

1. rester à l'affût des développements technologiques dans l'univers des nouveaux médias;

2. développer des relations avec les «journalistes» non traditionnels;

3. positionner son organisation dans l'environnement des nouveaux médias.

5.2.   VRAIMENT, UNE NOUVELLE D'INTÉRÊT PUBLIC?

En relations de presse, le relationniste adopte habituellement une posture diffusionniste, tout en tenant compte du feed-back des médias. S'il recourt aux médias pour faire connaître une nouvelle (Boily et Chartrand, 2010; Motulsky et Vézina, 2008), le relationniste doit aussi répondre aux demandes d'information de la part des médias traditionnels. D'où l'impact des activités du relationniste sur l'espace médiatique:

> Les analyses de l'influence des relations publiques sur la mise à l'agenda des nouvelles [...] démontrent que 51% des communiqués de presse et autres matériels fournis par les relationnistes étaient acceptés et utilisés dans l'élaboration des nouvelles par les médias. Et quand l'information provient d'un relationniste et qu'elle est utilisée par les journalistes, les nouvelles qui en résultent reflètent l'angle suggéré par le relationniste – ce qui signifie qu'ils influencent l'agenda médiatique. Ou, plus précisément, que les sources des nouvelles peuvent influencer la manière dont un enjeu est présenté (Glasser et Salmon, 1995, p. 290. Traduction libre).

Ce phénomène de l'influence des sources journalistiques «est possiblement lié au fait que l'angle de la nouvelle est davantage travaillé pour correspondre aux attentes du lectorat ou de l'auditoire du journaliste, comme ce dernier les perçoit. L'expertise du relationniste, construite sur des interactions fréquentes, intègre cette connaissance fine des journalistes, selon leur profil. Le profilage étant pertinent et sophistiqué, la nouvelle reçoit un meilleur accueil» (Dorval, 2010). Pour effectuer cette diffusion ciblée, le relationniste a recours à plusieurs moyens pour répondre aux demandes des journalistes ou pour leur communiquer des informations en provenance d'une organisation. Par exemple, lorsque cette information lui semble d'intérêt général, le relationniste peut organiser une conférence de presse, pourvu qu'il s'agisse bien d'une nouvelle et que son importance relative dans l'actualité du moment justifie la tenue d'une telle rencontre avec l'ensemble des médias. Boily et Chartrand définissent les composantes d'une information pour être considérée comme une nouvelle, notamment la rareté, l'inattendu et la contradiction (Boily et Chartrand, 2010). En somme, tout écart à la norme intéressera les médias grand public.

En outre, si un segment très pointu de la population est concerné par l'information à diffuser, on se tourne plutôt vers les médias spécialisés et les médias locaux. On retient alors ceux qui sont les plus actifs dans ce secteur d'activité afin de rejoindre spécifiquement ces publics. Dans tous les cas, il faut effectuer une segmentation fine des médias et mettre à jour leurs coordonnées.

5.3. LA MISE EN RELATION AVEC LES MÉDIAS

5.3.1. CONSIDÉRATIONS GÉNÉRALES

Quel que soit le moyen de diffusion retenu, le relationniste doit trouver un angle de présentation de l'information et la contextualiser en fonction de l'intérêt du public concerné par cette nouvelle. Alors que pour les dirigeants d'une organisation, l'information à diffuser représente le centre de leur vie professionnelle, la nouvelle n'est pas toujours intéressante pour la population. Il faut donc faire preuve de jugement pour relativiser la nécessité de faire appel aux médias :

> Le premier défi qui s'impose à quiconque veut pénétrer dans l'espace médiatique, c'est de bien évaluer l'intérêt potentiel des médias pour une nouvelle d'intérêt personnel. Ce changement

de perspective est souvent très difficile à faire. En travaillant jour après jour sur un sujet précis, celui-ci devient rapidement le centre de notre intérêt; on a alors du mal à comprendre, et surtout, à accepter que ce sujet puisse paraître insignifiant aux yeux de la plupart des gens (Motulsky et Vézina, 2008, p. 46).

Il faut parfois refuser d'organiser une conférence de presse ou la tenue d'une vaste campagne médiatique si l'information ne représente pas vraiment une nouvelle, au risque de froisser la direction de l'organisation ou de heurter l'amour-propre de ses dirigeants. D'ailleurs, selon une étude de la Chaire de relations publiques et communication marketing portant sur ce sujet (De Schepper *et al.*, 2006), les journalistes reprochent aux relationnistes de se faire déranger pour rien, en mettant en place une opération de presse disproportionnée par rapport à une non-nouvelle qui ne mérite pas d'être annoncée. Et force est de reconnaître qu'ils ont souvent raison.

De plus, on doit tenir compte de la nature de l'information : la presse régionale peut être très intéressée par une conférence de presse dont le contenu touche directement plusieurs municipalités d'une même région. Dans ce cas, alors que les médias nationaux risquent de s'intéresser un peu moins à cette nouvelle, l'information pourrait être de grand intérêt localement, en fonction du principe de la communication de proximité (Libaert, 2001). De même, une information très pointue, de nature scientifique par exemple, sera peut-être trop spécialisée pour les médias grand public, alors qu'elle intéressera la presse destinée à des groupes spécifiques et à des médias spécialisés. En supplément d'information, un résumé plus accessible à l'ensemble de la population peut aussi être envoyé aux médias grand public et positionné sur le site Web de l'organisation auquel l'ensemble des publics peut avoir accès.

5.3.2. Les relations avec les blogueurs

Comme de plus en plus d'organisations et de cabinets de relations publiques reconnaissent l'influence des blogueurs, ils tentent de les intéresser à leurs contenus d'information. Cependant, les blogueurs n'apprécient pas d'être sollicités par des relationnistes qu'ils ne connaissent pas, surtout par ceux qui ne prennent pas la peine de comprendre la nature exacte de leur blogue. Aux États-Unis, certains relationnistes s'y prennent tellement mal dans leur approche de diffusion d'information que certains billets, sinon des blogues entiers, leur sont consacrés dans le but de les dénoncer.

Première recommandation des blogueurs: s'intéresser à ce qu'ils font et établir des échanges bidirectionnels (Weinberg, 2009) afin d'établir avec eux des liens de confiance (Sullivan, 2009). Selon Defren (2010. Traduction libre), il est nécessaire de:

- comprendre la personnalité et les intérêts du blogueur en lisant au moins une vingtaine de ses billets, y compris les commentaires de ses lecteurs;
- faire partie de la communauté du blogueur en laissant par exemple des commentaires sur ses billets. Le blogueur pourra ainsi reconnaître le nom de son interlocuteur advenant qu'il lui soumette une idée ou l'invite à un événement;
- toute diffusion d'information doit être non seulement pertinente mais structurée sur mesure pour le blogueur, c'est-à-dire que l'information doit être personnalisée;
- ne jamais insister si l'information n'intéresse pas le blogueur même si l'on croit que l'idée est bonne et que la nature de l'information correspond à ses intérêts.

5.4. LE COMMUNIQUÉ DE PRESSE: JALONS ET EMBÛCHES

C'est en octobre 2006 que l'on soulignait le 100ᵉ anniversaire du premier communiqué de presse publié par une entreprise (Jarboe, 2006). À la suite d'un grave accident ferroviaire faisant plusieurs victimes dans l'État américain du New Jersey, Ivy Lee (considéré comme l'un des fondateurs des relations publiques modernes) rédige une déclaration au nom de son client, la Pennsylvania Railroad. À l'époque, ce premier « *news release* » est très bien reçu par le *New York Times* qui souligne son aspect novateur ainsi que la franchise et la sincérité de l'entreprise au nom duquel il est émis. Cependant, cet enthousiasme n'allait pas durer longtemps. Au printemps suivant, Lee fait parvenir aux journaux son deuxième communiqué de presse, cette fois au nom d'une compagnie de charbon en conflit de travail avec ses employés. Ce communiqué est moins bien reçu que le premier car plusieurs journalistes y voient une tentative de manipulation de la couverture médiatique. Lee publie alors une déclaration de principes soulignant que le communiqué de presse vise à renseigner les médias sur des sujets d'intérêt public, que les informations émises sont justes et précises, qu'elles reposent sur des faits vérifiables, etc. En dépit de cette déclaration, la tension historique entre journalistes et relationnistes – soutenue par le doute et le principe d'objectivité des premiers et le lien d'affaires des seconds envers leurs clients – allait se poursuivre jusqu'à aujourd'hui, bien que cette animosité ne soit peut-être pas aussi tendue qu'on le prétend, selon une étude réalisée par Fedler et Delorme (2003).

Dans ce contexte d'influence entre les sources et les journalistes, le travail des relationnistes se réalise à l'aide de divers moyens dont le communiqué de presse demeure encore l'un des plus utilisés pour transmettre une information aux médias. Certaines organisations publient plusieurs centaines de communiqués par année, d'autres se limitent au strict minimum. En fait, les journalistes affirment recevoir trop de communiqués et se plaignent de subir de multiples rappels téléphoniques pour vérifier si ces communiqués ont été reçus : « certaines pratiques semblent agacer les journalistes, comme le rappel effectué par les relationnistes pour prendre acte de la réception de leurs communiqués. Ces pratiques sont perçues comme non pertinentes, tandis que les conférences de presse ne sont pas toujours organisées à des moments opportuns pour les journalistes » (De Schepper *et al.*, 2006). De plus, une avalanche de communiqués, présentant parfois peu d'intérêt pour le public, peut porter préjudice à une organisation en lassant les journalistes qui risquent ensuite de ne plus porter autant d'attention aux communiqués provenant de cette source.

Mieux vaut donc s'en tenir à la diffusion des communiqués vraiment nécessaires, en fonction de l'intérêt du public. En fait, la publication d'un communiqué doit répondre soit à la nécessité, soit à l'obligation. Dans le premier cas, il s'agit de rendre publique une information importante alors que, dans le second, c'est la loi ou un règlement qui oblige la diffusion de certaines informations (touchant les résultats financiers des entreprises publiques, par exemple).

5.4.1. LA RÉDACTION DU COMMUNIQUÉ : ÉCONOMIE DE MOYENS, MAXIMUM D'EFFICACITÉ

La rédaction d'un communiqué requiert de l'expérience et un véritable sens de la nouvelle afin d'être en mesure d'élaborer l'angle de présentation de l'information. Examinons tout d'abord les aspects techniques de la rédaction du communiqué. La longueur du communiqué, si elle est variable, doit tendre à un idéal d'environ une page ou une page et demie, à double interligne. Tout communiqué doit être une synthèse de l'information à diffuser, en évitant la redondance et l'autopromotion à outrance. Si le communiqué est trop long ou que plusieurs sujets y sont traités, il faut prévoir des sous-titres pour clarifier les thèmes abordés. On pourra aussi scinder en deux le communiqué original pour éviter les longueurs, la confusion des sujets et l'abondance de détails (que l'on réserve habituellement aux communiqués satellites et aux fiches techniques intégrées au dossier de presse).

Le style du communiqué doit rester sobre et factuel, tout en s'attachant à vulgariser l'information technique lorsque le communiqué s'adresse à un vaste public. Les journalistes à qui sont destinés ces communiqués sont des professionnels de l'écriture et ils apprécient la qualité d'un texte, sa clarté et sa concision. Leur travail est alors facilité pour traiter ce communiqué en vue d'en tirer un article ou un reportage. Il faut éviter le spectaculaire gratuit, la manipulation par l'émotion et le sensationnalisme dans la manière de présenter une information bien que dans certains médias: «la recherche du spectaculaire, alimentée par les paparazzis, gagne du terrain alors que la confidentialité des données et la protection de la vie privée des citoyens ne sont pas assurés» (Brunel et Charron, 2002, p. 298). Par conséquent, le relationniste doit à la fois protéger les informations confidentielles et nominatives tout en diffusant une information rigoureuse, factuelle et fiable plutôt que des éléments spectaculaires, des allégations fantaisistes ou des rumeurs alléchantes mais non fondées. De façon générale, le contenu du communiqué de presse sera adapté au sujet et au public auquel il est destiné. Par exemple, le ton et le style d'un communiqué destiné au milieu culturel ou au milieu financier différeront significativement.

Toutefois, le communiqué positionné sur le Web devrait faire l'objet d'une attention particulière quant au choix des mots clés, surtout dans le titre. Pour un référencement optimal, il faut choisir les mots les plus susceptibles d'être tapés par le public dans un moteur de recherche. Un exemple donné par la blogueuse et spécialiste en communications Internet Michelle Blanc révèle dans un billet intitulé «Communiqués de presse optimisés» que le mot «voiture» est 10 fois plus utilisé dans les requêtes que le mot «automobile». Il faut également s'assurer que les mots clés jugés les plus importants apparaissent au tout début du communiqué Web, voire dans la première moitié du texte, particulièrement dans le titre ainsi que dans l'intertitre.

Il est recommandé d'éviter les mots génériques tels que la compagnie, le produit, la solution, etc., et de privilégier des mots directement liés aux produits ou aux services, tout en tenant compte du vocabulaire utilisé dans la langue courante. Même si certains mots retenus peuvent paraître ennuyeux, il vaut mieux les utiliser dans les communiqués Web en songeant aux requêtes des internautes à l'aide des moteurs de recherche (Lohr, 2006). Il semble également que les glaneurs (robots) des moteurs de recherche soient plus sensibles à la répétition de trois ou quatre mots clés identiques (au début, au milieu et à la fin du communiqué, c'est-à-dire dans le paragraphe de conclusion (*boilerplate*).

Il semble aussi que les glaneurs demeurent sensibles aux mots en caractères gras. Il faut toutefois faire preuve d'une certaine retenue. Les moteurs de recherche (et leurs glaneurs) détestent certaines tactiques d'optimisation (*black-hat-tactics*) dont le but est de déjouer leurs robots. Certaines peuvent même mener à un bannissement qui peut durer assez longtemps…

Une tactique facile à gérer, pouvant être réalisée à peu de frais, consiste à offrir une carte du site (*sitemap*). De telles cartes aident les glaneurs à indexer un site et ses diverses sections, dont celles où reposent les communiqués. Bien entendu, il faut créer un lien pour chacun des fichiers du site vers la carte du site en question.

Enfin, les moteurs de recherche semblent aussi se tourner de plus en plus vers les médias sociaux pour mesurer la pertinence des sites et de leur contenu. Google intégrera de plus en plus les comportements humains dans ses algorithmes de recherche. Et ces comportements humains conduisent aux sites de médias sociaux dont les blogues avec leurs commentaires, les sites de signets sociaux (*bookmarking* par tags individuels), les wikis, les réseaux ouverts, etc.

5.4.2. Risques et incertitudes de l'embargo

Quel que soit le canal de diffusion d'un communiqué, une attention particulière doit être portée au choix du moment de sa publication. Le relationniste doit préciser dans l'en-tête du communiqué la date et l'heure de sa diffusion : peut-il être repris par les médias dès son émission ? Ou est-il soumis à un embargo, c'est-à-dire qu'il ne peut être diffusé avant un moment précis, indiqué dans l'en-tête du communiqué ? L'embargo offre un avantage important lorsqu'il s'agit de livrer une information qui devra être traitée ultérieurement : on donne ainsi aux journalistes plus de temps pour préparer articles et reportages. La mention d'un embargo doit généralement se retrouver avant le titre, en haut de la page et préférablement à droite.

Si l'embargo permet de diffuser un communiqué à l'avance, il vaut mieux éviter ce genre de pratique car l'embargo n'est pas toujours respecté. On risque donc de voir un communiqué publié avant le moment prescrit, de sorte qu'il faut vraiment évaluer les risques (élevés) d'un embargo en fonction de ses avantages (souvent très minces).

D'ailleurs, l'embargo pose certains problèmes à cause de la grande compétitivité du milieu. Toutes les raisons sont bonnes pour violer un embargo dont celle d'attirer en premier l'attention des lecteurs. Le célèbre blogue TechCrunch (Arrington, 2010) a même annoncé qu'il ne les respecterait plus et que les organisations devraient même les abolir. Par contre, il ne faut jamais oublier que l'embargo permet aux journalistes et aux blogueurs qui le respectent de fouiller davantage un sujet, de mieux comprendre les enjeux et donc de rédiger souvent un article plus complet (Oestreich, 2010). En outre, l'embargo permet aux salles de rédaction de planifier les affectations.

5.4.3. LE TITRE, CENTRÉ SUR LE MESSAGE PRINCIPAL

La formulation adéquate du titre d'un communiqué demande souvent beaucoup de travail. D'emblée, les quelques mots du titre doivent exprimer ce qui constitue l'essence de la nouvelle ainsi que son angle de traitement. Idéalement, le titre du communiqué est celui qui sera reproduit dans les journaux, bien que cela ne soit que très rarement le cas. En fait, le titre du communiqué est habituellement changé lorsque vient le temps de le publier, essentiellement pour des raisons de cohérence avec les autres titres du journal ou du magazine. Dans un média imprimé, le titre n'est pas rédigé par le journaliste qui prépare l'article : ce travail est habituellement confié au titreur. Dans certains médias, c'est le chef de pupitre qui rédige les titres d'articles, en fonction de l'approche générale (du ton) adoptée par le média pour le traitement des nouvelles, en vue de retenir l'attention de ses lecteurs.

Toutefois, même si le titre rédigé par le relationniste n'est pas retenu, il contribuera à attirer l'attention des journalistes sur l'élément synthèse de la nouvelle. En ce sens, le titre doit mettre en évidence les éléments de la nouvelle qui sont d'intérêt public. Si le titre du communiqué est repris, le relationniste a alors la satisfaction de communiquer au lecteur son information sous l'angle de traitement qu'il a suggéré. D'où l'importance qui doit être accordée à la rédaction du titre puisque les lecteurs, bien souvent, ne parcourent que les titres d'un journal. Il faut donc formuler les titres des communiqués de presse de manière à dire en quelques mots l'essentiel de la nouvelle, c'est-à-dire le message principal exprimé en une formule très explicite. Le titre doit se limiter à quelques mots, une phrase tout au plus, parfois précédée d'un surtitre limité, lui aussi, à quelques mots. Il faut éviter les titres occupant plusieurs lignes, ce qui invite le titreur à le reformuler, peut-être sous un angle qui dénaturera le sens original du titre.

EXEMPLE DE TITRE

Dès le 15 septembre 2010 :
Le ministère de la Santé lance une campagne de vaccination
contre l'épidémie d'influenza

Ce titre de communiqué de presse, publié par un organisme de santé publique, peut contribuer à retenir l'attention des médias et de la population envers la prévention d'une épidémie d'influenza. Présentée ainsi à la population, la participation à la campagne de vaccination est clairement campée en fonction d'une date précise. Il faut aussi tenir compte du positionnement des communiqués sur le Web et du rôle que joue alors le titre, comme le rappelle Dorval (2010) :

> L'indexation par les moteurs de recherche sur le Web (Google, Bing) nécessitent l'adoption de pratiques particulières pour les titres. Le titre d'un communiqué monté en format HTML sera associé à une balise repérée par les engins. Il faut dans ce cas imaginer quels seraient les mots clés qu'utiliseraient les internautes pour trouver notre nouvelle. Ainsi, on aura tendance à utiliser le nom de la source dans le titre (alors que c'était peu utile auparavant). N'oublions pas que les communiqués ne sont plus destinés qu'aux journalistes mais à un public plus vaste, grâce au Web.

Par conséquent, le titre d'un communiqué joue un rôle important dans la création de l'actualité et dans la hiérarchisation des sujets soumis à l'attention des journalistes et des publics. En ce sens, la formulation du titre est un exercice de stratégie, visant à camper de manière forte l'importance, voire l'urgence d'une information.

5.4.4. CENTRER LE COMMUNIQUÉ SUR LA NOUVELLE

Les communiqués de presse ont une présentation relativement uniforme, selon les règles suivantes. Tout d'abord, le texte commence en précisant la ville d'émission et la date de publication. Ces mentions sont toutes écrites dans le premier paragraphe et séparées du texte proprement dit par un tiret. Puis le texte du communiqué s'ouvre sur une première phrase – l'amorce ou *lead* – qui résume la nouvelle sous son angle le plus intéressant : « Le lead permet de fixer son but, de tracer le sillon de son texte, de développer une argumentation » (Char, 2002, p. 2), tel que démontré dans l'exemple suivant :

MONTRÉAL, le 5 septembre 2010 – La Direction de la santé publique annonce une vaste campagne de vaccination pour prévenir une épidémie de grippe…

Cette amorce doit trouver son explication dans les premières phrases du communiqué consacrées aux éléments de base de l'information que le relationniste désire communiquer, en répondant aux cinq questions suivantes : quoi ? qui ? où ? quand ? et pourquoi ? Lorsque possible, ces informations sont présentées dès le premier paragraphe en quelques phrases très succinctes.

FIGURE 5.1
Communiqué de presse – structure du texte

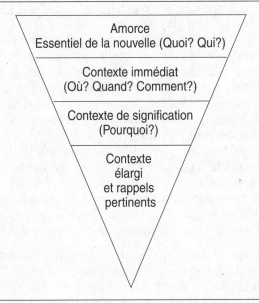

Dans les autres paragraphes du texte, le communiqué de presse présente les éléments destinés à expliquer le comment de la nouvelle, en hiérarchisant les éléments qui la composent, par ordre d'importance. Les informations techniques sont habituellement réservées à des communiqués satellites (ou encore, ils font l'objet de fiches présentées en addendum, dans la pochette de presse). Par exemple, des indications comme « les citoyens doivent avoir en leur possession le formulaire C-3 ainsi que le certificat B-312… » ne doivent pas se retrouver dans le premier paragraphe du communiqué principal, à moins que ce ne soit la seule information vraiment importante à annoncer.

Tous les éléments d'information qui ne concordent pas avec l'objet principal d'un communiqué doivent faire l'objet d'un autre communiqué. Ces communiqués secondaires (ou satellites) permettent d'aborder des aspects plus précis, de présenter certains éléments bio-graphiques, de donner des compléments d'information locale, etc. Les communiqués satellites contribuent ainsi à dégager le communiqué principal de certains détails qui déconcentrent l'attention du lecteur du sujet central de la nouvelle. D'ailleurs, il n'y a aucun problème à émettre plus d'un communiqué, si la situation l'exige. Mais, dans tous les cas, l'information doit être présentée clairement afin d'améliorer les chances d'être bien comprise.

Dans la rédaction d'un communiqué, la dimension «nouvelle» doit être mise en évidence car c'est ce que recherchent les journalistes. En ciblant les trois éléments suivants: 1) la nouveauté, 2) le sens ou l'importance de l'information située dans son contexte et 3) l'intérêt du public à l'endroit de cette nouvelle, un communiqué a plus de chances de retenir l'attention du journaliste, du chef de pupitre ou du directeur de l'information. Ainsi, en rédigeant un communiqué, le rela-tionniste doit conserver à l'esprit que les informations qu'il diffuse s'adressent ultimement au public, par le biais des médias. C'est pourquoi ces informations doivent être d'intérêt public (si on les destine à des médias non spécialisés). Il faut éviter que les communiqués de presse soient publiés dans le seul but de satisfaire l'ego des organisations ou celui de leurs gestionnaires. En outre, la surenchère émotive n'est pas de mise dans le traitement de l'information car trop souvent, dans les communiqués comme dans les médias, on constate que «l'émotion prend le pas sur l'exactitude», comme le déplore Char (2005, p. 274).

Quant aux citations qui sont souvent intégrées dans le corps d'un communiqué, elles contribuent à personnaliser l'information. C'est pourquoi la plupart des textes publiés par les médias utilisent des citations pour donner à la population le sentiment d'un contact direct avec ceux qui font l'actualité, c'est-à-dire avec les décideurs et avec les personnes qui créent les événements. Or, bien souvent, les journalistes n'ont jamais rencontré ces personnes qu'ils citent dans leurs articles: ils utilisent les citations présentes dans les communiqués de presse qu'ils peuvent, ou non, compléter par d'autres citations obtenues lors d'inter-views réalisées avec divers interlocuteurs. C'est pour répondre à ce besoin que les professionnels en relations publiques intègrent des citations à leurs communiqués.

Comme on le remarque dans l'exemple du communiqué d'Amnistie internationale, un paragraphe de conclusion clôt le texte du commu-niqué et est positionné immédiatement avant le – 30 –. Ce paragraphe de conclusion (appelé *boilerplate*) présente en quelques phrases la raison d'être de l'organisation émettrice, ainsi que son mandat et ses principaux

EXEMPLE DE COMMUNIQUÉ DE PRESSE

Communiqué de presse
Pour diffusion immédiate

Des camelots militants distribuent le tabloïd de la campagne
« Enfants soldats : Que fait la justice ? »

Montréal, 5 mai 2009 – Alors que la Cour fédérale a ordonné au gouvernement canadien de rapatrier Omar Khadr, un enfant soldat canadien détenu à Guantanamo depuis sept ans, Amnistie internationale Canada francophone lance une vaste campagne sur les enfants soldats, jeudi 7 mai, par une opération de camelots militants, à Montréal et dans plusieurs autres villes du Québec. Des milliers de tabloïds « SOS crime » seront distribués aux quatre coins de la province par des militants qui recueilleront des signatures pour réclamer justice.

« Le recrutement des enfants pour en faire des soldats est inconcevable. Pourtant cette situation perdure même s'il existe maintenant des outils importants pour protéger les enfants du recrutement forcé et pour que justice soit faite », rappelle Béatrice Vaugrante, directrice générale d'AICF. « Avec cette campagne, nous mettons l'accent sur la trop grande immunité de ceux qui recrutent, encore aujourd'hui, des enfants soldats sur au moins trois continents. L'impunité nourrit la violence, ne laissons pas notre indifférence l'abreuver en plus. »

Grâce à la complicité de Lyne Lefebvre et d'André Marois, qui ont mis bénévolement leur talent créatif au service d'Amnistie internationale, le matériel de campagne percutant fait ressortir le caractère criminel du recrutement des enfants soldats.

Il y aurait plus de 250 000 filles et garçons impliqués dans les conflits armés. D'une part, la misère, la vengeance ou la violence poussent des enfants à s'enrôler volontairement. D'autre part, il y a trop peu de procès ayant mis en cause les responsables, ceux qui recrutent et utilisent des enfants comme soldats.

Des partenaires de plusieurs disciplines artistiques appuient la campagne. L'artiste émergent Olivier Novembre a offert sa chanson intitulée *L'Enfant-soldat* comme thème pour la nouvelle campagne. Cette chanson sera bientôt mise en vente en ligne et tous les profits seront versés à l'organisme.

Amnistie internationale est un mouvement mondial d'hommes et de femmes qui militent pour le respect des droits humains, indépendant de tout gouvernement, de toute idéologie politique, de tout intérêt économique et de toute religion.

-30-

Pour information :
Anne Sainte-Marie, Responsable des communications
Amnistie internationale Canada francophone (AICF)
aste-marie@amnistie.ca
Téléphone : 514-766-9766 poste 230
Téléphone cellulaire : (514) 268-4983
Téléphone (sans frais) : 1-800-565-9766
Télécopieur : 514-766-2088
Pour tous les détails de cette campagne : <amnistie.ca/enfants>

objectifs. Cette conclusion est immédiatement suivie du code – 30 – inscrit au centre de la ligne. Tout ce qui précède le – 30 – est pour publication alors que tout ce qui suit le – 30 – n'est pas destiné à être publié.

Après le – 30 – est positionné le bloc d'identification de l'émetteur du communiqué : on y retrouve son nom, son titre et ses coordonnées complètes, incluant son adresse électronique et l'adresse du site Web de son organisation. Cette référence permet aux journalistes de communiquer avec le signataire du communiqué pour obtenir davantage d'information, s'ils le désirent. Par conséquent, si la personne qui émet le communiqué n'est pas disponible, il vaut mieux publier le nom d'un autre représentant de l'organisation, plus disponible pour répondre aux questions des journalistes, et ce, dès l'émission du communiqué.

Outre sa disponibilité, l'élément important dans le choix d'un signataire est sa connaissance du sujet dont traite le communiqué. Il est frustrant pour un journaliste de s'entretenir avec le signataire d'un communiqué qui ne peut donner aucune réponse à ses questions. Il faut également choisir quelqu'un pouvant présenter l'information clairement, en la vulgarisant sans se perdre dans des détails techniques ou dans un jargon pour initiés seulement. Ainsi, Bordeau recommande de :

> [...] rester clair et concis : surtout placer le message essentiel en début de réponse, et non pas à la fin, lorsque le journaliste est déjà passé à une autre question ou un nouveau sujet. Il est également recommandé d'éviter le jargon professionnel ou le langage trop technique, et d'illustrer son propos chaque fois que cela est possible par des exemples parlants, des anecdotes marquantes. Le porte-parole doit savoir être spécifique, original, tout en étant clair et imagé (Bordeau, 2008, p. 54).

Le signataire du communiqué, dès qu'il entre en conversation avec un représentant des médias, devient automatiquement le porteparole de l'organisation. Il pourra être cité comme représentant de l'organisation, laquelle sera publiquement engagée par ses déclarations. Il faut donc choisir quelqu'un ayant la latitude décisionnelle et les connaissances requises pour répondre correctement aux questions souvent imprévisibles des journalistes :

> C'est sans doute la tâche la plus délicate, car certains journalistes connaissent habituellement très bien le sujet et savent poser des questions complexes. D'autres connaissent moins bien la portée des thèmes discutés et sont davantage portés à rechercher l'élément nouvelle plutôt qu'à fouiller la complexité des dossiers. En fait, ils cherchent à se faire confirmer ou infirmer une hypothèse. Ou ils veulent tout simplement avoir des éléments d'information supplémentaires pour donner un peu plus de personnalité à leur compte rendu (Dagenais, 1996 p. 150).

En plus d'assurer le suivi à l'émission d'une communication, il faut également considérer son éventuelle traduction dans une autre langue. Dans ce cas, le relationniste doit s'assurer de la fiabilité de la traduction. Il arrive fréquemment qu'on remarque la piètre qualité d'une traduction. Un communiqué mal traduit envoie un message très négatif aux personnes qui le liront : l'organisation émettrice illustre ainsi son manque de compétence pour communiquer avec certains publics ou pire, son peu de respect envers ces publics. En fait, le relationniste n'a pas besoin d'être polyglotte car il peut avoir recours à des traducteurs et à des réviseurs compétents pour assurer la qualité du communiqué publié dans diverses langues. Mais, dans tous les cas, le relationniste assume l'entière responsabilité du contenu de tous les communiqués publiés par son organisation, quelle que soit la langue utilisée, d'où l'importance de bien vérifier l'exactitude des informations diffusées.

5.4.5. LES ALÉAS DE LA DIFFUSION D'UN COMMUNIQUÉ

Il existe plus d'une façon d'émettre un communiqué de presse. Lors d'une rencontre ou d'une conférence de presse, c'est en main propre qu'on remet le communiqué, généralement inséré dans une pochette de presse qui contient :

- le communiqué principal, présentant l'information générale sur le sujet, mettant en évidence les points saillants ;
- un ou des communiqués satellites, habituellement plus techniques, ajoutés si nécessaires au communiqué principal ;
- un profil historique de l'organisation (une fiche, un dépliant, une brochure institutionnelle ou le rapport annuel) ;
- les notes biographiques et la photo de chaque intervenant lors d'une conférence de presse, en précisant leur titre ;
- des photographies, des illustrations ou graphiques illustrant, s'il y a lieu, les sujets traités dans le communiqué ;
- le logo de l'organisation ;
- la carte d'affaires d'une personne-ressource.

L'envoi d'un communiqué ou d'une pochette de presse peut se faire par divers moyens. Lorsque l'envoi n'est pas urgent ou que la date de tombée est éloignée de la date d'émission du communiqué, on peut utiliser la poste ou un service de messagerie. Ce dernier moyen fournit la garantie de livraison en main propre, à l'heure voulue, avec preuve de livraison et signatures à l'appui. Les divers services de messagerie permettent d'effectuer les livraisons partout dans le monde. À remarquer cependant que l'on a surtout recours à ce mode de livraison pour remettre un objet (dvd, livres, billets) alors que la transmission d'information se fait habituellement par moyens électroniques (courrier électronique, sites Web, transmission ftp, etc.).

En outre, le relationniste peut utiliser les services développés par diverses entreprises de diffusion qui offrent l'utilisation de leur fil de presse (exemple : CNW-Telbec). Il s'agit de firmes auxquelles on fait parvenir un communiqué, par télécopieur ou par courrier électronique, et qui le diffusent ensuite à leur réseau d'abonnés composé de médias écrits et électroniques. Ces firmes offrent la diffusion aux médias traditionnels (de masse ou spécialisés), incluant la baladodiffusion et la webdiffusion. Lors de l'envoi, on peut préciser certains secteurs d'intérêt pour des chroniqueurs spécialisés. À titre d'exemple, on peut faire des découpages d'envoi par sujet, selon qu'ils intéressent davantage la presse économique, sociale, politique, sportive ou culturelle. Les entreprises de diffusion peuvent remettre au relationniste la liste des médias dont les salles de nouvelles reçoivent leurs communiqués et effectuer des rappels.

Il existe enfin des services identiques aux fils de presse mais qui utilisent le télécopieur comme moyen de diffusion. Bien qu'ils entrent dans les mêmes salles de nouvelles que les fils de presse, ces services sont moins prisés des affectateurs et des chefs de pupitre. Le télécopieur véhicule en effet plusieurs types de documents : le communiqué risque alors de passer inaperçu à travers un lot d'annonces publicitaires, ce qu'il vaut mieux éviter.

Le positionnement d'un communiqué sur le site Web d'une organisation ou son envoi par courrier électronique est l'un des modes de diffusion les plus fréquents. Ce moyen permet une grande rapidité d'action, tout en offrant la possibilité de rendre publics des documents complémentaires : témoignages, interviews, photos, vidéos, etc. Il est recommandé de s'assurer que tous ces documents sont en place sur le site Web de l'organisation au même moment que la diffusion se fait à l'aide de fils de presse.

Si le relationniste désire diffuser un communiqué aux médias de divers pays, il doit tenir compte des inégalités technologiques entre les pays, en fonction de la fracture numérique, qui différencient pays branchés et pays ayant peu ou pas accès à l'Internet : « Le journalisme international demeure encore inégal sur le plan de l'information, des ressources et des résultats. Plus fondamentalement encore, il se dessine un nouvel apartheid, car la majorité des humains ne participent pas à la prétendue révolution technologique » (Brunel et Charron, 2002, p. 298).

Généralement, il y a lieu d'utiliser une combinaison des moyens précités. Ainsi, pour une conférence de presse importante, on remettra des pochettes de presse aux journalistes présents; puis, on enverra les pochettes par messager aux journalistes qui ne se sont pas présentés à la conférence de presse. L'envoi pourra se faire par la poste aux journaux hebdomadaires et aux magazines, pourvu que l'on dispose du temps requis pour respecter leur date de tombée. Par ailleurs, on optera pour la webdiffusion d'un communiqué et son envoi sur fil de presse ou par courrier électronique pour atteindre rapidement l'ensemble des médias visés.

5.5. CONFÉRENCE DE PRESSE : Y RECOURIR AVEC DISCERNEMENT

Pour joindre les journalistes, la conférence de presse demeure un moyen qui présente l'avantage d'un contact personnel, offrant l'occasion d'approfondir davantage l'information en fournissant des éléments qui ne peuvent être présentés par voie de communiqué. La conférence de presse permet de faire intervenir les représentants d'une organisation qui pourront faire valoir leurs arguments lors d'interventions orales et d'interviews avec les représentants des médias. S'il est vrai qu'on ne peut jamais garantir le résultat d'une opération de presse, une conférence de presse bien préparée offre cependant l'occasion de livrer un message plus complet que la simple émission d'une communication: «Le seul fait de tenir une conférence de presse envoie un signal clair: vous prenez la situation au sérieux» (Saffir, 1993, p. 174. Traduction libre). Mais la conférence de presse n'est pas la seule option; si elle a l'avantage de s'adresser aux journalistes d'un grand nombre de médias, elle cible moins les journalistes directement intéressés par le sujet. Pour ce faire, le relationniste optera plutôt pour une rencontre de presse ou un déjeuner de presse.

La rencontre de presse est habituellement destinée à un nombre restreint de journalistes, en fonction de leur intérêt pour la thématique qui est présentée. Par exemple, les représentants de certains médias sont invités à une rencontre de presse parce qu'ils couvrent l'organisation ou son secteur d'activité depuis quelque temps et que la nouvelle à diffuser requiert une bonne connaissance d'un sujet. Moins formelle que la conférence de presse, la rencontre de presse permet aux journalistes d'établir des échanges plus approfondis et plus personnalisés avec les porte-parole de l'organisation. C'est une occasion pour eux de creuser certains dossiers complexes en discutant avec les représentants d'une organisation de manière plus interactive (Saucier, 1996, p. 78). Il en va de même pour le déjeuner de presse, qui est souvent un petit-déjeuner, offrant la possibilité d'une rencontre entre le dirigeant d'une organisation et un très petit nombre de journalistes, de chroniqueurs, parfois d'éditorialistes. Le cadre moins strict d'un déjeuner de presse favorise un mode d'échanges plus détendus, qui peut se répéter à intervalles réguliers avec le même groupe de représentants des médias qui acquièrent ainsi une connaissance plus fine des enjeux et de l'évolution de ce secteur d'activité.

5.5.1. LES LISTES DE PRESSE : SUIVRE LES FLUCTUATIONS DE L'UNIVERS MÉDIATIQUE

Avant toute opération de presse, il importe de constituer ou de mettre à jour les listes de presse afin d'être en mesure de rejoindre les médias. Il faut en effet disposer de listes déjà vérifiées car des changements surviennent fréquemment dans les salles de presse. Le relationniste risque que son communiqué ne se rende jamais à destination si ses listes de presse n'ont pas été mises à jour régulièrement. Il est aussi utile de constituer une liste de blogueurs qui s'intéressent à votre sujet ou à votre secteur d'activité et de les traiter avec les médias.

Les listes de presse rassemblent les coordonnées des journalistes, des chroniqueurs, des reporters, des animateurs, des recherchistes, des chefs de pupitre, des directeurs de l'information, etc. «L'univers des médias est loin d'être unidimensionnel. Sa nature se décline en plusieurs catégories ou variantes [...] Il est donc malvenu de les considérer en bloc et donc d'y référer de manière univoque par l'appellation "les journalistes"» (Motulsky et Vézina, 2008, p. 44). La liste des médias permet de disposer de toutes les informations requises sur les différentes catégories de professionnels œuvrant dans les médias afin d'être en mesure de les rejoindre rapidement dans les diverses entreprises de presse. Le montage et la mise à jour d'une liste de presse peuvent être réalisés par le relationniste ou il peut avoir recours à des firmes spécialisées qui offrent l'avantage de fournir une mise à jour régulière des informations relatives aux médias, assurant ainsi au relationniste de joindre en tout temps les journalistes selon leur affectation et leur lieu de travail actuels. Cette liste de presse se révèle un outil indispensable pour repérer, dans l'ensemble des médias traditionnels, les journalistes qui couvrent un secteur d'activité précis ou une thématique spécifique (la santé, les finances, les sports, etc.).

5.5.2. Invitations :
l'inévitable concurrence pour la présence des médias

L'invitation aux représentants des médias (et non leur convocation) est habituellement envoyée quelques jours avant la date de l'événement, sur fil de presse ou par courrier électronique. Les relationnistes ont souvent l'habitude d'utiliser l'expression «convocation des médias». Mais cette expression agace les journalistes, avec raison car ils ne sont pas à la solde des relationnistes. C'est pourquoi nous préférons le terme «invitation» puisque les représentants des médias ont le choix de couvrir ou non l'événement de presse.

Un rappel sur fil de presse ou par courrier électronique, la veille et le matin même de la conférence de presse, est indispensable car plusieurs conférences de presse figurent à l'agenda des journalistes. Cette forte concurrence pour assurer la présence des journalistes aux conférences de presse oblige le relationniste à faire preuve d'imagination pour se démarquer : le sujet de son invitation doit être clairement présenté, mettant en évidence une nouvelle. Et surtout, l'invitation doit arriver à temps, directement entre les mains de l'interlocuteur visé dans la salle des nouvelles, avant que la planification de la journée ne soit effectuée. Le relationniste doit en effet prévoir le temps requis par les médias pour évaluer la pertinence relative du sujet de la conférence de presse, un travail de planification qui s'élabore en équipe, habituellement dans le cadre de rencontres statutaires de production. Celles-ci sont organisées plusieurs fois par jour, selon le témoignage des journalistes rencontrés lors d'une recherche portant sur le traitement de l'information reçue par l'entremise des relationnistes (Maisonneuve *et al.*, 2009). Ainsi, ces réunions permettent de cerner les sujets qui feront l'objet de couvertures médiatiques durant les prochaines heures.

Outre les contraintes de temps, le relationniste doit assurer la promotion du sujet de sa conférence de presse en faisant preuve de créativité et d'innovation (Boily et Chartrand, 2010) pour susciter l'intérêt des médias. Il convient parfois d'éviter le traditionnel carton d'invitation en faisant preuve d'innovation et de créativité lorsque l'événement et le type d'organisation s'y prêtent, mais en se gardant de tomber dans le sensationnalisme. La rigueur du contenu informatif, la nouveauté du sujet et l'intérêt du public doivent demeurer les éléments mis en relief, même dans les quelques mots du texte d'invitation.

5.5.3. Formuler l'invitation à une conférence de presse

Dès le début du texte d'invitation, on précise la ville, la date et l'objet de la conférence de presse. Immédiatement après avoir précisé l'objet de la conférence de presse, le texte de l'invitation donne un aperçu des principaux éléments qui campent l'importance contextuelle de la nouvelle. Puis, lorsque le sujet de la conférence de presse est précisé, le relationniste complète l'invitation en fournissant les détails techniques, principalement composés des coordonnées de l'événement de presse, comme le montre l'exemple suivant.

EXEMPLE DE COMMUNIQUÉ D'INVITATION

AMNISTIE
INTERNATIONALE
CANADA FRANCOPHONE

Invitation aux médias
Conférence de presse

Lancement de la campagne SOS RDC ! d'Amnistie internationale :
Protégeons la population en République démocratique du Congo

Montréal, le mercredi 27 janvier 2009 – Bien qu'elles soient maintenant considérées comme des crimes de guerre, les violences sexuelles sont systématiques dans l'est de la République démocratique du Congo. Bernadette Ntumba de l'Association des mamans chrétiennes pour l'assistance aux vulnérables racontera ce qui se passe vraiment dans le nord et le sud de son pays, et Béatrice Vaugrante, directrice générale d'Amnistie internationale Canada francophone, présentera des pistes d'actions pour assurer la protection des civils, dans ce conflit oublié et enlisé ayant déjà fait des millions de morts et de réfugiés, et qui touche très durement les femmes et les filles.

Le symbole de la campagne est le parapluie. Nous avons demandé aux participants à cette rencontre d'en apporter pour signifier leur volonté que la population de la RDC soit protégée. Des photos seront prises.

Date : le jeudi 29 janvier 2009
Heure : 11 h
Lieu : Centre Afrika
Adresse : 1644, rue Saint-Hubert, Montréal (Métro Berri)

-30-

Pour plus d'informations :
Anne Sainte-Marie
Responsable des communications
Téléphone : 514 766-9766 poste 230
Téléphone cellulaire : 514 268-4983
aste-marie@amnistie.ca

Tout comme le communiqué, l'invitation se termine par la mention d'une source. Ce bloc «signature» d'un communiqué doit mentionner le nom et les coordonnées complètes[4] de la personne auprès de laquelle les médias pourront obtenir plus d'information. Une fois l'invitation envoyée aux médias, le relationniste procède généralement à un rappel téléphonique pour connaître l'intérêt suscité par son invitation auprès des journalistes. Ce rappel permet d'obtenir un indicateur du nombre de personnes ayant l'intention d'assister à une conférence de presse. À cette étape, le relationniste effectue une mise en évidence de l'importance du sujet auprès des répartiteurs dans les salles des nouvelles. Mais ce rappel est souvent mal perçu par les journalistes. Il vaut mieux éviter d'incessantes relances téléphoniques qui irritent les représentants des médias si ces appels servent uniquement à vérifier s'ils ont reçu un communiqué. Mais dans certaines circonstances, les relances personnalisées peuvent présenter un réel avantage, si elles sont justifiées. Habituellement, l'objectif d'une telle démarche auprès de certains journalistes vise à leur présenter un angle de traitement de la nouvelle qui correspond précisément au format de leur émission ou à leurs intérêts. En personnalisant l'approche, la relance permet souvent d'obtenir une couverture de presse intéressante. Par exemple, il est possible de procéder au positionnement d'interviews auprès de journalistes qui, pour toutes sortes de raisons, ne pourraient se déplacer pour assister à un événement de presse. En ce sens, le rappel téléphonique vise plutôt l'élargissement de la couverture de presse.

5.5.4. PLANIFIER LE MATÉRIEL D'INFORMATION SELON LES BESOINS DES MÉDIAS

La mise en place d'une conférence de presse doit être traitée au même titre qu'un événement spécial (voir chapitre 7): plusieurs éléments tenant à la fois de l'idéation, de la logistique et de la gestion des ressources humaines s'intègrent pour donner... un bon ou un piètre résultat, selon la réception des médias à l'égard de l'information qui leur est communiquée. En dépit de l'incertitude quant à son issue, une conférence de presse doit être planifiée de manière rigoureuse, en accordant de l'importance au contenu de l'information et au processus d'organisation de cet événement.

---

4. Ces coordonnées comprennent la mention du numéro de téléphone de la source, son numéro de téléphone cellulaire, de téléavertisseur, de télécopieur, son adresse électronique et l'adresse du site Web de l'organisation.

D'abord, il ne faut pas perdre de vue que l'élément le plus important à planifier est l'information : l'élaboration du message, la rédaction des discours et le contenu des interviews. Le choix stratégique de l'information à livrer, la cohérence entre tous les textes (sans redondance entre les allocutions des divers conférenciers) et la clarté du message à livrer doivent faire l'objet d'une planification consensuelle entre la direction et le relationniste (pour plus de détails sur la préparation de discours, consulter le chapitre 6). Cet aspect stratégique du travail doit recevoir toute l'attention du relationniste alors que le volet logistique peut être délégué à des assistants. Ceux-ci devront préparer le matériel requis : pochette de presse complète, répondant aux exigences des journalistes, photographies qui illustrent le sujet, branchement sur place pour les médias électroniques et branchement Internet, arrière-plans, panneaux de signalisation pour trouver rapidement le lieu de la conférence de presse, sonorisation, éclairage, cartons tentes avec les noms et les titres des participants pour les identifier à la table des porte-parole, etc.

Par ailleurs, un grand soin doit être apporté à la dimension visuelle de la conférence de presse, au positionnement du logo de la firme ou du produit, à la mise en place d'un espace visuel, incluant un fond de scène. En effet, les médias télévisuels ont besoin d'images ou d'éléments scripto-visuels pour illustrer le sujet de la conférence de presse afin de rendre les contenus d'information explicites et intéressants pour les téléspectateurs. Dans certains cas, la captation de longs discours peut être perçue comme inintéressante par les médias, à moins qu'il s'agisse de personnalités publiques en autorité ou de grand renom. C'est pourquoi l'illustration des propos peut aider à mettre en évidence certains thèmes et rendre leur diffusion plus intéressante pour les médias télévisuels. Sans tomber dans l'information-spectacle, il faut demeurer conscient de l'importance, pour la télévision notamment, de la dimension visuelle d'une conférence de presse. Il est donc utile d'avoir recours à la planification de plans intéressants et d'angles inédits pour la présentation de la nouvelle. Par ailleurs, une captation visuelle et vidéo peut être utilisée par l'organisation pour les diffuser sur son site Web ou sur des médias sociaux comme YouTube, DailyMotion et Viméo.

Enfin, la conférence de presse doit être gérée en conformité avec les règles du protocole (Dussault, 2009) et l'élaboration des stratégies d'ensemble (Boily et Chartrand, 2010).

5.5.5. L'EMPLACEMENT DE LA CONFÉRENCE DE PRESSE

Le choix du lieu pour la tenue d'une conférence de presse est un élément à ne pas négliger : il doit être accessible, connu et significatif. Il est déplaisant pour les journalistes, qui ont à couvrir plusieurs événements dans la même journée, de perdre du temps à chercher un endroit dont ils n'ont jamais entendu parler. De plus, comme les médias sont habituellement regroupés dans un même secteur du centre-ville, on doit en tenir compte dans le choix du lieu où tenir une conférence de presse. Bien entendu, il y a des cas d'exception, selon le type d'événement. Par exemple, lors de l'inauguration d'une usine ou de l'annonce des mesures visant à contrer la pauvreté dans un secteur défavorisé, les journalistes seront appelés à s'y rendre pour constater *de visu* l'état du dossier. À ce sujet, Ugeux mentionne que le choix de l'endroit est important puisqu'il porte un message en soi, contribuant à situer le contexte de la nouvelle. Par conséquent, en tenant une conférence de presse sur les lieux concernés par l'information à communiquer aux médias, on offre la possibilité aux journalistes de :

> [...] voir les choses dont on va leur parler. À condition bien entendu, que les lieux soient accueillants. Et qu'ils ne le soient pas trop. Telle entreprise a connu un effet de boomerang après une conférence de presse parce que les invités ont été un peu scandalisés par le luxe des installations patronales, luxe qui contrastait avec l'aspect misérable des ateliers. La conférence de presse peut se donner dans un club de presse, à condition qu'il ne s'agisse pas d'un club sélectif. Il est parfois plus raisonnable de déplacer vers les journalistes ceux qui souhaitent leur faire une communication et qui sont toujours moins nombreux que les journalistes invités, lorsque l'endroit où l'on pourrait les recevoir est, ou éloigné, ou difficile à trouver, ou peu accueillant. Pas mal de conférences de presse se donnent dans les salons d'un hôtel, d'un restaurant, car la plupart d'entre elles se terminent par la proposition de poursuivre la conversation le verre à la main. Et ici encore, il ne faut en faire ni trop, ni trop peu (Ugeux, 1973, p. 90).

Il faut également prévoir une salle qui convient au nombre d'invités attendus. Si la salle est trop exiguë, les journalistes ne seront pas à l'aise pour travailler. Si le local est trop vaste, le vide ambiant leur donnera l'impression que l'objet de la conférence de presse ne suscite aucun intérêt. En fait, même si l'on peut faire preuve d'originalité, l'aménagement de la salle pour une conférence de presse est assez conventionnel, selon le modèle proposé à la figure 5.2. Innovation et respect des règles de confort et d'efficacité sont conciliables, pourvu que l'aménagement ait pour but de faciliter le travail des journalistes. La salle peut être aménagée en style « théâtre », en style « école » ou, pour un plus petit groupe, avec des tables en « U ». Prévoir assez longtemps à l'avance les éléments de soutien visuel : tableaux statistiques, cartes, graphiques, etc.

FIGURE 5.2
**Exemple d'aménagement d'une salle
de conférence de presse**

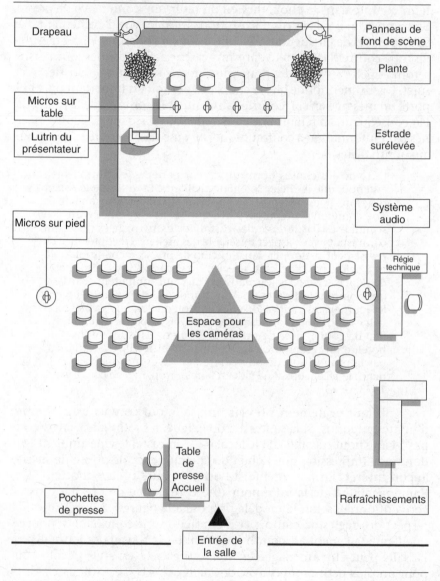

Outre cet aménagement de base, il faut prévoir un accès Wi-Fi dans les salles de conférence de presse car les médias peuvent désirer une diffusion de leurs nouvelles en direct. D'ailleurs, la Presse Canadienne propose maintenant des textes en évolution au cours de la journée et il n'est pas rare que le texte initial soit rédigé quasiment sur place. Ces installations seront de plus en plus à prévoir par les relationnistes dans l'aménagement des salles de conférences de presse.

Enfin, une conférence de presse doit demeurer un événement organisé à l'intention des... médias. Il faut éviter d'en faire une activité sociale, réunissant employés, retraités, actionnaires et partenaires commerciaux, tous accompagnés de leur conjoint et venus assister, par exemple, à l'inauguration d'une nouvelle usine ; événement auquel, incidemment, les journalistes sont conviés. La conférence de presse est un moment de travail pour les représentants des médias et elle ne devrait habituellement pas être jumelée à un autre type de rencontre. À vouloir tout combiner par souci de rationalisation, on n'atteindra aucun des objectifs de communication, ni avec les journalistes, ni avec les autres publics présents. Une conférence de presse doit être destinée uniquement aux représentants des médias et ne pas avoir de visées promotionnelles ou publicitaires. Les seules autres personnes présentes doivent être les porte-parole et quelques experts de l'organisation.

5.5.6. Puis, tout repose sur la compétence du porte-parole...

Généralement, la conférence de presse est présidée par le gestionnaire responsable du dossier qui est présenté aux journalistes. C'est habituellement le président et chef de la direction qui s'exprime au nom de son organisation durant la conférence de presse. Il peut toutefois se faire accompagner d'experts pouvant expliciter certains aspects du dossier relevant de leur champ de compétence. Interviendra d'abord le représentant officiel de l'organisation pour souhaiter la bienvenue et livrer le message central ; puis, il cède la parole aux spécialistes et experts techniques qui complètent la présentation.

Même si plusieurs personnes prennent la parole durant la conférence de presse, ils doivent transmettre un message cohérent, que le relationniste aura défini au préalable avec l'équipe de direction. En outre, les porte-parole doivent être choisis non seulement pour leur connaissance du dossier mais également pour leurs habiletés en communication. Ils ne doivent pas nuire à la diffusion de l'information par leur difficulté à s'exprimer en public. Il faut éviter qu'une conférence de presse n'engendre de la confusion parce que les porte-parole ne peuvent exprimer clairement leur point de vue ou ne peuvent répondre efficacement aux questions qui leur sont posées, en fonction du message central qui a été défini.

Toutefois, Bergman (2009) rappelle que l'idée du message clé repose sur deux perspectives : celle de pouvoir contrôler le comportement d'un porte-parole par le biais de la répétition d'un message clé préparé ; puis son corollaire : tenter de contrôler ce qui sera raconté par les journalistes à la suite de leur contact avec ce porte-parole. Le concept de message clé (ou *Staying on Message*) est utilisé en relations publiques et en marketing, entre autres, pour soutenir une marque par le biais du « média mérité » (*earned media*) mais également en communication interne et externe.

Ainsi, le message clé, dans le contexte particulier des relations avec les médias, consiste encore souvent à « faire passer son message », quitte à faire la sourde oreille et à ne pas répondre franchement et clairement aux questions posées par les journalistes. Selon Bergman, il ne s'agit pas d'une tactique saine visant à établir et à maintenir une relation positive à long terme avec quiconque, encore moins avec les journalistes. Pourtant, c'est ce qu'on semble enseigner encore dans de nombreuses formations de porte-parole : « Ignorez les questions et répétez votre message clé, c'est ce qui importe ! » Le paradigme du message clé et sa tactique corollaire de repositionner toute réponse vers ce même message clé (*bridging to key messages*) ne soutiennent ni la transparence ni la démocratie. Pour Bergman, il s'agit également d'une gifle envers l'élément de rhétorique le plus élémentaire qui consiste à prendre en compte la nature du public avec lequel on cherche à établir une relation.

De plus, Bergman stipule que le paradigme du message clé ne tient pas la route lorsqu'on le compare au concept de la communication bidirectionnelle symétrique ainsi qu'à certains articles des codes de déontologie de grandes associations telles que la Public Relations Society of America (PRSA) et celui de la Société canadienne des relations publiques (SCRP).

5.5.7. Simulation plutôt qu'improvisation

Dans le cas d'une conférence de presse d'importance majeure, si l'emploi du temps des personnes concernées le permet, il est préférable de procéder à une répétition, pour se familiariser avec le scénario, les discours et la période de question. Si deux simulations sont requises, la première doit avoir lieu quelques jours avant la conférence de presse pour laisser le temps aux participants de s'ajuster, notamment avec le régie technique dans le cas de conférences de presse à grand déploiement ou à diffusion internationale. La seconde répétition aura lieu la veille de la conférence de presse. Lors de répétitions, il est préférable que tous les porte-parole de l'organisation soient présents, ainsi que les collaborateurs techniques. Une simulation de la période de questions peut être tenue afin de familiariser les intervenants avec la dynamique d'échanges à bâtons rompus avec les journalistes.

Cet exercice de répétition permet de s'assurer que :

- tous les participants sont prêts pour la conférence de presse, qu'ils maîtrisent bien leur texte de présentation et qu'ils peuvent répondre avec aisance et clarté aux questions anticipées des journalistes ;
- tout est en place et fonctionnel sur le plan technique ;
- le visuel de soutien et les éléments multimédias s'intègrent de manière cohérente aux éléments d'information, avec une synchronisation parfaite durant les allocutions ;
- tous les documents nécessaires sont prêts à être distribués ;
- chaque collaborateur connaît son rôle (accueil, soutien technique, maître de cérémonie, etc.).

5.5.8. AVANT LA CONFÉRENCE DE PRESSE

1. Vérification de l'agenda médiatique

   Avant de déterminer la date d'une conférence de presse, on suggère de procéder à une vérification de l'agenda médiatique. Les firmes de fils de presse rendent disponible à leurs abonnés la liste des événements de presse prévus au cours des prochaines 24 heures, avec un aperçu des activités de la semaine. Cette information est disponible en ligne, notamment sous l'onglet «Au fil de la journée des médias», sur le site de CNW Telbec : <www.cnw.ca/fr/daybook/index.cgi>.

   La consultation du menu médiatique (conférences de presse à venir et communiqués publiés récemment) permet d'évaluer l'importance relative de l'information que l'on s'apprête à diffuser, en prenant en compte les sujets qui sont déjà à l'ordre du jour et qui formeront l'actualité médiatique au cours des prochaines heures. Ainsi, un relationniste peut découvrir que sa conférence de presse se tiendrait au même moment qu'une déclaration du premier ministre ou du président, dans le pays où est prévue la conférence de presse. Dans ces circonstances, mieux vaut reporter l'événement de presse car il risque de passer inaperçu. Il est en effet préférable de choisir une autre date pour une conférence de presse si les chances d'obtenir une couverture sont à peu près nulles.

2. Rappel de la conférence de presse

Il est utile de rappeler l'horaire de la conférence de presse à tous les invités, en particulier aux conférenciers. On peut également envoyer un communiqué de rappel aux journalistes. C'est le moment décisif : un journaliste qui hésitait encore jusque-là se laissera peut-être tenter par cette invitation, par exemple si un événement qu'il devait couvrir est annulé ou si l'actualité politique apporte plus de signification au sujet de la conférence de presse.

5.5.9. LA JOURNÉE DE LA CONFÉRENCE DE PRESSE

Le jour de la conférence de presse, il faut garder des plages de disponibilité à l'agenda pour la gestion des diverses urgences qui se présenteront : conserver une liste de substituts pour d'éventuels porte-parole absents, prévoir des réactions en cas d'activisme sur place (manifestations de certains groupes sur les lieux de la conférence de presse), ajuster une allocution en fonction de nouvelles informations issues de l'actualité et qui obligent parfois à modifier l'axe de communication, etc. C'est pourquoi le relationniste doit procéder à une validation des contenus au regard du contexte plus global de l'actualité de dernière heure et en fonction des attentes spécifiques des médias.

En tant que coordonnateur de l'événement, il revient au relationniste de finaliser avec son équipe la mise en place des lieux et de s'assurer que tout fonctionne de manière impeccable (sonorisation, éclairage, branchements des ordinateurs à la table d'accueil, projections, etc.). Tous les équipements techniques doivent être fonctionnels avant l'arrivée des journalistes et des porte-parole de l'organisation. Ces derniers auront été convoqués au moins une demi-heure avant le début de la conférence de presse, ce qui permet de revoir avec eux le déroulement détaillé de l'événement. Le relationniste s'assure d'avoir en main des copies supplémentaires de tous les discours car il arrive fréquemment qu'un porte-parole ait oublié le sien. Naturellement, les pochettes de presse et la liste des médias attendus ont déjà été préparées et sont disponibles à la table d'accueil.

5.5.10. ÊTRE OU NE PAS ÊTRE MAÎTRE DE CÉRÉMONIE ?

La présence d'un animateur, rôle que peut jouer le relationniste en tant que maître de cérémonie, n'est pas toujours essentielle lors d'une conférence de presse. En fait, la décision de confier l'animation de l'événement à un maître de cérémonie est prise en fonction du formalisme que requiert le sujet. L'annonce d'une fusion avec une multinationale ou la fermeture d'une usine pour cause de récession peut susciter la présence de nombreux porte-parole et journalistes. Il devient alors nécessaire d'avoir recours à un animateur pour présenter les premiers formellement et pour gérer la période de questions, de manière à permettre à chacun de s'exprimer. En règle générale, les grandes annonces institutionnelles demandent une logistique plus formelle et exigent la présence d'un maître de cérémonie pour animer la conférence de presse.

Le rôle de l'animateur ou du maître de cérémonie est simple : il doit veiller au bon déroulement de la conférence de presse de manière discrète et efficace, selon le scénario de base suivant :

- pour indiquer le début de la conférence de presse, le maître de cérémonie invite les journalistes à prendre place et à lui accorder leur attention en mettant fin à leurs conversations. Cela évite au premier conférencier d'avoir à demander le silence lui-même ;
- il souhaite ensuite la bienvenue aux représentants des médias, non pas en son nom personnel, mais au nom de la direction de l'organisation ;
- il expose brièvement le thème de la rencontre ;
- puis, il présente les conférenciers (noms et titres) et les invite, à tour de rôle, à prendre la parole ;
- à la fin des allocutions, l'animateur ouvre la période de questions ; il doit noter l'ordre dans lequel les journalistes demandent la parole et il les invite, dans cet ordre, à poser leurs questions. Il doit s'assurer qu'aucun intervenant ne monopolise la période de questions, laissant ainsi la chance à chaque journaliste d'intervenir ;
- à la fin de la période de question, le maître de cérémonie remercie les journalistes d'avoir participé à cette conférence de presse et les invite à prendre des rafraîchissements (s'il y a lieu), tout en poursuivant leurs échanges avec les représentants de l'organisation. Le maître de cérémonie doit préciser quels représentants de l'organisation sont disponibles pour des interviews individuelles en invitant les journalistes qui le souhaitent à se rendre à la salle réservée à cette fin : « Beaucoup

de journalistes préféreront poser leurs questions en privé pour ne pas ébruiter leurs angles de couverture en présence de leurs confrères (et concurrents). Aussi, les gens de la télévision et de la radio auront besoin de rencontrer le porte-parole en privé afin de mener leurs interviews» (Motulsky et Vézina, 2008, p. 74). Cette pratique peut parfois présenter l'inconvénient d'isoler le porte-parole de l'environnement ambiant et rend difficile la gestion des demandes des médias. Toutefois, dans le cas d'interviews radiophoniques préplanifiées, il est certainement utile de pouvoir s'isoler dans une salle pour avoir accès à une ligne téléphonique à l'écart du bruit de la salle de conférence de presse;

- il revient au relationniste d'accorder la priorité des interviews individuelles en fonction des heures de tombée et du type de média. Il n'est pas rare de voir un média dont le moment de tombée est éloigné accaparer un porte-parole. Il revient au relationniste de gérer ce type de situation tout en respectant l'équité envers tous les médias.

5.5.11. Déroulement : cadre traditionnel et créativité

Les journalistes sont des gens pressés; ils ont souvent plusieurs conférences de presse à couvrir dans la journée. D'où l'importance pour le relationniste de gérer le déroulement de la conférence de presse avec efficacité, selon une logistique débarrassée de tout élément superflu et ostentatoire:

- concentrer les contenus d'information sur les faits essentiels;
- bannir les discours fleuves: la synthèse est toujours plus limpide que les interminables effets de toge au micro;
- éliminer systématiquement tout jargon hermétique, à moins que les présentateurs s'adressent à la presse spécialisée ou à des médias scientifiques;
- pour la prise de parole, respecter l'ordre des sujets, toujours du plus général au plus technique;
- éviter de faire sentir le poids de la technique: tout doit se dérouler de manière fluide afin de ne pas ajouter de stress supplémentaire au trac que peuvent ressentir les intervenants durant la conférence de presse.

Bien que le déroulement d'une conférence de presse soit assez conventionnel, l'innovation et la créativité ont également leur place, selon la culture de l'organisation et le thème de la conférence de presse.

En outre, le déroulement de la conférence de presse se termine immanquablement par une période de questions. Il revient au relationniste, ou à la personne qu'il délègue, de prendre des notes sur le type de questions posées par les journalistes ainsi que sur la clarté des explications fournies par les porte-parole. Il se peut que le sujet soit tellement connu des porte-parole qu'ils escamotent une explication ou qu'ils fournissent des détails inutiles. Il faudra alors compléter l'information durant la période d'interviews qui suit la conférence de presse pour laquelle la présence des porte-parole est requise. Il faut également assurer leur disponibilité jusqu'à l'heure de tombée des médias, afin d'apporter aux journalistes des informations supplémentaires.

5.5.12. LA DIFFUSION D'INFORMATION À L'INTERNE

Il est important d'aviser les personnes-ressources dans l'organisation de la diffusion d'information, notamment dans le cadre d'une conférence de presse. Aux employés concernés, on précisera à qui adresser les demandes des médias et, si besoin est, quelles sont les personnes autorisées à accorder des interviews.

Généralement, on informe l'ensemble des employés à l'interne avant d'effectuer une diffusion à l'externe. Quelques minutes suffisent pour distancer les diffusions internes et externes. Pour les employés, le fait que l'organisation se soucie de les informer de sujets importants pour eux est extrêmement apprécié. Inversement, le fait d'apprendre par les médias des nouvelles importantes pour leur organisation peut être très blessant pour les employés. Dans tous les cas, un plan serré de diffusion interne/externe doit être élaboré et rigoureusement appliqué car il est certain que l'information ne doit pas «couler» dans l'espace médiatique avant la conférence de presse.

5.6. L'INTERVIEW EXCLUSIVE

Il existe un moyen plus personnalisé que la conférence de presse pour diffuser l'information auprès des médias : il s'agit de l'interview exclusive, soit un échange en dyade, entre un journaliste et un représentant de l'organisation. Cette façon de procéder présente des avantages mais comporte aussi des inconvénients : il importe donc d'évaluer les avantages et les désavantages de ce mode de diffusion.

Par exemple, en s'adressant à un seul journaliste, on néglige les autres médias qui risquent de se sentir lésés d'une information accordée en exclusivité, surtout si l'information est d'intérêt public : «On ne peut parler de l'intérêt public sans traiter la question du bien commun, qui est le critère général de l'équilibre de l'intérêt public. Le bien commun n'est pas la somme des biens individuels mais un bien spécifique qui se situe au-delà des biens individuels» (Simard, 2003). C'est donc en fonction du bien commun dans la société qu'il faut évaluer l'importance de l'information, afin de décider si l'on peut attribuer à un seul média la primeur d'une nouvelle. Le désavantage d'une interview exclusive est qu'elle restreint la diffusion de l'information, alors qu'il peut être dans l'intérêt public que cette information soit connue du plus grand nombre. Toutefois, l'avantage de l'interview exclusive est qu'elle assure un meilleur ciblage si le média est retenu en fonction de sa proximité avec le public directement concerné par l'information.

Il se peut que l'interview exclusive soit réalisée dans un cadre précis: publication d'un cahier thématique dans un quotidien ou un magazine, édition spéciale d'une émission, etc. Il faut alors s'assurer que le cadre de diffusion de l'interview est respecté: on peut en discuter ouvertement avec le journaliste afin de vérifier si des changements de thématiques sont prévus.

5.7.   LES INTERVIEWS: MODE D'EMPLOI

Durant sa carrière, le relationniste aura probablement à accorder plusieurs interviews à des journalistes œuvrant dans divers médias, que ce soit à la suite de l'émission d'un communiqué, de la tenue d'une conférence de presse ou tout simplement parce qu'un journaliste désire obtenir de l'information. Dans tous les cas, la règle de conduite ne change pas: le relationniste doit se préparer avec beaucoup de rigueur, faire de la recherche au préalable, compiler les données disponibles afin de livrer des informations précises, factuelles, véridiques et adaptées aux publics du média concerné.

Si c'est le journaliste qui réclame une interview, le relationniste peut demander de connaître le sujet exact et le style de questions qui lui seront posées. Il peut demander des éclaircissements au journaliste sur les aspects du dossier qu'il entend privilégier dans ses questions ainsi que sur l'angle de traitement envisagé: il arrive en effet que «le journaliste fournit d'avance les points qu'il désire soulever [...] et qu'il est clairement établi que certains sujets sont à éviter. Cette façon de faire a l'avantage d'éliminer les "j'aimerais mieux ne pas commenter ce sujet" en cours d'interview» (Grunig et Hunt, 1984 p. 439. Traduction libre). En obtenant ce type de précisions avant l'interview, le relationniste est en mesure de mieux se préparer et ainsi de répondre avec aisance et précision aux questions du journaliste, que ce soit en personne, en studio, au téléphone, lors d'une vidéoconférence ou en webcasting.

En théorie, la recherche et la préparation d'une interview représentent le processus idéal à respecter mais, dans le feu de l'action, c'est parfois très difficile de prendre le temps de se préparer, surtout dans les situations d'urgence. D'où l'importance pour le relationniste de connaître à fond l'organisation qu'il représente ainsi que son contexte d'opération, car il ne peut pas toujours obtenir les délais requis pour la collecte d'information sur les sujets de l'interview.

Accorder une interview est un acte important de communication publique qui contribue à définir la posture discursive d'une organisation dans l'espace public. Cette responsabilité engendre souvent du stress chez le porte-parole, ce qui est une réaction tout à fait normale. Au contraire, ne rien ressentir serait probablement un signe d'inconscience face aux enjeux et à l'imputabilité de l'organisation dans la sphère médiatique. Mais on peut apprendre à contrôler le stress, en gérant les émotions inhérentes à l'interview et en améliorant sa connaissance du dossier à communiquer. Le porte-parole doit se rappeler son statut d'expert sur le sujet de l'interview et garder un niveau de confiance en lui-même assez élevé pour être en mesure de livrer avec expertise les informations, tout en étant ouvert aux commentaires en provenance des médias.

Lors d'une interview, le relationniste doit s'exprimer avec clarté mais brièvement, donc formuler ses idées avec concision : il faut en effet s'en tenir à des réponses précises, à des phrases courtes, sans digression. On pourra faire référence à des événements ou à des analogies avec des faits connus, divulguer des résultats chiffrés, provenant de recherches inédites ou évoquer des études universitaires récentes, pourvu que cela contribue à illustrer son propos. On peut aussi avoir recours à des comparaisons et à des exemples mais uniquement s'ils sont appropriés et connus du public auquel on s'adresse, afin de mieux faire comprendre le contexte et la nature des informations à livrer.

Le relationniste doit au préalable avoir conçu et fait approuver une ligne de presse, c'est-à-dire le résumé du message de base, exprimé en une idée maîtresse qui tient habituellement en une ou deux phrases. Cette ligne de presse est accompagnée de quelques éléments clés comme compléments d'information pour soutenir l'argumentation. Il s'agit d'un outil de travail qui n'est pas remis au journaliste. Cette ligne de presse résume l'axe de communication : elle exprime le positionnement d'un dossier, selon l'angle de traitement de l'information qui est destinée aux médias, et ultimement au public à rejoindre.

Pour ce qui est des divers éléments d'information spécialisée ou techniques qui viendront étayer l'information principale en cours d'interview, la méthode idéale consiste à préparer des fiches, sous format électronique (ou papier, si l'environnement ne permet pas d'avoir accès à l'équipement requis). En segmentant l'information, en incluant les noms des personnes et les spécificités des concepts, des produits ou des services à présenter, on facilite le rappel des points importants en cours d'interview. Cette méthode de travail contribue à gérer efficacement le stress chez l'interviewé en lui permettant de consulter rapidement les données dont il pourrait avoir besoin. Cela lui permet de se concentrer sur la relation à établir avec le journaliste et d'être attentif aux subtilités des questions qui lui sont posées afin d'y répondre directement et clairement.

5.7.1. COMPORTEMENT PROFESSIONNEL DANS LE CADRE D'INTERVIEWS

On ne doit jamais se fier à la discrétion d'un journaliste : son rôle est de diffuser l'information, pas de garder des secrets qui n'ont pas leur place dans les processus de communication établis entre une organisation et les médias. Les confidences faites *off the record* ou du type : « cela n'est pas pour publication » sont systématiquement à éviter. Si une interview est accordée, tout ce qui est dit peut être rendu public. Par conséquent, il n'est ni sage ni prudent de faire des apartés sur des sujets qu'on ne veut pas aborder en public ou de se laisser aller à faire des confidences à un journaliste. Un relationniste demeure toujours le représentant de son organisation et ne doit jamais parler à titre individuel : ses opinions personnelles ne doivent jamais reléguer au second plan la position de l'organisation lors d'un entretien avec un journaliste.

Lors d'une interview, le relationniste doit savoir conserver une distance avec le journaliste. Ce dernier ne peut être considéré comme un associé du relationniste dans la diffusion d'une information. Le journaliste a toute latitude de diffuser ou non une information ; et il abordera le traitement de l'information avec un esprit critique qui fait partie de ses fonctions. En présentant son point de vue en interview, l'interviewé doit demeurer conscient que le journaliste adopte habituellement une attitude de doute face à l'information qui lui est présentée : « parler avec passion à un journaliste d'un sujet qui nous est cher ne signifie pas pour autant qu'il se mettra en campagne pour en faire la promotion. Au contraire, il peut tout aussi bien y trouver des éléments qui renforceront son scepticisme initial. Par définition (ou déformation, disent les malins), le journaliste est censé garder ses distances» (Motulsky et Vézina, 2008, p. 98).

En cours d'interview, le relationniste doit accorder beaucoup d'importance à l'écoute de son interlocuteur afin de bien cerner l'opinion du journaliste. Sa perception au sujet d'une organisation transparaît toujours à travers le canevas de ses questions ou dans l'angle de traitement du sujet. C'est là une macro-information précieuse pour comprendre certains aspects de la réputation institutionnelle car l'opinion des journalistes témoigne de leur représentation du positionnement public d'une organisation. D'ailleurs, la qualité de l'écoute est cruciale pour saisir l'ampleur ou la subtilité des questions d'un journaliste. Combien de fois entendons-nous des interviewés fournir en ondes des réponses complètement hors contexte. Ces personnes démontrent ainsi leur nervosité ou leur incapacité à sortir de leur ligne de presse pour s'adapter aux questions du journaliste.

En plus des éléments d'information à transmettre, le relationniste doit maîtriser son langage paraverbal et non verbal, tout en restant naturel. Si l'authenticité doit être préservée, il faut également que l'interviewé affiche une attitude professionnelle en étant conscient des répercussions des dimensions paraverbales et non verbales de ses interventions, notamment auprès des médias électroniques. L'image, le ton et le rythme de la voix ainsi que les expressions faciales et la gestuelle corroborent ou infirment l'information transmise verbalement. Le relationniste doit, par exemple, maîtriser les différentes composantes de sa gestuelle lors d'une intervention à la télévision. Il ne doit pas exagérer l'ampleur de ses mouvements car des gestes démesurés ou trop répétitifs peuvent agacer les téléspectateurs. Autre facteur à surveiller : le regard durant une interview. C'est au journaliste que le relationniste s'adresse et non à la caméra qu'il ne doit pas chercher des yeux. En outre, le rythme de son débit et le niveau de sa voix doivent être maîtrisés, tout en éliminant de l'élocution les répétitions, les mots parasites, les lieux communs et les expressions vides de sens.

En tout temps, il convient de conserver une relation professionnelle avec le journaliste et de ne jamais adopter un ton de familiarité ou de flagornerie. Cette attitude laisserait planer des doutes sur l'impartialité du journaliste et sur la crédibilité du porte-parole de l'organisation.

Enfin, lors d'une interview préenregistrée pour les médias électroniques, le relationniste doit reformuler les questions du journaliste car ces dernières sont souvent éliminées au montage. Si la réponse ne fait pas référence à la question posée par le journaliste, elle risque d'être incompréhensible pour le public qui n'a pas entendu la question. C'est pourquoi il est préférable de reformuler très brièvement la question du journaliste plutôt que de débuter une réponse par des expressions comme : « Oui, en effet... », « Pas tout à fait... », « Évidemment, abordée de ce point de vue... », ce qui n'a aucun sens pour le public qui n'a pas entendu la question. Le relationniste se demande souvent pourquoi son interview n'est pas diffusée. Encore faut-il qu'elle soit « diffusable », ce que la technique de reformulation des questions aide à réaliser à condition, bien sûr, que le contenu de la réponse soit clair, précis et pertinent. Reformuler très succinctement la question du journaliste demande de la pratique au début, mais on y découvre plusieurs avantages, ne serait-ce que le rappel des points importants soulevés par le journaliste. En ce sens, la reformulation des questions contribue à assurer la clarté dans l'expression des idées lors d'une interview.

5.7.2. L'INTERVIEW AU TÉLÉPHONE

Aux techniques présentées précédemment, il faut ajouter quelques conseils pour réaliser avec aisance une interview téléphonique, habituellement destinée à être radiodiffusée.

- Planifier une interview radiophonique réalisée au téléphone comme si l'on était en studio. Même si le type de conversation ressemble à un échange téléphonique normal, il n'en est rien et le porte-parole doit structurer son intervention de manière rigoureuse. Les habitudes développées pendant des années dans le cadre des communications téléphoniques courantes procurent au porte-parole un sentiment de fausse confiance qui le porte à relâcher sa concentration. Il lui faut plutôt maintenir sa vigilance et préparer minutieusement l'interview, surtout lorsqu'elle est diffusée en direct, ce qui ne permet aucune reprise.

- Être tout de même détendu, car la tension « s'entend » à travers le micro du téléphone, de même que le sourire ou la colère : demeurer conscient des dimensions paraverbales de l'interview en maîtrisant le ton de la voix et le rythme de l'élocution. Éviter les respirations saccadées ou bruyantes, les bruits de la bouche sur un récepteur trop rapproché, les gestes qui causent un bruit de fond (papiers froissés, manipulation de l'ordinateur, à titre d'exemples).

- S'exprimer avec naturel, sans adopter un accent précieux ou familier. Choisir un niveau de langage correspondant au public à rejoindre, au contexte et, naturellement, à sa propre manière de s'exprimer.

- Ne pas parler fort, car le téléphone amplifie le son; parler lentement pour permettre à chaque mot d'être compris, sur un fond ambiant le plus neutre possible.

- Fermer la porte du bureau pendant l'interview téléphonique, bloquer les autres lignes téléphoniques, notamment les lignes internes, et fermer les téléphones cellulaires qui risquent de déconcentrer en cas d'appels durant l'interview.

- Faire taire les collègues présents lors de l'interview : sans avoir entendu la question, ils ont souvent tendance à suggérer des éléments de réponse ou à exprimer leur désaccord en faisant des signes de tête. Toutes ces distractions sont à éviter car elles déconcentrent l'interviewé et risquent de créer des bruits de fond désagréables à entendre sur les ondes de la radio.

- De manière générale, être attentif à sa posture physique : éviter d'être affalé dans son fauteuil, comprimant ainsi la cage thoracique, ce qui a pour conséquence de limiter l'arrivée d'air et d'embarrasser la respiration ; l'interviewé manquera alors de souffle et ne pourra terminer ses phrases avec aisance.

- Placer les notes manuscrites devant soi, sans les empiler, les étaler de façon à avoir les informations sous les yeux. Ne pas manipuler les feuilles ou le clavier d'ordinateur durant l'interview, créant ainsi des bruits désagréables à entendre sur les ondes ; de surcroît, ces gestes nerveux augmentent inutilement le niveau de stress chez l'interviewé.

5.7.3. Les tribunes publiques à la radio

Si l'interview a lieu dans le cadre d'une émission radiophonique de type tribune téléphonique ou ligne ouverte, se préparer avant l'interview en effectuant avec un collègue une répétition des questions-réponses anticipées de la part du public. Avec l'aide de collaborateurs qui ne sont pas plus au courant des dossiers que l'auditeur moyen de l'émission, on obtient un aperçu des questions qui seront posées par le public. Il est alors plus facile de préparer des canevas de réponses types. Habituellement, une période de temps est allouée à l'interviewé pour résumer sa position. Il est aussi important de bien préparer deux ou trois lignes de presse qui résument la pensée ou la position de l'organisation.

Comme c'est le cas avec les interviews en présence d'un journaliste, il est important de bien maîtriser les contenus d'information durant une tribune téléphonique et d'avoir sous la main les renseignements qui sont en lien avec le sujet traité, tout en demeurant ouvert à la diversité des sujets abordés par l'animateur et le public.

Une tribune téléphonique permet d'élaborer davantage sur un thème, par la longueur de l'émission et la durée des interventions. Elle offre aux citoyens une occasion de poser des questions qui peuvent comporter des éléments de surprise pour la personne ayant à y répondre. C'est pourquoi la préparation du représentant de l'organisation doit être vraiment complète avant d'entreprendre cet exercice de dialogue avec des interlocuteurs imprévisibles. Ils peuvent être issus de divers groupes de pression ou de concurrents qui espèrent tendre des pièges en ondes. Il faut alors faire preuve de rapidité d'esprit, d'un certain sens de l'humour, reposant sur l'absence d'agressivité et sur l'ouverture à l'opinion des autres. Ces éléments sont nécessaires pour établir un dialogue détendu avec divers interlocuteurs dans le cadre d'une tribune téléphonique en direct. D'ailleurs, ce type d'interview permet habituellement de réaliser un échange avec des citoyens qui ont ainsi l'occasion d'exprimer leur point de vue. Ce coup de sonde est utile pour juger de l'opinion de certains publics : on peut ainsi constater directement l'ampleur de leurs attentes ou l'objet de leur insatisfaction à l'endroit d'une organisation.

5.7.4. LES BLOGUES DES JOURNALISTES

De plus en plus de journalistes ou de chroniqueurs publient des billets ou des articles sur un blogue en marge de ceux publiés dans le média principal pour lequel ils travaillent. Les opinions des internautes sont alors publiées. Ces blogues deviennent souvent des tribunes téléphoniques virtuelles. Il est nécessaire d'effectuer le monitorage des blogues des journalistes qui couvrent le secteur d'activité de l'organisation pour laquelle travaille le relationniste. Il est difficile de faire des interventions sur ces blogues sans verser dans la polémique d'opinons. Une avenue à éviter puisqu'une opinion en vaut une autre et que chacune doit être respecté. Toutefois, un correctif à un fait erroné, écrit de façon factuelle peut être de mise. L'objectif est de ne pas laisser circuler des faits erronés indéfiniment sur le Web. Lorsqu'un fait erroné ne fait pas l'objet d'un rectificatif, il risque d'être repris par d'autres blogueurs, des mois, voire des années plus tard. Légalement, à titre de diffuseur, le journaliste est responsable de ce qui est publié sur son blogue et se doit de corriger les faits erronés qui s'y retrouvent. Dans ce cas, une communication directe avec le journaliste-blogueur est une avenue à privilégier plutôt que de faire une intervention sur le blogue.

Les internautes qui réagissent aux blogues des journalistes n'abondent pas nécessairement toujours dans leur sens et il est intéressant pour le relationniste d'avoir accès à la réaction des internautes. Même si les renseignements ainsi recueillis ont une valeur strictement qualitative et ne peuvent être généralisés, les arguments des auteurs, positifs comme négatifs, fournissent l'occasion au relationniste d'ajouter une nouvelle dimension à son analyse des attentes et des réactions des publics.

5.7.5. OFFRIR DES SUJETS DE REPORTAGE : ATTITUDE PROACTIVE ENVERS LES MÉDIAS

Le relationniste peut prendre l'initiative de suggérer des sujets de reportage aux recherchistes d'émissions d'affaires publiques ou aux médias imprimés. Il doit alors préparer le matériel de base, soit un court descriptif du dossier et une présentation de l'angle sous lequel le sujet pourrait être abordé. Si le thème est accepté, il lui faut ensuite préparer un dossier complet sur le sujet et le faire parvenir aux médias concernés, en se rendant disponible pour tout complément d'information. Mais là encore, il se peut que les renseignements fournis à un média conduisent à la diffusion d'un article ou à la production d'un reportage aux antipodes du traitement souhaité. Liberté de presse oblige !

5.7.6. OPTER POUR UNE TOURNÉE MÉDIATIQUE

Pour rejoindre des journalistes œuvrant dans divers lieux ou dans d'autres pays, le relationniste peut organiser une tournée à l'intention du porte-parole de son organisation. Cette série de rencontres avec les représentants des médias dans plusieurs villes permet de réaliser une prise de contact personnalisée et de développer une meilleure connaissance des particularités propres à chaque type de public. La tournée médiatique se prête bien aux circonstances suivantes selon Klepper (1984, p. 92-95. Traduction libre) : le lancement d'un nouveau produit, par exemple dans le domaine pharmaceutique ou technologique, l'expression d'un point de vue institutionnel portant sur un enjeu de société ou encore le dévoilement d'un nouveau service. La présentation des résultats financiers peut aussi donner lieu à une tournée médiatique pour développer l'actionnariat, notamment par l'entremise d'émissions spécialisées en finances et en économie. Si elles sont bien ciblées et très bien planifiées, ces tournées permettent alors de rejoindre les courtiers, les analystes financiers, les investisseurs, donc la communauté d'affaires de chacune des régions ainsi que les médias spécialisés, notamment la presse économique.

5.7.7. SURMONTER L'ANGOISSE D'ÊTRE MAL CITÉ DANS LES MÉDIAS

S'il y a une angoisse généralisée chez les personnes ayant à agir comme porte-parole de leur organisation, c'est la crainte d'être mal cité dans les médias. Dans le cas des médias électroniques, l'interviewé court moins ce risque mais il arrive tout de même qu'il soit cité hors contexte. Il n'y a malheureusement pas moyen d'éviter ce genre de dérive. Si certaines déclarations sont tronquées au point où les nuances apportées ont été éliminées au montage, il se peut qu'une partie importante du sens de la déclaration soit perdue. D'où l'importance d'être concis et de synthétiser ses idées en un message clair; reformuler les questions contribue aussi à doter la réponse d'un microcontexte impossible à dénaturer ou difficile à éliminer au montage.

En ce qui concerne les médias imprimés, si l'on considère avoir été mal cité ou si une erreur importante de faits ou d'interprétation s'est glissée dans un article, on doit en aviser le journaliste, mais sans plus. Si cette erreur est très grave et qu'elle porte sérieusement préjudice à l'organisation, on peut alors demander au journaliste d'apporter une correction. S'il refuse de se rétracter dans un article subséquent, le relationniste peut exiger des explications et tenter de rétablir les faits. Mais il faut tenir compte de la subjectivité organisationnelle dans les perceptions face au traitement médiatique reçu. Il se peut que l'erreur soit minime et que l'effet grossissant des médias ne joue qu'au sein de l'organisation où cela crée parfois un état de crise, alors que dans l'esprit du public, le sujet est déjà oublié depuis longtemps.

Par contre, il faut parfois obtenir réparation, surtout dans les cas de dénigrements systématiques, fondés sur l'arbitraire, lesquels sont heureusement peu fréquents. Par exemple, un relationniste ne doit pas laisser ses concurrents dénigrer dans les médias son organisation sans réagir pour apporter des rectificatifs. En outre, l'information spectacle crée souvent des biais qui déforment les renseignements donnés au journaliste: il est alors nécessaire de recadrer l'information en fonction des faits, mais uniquement lorsque cela est absolument essentiel. Autrement, mieux vaut oublier l'incident et en tirer des leçons pour la prochaine interview. Les médias ne sont pas les perroquets des relationnistes. Ils ont le droit et le devoir d'analyser les informations fournies selon leur propre vision des événements ou des dossiers. Seuls les contenus publicitaires permettent un contrôle parfait de l'information diffusée dans les médias. En ce sens, les relations de presse demeurent toujours un couteau à deux tranchants : la nouvelle la plus intéressante (selon le point de vue de l'organisation) peut tourner au cauchemar si l'angle de traitement choisi par le journaliste soulève des points négatifs.

Toutefois, dans l'évaluation du traitement médiatique d'une information, il ne faut jamais laisser les émotions l'emporter, comme le recommande Broom (2009, p. 259. Traduction libre) : « Ne pas perdre votre calme. Il faut comprendre que les journalistes cherchent une histoire intéressante et qu'ils sont prêts à faire beaucoup pour l'obtenir. » Toutefois, conserver son calme en plein débat médiatique n'est pas toujours facile. Il faut tenter de rectifier les informations, si celles qui ont été divulguées sont fausses : s'en tenir aux faits permet de dépassionner les échanges, tout en évitant l'escalade d'émotions de même que les confrontations stériles sur la scène publique.

5.8. LA GESTION DES RELEVÉS DE PRESSE ET LEUR ANALYSE

Après une intervention dans les médias, il est important de connaître la diffusion réelle de l'information ainsi que le traitement accordé par chacun des journalistes. C'est pourquoi il faut constituer des relevés de presse et les analyser (voir chapitre 3), en posant par exemple les questions suivantes :

- Qui dit quoi au sujet du dossier diffusé par l'organisation ?
- À quel moment et dans quelles circonstances cela a-t-il été rapporté ?
- Quelles sont les polémiques que la conférence de presse a soulevées ?
- Quelles sont les positions des partenaires ainsi que les arguments des adversaires de l'organisation ?

Par ailleurs, dès que l'intervention de presse est menée, qu'il s'agisse de l'envoi d'une invitation ou de la diffusion d'un communiqué, il est recommandé de souscrire à une alerte de type Google en utilisant les principaux mots clés liés à l'annonce ou au sujet, incluant le nom des porte-parole et de l'organisation. Ce faisant, le relationniste se place en état de veille accrue. Il peut également créer son propre système de veille grâce aux fils RSS des cybermédias en utilisant des outils comme IGoogle ou Netvibes. Ces outils devraient faire partie de sa panoplie habituelle de vigie, notamment en période d'interaction avec les médias. Les mentions ou les reportages recueillis dans les cybermédias et les blogues feront partie intégrante du rapport d'activités. Ils ont l'avantage de pouvoir être partagés avec d'autres destinataires, grâce à divers outils numériques.

Les relevés de presse sont constitués de tous les articles et de tous les reportages diffusés, incluant les publications sur le Web et celles qui sont diffusées par l'entremise des médias sociaux, du moins ceux qui sont accessibles pour fin d'analyse. Mais conserver les relevés ne suffit pas : il faut être en mesure d'analyser un nombre parfois considérable d'articles et d'enregistrements. C'est pourquoi un système de classement efficace est indispensable pour inventorier les relevés de presse afin qu'ils soient facilement accessibles pour être consultés par l'organisation.

Ce traitement des coupures s'inscrit dans un ensemble de travaux qui doivent être envisagés de manière systématique, de la collecte des nouvelles, au choix des fournisseurs, en passant par le respect des droits d'auteur[5]. Ce faisant, le relationniste peut effectuer une gestion globale de la revue de presse qui lui sera fort utile : « La revue de presse permet à ses utilisateurs de connaître et de comprendre le discours public qui les concerne et de réagir promptement » (Chartier, 2005, p. 4). L'analyse des revues de presse permet donc de documenter les impacts sur les publics visés par les interventions médiatiques, ce qui est éclairant surtout si l'on doit traiter à nouveau de ces sujets dans le cadre de prochaines relations avec les médias.

Comme les revues de presse sont maintenant distribuées par courrier électronique ou accessibles sur Internet, leur compilation, leur archivage et la recherche par thème, date, nom des intervenants ou des journalistes en sont simplifiés. La meilleure façon de s'y retrouver est de constituer une base de données qui segmente les catégories suivantes : les journalistes, les médias, les dates et les sujets traités, un résumé des interventions et les commentaires du relationniste sur ces couvertures de presse. Ces brefs commentaires sont nécessaires, car ils résument le dossier en faisant état des prises de position de chaque représentant des médias. Ce sera particulièrement important en situation de crise.

---

5. Il faut porter une attention spéciale au respect des droits d'auteur sur tout matériel produit par des journalistes. Plusieurs ignorent que l'on ne doit pas reproduire des articles de presse, même par numérisation, pour fins de diffusion. Pour plus de détails sur ces droits d'auteur, consulter Chartier (2005).

CONCLUSION

La pratique des relations avec les médias se fait souvent en pleine turbulence alors que les organisations sont dans la ligne de mire des médias ou sommées de s'expliquer au tribunal de l'opinion publique. Cette reddition de comptes est exigée des organisations à la fois par les médias et par la société, notamment par l'entremise des groupes citoyens. Comme toute organisation a le privilège de faire valoir ses points de vue dans l'espace public, la contribution des relationnistes est alors sollicitée pour développer des dispositifs communicationnels qui alimentent les débats dans l'espace médiatique, incluant par l'entremise des médias sociaux.

La dimension médiatique de la pratique des relations publiques connaît de profondes transformations : l'appropriation du Web par les citoyens transforme tout individu en « journaliste » potentiel. Dans ce contexte, la webdiffusion et la baladodiffusion représentent de nouveaux espaces qu'investissent les relationnistes pour communiquer directement avec leurs publics, sans l'intermédiaire des journalistes. Ils doivent toutefois maintenir des liens avec ces derniers puisque « dans une société démocratique, la presse libre joue encore un rôle central ; elle demeure un lieu d'expression pour les dirigeants des entreprises. Ainsi, l'une des responsabilités des relationnistes est d'offrir aux dirigeants de la formation portant sur les relations de presse. Ils contribuent ainsi à développer et à maintenir de bonnes relations avec les médias » (Broom, 2009, p. 262. Traduction libre).

Dans la mouvance de ses relations avec les médias traditionnels, l'organisation se situe au sein d'une communauté de pratiques (Harvey, 2004) qui inclut maintenant les communications mobiles (Fusaro, 2002 ; Libaert, 2008) et le Web social (Millerand, Proulx et Rueff, 2010). Ces médias sociaux restructurent les fondements de l'expression des organisations et des citoyens dans l'espace médiatique.

ÉTUDE DE CAS

Entreprise ou organisation
Acti-Menu

Campagne ou action
Défi Santé 5/30

Distinction
Prix d'excellence Argent 2009 de la Société québécoise des professionnels en relations publiques (SQPRP)
Catégorie : **Campagne sociétale**

Lauréats
Martine Beaugrand, BAA, M. Sc.
Directrice Communications et développement des affaires, ACTI-MENU

Karine Théberge
Conseillère aux relations publiques, ACTI-MENU

ACTI-MENU

et Serge Paradis
Conseiller en communication, PKCOM

1. INTRODUCTION

1.1. Qui est ACTI-MENU ?

ACTI-MENU, une société attachée à la Direction de la prévention de l'Institut de cardiologie de Montréal (ICM), offre au grand public, aux employeurs et à leur personnel, aux professionnels de la santé et à leurs clients, de l'information, des outils et un accompagnement qui favorisent la prise en charge par les individus de leur santé physique et psychologique ainsi que la mise en place d'environnements sociaux et physiques favorables.

L'équipe multidisciplinaire d'ACTI-MENU est animée par la conviction que chaque personne peut exercer une influence significative sur sa santé et sa qualité de vie en adoptant des comportements préventifs et en faisant des choix éclairés sur le plan de ses habitudes de vie.

1.2. Qu'est-ce que le Défi Santé 5/30 ?

Le Défi Santé 5/30 est une vaste campagne provinciale qui invite tous les Québécois et Québécoises de 4 ans et plus, pendant 6 semaines du 1er mars au 11 avril, à s'engager à atteindre ou maintenir deux objectifs clés pour leur santé :

- manger au moins 5 portions de fruits et légumes,
- bouger au moins 30 minutes au minimum 5 jours par semaine.

En s'inscrivant au Défi, les participants reçoivent du soutien pour acquérir de nouveaux réflexes santé par la forme d'outils et de conseils pratiques, comme le site Internet defisante530.ca, les bulletins d'encouragement et la trousse IGA du Défi Santé 5/30.

Les participants peuvent relever le Défi individuellement ou en équipe, avec des amis, des collègues ou en famille. Les milieux de travail sont également invités à promouvoir le Défi Santé 5/30 en diffusant le matériel promotionnel à leurs employés pour ainsi créer un environnement facilitant les saines habitudes de vie et les inciter à mieux manger et à bouger plus. Enfin, par leur mobilisation et leur grand intérêt envers le Défi, les nombreux partenaires ont contribué à son succès en le faisant vivre dans leurs milieux.

Le Défi Santé 5/30 a pour objectif de proposer des stratégies, des conseils, des trucs et des informations efficaces, positifs, percutants et pertinents pour améliorer les habitudes de vie de la population.

1.3. Qui sont les partenaires ?

Le Défi Santé 5/30 est une initiative d'ACTI-MENU de la Direction de la prévention de l'Institut de cardiologie de Montréal et de la Société canadienne du cancer. Il est réalisé en partenariat avec les directions de santé publique du Québec, le ministère de la Santé et des Services sociaux du Québec ainsi qu'IGA, le Mouvement des caisses Desjardins, AstraZeneca, Énergie Cardio, Danone et Sanofi-Aventis. Plusieurs organisations, associations et ordres professionnels du domaine de la santé soutiennent également le Défi Santé 5/30.

La mobilisation de tous ces partenaires, du lancement du Défi au début janvier à sa clôture à la fin avril, contribue à la crédibilité et au succès du Défi Santé 5/30, et lui permet de se démarquer des autres initiatives santé.

2. PORTRAIT DE LA SITUATION

2.1. Pourquoi un Défi Santé 5/30 ?

Au Québec, environ 3 personnes sur 10 meurent de maladies cardiovasculaires et la même proportion, du cancer. Si l'on y ajoute le diabète et l'obésité, ces maladies comptent parmi les principales causes non seulement de mortalité, mais aussi de dégradation de la qualité de vie des personnes atteintes et de leurs proches.

La bonne nouvelle est que ces maladies, dites chroniques, sont en partie reliées à certaines de nos habitudes de vie et que notre «avenir santé» dépend de façon importante de nos choix: ce qu'on mange et boit, notre niveau d'activité physique, le contrôle de notre poids ou encore notre usage du tabac. Bien entendu, nos habitudes dépendent de nos connaissances et de notre motivation, mais aussi de notre environnement, qui peut rendre nos choix santé plus ou moins faciles.

On a ainsi le pouvoir, en nous prenant en main, d'influencer positivement notre santé pour améliorer notre bien-être et réduire nos risques de souffrir de maladies chroniques. C'est pour aider les Québécoises et les Québécois à s'approprier ce pouvoir que le Défi Santé 5/30 est lancé. Une invitation pour tous à passer à l'action en faisant des gestes concrets. Le Québec se bâtit une santé!

2.2. Portrait de la situation au Québec

- 37% des adultes québécois (près de 4 adultes québécois sur 10) ne mangent pas au moins 5 portions de fruits et de légumes par jour (Statistique Canada, 2004).

- 51% des enfants et adolescents québécois ne mangent pas au moins 5 portions de fruits et de légumes par jour (Statistique Canada, 2004).

- 62% des adultes québécois ne font pas l'équivalent d'au moins une demi-heure de marche d'un bon pas par jour durant leurs loisirs (Institut national de santé publique du Québec, 2006).

- 26% des enfants québécois âgés entre 6 et 11 ans (plus d'un jeune sur 4) n'atteignent pas la recommandation d'au moins 7 heures d'activité physique par semaine (Bédard *et al.*, 2008).

- Les recherches montrent que l'on peut prévenir l'apparition du cancer dans environ le tiers des cas en mangeant bien, en étant actif physiquement et en maintenant un poids normal (World Cancer Research Fund and American Institute for Cancer Research, 2007).

- Manger chaque jour de cinq à dix portions de fruits et légumes permettrait de réduire de 30% le risque d'infarctus en raison des apports en vitamines, en antioxydants et en fibres (Iqbal *et al.*, 2008).

2.3. Identification du public cible

2.3.1. *Public cible principal*

La clientèle cible est composée des Québécois et des Québécoises de 4 ans et plus qui souhaitent prendre leur santé en main.

Nous savons que le Défi, c'est une façon d'encourager les autres autour de soi à prendre le virage santé. Un sondage réalisé par le groupe Léger Marketing auprès des participants du Défi 2007 révélait que 70% des personnes inscrites avaient encouragé d'autres membres de leur famille ou de leur entourage à manger plus de fruits et de légumes, et 61% à être plus actifs. Nous voulons donc rejoindre les mères de famille âgées de 25 à 54 ans pour qu'elles deviennent des ambassadrices du Défi Santé 5/30 auprès de leur entourage. Selon nous, c'est ainsi que notre message aura une plus grande portée. De plus, les femmes sont plus attirées par les informations santé.

2.3.2. Public cible secondaire

Nous avons identifié deux publics cibles secondaires au Défi Santé 5/30, soit les partenaires et les médias.

2.4. Synthèse du mandat

Faire connaître le Défi Santé 5/30 à la population québécoise pour les inciter à passer à l'action. En s'inscrivant au Défi Santé 5/30, les participants intègrent à leur quotidien de saines habitudes de vie.

3. OBJECTIFS ET STRATÉGIES DE COMMUNICATION

3.1. Les objectifs

- Accroître le nombre d'inscriptions au Défi Santé 5/30 au cours de la prochaine édition dans la perspective de créer un vaste mouvement santé au Québec.

- Doubler le nombre de participants qui s'inscrivent en groupe et en famille au cours de la prochaine édition du Défi Santé 5/30.

- Augmenter la notoriété du Défi Santé 5/30 de 10% au cours de la prochaine édition auprès de la population québécoise. En 2007, le taux de notoriété se chiffrait à 47%[1].

Étant donné la nature précise du projet, soit d'influencer positivement l'individu face à ses habitudes de vies, nous devons être en mesure d'évaluer l'impact réel du Défi Santé 5/30 sur les habitudes de vie des participants. Pour ce faire, nous nous sommes fixé deux objectifs:

- Obtenir un taux de 60% quant à la consommation de fruits et légumes chez les participants du Défi Santé 5/30. Ce taux sera mesuré au cours de l'enquête réalisée à la fin du Défi.

- Obtenir un taux de 60% quant à la pratique de l'activité physique chez les participants du Défi Santé 5/30. Ce taux sera mesuré au cours de l'enquête réalisée à la fin du Défi.

Les objectifs de communication sont déterminés à partir du taux d'inscriptions comptabilisé via notre site Internet, d'un sondage omnibus et d'une enquête plus approfondie que nous allons effectuer via une firme de sondage auprès de nos participants.

---

1. Léger Marketing, Sondage Omnibus, avril 2007.

3.2. Les stratégies de communication

Les stratégies mises en place découlent directement de nos différents objectifs présentés ci-dessus :

- Informer notre public cible sur les bienfaits de l'adoption des saines habitudes de vie sur la santé et miser sur l'approche positive du Défi Santé 5/30.
- Trouver de nouveaux réseaux pour accroître la visibilité.
- Développer une offre intéressante pour les gens qui s'inscrivent en famille.
- Avoir une présence accrue et bien ciblée dans le paysage médiatique du Québec.
- Soutenir les participants tout au long de la période du Défi afin qu'ils réussissent leur Défi avec succès.
- Maximiser notre communication avec notre public cible principal, soit les mères de famille de 25 à 54 ans.

4. CAMPAGNE DE COMMUNICATION

Notre campagne de communication se divise en deux volets : activités publicitaires et de relations publiques. Le volet publicitaire permet de faire un bref rappel du message et assure une fréquence pour inciter les gens à passer à l'action et à s'inscrire sur notre site Internet. Le volet de relations publiques nous permet de bien faire connaître le Défi, de sensibiliser la population aux saines habitudes de vies.

La campagne de communication s'est déroulée du 15 janvier au 29 février 2008. La stratégie générale de l'échéancier consistait à concentrer la majeure partie des actions dans les périodes privilégiées pour les inscriptions après le temps des Fêtes, soit du 15 janvier au 2 février 2008, et la période précédant le début du Défi, soit du 17 au 29 février 2008. L'expérience démontre que, durant ces périodes, le public cible est particulièrement réceptif, d'abord à cause des résolutions de début d'année, ensuite parce qu'il ne lui reste que quelques jours pour passer à l'action et s'inscrire. Il est à noter que nous avons bénéficié d'une présence constante dans les médias du début janvier jusqu'au début du mois de mars.

4.1. Volet publicitaire

La campagne de relations publiques a été soutenue par un volet publicitaire. Pour ce faire, des outils de promotion ont été développés :

- une publicité télé de 15 secondes,
- une publicité télé de 30 secondes,
- une publicité radio de 30 secondes,
- une bannière Web,
- 200 000 cartes promotionnelles,
- 32 000 affiches.

Pour assurer le succès de notre campagne, nous avons réalisé des ententes de partenariat avec certains médias. Voici les principales activités mises de l'avant par chacun des partenaires médias :

ASTRAL

- Diffusion de la publicité radio sur les ondes du réseau RockDétente et du réseau Radio Énergie à travers le Québec.

- Mise en place, par le réseau RockDétente, de l'« Équipe Défi Santé 5/30 au boulot ». Pendant 4 semaines, près de 200 entreprises ont été visitées par cette équipe afin d'inviter les employés à s'inscrire.

- Diffusion de panneaux d'ouvertures d'émission de 15 secondes à l'image du Défi Santé 5/30 à travers l'ensemble des chaînes Astral.

- Bannière du Défi Santé 5/30 en rotation sur l'ensemble des sites Internet d'Astral Media.

RADIO-CANADA

- Diffusion de la publicité télé sur les ondes de Radio-Canada réseau.

- Bannière du Défi Santé 5/30 en rotation sur le site Internet de Radio-Canada.

TVA

- Diffusion de la publicité télé sur les ondes du Réseau TVA.

CORUS

- Diffusion de la publicité radio sur les ondes du réseau Corus.

4.2. Les relations publiques

Les actions qui découlent de nos stratégies mentionnées plus haut se divisent en trois champs d'intervention majeurs : les relations médias, les relations avec les publics externes et les relations avec les publics internes. Voici une description complète de chacune des tactiques utilisées dans notre plan de relations publiques.

4.2.1. *Relations médias : communication ciblée et continue*

Pour répondre à notre objectif de notoriété, nous avons déployé une campagne de relations médias pertinente et ciblée. Voici une description des principaux éléments. Il est essentiel que les outils de communication développés soient adaptés (niveau de langage, messages, format, etc.) aux cibles auxquelles on s'adresse. En fait, il s'agit de présenter une offre ou une information qui répond aux intérêts particuliers d'un groupe, à l'angle distinctif de traitement de l'information d'un média et aux formats d'un véhicule d'information.

4.2.1.1. LES MÉDIAS CIBLÉS

Les principales catégories de médias ciblées ont été : la santé, les nouvelles, la famille et l'artistique. Toutes les sphères ont été couvertes, soit la télévision, la radio, les imprimés (hebdomadaires, quotidiens, magazines) et les sites Internet. Pour ce faire, la sollicitation des médias s'est faite auprès de plus de 600 contacts partout au Québec.

Nous avons développé des partenariats avec des médias ciblés pour rejoindre notre public cible, soit l'*Actualité médicale* et les hebdomadaires régionaux de Transcontinental. Pour ces deux médias, nous avons rédigé des articles qui ont par la suite été diffusés au cours de la période de promotion.

4.2.1.2. LES MESSAGES

L'établissement de messages percutants a permis une cohésion de l'information surtout dans ce cas-ci où nous sommes en présence de plusieurs porte-parole. De plus, dans l'établissement des messages clés, nous avons mis en évidence les avantages et les bienfaits de saines habitudes de vie tout en misant sur l'aspect positif de la campagne. La notion de plaisir devait être prédominante dans les messages transmis et dans le ton de la communication. Voici les messages clés transmis par les porte-parole :

- Le Défi, c'est passer à l'action pour prendre sa santé en main en posant au quotidien des gestes concrets à son rythme et selon ses goûts... et dans le plaisir !

- Le Défi, c'est aussi une façon d'encourager les autres autour de soi à prendre le virage santé.

- Le Défi, c'est une approche gagnante et positive pour contracter de bonnes habitudes afin de contribuer à prévenir plusieurs problèmes de santé (maladies cardiovasculaires, diabète, obésité, certains cancers, etc.).

- Le Défi invite les adultes à faire le point sur leur poids et leur tour de taille, et les jeunes à limiter le temps d'écran (télévision, jeux, ordinateur, etc.). Et, pour les participants plus avancés, le Défi propose d'aller plus loin que le « 5/30 » en améliorant d'autres aspects de leur alimentation et de leur condition physique.

4.2.1.3. LES PORTE-PAROLE

Tout au long de la campagne, nous avons travaillé avec des porte-parole primaires et secondaires. Cette tactique nous a permis d'avoir un discours percutant et des messages stimulants pour chaque média ciblé.

Voici une définition des rôles de chaque porte-parole et les conditions d'intervention durant la campagne :

a) **Personnalité publique et artistique**
Porte-parole principal : Francis Reddy, animateur et comédien
- Faire les interviews dans les médias artistiques et nationaux dont l'objectif est de promouvoir le Défi Santé 5/30.

- Prendre la parole dans les événements majeurs d'ACTI-MENU reliés au Défi Santé 5/30, surtout pour raviver l'intérêt des partenaires et susciter l'attention des médias.

b) **Les spécialistes**
   Porte-parole secondaires : D^{re} Roxane Néron, omnipraticienne, et Johanne Vézina, nutritionniste.

- Faire les interviews dans tous les types de médias dont l'objectif est de promouvoir le Défi Santé 5/30, mais surtout lorsqu'un aspect spécifique du Défi Santé 5/30 doit être abordé sous un angle plus pointu et que des informations plus scientifiques doivent être divulguées.
- Prendre la parole dans les événements majeurs d'ACTI-MENU reliés au Défi Santé 5/30, pour affirmer le sérieux de la démarche auprès des partenaires et susciter l'attention des médias.

   Porte-parole de l'organisation : Dr Louis Gagnon, président d'ACTI-MENU, et Martin Juneau, directeur de la prévention de l'Institut de cardiologie de Montréal et coprésident d'ACTI-MENU.

- Prendre la parole lors d'événements tels que les conférences de presse.
- Être présent lors d'événements même s'il n'y a pas de prise de parole officielle.
- Représenter ACTI-MENU lors d'interviews médiatiques.

4.2.1.4. LES OUTILS DE COMMUNICATIONS

Il faut présenter une communication qui s'approche plus du « *one on one* » afin de faire ressortir le Défi Santé 5/30 parmi toutes les nouvelles qui touchent la santé à l'époque de l'année à laquelle se déroule la campagne d'inscription. En effet, il est important d'adapter le message pour susciter l'intérêt du média.

- **Avis médias/Communiqués de presse au contenu accrocheur**
  Développer un style rédactionnel qui se rapproche du marketing. Il faut être vendeur, même un peu frondeur, afin de démontrer que le Défi Santé 5/30 est un incontournable pour prendre sa santé en main. Il faut éviter de culpabiliser les gens face à la décision de non-action. En fait, la solution santé passe par le Défi Santé 5/30.

- **Article promotionnel**
  À la mi-février 2008, un rappel aux médias a été effectué en leur faisant parvenir un panier de fruits et une corde à danser, accompagnés d'un communiqué rappelant qu'il restait peu de temps pour s'inscrire. Un carton promotionnel suggérait au recto une façon ludique et originale de présenter des fruits et, au verso, des exercices de saut à la corde. Ce concept a permis de susciter la curiosité chez les journalistes tout en présentant la thématique de la santé et de l'activité physique. Une telle action nous permet de nous assurer de capter l'intérêt des journalistes qui se font bombarder quotidiennement de nombreux courriels et messages.

- **Événements**
  Afin d'attirer l'attention des médias et donner une visibilité aux partenaires, deux événements ont été organisés au début et à la fin du Défi Santé 5/30.

4.2.1.5. Un lancement qui incite à l'action

Le lancement de la campagne a eu lieu le 15 janvier 2008 au Complexe Desjardins à Montréal, en présence de nombreux médias et partenaires. Le concept de l'événement était un relais culinaire-sportif afin d'allier jambes et papilles au sein d'un même défi. Dans une telle optique, nous avons convié les journalistes à rencontrer deux équipes de participants, soit une famille et un groupe d'amis, qui ont relevé en 30 minutes les deux volets du Défi Santé 5/30. Ces deux groupes étaient parrainés par deux personnalités publiques représentant la nutrition et le sport. Deux familles, deux parrains, un seul objectif : combiner plaisir et santé !

4.2.1.6. Une activité de clôture qui déplace de l'air

L'événement de clôture du Défi s'est déroulé le 16 avril 2008 à l'Ex-Centris avec une cérémonie haute en couleurs. C'est sous le thème «Ensemble pour réussir!» que l'événement de clôture a eu lieu pour souligner les efforts et la mobilisation grandissante autour du Défi Santé 5/30. Le concept était illustré par une troupe de meneuses de claques qui a apporté une dose d'énergie à l'assistance.

4.2.1.7. Échéancier

- Mi-septembre 2007 : Envoi d'un communiqué aux magazines pour diffusion en janvier.
- Début janvier 2008 : Lancement du Défi 5/30.
- Janvier 2008 : 1er blitz d'interviews.
- Mi-février à fin février 2008 : 2e blitz d'interviews.
- Début mai 2008 : événement de clôture et bilan de la campagne.

4.2.2. Relations avec les publics externes : actions avec les partenaires

La qualité et la mobilisation des partenaires du Défi Santé 5/30 contribuent à sa crédibilité et à son succès et lui permettent de se démarquer des autres initiatives santé. Il est à noter que le Défi Santé 5/30 est le seul défi à compter sur l'appui des Directions de santé publique du Québec et du ministère de la Santé et des Services sociaux du Québec. Nous avons développé des actions concrètes et efficaces avec plusieurs d'entre eux.

IGA fut un partenaire exceptionnel afin de contribuer à la visibilité de la campagne, comme le démontrent ces actions :

- Distribution de 60 000 trousses d'accompagnement dans ses 225 supermarchés du Québec, la trousse était en carton recyclé.
- Promotion en magasins.
- Publicité dans les 10 000 calendriers IGA.
- Publicité dans deux circulaires distribuées à 2,8 millions d'exemplaires chacune.
- Publicité aux 100 000 abonnés des Info-Bulletins IGA.
- Promotion du Défi Santé 5/30 sur la page d'accueil de leur site Internet.

Le Mouvement des caisses Desjardins, partenaire très impliqué et dévoué, a fait vivre le volet famille en offrant, entre autres, le Prix Famille 5/30 Desjardins, une cotisation d'une valeur de 5 000 $ à un régime enregistré d'épargnes-études. Le Mouvement des caisses Desjardins a également fait la promotion du Défi auprès de ses 40 000 employés et de ses 6 800 dirigeants élus, retraités et membres de leurs familles notamment avec la diffusion d'une capsule vidéo personnalisée de Francis Reddy qui invite les employés de Desjardins à s'inscrire au Défi. Ils ont également fait la promotion du Défi dans la section Accès D de leur site Internet, en plus d'organiser deux événements au Complexe Desjardins et au Carnaval de Québec.

Pour sa première participation au Défi Santé 5/30, Énergie Cardio a été très impliqué dans l'événement de lancement de la campagne, en plus d'offrir des séances d'essai gratuites dans la trousse et de faire la promotion du Défi Santé 5/30 dans ses 70 centres de conditionnement physique au Québec.

Nous avons développé un partenariat avec Diabète Québec qui a fait vivre le Défi Santé 5/30 auprès de ses membres en publiant une série d'articles dans la revue *Plein Soleil* distribuée à plus de 30 000 exemplaires. Il est à noter que la FADOQ a également publié une série d'articles dans la revue *Virage* (280 000 exemplaires) ainsi que l'AFEAS dans la revue *Femmes d'ici* (14 000 exemplaires).

4.2.3. *Relations avec les publics internes : soutien aux participants*

Nous avons porté une attention particulière à l'accompagnement et au soutien offerts aux participants pour les amener à poser des gestes concrets pour leur santé.

Le site Internet defisante530.ca comporte les caractéristiques suivantes :

- accessible à l'année ;
- formé d'une communauté virtuelle dynamique pour discuter et se motiver (forum, témoignages et photos) ;
- une section «Alimentation» avec des chroniques sur l'alimentation, des «Recettes 5/30», et le concours «Métamorphoses Recettes 5/30» ;
- une section «Activité physique» avec des chroniques sur l'activité physique, des trucs et des réponses par des professionnels de l'activité physique aux questions de participants ainsi qu'un programme d'activité physique en deux niveaux ;
- une «Zone famille» avec de l'information et des trucs adaptés aux familles pour mieux manger, bouger plus et même limiter le temps passé devant l'écran, ainsi que de nombreux outils à télécharger tant pour les grands que les enfants. Aussi, chaque semaine pendant le Défi, une nouvelle Mission 5/30 à réaliser en équipe «parents-enfants» ;
- de nombreux outils téléchargeables pour en savoir plus ou pour suivre l'évolution de son Défi ainsi que des tests interactifs.

Les *Bulletins du Défi Santé 5/30* sont envoyés par courriel, une fois par semaine pendant la période du Défi et une fois par mois le reste de l'année. Ils sont offerts aux participants du Défi et à toutes les personnes intéressées à recevoir de l'information, des astuces et des trucs santé pratiques. Le concept et le contenu des bulletins ont été révisés en 2008 pour offrir un outil plus dynamique, convivial et surtout pour soutenir notre clientèle de famille.

La trousse IGA du Défi Santé 5/30 comprend de l'information et des outils éducatifs, des échantillons de produits et différents coupons-rabais. Elle était offerte sans frais aux participants qui présentaient leur confirmation d'inscription dans l'un des 250 supermarchés IGA du Québec.

5. ÉVALUATION

Nous appuyons notre évaluation avec quatre moyens distincts qui nous permettent de mesurer l'efficacité de notre campagne. Les quatre moyens utilisés sont :

- un sondage Omnibus réalisé par le groupe Léger Marketing ;
- une enquête réalisée par le groupe Léger Marketing auprès des participants du Défi Santé 5/30 ;
- une évaluation de la campagne de relations médias ;
- une évaluation des statistiques internes provenant du site Internet du Défi Santé 5/30.

5.1. Les résultats de la campagne de relations médias

Francis Reddy, ainsi que les porte-parole secondaires, ont accordé un grand nombre d'interviews comme en témoignent ces résultats :

- 39 interviews, reportages ou mentions à la télé ;
- 46 interviews, reportages ou mentions à la radio ;
- 40 interviews, reportages ou mentions dans la presse écrite (quotidiens et hebdomadaires régionaux) ;
- 5 interviews, reportages ou mentions dans les magazines ;
- 4 interviews, reportages ou mentions dans les magazines spécialisés ;
- 31 reportages ou mentions dans la presse électronique.

5.2. Évaluation de la campagne de relations médias : une campagne réussie

Le système PEM MC (Points d'évaluation des relations média), reconnu comme la norme canadienne en matière de mesure et de rendement de la couverture médiatique rédactionnelle, a été utilisé afin de mesurer l'impact de la campagne de relations de presse.

Nous sommes en mesure d'affirmer que la campagne a reçu un très bel accueil des médias. Au début de la campagne, nous avons appris que Quebecor lançait son propre projet, Défi Diète, un événement médiatique similaire au Défi Santé 5/30. Malgré la puissante machine promotionnelle de Quebecor, Acti-Menu a très bien performé au plan promotionnel.

Voici quelques chiffres éclairant ce verdict :

- **Une grande fréquence du message**
  - Portée totale : 39 618 581 contacts

  Cette portée est calculée sur la population du Québec, mais il faut savoir qu'avec Internet et certains médias, la portée va au-delà du territoire québécois. Selon *News Canada*, il s'agirait de la deuxième portée en importance au Canada sur plus d'une centaine de campagnes répertoriées dans leur système au cours de la dernière année. La portée moyenne pour tous les types de campagnes confondus est de 5 à 6 millions de contacts (*News Canada*, juin 2008). Si nous considérons que la population québécoise susceptible d'avoir vu les messages est âgée de 15 ans et plus, nous pouvons baser nos calculs sur une population de 6 469 863 personnes (décembre 2007). Nous estimons donc que chaque Québécois aurait été exposé en moyenne six fois aux messages au cours de la campagne. Il s'agit d'une visibilité exceptionnelle, car une campagne de relations médias expose en moyenne le public cible de 1 à 2 fois aux messages (*News Canada*, juin 2008).

- **Un taux d'efficacité quant au contenu**

  Après analyse, la campagne a eu un taux d'efficacité de 81 %, donc supérieur au point de référence de la Société canadienne des relations publiques et *News Canada*. Selon ces institutions, une campagne réussie se situe à 70 % (*News Canada*, juin 2008).

- **Ton du message**
  - 78 % des messages avaient un ton positif,
  - 21 % des messages avaient un ton neutre.

  Dans ce type de campagne, nous avons évalué que les messages étaient factuels et non mobilisateurs. Précisons que ce n'était nullement négatif.
  - 1 % des messages consistait en une mention où le média a donné une mauvaise statistique qui venait donc affecter la perception de l'importance des résultats du Défi Santé 5/30.

- **Sur le plan de la valeur**

  Nous estimons que cette campagne fut très rentable (selon le PEM) puisque le coût par contact est de 0,00112 $ soit un CPM de 1,12 $. En comparaison, selon *News Canada*, une campagne de relations médias coûte 0,03 $ à 0,04 $ par contact (*News Canada*, juin 2008), soit un CPM de 30 $ à 40 $. Il s'agirait de la campagne la moins coûteuse qu'ils ont répertoriée. De plus, elle est combinée à un taux d'efficacité au-dessus de la moyenne des campagnes réussies.

  Nous concluons que c'est peu d'investissement pour une aussi grande portée et une efficacité du message supérieure à la moyenne.

- **Évaluation de la participation**

  Dans le cadre de la 4e édition du Défi Santé 5/30, 111 932 personnes provenant de toutes les régions du Québec ont participé. Au niveau des inscriptions, nous remarquons une augmentation constante. Effectivement, le nombre d'inscriptions a plus que doublé en 4 ans.

- **Inscription en famille**
  Pour mesurer l'impact de notre campagne sur notre public cible, soit les familles via les mères de famille, nous pouvons évaluer le nombre de familles qui se sont inscrites. Comme le démontre le tableau suivant, nous avons huit fois plus d'inscriptions en groupe et de ce total 81 % sont des familles. Un résultat qui confirme la pertinence du choix du public cible.

	2007	2008
Nombre de groupes (familles et équipes)	1 194	17 810
Nombre d'équipes	1 914 (incluant les familles)	3 420 (excluant les familles)
Nombre de familles	n.d.	14 390

5.3. Sondage Omnibus

En 2008, la notoriété du Défi Santé 5/30 dans la population québécoise se chiffre à 60 %; c'est donc six Québécois sur dix qui ont entendu parler du Défi Santé 5/30. Il s'agit d'une augmentation notable de 13 points de pourcentage par rapport à 2007 (47 %)[2].

5.4. Enquête Léger Marketing

Une enquête a été réalisée par le groupe Léger Marketing[3]. Le mandat était d'effectuer un sondage pré et post auprès de personnes inscrites au Défi Santé 5/30 en 2008. Celui-ci a été effectué par Internet en deux phases. Tout d'abord, un sondage pré-Défi était accessible par le biais d'un hyperlien placé sur la confirmation d'inscription du Défi, envoyé par courriel aux participants dès le moment de leur inscription. Après les six semaines du Défi, un sondage post-Défi a été effectué auprès de participants ayant répondu au sondage pré-Défi.

Voici quelques faits saillants :

- **Principaux motifs pour s'inscrire au Défi**
  - 55 % améliorer sa santé et avoir de meilleures habitudes de vie ;
  - 14 % contrôler son poids/améliorer son apparence ;
  - 9 % pour le Défi (relever un défi) ;
  - 9 % pour vivre l'expérience en famille ;
  - 9 % pour obtenir des trucs et des conseils ;
  - 4 % autres motifs.

- **Compréhension du « 5 » et du « 30 »**
  - 98 % des participants au pré-Défi sont en mesure de reconnaître la signification exacte de l'objectif « 5 » du Défi Santé 5/30 ;

2. Léger Marketing, Sondage Omnibus réalisé du 3 au 6 avril 2008. Question posée : « Avez-vous vu, lu ou entendu parler du Défi Santé 5/30 ? »
3. Léger Marketing, enquête auprès des participants au Défi Santé 5/30, pré- et post-Défi 2008.

- 98 % des participants au pré-Défi sont en mesure de reconnaître la signification exacte de l'objectif « 30 » du Défi Santé 5/30.

- **Impact sur la consommation de fruits et légumes**
Consommer au moins cinq portions de fruits et de légumes quotidiennement était une habitude bien ancrée chez les répondants du sondage avant même leur participation au Défi. Effectivement, 89 % des participants au sondage pré-Défi affirmaient consommer cinq portions ou plus de fruits et légumes chaque jour, comparativement à 96 % en post-Défi. La participation au Défi a donc permis de consolider ce comportement.

- **Impact sur la pratique de l'activité physique**
Le Défi Santé 5/30 a eu un impact sur la pratique d'activité physique des participants. En effet, après le Défi, 63 % d'entre eux affirmaient avoir bougé 30 minutes ou plus pendant au moins cinq jours au cours de la dernière semaine, alors qu'avant le Défi, ce pourcentage était de seulement 33 %. Il s'agit d'une augmentation marquante de 30 points de pourcentage.

- **Impact sur d'autres habitudes de vie**
En plus de porter l'attention à la consommation de fruits et légumes, la participation au Défi sensibilise les participants à faire davantage de choix santé sur d'autres aspects de leur alimentation :
  - 68 % disent avoir augmenté leur consommation d'eau ;
  - 66 % disent maintenant choisir des produits contenant de meilleurs gras pour la santé ;
  - 54 % disent avoir augmenté leur consommation de produits à grains entiers ;
  - 26 % disent avoir augmenté leur consommation de produits laitiers.

- **Autres impacts sur l'individu**
La participation au Défi permet à ses participants d'acquérir de nouvelles connaissances et de bénéficier d'une multitude de bienfaits.
  - 66 % indiquent que le Défi les a aidés à acquérir des connaissances sur les saines habitudes de vie ;
  - 87 % indiquent que le Défi leur permettra de conserver de saines habitudes de vie dans les prochains mois ;
  - 85 % disent que le Défi leur a apporté une motivation à prendre soin d'eux ;
  - 82 % disent que le Défi leur a apporté un sentiment de bien-être/ d'être plus en santé ;
  - 77 % disent que le Défi leur a apporté plus d'énergie.

- **Impact sur l'entourage**
En plus d'avoir un effet direct sur les participants, le Défi Santé 5/30 a également eu un effet sur les membres de leur entourage.
  - 56 % des participants ont mentionné qu'au moins un autre membre de leur entourage ou de leur famille s'est inscrit au Défi Santé 5/30 ;
  - 63 % ont mentionné que leur participation au Défi Santé 5/30 avait encouragé les autres membres de leur famille ou de leur entourage à manger plus de fruits et de légumes ;

- 54 % ont mentionné que leur participation au Défi Santé 5/30 avait encouragé les autres membres de leur famille ou de leur entourage à être plus actifs ;
- 34 % ont mentionné que leur participation au Défi Santé 5/30 avait encouragé les autres membres de leur famille ou de leur entourage à faire le point sur leur poids et leur tour de taille.

Tel que démontré par l'évaluation, nous pouvons conclure que nos objectifs ont été atteints et même dépassés.

6

POSTURE DISCURSIVE DE L'ORGANISATION AUX TRIBUNES PUBLIQUES
La rédaction de discours

*Dès qu'une organisation élabore un message,
elle produit une certaine composante de l'espace public
en présentant une signification et des cadres de référence
qui alimentent les débats publics.*

(IHLEN, VAN RULER et FREDRIKSSON,
2009, p. 10. Traduction libre.)

Selon l'étude réalisée en 2004 par la Chaire de relations publiques et communication marketing de l'UQAM, la majorité des relationnistes consacrent une très grande partie de leurs activités à des tâches de rédaction, dont la préparation d'allocution, pour eux-mêmes ou pour d'autres porte-parole d'organisations. Selon les résultats de cette recherche, plus de 80 % des professionnels en relations publiques effectuent en effet de la rédaction sur une base régulière (Maisonneuve, Tremblay et Lafrance, 2004a). Cette fonction couvre plusieurs dimensions : rôle-conseil auprès de la direction et de ses porte-parole, recherche de tribunes publiques puis recherche pour documenter le sujet du discours, conception d'argumentation et sa rédaction. Le travail du relationniste peut également comporter la mise en forme du texte, la conception d'éléments de soutien visuel, la préparation de la période de questions, la diffusion du discours et sa publication ; enfin, des interviews subséquentes à la livraison d'une allocution sont souvent prévues pour répondre aux besoins de médias.

Dans le présent chapitre, nous ferons référence à la prise de parole en public en utilisant indifféremment les termes suivants : présentation, allocution et discours. Dans les faits, la présentation recouvre une réalité très globale, référant à toute prise de parole. Quant à l'allocution et au discours, ils sont habituellement considérés comme des synonymes, bien qu'ils soient différents : « L'allocution est à la fois plus courte – 5 à 20 minutes – et plus circonstancielle que le discours. Il s'agit de la forme de prise de parole la plus fréquente, offrant à une personnalité l'occasion de se manifester formellement en faveur d'une cause, d'une idée, d'un projet ou d'appuyer officiellement une personne ou un groupe » (Dussault, 2009, p. 108). Le discours est ainsi réservé aux interventions plus longues, tel un discours d'intronisation, par exemple lors de la remise d'un prix Nobel, ou un discours à la nation prononcé par un chef d'État.

6.1. D'ABORD UN RÔLE-CONSEIL

Les fonctions reliées à la rédaction en général et à la rédaction stratégique de documents plus spécialisés sont considérées comme fondamentales dans le travail de relations publiques (Broom, 2009, p. 35). De même au Québec, l'étude de Maisonneuve, Tremblay et Lafrance (2004b, p. 38) a démontré l'importance de la rédaction et des habiletés d'écriture pour l'exercice des relations publiques, comme en témoigne le tableau 6.1. À noter que les pourcentages de ce tableau sont calculés en référence au nombre de personnes totales ayant répondu au sondage (273).

TABLEAU 6.1

Importance de la rédaction par rapport aux autres activités exercées par les relationnistes québécois

Activités de relations publiques	Très important		Important		Total «très important» et «important»		Peu important		Sans importance		Total «peu important» et «sans importance»		Ne s'applique pas/Non-réponse		Total
Rédaction générale (bulletins, infolettres, mémos, brochures, communiqués, etc.)	145	53,1%	82	30,0%	227	83,2%	31	11,4%	3	1,1%	34	12,5%	12	4,4%	273
Conseil	131	48,0%	90	33,0%	221	81,0%	24	8,8%	5	1,8%	29	10,6%	23	8,4%	273
Rédaction stratégique (analyse d'enjeux, mémoire politique, rapport annuel, dossier stratégique, discours, etc.)	103	37,7%	95	34,8%	198	72,5%	47	17,2%	6	2,2%	53	19,4%	22	8,1%	273
Logistique d'événements	81	29,7%	95	34,8%	176	64,5%	51	18,7%	14	5,1%	65	23,8%	32	11,7%	273
Entrevues dans les médias, conférences de presse, etc.	97	35,5%	72	26,4%	169	61,9%	50	18,3%	11	4,0%	61	22,3%	43	15,8%	273
Production (documents, site Web, vidéos, audiovisuels, multimédias, etc.)	53	19,4%	87	31,9%	140	51,3%	82	30,0%	12	4,4%	94	34,4%	39	14,3%	273
Gestion du service/cabinet	66	24,2%	42	15,4%	108	39,6%	41	15,0%	19	7,0%	60	22,0%	105	38,5%	273
Recherche (sondage, groupe de discussion, analyse de documentation, entrevue, etc.)	29	10,6%	78	28,6%	107	39,2%	106	38,8%	21	7,7%	127	46,5%	39	14,3%	273
Formation en relations publiques / communications	30	11,0%	67	24,5%	97	35,5%	76	27,8%	23	8,4%	99	36,3%	77	28,2%	273

Comme on le constate avec les résultats présentés au tableau 6.1, la rédaction est l'une des tâches les plus fréquemment accomplies par le relationniste. On peut également y noter l'importance du rôle-conseil qu'exerce le relationniste auprès de l'organisation où il intervient. Appliquée au domaine de la rédaction de discours, cette fonction-conseil s'exerce notamment sur le choix stratégique des contenus d'information à livrer, le type de tribunes publiques retenues pour la prise de parole et les modes de diffusion de l'allocution après avoir été présentée par le conférencier. Ces fonctions visent essentiellement à assumer la pleine participation de l'organisation aux débats publics : « La création de sens est une activité cruciale des organisations. Il s'agit d'un aspect essentiel des relations publiques, dans une perspective sociale, puisqu'il réalise la présentation des enjeux et des valeurs qui sont publiquement débattus » (Ihlen, van Ruler et Fredriksson, 2009, p. 10. Traduction libre).

En permettant à l'organisation de camper sa posture discursive au cœur des enjeux sociaux, économiques, financiers, culturels, etc., le relationniste participe à son positionnement dans l'espace médiatique et dans l'espace public. Pour ce faire, il doit d'abord choisir les tribunes publiques où les allocutions seront prononcées, en fonction de leur pertinence eu égard aux objectifs de l'organisation et des publics visés. Par exemple, durant une mission à l'étranger, il est facile de multiplier les prises de parole mais le temps étant compté, il faut développer un équilibre avec les nombreuses rencontres et les négociations à mener. La gestion de l'agenda doit être exécutée en fonction des

EXEMPLE

Une municipalité vit un contexte de grande tension avec ses employés de la voirie, au sujet du renouvellement de leur convention collective. Durant cette période d'intenses négociations, le maire est invité à prendre la parole à la Chambre de commerce de sa municipalité sur le sujet de la sous-traitance et des contrats accordés à des firmes extérieures.

L'événement étant couvert par les médias, il faudra évaluer la pertinence stratégique d'une telle intervention. La possibilité d'une manifestation du syndicat de la voirie sur les lieux de la conférence risque de perturber l'événement et de susciter une couverture médiatique non désirée. Mais surtout, l'intervention pourrait être interprétée comme une manière de négocier sur la place publique et d'influencer l'issue des négociations, en faisant intervenir d'autres interlocuteurs que ceux désignés par le syndicat.

priorités de l'organisation et des besoins les plus importants des divers interlocuteurs. Une recherche doit être réalisée avec soin pour situer le contexte dans lequel sera livré le discours. Il faut en effet évaluer la pertinence de l'événement auquel est reliée l'intervention selon les enjeux en présence et les informations à livrer. Le lieu où sera prononcé le discours porte lui-même un message. Il convient donc de le choisir judicieusement.

Avant d'entreprendre la rédaction d'un discours, le relationniste se posera quelques questions dont les réponses orienteront son rôle-conseil ainsi que le travail de recherche devant précéder toute rédaction.

- Quel est l'objectif de l'allocution ?
- Quels en sont les enjeux ? Cette intervention est-elle vraiment nécessaire et s'inscrit-elle dans le cadre du plan global de relations publiques pour cette organisation ?
- Ce discours est-il attendu par certaines parties prenantes et permettra-t-il de répondre à leurs attentes ?
- Le moment est-il favorable ou est-il trop tôt pour faire l'annonce d'une nouvelle n'ayant pas encore été diffusée à l'interne ?
- Dans quel contexte plus large la prise de parole sera-t-elle faite ? Les médias seront-ils présents ?
- Combien de personnes assisteront à la présentation ? Le ton d'un discours et sa forme doivent être différents, selon qu'il est prononcé devant 10 ou 500 personnes.
- Quel message livrer et quelles en seront les retombées pour l'organisation ?
- Qui prononcera cette allocution ? De combien de temps disposera-t-il ? Maîtrise-t-il bien le sujet, ainsi que les techniques de la prise de parole en public ? Sera-t-il à l'aise avec un soutien visuel ? A-t-il besoin d'un texte suivi ou seulement de notes en points d'information (*point form*) ?

Les réponses à ces questions permettent d'évaluer la pertinence relative des diverses tribunes possibles et le cadre général de la prise de parole. Parfois, une situation de crise oblige une prise de parole immédiate sur un sujet très précis. Il faut alors résister à la tentation de commencer à écrire le discours sans d'abord avoir procédé à l'étape de la recherche, essentielle à la préparation d'une allocution.

6.2.   PAS DE RÉDACTION SANS RECHERCHE

Avant toute rédaction, une documentation exhaustive doit d'abord être rassemblée : elle servira non seulement à alimenter l'idéation nécessaire à la mise en forme du texte, mais aussi à étayer les réponses lors de la période de questions. Ce corpus d'information préalablement rassemblé en fonction de l'objectif de l'allocution fait la différence entre un discours truffé de lieux communs et une allocution captivante et éclairante.

En effet, personne n'est intéressé à entendre des idées réchauffées, servies à la sauce insipide d'idées préconçues. Les personnes auxquelles s'adresse l'orateur viennent l'entendre pour obtenir des informations nouvelles, des réponses à leurs questions et des pistes innovantes de réflexion ou d'action. Il faut donc piquer la curiosité, capter l'attention et assurer la rétention des idées émises, dans la mesure où le principe de la réception active permet de l'envisager. Pour ce faire, la créativité rédactionnelle est loin d'être suffisante. Il faut une recherche poussée en fonction d'un objectif d'intervention clair, sur un sujet bien documenté. Tout discours doit mettre en évidence un contenu : idées nouvelles, résultats de recherche inédits, pistes de solution, etc. En d'autres termes, prendre la parole pour ne rien dire, pour la seule satisfaction du conférencier, devient alors une activité aussi inutile que vaine.

En outre, il faut aborder la prise de parole comme un exercice permettant de mieux comprendre les attentes de certaines parties prenantes. Il ne s'agit pas d'un moment de diffusion à sens unique : la période de questions permet d'entamer un dialogue qui se poursuivra dans les réactions médiatiques et dans les relations qui seront ultérieurement développées avec les personnes et les groupes présents lors de la prise de parole.

6.3.   CLARIFIER LE PROPOS : DÉFINIR UN OBJECTIF CLAIR ET PERTINENT

Trop souvent, une prise de parole devient un exercice de style sans âme, aussi creux qu'ennuyeux, ne répondant à aucun objectif et ne satisfaisant aucun besoin précis, sauf un objectif d'autopromotion. Pour éviter de tomber dans ce piège, la toute première étape à réaliser est de définir le but et les objectifs de l'intervention. Durant le travail d'élaboration d'un discours, certains rédacteurs ont même développé l'habitude de garder à la portée de leur regard une formulation synthèse des objectifs afin de conserver à l'esprit le fil conducteur qui assurera la cohérence de leur texte. C'est un vieux truc du métier qui permet de ne pas se laisser entraîner hors sujet par d'innombrables digressions fantaisistes.

L'objectif du discours doit s'inscrire dans la visée du positionnement institutionnel global. Il faut donc connaître les enjeux et les orientations stratégiques de l'organisation, qu'il faut bien cerner dans le cadre de la recherche d'information visant à documenter le sujet. Plusieurs sources d'information sont disponibles : Internet, le centre de documentation de l'entreprise, des entrevues avec les principales personnes-ressources, les études universitaires, les publications sur le secteur d'activité de l'organisation, les revues de presse, les discours déjà prononcés, etc. À ne pas oublier : se documenter également sur les attentes du public, les positions des concurrents de l'organisation, les déclarations politiques et l'actualité médiatique entourant ce sujet.

Le relationniste peut confier, en tout ou en partie, cette étape de la recherche préliminaire à un collaborateur qui préparera un dossier de documentation. Il faut cependant donner des consignes claires quant au genre d'information recherchée, en fonction de ce que le conférencier désire communiquer et selon des attentes de l'assistance.

Il est d'ailleurs primordial que le rédacteur rencontre lui-même le conférencier, pour saisir ses préoccupations, son niveau de langage et son intérêt réel pour le sujet. Désire-t-il un discours provocateur, rassembleur, vulgarisateur ou d'allure scientifique ?

Dernière étape de la recherche : effectuer la synthèse des données d'information qui ont été colligées et analyser les renseignements obtenus pour en dégager des conclusions quant aux enjeux en présence et aux principales attentes des parties prenantes de l'organisation.

6.4. PRÉPARER LE CANEVAS DE BASE : QUELLE EST L'ARGUMENTATION ?

Avant de procéder à la rédaction du discours, il faut en établir les lignes de force. Pour ce faire, l'énoncé du sujet sera clairement formulé en fonction de l'objectif que doit atteindre l'allocution. Cet énoncé général peut prendre diverses formes : c'est le sujet amené. Il est généralement exprimé dans le titre de l'allocution et dans le premier paragraphe. Cet énoncé sera ensuite précisé en élaborant les grandes lignes de l'argumentation : c'est le sujet posé. Puis le rédacteur devra décliner son sujet sous différents angles : c'est le sujet détaillé. Ce canevas, ou plan du discours, peut tenir sur une page : il présente ainsi de manière schématique les grandes lignes du discours et il sera soumis à la direction de l'organisation et au conférencier, pour discussion et approbation. Étape souvent négligée, l'élaboration du plan de base du discours, et son approbation, est pourtant primordiale. Elle constitue le tableau de bord du rédacteur. Le plan permet en effet d'établir l'armature générale du texte : cette séquence de présentation des idées permet d'en visualiser les blocs thématiques et d'y regrouper les éléments d'information, selon une logique et une rigueur du raisonnement qui permet un développement fluide des idées : « On étaie ses principales propositions, en ayant recours à divers types de raisonnements : inductif, déductif, analogique et causal. Ceux-ci fournissent un appui que l'on pourrait qualifier de logique. Les appels mobilisateurs offrent un autre moyen de soutenir une position quelconque » (DeVito, 1993, p. 291).

L'orientation stratégique du discours tiendra compte de la finalité recherchée par la prise de parole. Avec un plan clairement structuré autour d'un objectif et détaillé logiquement, le rédacteur dispose d'un fil conducteur entre toutes les idées présentées par le conférencier. Il est alors possible de planifier les temps forts du discours et les exemples à utiliser. En priorisant certaines informations, le plan de l'allocution permet d'ordonnancer les idées et de prévoir les éléments de preuve pour étayer les idées qui sont avancées.

De plus, le plan du discours permet de valider les thèmes principaux avec le conférencier, et d'obtenir ses commentaires avant de commencer la rédaction du texte de l'allocution. Cette prise de contact avec le conférencier offre également l'occasion au relationniste de mieux le connaître afin de comprendre ses préoccupations, de situer son niveau de langage et de constater le rythme de son élocution. La rédaction doit en effet respecter la personnalité du conférencier. Dans le cas où le relationniste est lui-même le conférencier, le plan du discours lui permet également d'ordonner ses idées et d'obtenir les approbations requises avant de passer à l'étape de la rédaction.

6.5. RÉDIGER L'ALLOCUTION

La recherche terminée et le plan détaillé de l'allocution approuvé, le relationniste dispose des éléments requis pour passer à l'étape de la rédaction. Elle est faite en fonction de certains paramètres, notamment le respect du temps alloué à la prise de parole. Cette contrainte du temps amène le rédacteur à effectuer un exercice de synthèse de ses idées. En termes d'écriture, le temps se traduit par un nombre de feuillets à produire : un feuillet de texte à double interligne équivaut généralement à une minute de texte lu. En déterminant précisément combien de temps sera accordé à chaque section du plan, on arrive à segmenter le discours en fonction du nombre de minutes alloué à chacun des sujets qui seront abordés. Cela évite ainsi d'écrire un texte trop long que l'on devra par la suite couper afin de respecter le temps imparti à l'intervention.

6.5.1. LES PRINCIPALES PARTIES DU DISCOURS

6.5.1.1. Les salutations

Toute allocution doit débuter par les salutations adressées aux personnes dont la présence doit être soulignée dans la salle : en faire une liste en inscrivant le titre de ces personnes, suivant l'importance des fonctions qu'elles occupent et selon le protocole en usage dans le pays où le discours est présenté. Ne pas citer les noms, uniquement les titres et changer de ligne pour chacun, afin d'en faciliter la lecture par le conférencier. Laisser quelques lignes libres afin de permettre l'ajout du nom de certaines personnalités qui se joignent à l'auditoire à la dernière minute.

EXEMPLE

Monsieur le ministre de l'Environnement,

Madame la députée de Crémazie,

Monsieur le président de la Chambre de commerce,

Monsieur le directeur général de l'Association des pétrolières de Montréal,

Représentants des médias,

Distingués invités,

Chers collègues

Cette amorce est une partie assez conventionnelle du discours qui doit être suivie de remerciements pour l'invitation et d'une brève mise en contexte.

6.5.1.2. L'entrée en matière

Vient ensuite l'introduction qui présente les grandes parties du discours, soit une synthèse des principales idées qui seront traitées. Cette partie de l'allocution ne doit pas excéder 10 % du texte global. Il faut éviter les longues introductions qui promettent d'aborder plusieurs sujets de manière exhaustive. Trop souvent, l'allocution tourne court et le conférencier ne fait qu'effleurer tous les sujets, faute de temps. Il doit aussi rester prudent quant à l'utilisation de l'humour : sous prétexte de briser la glace, on risque parfois de choquer certaines personnes et de mettre l'auditoire mal à l'aise. Il faut donc éviter la blague que seul le conférencier trouve drôle ainsi que la pointe d'humour sexiste, culturelle, religieuse, politique ou raciste, notamment lors de discours prononcés à l'étranger.

6.5.1.3. Le développement

L'enchaînement logique des arguments du message doit constituer le corps de l'allocution. Il vaut mieux se limiter à l'expression d'une idée principale par paragraphe et ne pas s'écarter du thème central du discours. Les idées présentées doivent s'enchaîner avec logique et clarté. Pour mettre en évidence les arguments clés, le rythme du phrasé doit être travaillé, tout particulièrement dans le corps du texte, afin d'éviter les lourdeurs et la monotonie.

6.5.1.4. La conclusion et la chute

Rassemblant les idées maîtresses du discours, la conclusion doit présenter une synthèse des arguments et amener une ouverture sur une ou deux idées nouvelles comme pistes de réflexion. Elle comporte habituellement une phrase de clôture assez percutante, appelée la chute, qui favorise la rétention du message central que le conférencier désire transmettre.

6.6. DEUX MÉTHODES POUR RÉDIGER UN DISCOURS

Pour rédiger un discours, plusieurs approches sont préconisées. Nous en retenons deux : la méthode IPIC et la rédaction du texte intégral de l'allocution.

6.6.1. LA MÉTHODE IPIC

Bien que la très grande majorité des conférenciers aient besoin d'un texte suivi, l'idéal pour ceux qui ont l'habitude de prendre la parole et qui ont une certaine facilité d'expression est de ne pas rédiger le *verbatim* intégral du discours. Cela pourrait entraver la spontanéité de l'élocution d'un conférencier chevronné. Il pourrait en effet se sentir mal à l'aise de lire le mot à mot d'un discours. Dans ce cas, il est préférable de préparer une version télégraphique de l'allocution, en points d'information ou *point form* à l'aide d'un logiciel tel PowerPoint (dont il ne faut toutefois pas abuser en projection). Ces fiches présentent les idées principales et secondaires, selon le plan du discours qui a été approuvé préalablement.

La méthode IPIC est composée de trois étapes, correspondant aux lettres de cet acronyme :

I : **I**ntroduction, que nous conseillons d'écrire au long puisqu'il s'agit d'un moment névralgique de toute allocution. On réduit ainsi les risques d'hésitation et de bafouillage de la part du conférencier, au début de son discours ;

PI : **P**oints d'**I**nformation pour la présentation des idées principales, constituant le corps du texte, présentées à l'aide de mots clés seulement.

C : **C**onclusion, écrite en texte suivi, pour bien contrôler les effets des dernières phrases. Celles-ci doivent résumer les idées présentées tout au long du discours et, surtout, apporter quelques formulations-chocs pour orienter l'allocution vers une chute où les idées que l'auditoire doit retenir sont mises en évidence. La conclusion est le moment fort de la présentation. Elle doit faire l'objet d'un travail de synthèse qui est important puisque, comme le rappelle Desnoyers (2005), cette chute représente la « signature » du conférencier. Pour toute allocution, on devrait donc suivre les recommandations que fait cet auteur pour la présentation de travaux scientifiques puisque, selon lui, la conclusion constitue :

> Un bilan des travaux, qui comporte des éléments d'interprétation et de synthèse ; ce bilan est souvent complété par des éléments de perspective. Ces deux opérations ont peut-être beaucoup plus de nature orale que visuelle. Il est donc rare qu'on utilise des analogrammes à cette étape, à moins que l'on veuille attirer l'attention sur une donnée particulière, faire un rappel comparatif de ses données et de résultats publiés ailleurs, etc. Pareils propos appellent donc surtout un renforcement visuel du message oral, ce qui se fait bien à l'aide de un ou deux courts scripts, ou d'autant de listes à puces. Toutefois, ces images doivent être particulièrement soignées : ce sont les dernières que présente le conférencier, et on voudra certes qu'elles laissent la marque de son propos, qu'elles signent sa contribution (Desnoyers, 2005, p. 107).

Enfin, la conclusion se termine habituellement par quelques mots de remerciement et une invitation à poser des questions, si cela est prévu au scénario.

6.6.2. LE TEXTE INTÉGRAL

Pour les conférenciers moins expérimentés ou moins habiles en élocution libre, il est préférable de préparer un texte présentant tout le verbatim de l'allocution. Il s'agit de rédiger le discours intégral, que complètent quelques annotations techniques. Ce type de rédaction doit tenir compte du style oratoire du conférencier. Habituellement, le rédacteur exprime ses idées dans un style concis pour obtenir un texte serré, significatif, épuré : « Il faut nettoyer son style, le vanner, le cribler, le passer au tamis, lui ôter la paille, le clarifier, le pétrir, le durcir, jusqu'à ce qu'il n'y ait plus de copeaux au bois, jusqu'à ce que la fonte soit sans bavure, et qu'on ait rejeté toutes les scories du métal » (Albalat, 1992, p. 92).

Pour ce faire, le rédacteur doit travailler et retravailler son texte, tout en se transposant dans l'état d'esprit du conférencier pour adopter son niveau de langage et son rythme, sans perdre de vue le public dont il faut capter l'attention. Cela demande une certaine gymnastique de l'esprit mais avec l'expérience, le relationniste atteint une véritable souplesse d'écriture lui permettant d'écrire tout aussi bien pour un premier ministre que pour le représentant d'une petite association locale. Le but : que chaque conférencier se sente à l'aise avec un discours qui doit littéralement lui « coller à l'esprit ».

6.7.   STRATÉGIES ET TECHNIQUES DE RÉDACTION

Les deux méthodes possibles pour la préparation d'une allocution offrent un choix entre l'expression libre (texte rédigé en points d'information selon la méthode IPIC) ou une présentation plus formelle, encadrée et prévisible, en fournissant le texte intégral du discours. On optera pour l'une ou l'autre de ces approches selon le type d'événement, comme le recommande Dussault (2009, p. 112) :

> Si une allocution improvisée et réussie capte souvent mieux l'attention d'une assistance, il est des circonstances où elle doit avoir été écrite au préalable. Un maire qui, par exemple, s'adresse à un chef d'État, à un premier ministre ou à un étranger de haut rang en visite officielle dans sa ville le fera toujours par écrit. De même dans toute circonstance solennelle. Ce qui n'exclut pas que le ton soit empreint de la chaleur d'une improvisation. Se présenter sans texte et risquer de confondre titres, noms et circonstances serait perçu comme un manque de respect envers la personnalité à qui l'on s'adresse.

Comme on le constate, la rédaction de discours et la prestation du conférencier doit intégrer plusieurs éléments dont l'adaptation au public visé, tout en se conformant à l'esprit des conventions liées au protocole et à la culture organisationnelle. Cette culture est en quelque sorte personnalisée par le conférencier dont les propos traduisent les valeurs et les orientations de l'organisation. C'est ainsi que, pour certains rédacteurs, la préparation d'un discours relève d'une stratégie de mise en scène de l'information, en ayant recours à l'approche du *storytelling* (Woodside, Sood et Miller, 2008). Selon ces auteurs, la capacité du rédacteur, puis du conférencier, à raconter une histoire intéressante peut contribuer à capter l'attention de l'assistance, en offrant une scénarisation intéressante de l'information. Pour ce faire, une narration est conçue en hiérarchisant les éléments à communiquer en vue de retenir l'attention du public auquel on s'adresse.

Dans la foulée des travaux de Salmon (2007), certaines critiques ont été formulées sur la stratégie de l'historiage (*storytelling*), souvent associée à des pratiques propagandistes d'une rhétorique visant à charmer et convaincre ses interlocuteurs. À l'aide d'histoires captivantes, le rédacteur peut en effet être tenté de surexploiter l'émotion dans le développement d'une belle histoire. Certains rédacteurs n'hésitent pas à utiliser des figures de style qui font image pour arracher une larme, par exemple avec un discours racontant les débuts modestes de l'entreprise ou les sacrifices de la direction pour assurer la survie de l'organisation. Il est d'ailleurs intéressant de considérer les liens entre le *storytelling* et la rhétorique : tout comme Aristote recommandait un arsenal d'effets pour capter l'attention du public et convaincre un juge ou un auditoire, la théorie du *storytelling* (Woodside, Sood et Miller, 2008) utilise des mécanismes pour rallier le public à une opinion en lui racontant une belle histoire. Selon Woodside, Sood et Miller, le potentiel de rétention est lié à la présentation d'une chronologie cohérente et d'une logique dans les relations de cause à effet, à la présentation d'éléments de surprises et de rebondissements et surtout à la capacité à susciter l'émotion. Cette approche est d'ailleurs dénoncée par plusieurs auteurs, notamment dans *La parole manipulée* de Breton (2000).

Si le *storytelling* est une approche stratégique de rédaction assez répandue pour les discours (et pour divers documents institutionnels), on trouve également plusieurs autres techniques, dont certaines règles ayant pour but de faciliter la lecture du texte :

- lors de la rédaction, utiliser des phrases courtes (une vingtaine de mots). Ainsi, le suivi des idées à l'oral sera clair pour le public ; autre avantage non négligeable, le conférencier n'aura pas à faire de pauses incongrues pour reprendre son souffle au milieu d'une phrase ;
- écrire des paragraphes courts, traitant d'un seul sujet et inscrire en caractères gras les idées principales. Le conférencier peut ainsi se dégager avec aisance de la lecture de son texte pour regarder fréquemment son auditoire, selon la technique du balayage horizontal de la salle, et y revenir facilement.

- s'assurer qu'à l'oral le texte établit des liens clairs entre les paragraphes : ne pas se fier aux sous-titres pour annoncer une nouvelle idée, car ils ne seront pas lus par le conférencier. Il faut donc que la première phrase de chaque nouvelle section reformule les titres, en utilisant des mots charnières pour établir un lien logique avec le paragraphe précédent.
- remettre au conférencier une mise en page très aérée de son discours : texte à double interligne, en petites majuscules, en caractères assez gros, sans sérif (police : 14 points) ;
- laisser une marge d'environ six centimètres à gauche pour que le conférencier puisse y inscrire quelques annotations, notamment des indications quant à l'enchaînement des éléments scriptovisuels.

6.8.   UN TRIPLE DÉFI

Créativité dans l'idéation et capacité de positionner clairement le message, richesse du vocabulaire et souplesse du style, clarté de l'argumentation et empathie avec l'auditoire : voilà les habiletés requises pour rédiger un discours. Sans oublier le triple défi qui consiste à adapter l'écriture à la fois au style du conférencier, aux objectifs de l'organisation et aux attentes de l'auditoire.

Le respect du style de l'orateur permet de lui livrer un texte avec lequel il se sentira à l'aise. En ce sens, la rédaction du discours doit permettre au conférencier d'afficher une attitude naturelle car l'authenticité est primordiale, comme le rappelle Dumas (2007, p. 328) : « À trop multiplier les sourires, on peut projeter l'image d'un fourbe [...] ; à trop frapper du poing sur la table, on peut laisser l'impression d'une personne fragile. La meilleure façon de paraître sincère et sûr de soi est sans doute de l'être. » Pour concevoir un texte qui facilite l'aisance et le naturel chez le conférencier, le rédacteur doit être conscient des différences fondamentales entre la langue écrite et la langue parlée. Le texte d'une allocution doit donc prévoir la transposition entre l'écrit et le parlé.

> Parmi les contraintes imposées à l'orateur, il ne faut pas oublier celles qui proviennent du niveau de langue à utiliser. Au moment de relire le texte que vous aurez rédigé, vous le trouverez peut-être trop littéraire. Alors, vous le remanierez. Et là, il vous semblera peut-être trop populaire. Il faut donc vous rendre à cette évidence : si la langue publique parlée diffère de la langue écrite, elle n'est pas qu'une transcription sans retouches de la langue orale courante. Elle comporte bien un style étudié (Dumas, 2007, p. 328).

En plus d'avoir à maîtriser divers niveaux de langue (ex. : expression populaire ou vocabulaire d'expert), le rédacteur doit aussi connaître les registres qui permettent de présenter les idées dans le ton qui convient, ni trop élégant, ni trop familier, selon les circonstances :

> Le talent consiste à maîtriser plusieurs registres. Pour ce qui est du rédacteur professionnel ou de la relationniste que vous êtes, souhaitez que la personne pour qui vous écrivez soit capable de s'adapter à plusieurs styles. Dans le cas contraire, vous écrirez toujours, quand même, dans un français correct, fignolant un peu mieux vos mots et vos tournures de phrases quand vous aurez affaire à un orateur raffiné et vous contentant du vocabulaire de base pour l'orateur populiste. La capacité d'adaptation sera toujours une de vos grandes qualités… Car vous, au moins, pouvez maîtriser un large spectre de niveaux de langue (Dumas, 2007, p. 331).

En plus de la personnalité du conférencier, le rédacteur doit tenir compte de l'auditoire et de ses besoins eu égard au sujet traité, pour être en mesure de les satisfaire. Or les préoccupations que soulèvent les auteurs qui travaillent sur la notion de publics (notamment Hallahan 2000a, 2000b et 2001) rappellent que tout activité de relations publiques doit être envisagée en fonction des attentes de plusieurs catégories de publics. Dans le cas d'une allocution, le rédacteur tiendra compte des besoins des publics présents dans la salle. Mais il gardera aussi en tête les parties prenantes de l'organisation et d'autres publics pouvant être rejoints par une allocution. En effet, celle-ci peut être reprise par les médias et diffusée auprès de plusieurs segments de la population. Il importe donc de tenir compte de certains enjeux reliés à divers publics au moment de la rédaction d'un discours. Celui-ci peut en effet avoir des répercussions sur les relations de l'organisation avec plusieurs de ses publics, l'un des principaux effets de toute activité de relations publiques, comme le rappelle Ledingham (2003).

6.9. LA PÉRIODE DE QUESTIONS

Le discours livré, le conférencier a maintenant à affronter la période de questions. Jusqu'ici, il était en terrain connu puisqu'il maîtrisait bien les sujets abordés. Mais la période de questions peut l'amener à traiter de thèmes qu'il connaît moins bien. Si c'est le cas pour certaines questions, mieux vaut l'avouer directement plutôt que d'improviser des réponses à l'emporte-pièce, reposant sur des informations plus ou moins exactes. Toutefois, c'est la responsabilité du relationniste et du conférencier de préparer à l'avance la période de questions en prévoyant les éléments de réponse qui pourraient être présentés. Des fiches et quelques diapositives supplémentaires, contenant les informations requises, notamment les statistiques et quelques tableaux, viennent compléter le texte remis par le relationniste au conférencier.

Cette préparation permet de diminuer l'angoisse inhérente à la période de questions, comme le rappelle Desnoyers (2005, p. 435): «Arrive enfin cette période finale, qui n'est pas sans créer une certaine anxiété chez le conférencier, parfois même chez les plus expérimentés. Mais pourquoi craindre la confrontation de ses idées si l'on est venu non pas vendre sa salade, mais contribuer au savoir collectif?» Ce moment de vérité offre en effet au conférencier la possibilité d'établir un dialogue avec la salle, lui permettant de vérifier si ses idées ont été comprises, d'apporter les précisions requises et de prendre en compte les suggestions intéressantes:

> On change dès lors de registre. On sort de l'exposé, de la communication asymétrique où le conférencier «émettait», maîtrisait le jeu en se référant à son texte préparé, à ses images ordonnées. La place est maintenant donnée au feedback, à l'interaction dialogique qui constitue, faut-il le rappeler, la véritable communication. La période de questions peut représenter le temps fort d'une communication (Desnoyers, 2005, p. 436).

En ce sens, les questions de la salle peuvent être perçues comme autant d'occasions de valider la réception des idées et leur interprétation. En plus, le conférencier peut profiter de cet échange avec son auditoire pour faire état de nouvelles dimensions venant enrichir son sujet, en lien avec les questions qui sont posées. En ayant en tête la notion d'interinfluence et en disposant de quelques points de repères (par exemples des tableaux rappelant les principales données de son sujet), le conférencier se sentira plus à l'aise pour affronter ce moment clé de sa présentation.

6.10. ILLUSTRER UNE ALLOCUTION

Si le conférencier est à l'aise avec des éléments scriptovisuels, multimédias, sonores, etc., pour accompagner sa présentation, il est possible de les prévoir pourvu que les installations techniques de la salle et l'éclairage le permettent. On doit pouvoir contrôler le degré de luminosité de la salle: si elle comporte de larges fenêtres, il faut les obstruer, sinon la lumière rend illisibles les éléments qui sont projetés à l'écran. L'éclairage doit également être modulé pour éviter de plonger la salle dans l'obscurité durant la projection du matériel d'accompagnement. Donc, si la salle le permet, une intégration du visuel à l'oral peut contribuer à clarifier et à retenir l'information: «Il est reconnu, depuis longtemps, que le meilleur degré d'impact et la plus forte rétention d'un message sont atteints par les communications qui combinent le visuel [...], et l'audio simultanément» (Lesly, 1971, p. 413. Traduction libre).

Mais attention: il ne faut pas que la présentation visuelle vienne distraire l'assistance ou qu'elle entrave la spontanéité du conférencier et ses interactions avec la salle. En outre, les présentations visuelles ne doivent pas voler la vedette au conférencier ou être disproportionnées par rapport à la nature de sa présentation. Dans le cas d'une intervention très simple, auprès d'un groupe d'employés par exemple, il peut être nuisible de projeter une présentation PowerPoint très élaborée alors que l'objectif est de créer un climat cordial d'interactions détendues et spontanées entre les personnes présentes. Enfin, il faut prendre soin d'éviter les contradictions entre les messages à l'écran et les idées exprimées oralement par le conférencier.

EXEMPLE

Le président d'une entreprise cotée en Bourse s'adresse à quelques courtiers en valeurs mobilières afin de les sensibiliser au besoin urgent de sa firme en capital de risque. Le but de son intervention est d'établir un contact personnalisé avec des financiers en vue d'obtenir les fonds nécessaires pour mettre en œuvre un important projet de développement en Asie. Son allocution démontre la rigueur de sa gestion, le manque de liquidités et la priorité accordée à la pénétration de nouveaux marchés, dans un contexte économique difficile. Il explique que des rationalisations ont été effectuées, incluant des réductions sur le salaire des cadres et des employés.

Dans ce contexte d'austérité, il présente son allocution à un groupe restreint de trois ou quatre personnes, dans une salle luxueuse d'un hôtel du centre-ville, avec le soutien d'un matériel multimédia ayant nécessité des coûts élevés de production, créant ainsi une malencontreuse dichotomie entre le message d'austérité et la forme de la présentation. De plus, le ton formel et l'ampleur des moyens déployés créent une distance entre le présentateur et le groupe restreint des invités.

Avant d'opter pour une mise en scène élaborée, le relationniste doit garder en tête que la dimension «spectacle» d'une présentation ne doit jamais reléguer au second plan le contenu, les idées et la personnalité du conférencier. Toutefois, certaines personnes sont de piètres conférenciers et leurs présentations peuvent être d'un ennui mortel. Il peut alors être utile de briser la monotonie de leur présentation en variant les stimuli sensoriels pour conserver l'attention de l'auditoire lors d'une longue présentation. Pour y arriver, il faut faire preuve d'imagination et varier les effets visuels, sonores, multimédias, etc. Le relationniste doit cependant doser minutieusement ces effets. L'évolution des technologies de l'information permet de soutenir efficacement l'expression des idées mais la régie technique doit s'en tenir à jouer un rôle de soutien et de faire-valoir. Habituellement, le message à l'écran doit être succinct, tout en évitant la redondance. Il est parfaitement inutile de répéter mot pour mot le texte de l'allocution sur des écrans géants. Seules les idées clés doivent apparaître, en points d'information, sans jamais contredire ou devancer l'orateur. Ou mieux, illustrer à l'aide d'images et de tableaux le discours qui est prononcé. Trop souvent, le texte à l'écran se contente de marquer l'enchaînement des idées présentées par l'orateur. Ne jamais présenter de longs blocs de texte en caractères si petits qu'ils sont illisibles à l'écran; il vaut mieux limiter le nombre de mots pour éviter la surcharge visuelle pendant une présentation orale.

Pour tous les cas de présentation visuelle, le relationniste doit préparer un découpage technique précis qui sera remis aux techniciens ainsi qu'au conférencier. Le minutage de chaque intervention scripto-visuelle ou sonore y sera planifié de façon à assurer un synchronisme parfait entre les mots, les images et les sons. On évite ainsi l'apparition à l'écran d'un tableau affichant des chiffres qui diffèrent des propos tenus par le conférencier. En outre, les images ne doivent ni précéder ni devancer les paroles du conférencier, pour éviter que les idées qu'il avance ne tombent à plat : c'est le cas lorsque la projection dévoile trop tôt des informations clés du discours ou qu'elle évente le point fort de sa chute.

D'ailleurs, il faut être conscient des risques inhérents à la surutilisation de matériel visuel : des difficultés techniques peuvent compromettre le succès de la présentation. Pour pallier ces défaillances techniques, toujours possibles, un plan de relève doit être prévu avant le début de l'intervention : le conférencier devrait toujours se présenter sur scène avec un jeu de diapositives en format papier, lui permettant ainsi de poursuivre sa présentation lors de panne technique. Cela est surtout important dans les cas où aucun texte de discours n'a été rédigé, certains conférenciers préférant suivre la séquence des projections à l'écran.

En outre, on ne doit pas minimiser le temps requis pour la préparation du matériel de soutien et pour l'installation technique, tout en prévoyant des répétitions en présence du conférencier, afin qu'il se sente à l'aise avec le matériel visuel. Mais est-il toujours absolument nécessaire de consacrer toutes ces énergies à la production de présentations PowerPoint ? Le public dans la salle finit par être lassé de ces inévitables projections. Plusieurs auteurs (Desnoyers, 2009, 2007 et 2005, D'Huy, 2005, et Tufte, 2006) ont d'ailleurs étudié les effets pervers des présentations faites à l'aide du logiciel PowerPoint, rappelant que :

> [...] dans les présentations orales, la linéarité de l'exposé décourage l'interaction, fait que l'on reporte les échanges à la fin de l'exposé. Les mêmes constats que faisait Tufte reviennent : fragmentation du propos, réductionnisme, surcharge informative, inefficacité de la transmission de l'information. La réaffectation prévue d'une présentation en document autonome, expédié par courriel ou affiché sur un site Internet, amène le concepteur à surcharger encore ses «diapositives», puisqu'il sait combien le changement de media fait perdre une information qui tient au contexte, aux nuances que permet la présentation personnelle. Il en résulte une ambiguïté du genre qui entraîne nécessairement des difficultés de communication (Desnoyers, 2009, p. 152).

Il est préférable de favoriser l'établissement de relations interactives entre le conférencier et son public, en évitant que les présentations PowerPoint ne confinent le conférencier à un monologue linéaire que suscite trop souvent le carcan des présentations PowerPoint :

> [...] si l'usage massif du logiciel permet de créer certaines présentations ergonomiquement correctes, nombre d'entre elles sont porteuses de tous les défauts imaginables : images de textes surchargées, souvent exclusivement sous forme de listes à puces, lisibilité restreinte, graphiques illisibles, couleurs criardes, décoration fantaisiste, animations superflues, transitions insolites : tout y passe (Desnoyers, 2007). Rien d'étonnant donc à ce que l'expression «*Death by PowerPoint*», qui traduit maintenant l'ennui mortel que suscite un bon nombre de présentations PPT, se soit répandue comme une traînée de poudre depuis 2003 (Holtz, 2003) et génère, à son tour, des centaines de milliers de pages recensées par Google ! Face à pareilles dérives dans l'usage de PPT, les réactions et les critiques ont vite commencé à se faire entendre (Desnoyers, 2009, p. 148).

Pour éviter ce genre de dérives, le relationniste qui désire se spécialiser dans la rédaction d'allocutions et leur présentation à diverses tribunes publiques doit tenir compte des repères ergonomiques dans l'organisation de congrès (Desnoyers, 2005). De plus, des habiletés spéciales doivent être développées pour l'écriture destinées à des supports multimédias. On trouve des indications techniques précises à ce sujet dans le livre de Carstarphen et Wells (2004) ainsi que dans l'article de Dupuy (2008, p. 22-42).

6.11. RETRANSMISSION

Une conférence peut être livrée à une tribune locale tout en étant retransmise à l'échelle mondiale par webdiffusion, baladodiffusion et vidéoconférence. Ainsi, certains modes de retransmission telles les téléconférences demandent une planification rigoureuse puisque des intervenants dans différentes villes, voire plusieurs pays, doivent coordonner leurs actions, pour assurer le succès de la téléprésentation. Outre la diffusion de l'allocution principale et l'interaction avec les participants situés dans d'autres lieux du globe, la technologie permet une projection synchrone de visuels et de textes numérisés sur l'écran de plusieurs moniteurs, dans tous les points de diffusion.

En fait, tous les modes de retransmission d'une allocution offrent un élargissement des publics au conférencier qui n'est plus limité au seul auditoire de la salle où il se produit. Par exemple, en donnant accès aux vidéoconférences retransmises sur l'Intranet de l'organisation, les employés et les cadres peuvent ainsi prendre connaissance des déclarations des porte-parole de l'organisation et réagir à leurs propos. D'ailleurs, l'Intranet de l'organisation peut se révéler un lieu idéal pour des échanges entre les divers interlocuteurs internes : « L'Intranet peut inclure un système d'échanges par courrier électronique, des publications institutionnelles destinées aux employés, des manuels de politiques, des bulletins, et plusieurs autres sources de documentation [...] Les trois quarts des entreprises américaines ont développé des Intranet à l'intention de leur personnel » (Broom, 2009, p. 231. Traduction libre). Le recours à l'Intranet de l'organisation pour la diffusion d'une allocution prononcée par l'un de ses dirigeants contribue à réduire les hiatus entre la divulgation de l'information à l'externe et à l'interne :

> L'expression des positions d'une organisation par la diffusion électronique des discours de la direction est une méthode courante de communiquer à la fois avec les publics externes et internes. Y diffuser les discours ou les articles de presse intégralement procurent ainsi un accès aux déclarations de la direction [...] offrant aux employés une meilleure compréhension des nouveaux enjeux qui concernent l'organisation (Broom, 2009, p. 230. Traduction libre).

Pour le relationniste et le conférencier, l'organisation de vidéoconférences doit prévoir la familiarisation avec plusieurs accessoires pour maximiser la performance de retransmission, telle l'utilisation d'une microcravate avec senseur laser permettant aux caméras de suivre le conférencier lorsqu'il se déplace sur scène. Celui-ci a également la possibilité d'écrire au tableau muni d'un lecteur optique pouvant retransmettre l'image. Ces dispositifs ne sont que des exemples des accessoires disponibles sur un marché en rapide évolution qui facilitent les interactions entre les participants, même s'ils sont dispersés dans diverses localités sur le globe. L'un des avantages de ce mode de transmission, pouvant aussi se faire par webcam, est d'éviter déplacements, pertes de temps et fatigues dus aux voyages requis pour rejoindre des publics très éloignés. Bien qu'une certaine distance psychologique soit créée par la vidéoconférence entre le conférencier et ses publics, ce moyen de retransmission est apprécié pour la communication interactive et en temps réel entre les interlocuteurs.

On note que certains types d'événements exigent des interventions rapides et ciblées, favorisant l'utilisation de la vidéoconférence mais aussi de la webdiffusion et de la baladodiffusion pour transmettre diverses allocutions, notamment en temps de crise. Dans le cas de la vidéoconférence, elle est très utile en situations de crise ou d'intervention d'urgence ; à titre d'exemple : « pendant la guerre du Golfe, la demande de vidéoconférence a progressé de 60 % » (Péters Van Deinse, 1992, p. 65). Il faut toutefois être assez familier avec ce type de présentation pour en planifier avec efficacité les diverses composantes de réalisation. Il est également nécessaire de former le présentateur puisque le mode d'animation doit être adapté à la structure propre à ce genre de télécommunication. Par conséquent, il est souvent préférable de confier à des experts la coordination technique de la présentation surtout pour permettre au conférencier de se concentrer sur le contenu à livrer. Le relationniste pourra alors se limiter à coordonner les techniciens responsables des activités de retransmission.

6.12. POUR RÉUSSIR UNE PRÉSENTATION ORALE

Sa familiariser avec le texte et bien maîtriser le sujet sont les deux premières conditions pour livrer avec aisance une allocution. Trouver le ton juste est également important pour assurer l'attention de l'auditoire. Le conférencier doit adopter une attitude d'empathie et d'écoute, de manière à moduler constamment sa présentation en fonction des réactions du public. Or, s'il est un art complexe, reposant sur l'empathie avec l'auditoire, c'est bien l'alchimie entre le niveau de langage, le débit, l'intonation et le feed-back du public, toutes ces composantes pouvant contribuer à créer l'atmosphère propice au succès d'une intervention :

> Privilégiez précision et sobriété. Méfiez-vous des images et des stéréotypes, des métaphores journalistiques et des clichés du sens commun. Chassez les répétitions, les expressions lyriques ou argotiques, les tournures alambiquées et autres galimatias aussi prétentieux qu'indigestes. Faites preuve, en revanche, de mesure et de pondération [...] ne soyez ni trop guindé, ni trop familier (Ferréol et Flageul, 1996, p. 113).

Le rôle du relationniste inclut souvent la formation des porte-parole de l'organisation. En effet, il ne suffit pas de rédiger un texte bien documenté puis de le faire approuver par l'organisation et le conférencier. Il faut aussi que ce dernier maîtrise son trac et qu'il ait suffisamment pratiqué sa présentation pour être à l'aise avec elle. Pour ce faire, Langevin Hogue rappelle que le «déroulement d'une communication exige la présence d'éléments indispensables pour réussir: précision, authenticité, respect, compréhension empathique. En l'absence de ceux-ci, le processus est voué à l'échec» (Langevin Hogue, 1991, p. 21). En fait, pour l'allocution comme pour toute autre activité de relations publiques, la posture de départ doit demeurer la communication symétrique bidirectionelle, d'où l'importance de la recherche pour documenter les attentes du public et la préparation d'une période de questions qui permet aux personnes présentes d'obtenir des compléments d'information. Outre cette attitude de respect et d'empathie, certaines techniques permettent d'améliorer la performance du présentateur:

- Pratiquer à haute voix le texte complet de l'allocution, plusieurs fois, seul ou en présence d'autres personnes; ne pas se contenter de le lire silencieusement mais prendre le temps de prononcer à voix haute chacune des phrases du discours. On peut ainsi repérer les sonorités trébuchantes, les phrases trop longues pour être lues sans perdre le souffle, etc.

- Faire un enregistrement audio; lorsque le débit et l'élocution sont bien maîtrisés, pratiquer à nouveau avec un enregistrement vidéo pour vérifier les composantes paraverbales et non verbales. Minuter le temps de parole pour s'assurer que l'on respecte le temps imparti.

- Développer des attitudes professionnelles au micro:
  – rester calme;
  – contrôler ses émotions;
  – se concentrer sur l'information à livrer;
  – développer une gestuelle sans emphase; demeurer soi-même, avec des gestes naturels qui appuient de manière significative les idées qui sont communiquées;
  – éviter les effets de toge ou, à l'opposé, des gestes si discrets qu'ils ne passeront pas la rampe.

- Adapter la voix, les gestes, le niveau de langage et le rythme de l'allocution au type d'auditoire.

- Ne pas rester rivé à son texte mais regarder fréquemment ses interlocuteurs, en ayant recours au balayage visuel de la salle, effectué de manière horizontale, mais sans que cela soit fait de manière trop systématique, mais le plus de naturellement possible.

- Ne pas rompre le contact visuel avec l'auditoire pour regarder le matériel de soutien visuel. Ce faisant, le conférencier tourne le dos à l'auditoire pour fixer l'écran derrière lui. Il est préférable d'installer un moniteur face à la tribune du conférencier, pour la projection du matériel scriptovisuel.
- Éviter de s'acharner à essayer de faire fonctionner des installations multimédias récalcitrantes! Il est important que le conférencier n'essaie pas de tout faire, à la fois la régie technique et la présentation efficace d'un discours. Si le conférencier n'a pas l'habitude de gérer lui-même les changements d'images et l'enchaînement des éléments multimédias durant sa présentation, mieux vaut laisser la régie technique s'en occuper. Des simulations seront toutefois nécessaires pour assurer la parfaite intégration du texte avec les éléments scriptovisuels de soutien.
- Être dynamique, avoir foi dans les idées et être convaincu pour être convaincant.
- Éviter les mots parasites (eh bien, ben, euh, en effet, tout à fait, etc.) et utiliser les mots justes (exemple : un pamphlet n'est pas un dépliant).
- Respirer à fond permet de diminuer le trac.

CONCLUSION

Une allocution s'inscrit dans la foulée des orientations globales d'une organisation et de sa politique de communication. Elle permet de réaliser la mise en relation avec les diverses parties prenantes ainsi qu'avec l'ensemble des publics. Quel que soit le sujet de la présentation, elle doit permettre à l'auditoire de bien saisir les informations transmises et de formuler ses questions, donc d'interagir avec le présentateur.

Le discours représente souvent un exercice de vulgarisation auquel se prête un expert au profit d'un public désireux d'en connaître davantage. Mais pour que cette communication soit réussie, il importe de toujours établir un échange symétrique bidirectionnel, c'est-à-dire de demeurer attentif à la réception durant et après la présentation, de marquer une ouverture durant la période de questions et d'apporter des réponses claires et pertinentes.

La dimension non verbale doit également retenir l'attention du conférencier: planifier les éléments de soutien multimédia et maîtriser les composantes du langage paraverbal et non verbal: gestuelle, intonation, qualité du contact visuel avec l'auditoire, etc.

Outre les allocutions, les fonctions de relations publiques incluent la préparation de très nombreux documents, la rédaction étant l'une des fonctions principales des relationnistes (Maisonneuve, Tremblay et Lafrance, 2004a et 2004b; Broom, 2009). Les chercheurs qui se sont penchés sur cette dimension des relations publiques sont unanimes à recommander aux relationnistes «l'amélioration de leurs habiletés d'écriture» (Broom, 2009, p. 50) tout en se familiarisant avec les spécificités de la rédaction pour les supports multimédias (Calabro, 2003; Wilcox, 2005) et pour le Web en particulier (Holtz, 2002; Guth et Short, 2009).

Enfin, tout en respectant le principe de prise de parole au nom d'une organisation, le relationniste doit intégrer toute intervention publique dans une perspective organisationnelle et sociale plus large. Que ce soit en salle ou en webdiffusion, une allocution permet en effet d'inscrire la posture discursive de l'organisation dans l'espace public, contribuant ainsi à développer les relations avec les publics, enrichir les débats sociaux et améliorer les savoirs.

ÉTUDE DE CAS

Entreprise ou organisation

Amnistie internationale

Campagne ou action

Discours d'Irène Khan, secrétaire générale d'Amnistie internationale à l'ouverture de la session plénière du Sommet 2007 du Pacte mondial

Dossier préparé par:

Anne Sainte-Marie, M. Sc.
Responsable des communications
Amnistie internationale Canada francophone
<www.amnistie.ca>

La mondialisation économique moderne a transformé radicalement notre monde, présentant des défis nouveaux et complexes, comme l'impact et l'influence des multinationales sur les droits humains. Nous vivons dans un monde dangereux, en danger et divisé. Un monde rendu dangereux par la violence, les conflits et l'insécurité; mis en danger par la dégradation de l'environnement et divisé par la disparité et la pauvreté. Tels sont les fondements de graves problèmes de droits humains. Il est absolument essentiel de mettre les droits humains au programme du monde des affaires et de mettre au programme des Nations Unies l'impact du monde des affaires sur les droits humains.

L'intérêt du Pacte mondial est double: tout d'abord, il est soutenu par les Nations Unies, et ensuite, il s'agit d'une initiative réellement mondiale. La reconnaissance des Nations Unies, très précieuse et efficace, a attiré des entreprises du monde entier.

Le Pacte mondial est une initiative pionnière et importante des Nations Unies, une initiative audacieuse, s'aventurant dans des domaines jusque-là peu connus des Nations Unies. Le Pacte offre également un nouveau moyen aux entreprises de s'ouvrir à des acteurs multiples, notamment la société civile, et de comprendre leur rôle dans la société. Le Pacte mondial détient un grand potentiel: celui de faire évoluer la responsabilité sociale des entreprises, notamment la protection des droits humains.

La question qu'il nous faut poser est la suivante : ce potentiel est-il pleinement mis en œuvre ? Lorsque nous regardons le monde extérieur et ce qui se passe sur le terrain, nous tombons tous d'accord, je pense, sur l'idée qu'il reste beaucoup à faire pour que le Pacte mondial devienne un véritable pacte de comportement social responsable des entreprises. Ainsi, j'espère que ce sommet étudiera sérieusement ce qu'il reste à faire pour rendre efficace le Pacte mondial.

En rassemblant plus de 3 000 entreprises de toutes les régions du monde, le Pacte mondial fait office de « grande tente », où les entreprises peuvent améliorer leur conscience et leur compréhension de leur responsabilité sociale. Le Pacte mondial offre un forum de formation important pour partager les meilleures pratiques et élaborer des outils pour traduire les principes en mesures concrètes.

La formation est importante : le changement n'aura pas lieu si les entreprises ne comprennent pas ce qu'elles doivent faire et quels sont les meilleurs moyens d'y parvenir.

Cela étant, la formation ne suffit pas à changer les comportements. De nombreuses entreprises du Pacte mondial sont sincèrement désireuses d'apprendre et d'améliorer leurs performances, mais malheureusement, de nombreuses autres estiment qu'appartenir au Pacte mondial leur confère une approbation automatique, quoi qu'elles fassent. Lorsque cela se produit, c'est l'intégrité du Pacte mondial qui en souffre.

Le Pacte mondial ne doit pas se limiter à enseigner la transparence et l'ouverture, en insistant sur ces valeurs mais sans intervenir sur le cours des choses. Il est facile de donner sa signature à des principes si personne ne vous demande des comptes sur leur mise en œuvre. Le Pacte mondial doit trouver des moyens de demander des comptes aux participants quant au respect de ses principes. Le processus de déréférencement qui a récemment commencé à fonctionner constitue une avancée vers l'intégrité, mais il s'opère largement sur des bases techniques et procédurales, et non dans le but d'assurer le respect du Pacte. L'expérience montre que des approches volontaires, intégrant des éléments de respect des principes par l'entreprise, ont une crédibilité publique bien meilleure que les simples exhortations.

Participant à un forum d'apprentissage mutuel, entre pairs, les membres du Pacte mondial ont l'obligation de se hisser mutuellement à des niveaux de performance plus élevés. Amnistie internationale souhaiterait encourager les participants à envisager un mécanisme d'examen plus solide par les pairs. Les entreprises les plus performantes peuvent contribuer à rehausser le niveau d'exigence en se demandant mutuellement des comptes. Il est temps d'améliorer le niveau d'application du Pacte mondial.

Les Nations Unies offrent une marque précieuse : les entreprises comme les Nations Unies doivent débarrasser le Pacte mondial d'éventuels profiteurs.

Le Pacte mondial est une initiative volontaire. Cette approche est importante, mais quelle que soit sa valeur, elle comporte des limitations inhérentes à sa nature volontaire : par définition, elle implique une « adoption » (et donc aussi, une possibilité de « sortie » pour les entreprises). Ce système ne prévoit rien – et ne peut rien prévoir – pour les entreprises dites « à la traîne », qui ne veulent pas s'intégrer.

Du point de vue des droits humains, les initiatives d'ordre volontaire ont une limitation : elles offrent une certaine protection, pour certains droits humains et certaines personnes. Cela pose un problème, car les droits humains, par leur nature même, offrent des garanties universelles : ils s'appliquent à tous, partout dans le monde, en toute circonstance.

C'est la raison pour laquelle Amnistie internationale, tout en soutenant les initiatives volontaires, demande des normes mondiales des Nations Unies relatives à l'économie et aux droits humains, applicables partout dans le monde à toutes les entreprises, qu'elles opèrent en Chine ou au Canada, au Malawi ou en Suisse. Ces normes mondiales fourniraient aux gouvernements des indications claires et communes sur la manière de réagir au comportement des entreprises en matière de droits humains. Elles permettraient de créer une certaine égalité dans les règles de jeu, fondée sur des attentes communes, en bâtissant la confiance entre clients, actionnaires, investisseurs et public.

Les gouvernements ont la responsabilité première du respect des droits humains – et les normes mondiales relatives à la responsabilité des entreprises en matière de droits humains contribueront également à clarifier et à renforcer cette responsabilité vis-à-vis des entreprises et du public. C'est la raison pour laquelle Amnistie internationale espère que le Pacte mondial, même s'il s'agit d'une initiative volontaire, soutiendra, avec les entreprises qui le composent, la création de normes internationales contraignantes, et contribuera à leur élaboration au sein des Nations Unies.

De nombreux acteurs du monde économique s'inquiètent de régulations supplémentaires – en particulier par le droit international. Cependant, le monde des affaires sait combien le droit international est précieux dans un environnement mondialisé. Le monde des affaires a soutenu l'élaboration du droit international pour protéger ses investissements. Au cours de la dernière décennie, le droit international économique a gagné en importance et en étendue. De nombreux accords d'investissement internationaux, d'échanges commerciaux et de mécanismes d'arbitrage offrent un haut degré de protection juridique internationale aux investisseurs.

Je demande au monde des affaires, et en particulier au Pacte mondial, d'accorder le même soutien au renforcement de la protection des droits humains qu'il a accordé à la protection des investissements.

Malheureusement, il existe encore trop d'entreprises qui sont opposées aux normes internationales de protection des droits humains. Le Pacte mondial – en tant que collectif de dirigeants d'entreprises engagés en faveur des Nations Unies et de l'état de droit international – peut, par son action, contribuer puissamment à changer ces attitudes et ces approches.

Enfin, il faut reconnaître que le Pacte mondial n'est qu'une pièce d'un puzzle beaucoup plus important. Nous devons tous – Nations Unies, gouvernements, monde des affaires et société civile – nous intéresser également aux autres pièces du puzzle, en particulier la responsabilité des gouvernements.

Le Pacte mondial est une initiative importante des Nations Unies – et, depuis le début, une initiative personnelle du secrétaire général des Nations Unies. En donnant leur nom à cette initiative, les Nations Unies ont donné une valeur au Pacte mondial qu'aucune autre initiative n'aurait donné. En dirigeant le Pacte mondial, les Nations Unies ont mis leur propre réputation en jeu. Cela motive d'autant plus les Nations Unies à exiger l'excellence dans ce projet.

Il existe une crise de confiance de la société civile vis-à-vis de la responsabilité sociale d'entreprise. En dehors de cette pièce, de nombreuses personnes se demandent s'il existe vraiment un engagement en faveur de la responsabilité sociale d'entreprise. Le secrétaire général des Nations Unies a décrit le Pacte mondial comme la plus grande initiative citoyenne du monde dans le domaine de l'entreprise. Si nous voulons vraiment être dignes de ce titre impressionnant, le Pacte mondial doit agir davantage pour gagner la confiance des citoyens du monde.

Sous la direction du secrétaire général, j'espère que les Nations Unies œuvreront pour renforcer l'approche volontaire du Pacte mondial, tout en travaillant activement à promouvoir des normes mondiales relatives à la responsabilité d'entreprise et aux droits humains, que des gouvernements pourront appliquer à tous. Une approche solide, cohérente et exhaustive sera vitale pour la crédibilité des Nations Unies et du Pacte mondial.

7

L'ORGANISATION D'ÉVÉNEMENTS
À la rencontre des publics de l'organisation

Les expositions et les événements spéciaux peuvent être adaptés au modèle bidirectionnel des relations publiques. Par exemple, une assemblée annuelle ou un forum communautaire peut être utilisé pour permettre de recevoir les critiques sur l'état d'un dossier – remplaçant ainsi l'approche conventionnelle de l'information au public par le modèle symétrique bidirectionnel.

(GRUNIG et HUNT, 1984, p. 497. Traduction libre.)

En participant ou en organisant un événement public, le professionnel en relations publiques crée une occasion privilégiée d'établir des contacts directs avec une grande diversité de publics, dont les parties prenantes de l'organisation. Ces événements peuvent prendre plusieurs formes : salon, exposition, symposium, colloque, congrès, foire commerciale, assemblée d'actionnaires, rencontre avec les employés, manifestation, etc. La finalité de ce type d'activité est double : diffuser de l'information à des publics précis et profiter de ce lieu de rencontre pour recueillir leurs commentaires, leurs plaintes et leurs suggestions, tout en peaufinant la connaissance que l'on a de ces publics pour permettre à l'organisation de s'adapter à l'évolution de leurs attentes. Il faut donc être conscient de l'importance de la dimension bidirectionnelle de la communication qui s'établira lors d'un événement spécial afin de planifier correctement les actions, les documents et le mode de participation des employés à ce type d'activités de relations publiques.

Mais l'organisation d'événements ne va pas sans risque. En premier lieu, elle requiert des sommes importantes et un investissement en temps, en énergie et en ressources humaines considérable. En deuxième lieu, son succès n'est jamais garanti, plusieurs défis étant à relever pour atteindre les objectifs fixés pour de telles activités publiques. Finalement, tout événement peut faire l'objet de critiques de la part des médias ou d'autres instances. Ainsi, certains journalistes peuvent reprocher aux organisations de tenir des événements uniquement pour susciter une couverture médiatique favorable, sans réellement avoir l'intention d'améliorer quoi que ce soit.

C'est notamment le cas en politique où les *photo op* sont fréquents, selon Vincent Marissal (*La Presse,* février 2010, p. A14) : « En jargon journalistique, on appelle cela un *photo op*, terme anglais pour *photo opportunity*, un concept de relations publiques qui privilégie la mise en scène et les belles images au détriment du contenu. Tous les politiciens le font [...] » On ne dispose pas d'études sur le phénomène des *photos op* en tant que stratégie de pseudo-événement destiné à fournir aux médias des occasions de mettre en évidence certaines personnalités publiques. Celles-ci seraient représentées en association visuelle avec un événement permettant d'améliorer leur notoriété ou celle de leur organisation, sans avoir l'intention d'intervenir sur cette situation. C'est pourquoi l'une des critiques souvent émises au sujet du travail de certains relationnistes porte sur la création de pseudo-événements (Boorstin, 1992), contribuant à la mise en scène d'une non-réalité, créée pour faciliter la promotion de l'organisation et l'atteinte des objectifs. Comme le soulignent Ihlen, van Ruler et Fredriksson (2009, p. 6. Traduction libre) : « Les images ou les illusions créées par les pseudo-événements ne comportent souvent aucune relation avec la réalité.» Conscient de ce piège, le relationniste doit aborder l'organisation d'événements de manière à contribuer à améliorer les relations entre l'organisation et ses divers interlocuteurs, profitant ainsi d'un lieu, d'un moment et d'une plate-forme pour favoriser l'expression de leurs idées et les interventions mutuellement profitables.

La plupart des professionnels en relations publiques ont à participer à l'élaboration d'activités publiques au cours de leur carrière. En effet, selon l'étude réalisée par la Chaire de relations publiques et communication marketing de l'UQAM, l'organisation d'événements représente une activité «très importante» ou «importante» pour 71,8% des relationnistes québécois (Maisonneuve, Tremblay et Lafrance, 2004, p. 11-12). Il est possible que certains ne se sentent aucune disposition pour ce type de fonction qui nécessite, entre autres, la capacité à travailler en équipe et à gérer les innombrables détails liés à l'organisation toujours complexe d'un événement public. Si c'est le cas, le relationniste peut s'en tenir à la planification générale de ce genre d'activités et en déléguer la réalisation à des collaborateurs ou à des consultants. Mais pour la majorité des professionnels en relations publiques, l'organisation d'événements fait partie de leur quotidien. C'est d'ailleurs une activité intégrée à la quasi-totalité des plans de communication. Plusieurs relationnistes font d'ailleurs de l'organisation d'événements leur champ de spécialisation, tant sur la scène locale qu'internationale.

En relations publiques, un événement est constitué de plusieurs composantes interreliées et elles sont toutes importantes pour assurer le succès de l'activité. C'est la gestion d'ensemble de toutes ces composantes qui assure le succès d'un événement. Pour atteindre cette intégration, le relationniste doit maîtriser les méthodes de travail propres à la gestion de projet, avoir le souci du détail et démontrer des aptitudes pour le travail d'équipe, incluant un excellent leadership, afin de relever avec succès les nombreux défis inhérents à l'organisation d'événements. Il faut également maîtriser la communication dans ses dimensions événementielles, car les cérémonies et les rites mis en scène par une organisation sont porteurs de messages auprès des divers publics qui participent à ces activités.

7.1. LE CHOIX D'UN THÈME : FIL CONDUCTEUR DE L'ÉVÉNEMENT

Au-delà des aspects techniques de l'organisation d'un événement, le relationniste doit d'abord en maîtriser le contenu. Par exemple, s'il doit élaborer le programme d'un congrès, il lui faut bien connaître le thème de la rencontre afin d'être en mesure de concevoir un programme et d'inviter des conférenciers en mesure d'apporter une contribution pertinente. En outre, le relationniste déterminera le thème général de l'événement, s'il en assume la direction. Qu'il s'agisse d'une assemblée annuelle, de l'inauguration d'un siège social ou d'une nouvelle usine, du lancement d'une campagne de financement, d'un salon d'exposition, d'un gala ou d'un colloque scientifique, ces activités doivent proposer un thème fédérateur comme point d'ancrage à toute stratégie de communication déployée dans le cadre de cet événement.

Une thématique doit donc être conçue afin d'orienter la réalisation de l'événement et de permettre aux participants d'identifier un vecteur de communication qui répond clairement à l'objectif de cette activité. Dans un événement de petite ou de très grande envergure, il est de première importance de centrer la communication autour d'un thème rassembleur, comme le rappelle Dumas (2010). Le thème retenu servira de fil conducteur pour établir une programmation d'activités et pour élaborer les éléments d'information, tant leur contenu que leur design.

Dans le choix du thème, il faut toutefois demeurer dans les limites de la cohérence et du réalisable. Si le concept de base d'une thématique demande inévitablement des dépenses somptuaires, dépassant les moyens financiers de l'organisation, mieux vaut se tourner vers une autre approche. C'est ainsi que le relationniste tiendra compte du contexte global de l'organisation dans le choix d'un thème et dans le montage du budget requis pour la réalisation de l'événement.

En outre, le relationniste aura souvent à apporter sa collaboration pour assurer la participation de son organisation à des événements dont la thématique a déjà été choisie. Pour ce type d'événement, il n'est pas le maître d'œuvre mais un simple participant. Il lui faut alors intégrer la présence de l'organisation à une thématique prédéterminée (exemple : le Salon de l'habitation), tout en mettant en évidence la spécificité de son message institutionnel. À l'instar de tous les participants à cet événement, le relationniste devra ajuster l'orientation de son message avec le thème central (d'un congrès ou d'une exposition, par exemple). Il faut alors réussir à atteindre un double objectif : s'intégrer et se démarquer. Ainsi, tout en traitant la thématique centrale de manière conforme à l'esprit de l'événement, le relationniste développe une contribution originale par un traitement inédit de cette thématique. Normalement, la meilleure façon d'y arriver est de mettre en évidence la force distinctive de l'organisation.

7.2. UNE LOGISTIQUE À TOUTE ÉPREUVE

Une fois le thème choisi, ou son angle de traitement dans le cas d'une thématique prédéterminée, le relationniste aura à effectuer la gestion d'ensemble du projet. Dans un premier temps, il dressera la liste de tous les éléments qui composeront la participation de l'organisation à cet événement ainsi que les ressources humaines, technologiques et financières qui sont affectées à ce projet. Par la suite, il établira un scénario préliminaire de l'événement et une nomenclature des tâches à réaliser. En utilisant la méthode de stratification, il divisera l'ensemble des activités à accomplir en blocs comprenant chacun une série de tâches regroupées par catégories. Cette liste devra être complétée le plus rapidement possible afin d'être en mesure d'obtenir les approbations nécessaires, notamment sur un devis budgétaire et sur la liste des ressources requises pour la réalisation de l'événement.

Dans la planification initiale, le relationniste déterminera un échéancier détaillé, en distinguant, dans le processus de réalisation, ce qui doit être fait dès maintenant de ce qui peut être reporté à plus tard :

> La composante dite de planification opérationnelle consiste à préparer le calendrier d'exécution des différentes tâches et à identifier, le cas échéant, les liens et les interdépendances entre chacune d'entre elles [...] Le calendrier d'exécution doit indiquer très précisément au responsable de projet à quel moment chacune des tâches débute et prend fin de manière à réaliser le projet selon les objectifs (Théorêt, 2004, p. 77).

Certains éléments du projet peuvent être réalisés très tôt dans l'échéancier, évitant ainsi les affres de l'inévitable congestion de dernière minute, alors que toutes les tâches semblent converger vers une gestion de crise durant la semaine précédant la tenue de l'événement! En ce sens, l'organisation d'un événement peut être considérée comme une course à obstacles : plus on établira une cartographie précise des difficultés et des risques qui pourront survenir, meilleures seront les chances d'atteindre les objectifs fixés et de respecter l'échéancier.

De plus, toute organisation d'événement fait appel à une connaissance des éléments reliés au protocole, selon l'approche communicationnelle développée par Louis Dussault :

> Il n'est aucune des interventions du protocole qui ne soit instrument de communication : appréhender correctement le message qu'un événement est censé véhiculer, établir le scénario qui en sert l'intention, identifier le lieu approprié pour sa tenue et son aménagement, déterminer dans l'espace disponible la place que chacun occupera selon la préséance, préciser les gestes formels que les personnalités auront à accomplir et le niveau des honneurs

> qui leur seront témoignés, dresser la liste appropriée d'invités [...]
> Une action protocolaire couronnée de succès est une symbiose
> de ces divers éléments, lesquels ont en commun de concourir à
> favoriser l'émergence du sens qu'est supposée comporter toute
> activité de la vie publique (Dussault, 2009, p. 6).

Dans le cadre de certains événements de nature gouvernementale ou politique, le respect des règles du protocole en vigueur dans le pays concerné est incontournable. Naturellement, la connaissance du protocole est utile pour tout type d'activités publiques, surtout ceux où des participants proviennent de pays étrangers, notamment des représentants de gouvernements, ce qui nécessite la mise en place d'une structure plus formelle d'interventions.

En effet, le relationniste doit maîtriser les notions de base du protocole pour être en mesure d'élaborer un scénario de prises de parole et coordonner les interventions de chacun, selon les fonctions qu'ils ont à remplir, qu'ils soient conférenciers d'honneur, lauréats de prix, ou plus simplement l'intervenant qui aura à procéder à la coupure officielle du ruban ou à la première pelletée de terre pour inaugurer un nouveau projet de construction. Le relationniste devra intégrer les discours à un moment adéquat, selon le cadre global de l'événement, tout en sachant dans quel ordre faire intervenir les conférenciers : « Deux principes guident la préséance à appliquer lorsqu'il s'agit d'établir l'ordre des prises de parole : progresser du moins important au plus important et donner d'abord la parole à l'hôte » (Dussault, 2009, p. 106). À noter toutefois que l'on procède dans l'ordre inverse pour exprimer des salutations au début d'un discours, selon Dussault (2009, p 107) :

> [...] on commence par mentionner la [personnalité] la plus élevée
> du point de vue hiérarchique, en continuant par ordre décroissant. C'est ce que fera l'orateur au début de son allocution :
>
> 1. « Monsieur le Ministre »
> 2. « Monsieur le Maire »
> 3. « Madame la Présidente du comité culturel »
> 4. « Mesdames et Messieurs »

7.3.   ÉTABLIR UN ÉCHÉANCIER RÉALISTE

Lorsque les éléments qui composent l'ensemble d'un événement ont été répertoriés, il faut les répartir sous forme d'échéancier très détaillé. En établissant de manière réaliste une planification pour chacune des étapes à réaliser, on effectue un découpage technique en sous-étapes plus faciles à gérer. Ainsi, pour chaque tâche, une date sera fixée et un responsable sera désigné.

La répartition des tâches et l'établissement de l'échéancier constituent les deux principales étapes dans la planification d'un événement. Le relationniste le fera de manière très rigoureuse pour éviter toute erreur de planification. En effet, s'il n'arrive pas à déterminer le temps requis pour chaque tâche avec réalisme ou s'il oublie certaines étapes, cela peut compromettre le succès de l'événement. C'est pourquoi il est nécessaire d'avoir recours à des outils pouvant faciliter la tâche de planification, tel le diagramme de Gantt[1]. Pour gérer le suivi des tâches, on peut aussi avoir recours à l'un des nombreux logiciels de gestion de projet disponibles sur le marché et qui facilitent l'organisation et le suivi des activités à réaliser. Il sera ainsi plus facile de répartir les tâches entre collaborateurs et fournisseurs, selon un échéancier mis en forme sous le modèle de Gantt ou selon la planification propre au logiciel de gestion de projet qui est utilisé.

La délégation des tâches auprès des membres d'une équipe doit respecter quelques règles : premièrement, s'assurer de la compétence de la personne ou de l'organisation à qui une responsabilité est confiée. L'organisation d'événements est une véritable chaîne dont les composantes sont toutes interdépendantes les unes des autres : si un maillon ne respecte pas son mandat ou son échéancier, c'est l'ensemble du processus qui en souffrira. Il est donc préférable de transiger avec des fournisseurs reconnus pour leur expertise et leur fiabilité, plutôt que de confier un mandat à des nouveaux venus car il est alors impossible de se porter garants de la fiabilité de leurs services. Si l'on doute un tant soit peu de leur capacité à satisfaire les exigences du mandat, il ne faut pas hésiter à prendre des références sur ces fournisseurs ou à en choisir d'autres, en s'adressant à des collègues ou à des membres d'associations professionnelles.

Deuxième règle : le relationniste se réserve uniquement les tâches qu'il peut accomplir avec aisance tout en coordonnant l'événement dans son ensemble. Son rôle est d'abord et avant tout celui d'un chef d'orchestre. Il ne doit pas négliger ce rôle de coordination en se concentrant sur des tâches ponctuelles (par exemple en rédigeant tous les documents lui-même ou en tenant à concevoir les croquis d'un fond de scène). Pour éviter les conflits entre son rôle de coordination de l'événement et la réalisation de certaines tâches, le relationniste doit trancher en faveur du rôle de coordonnateur et déléguer tout le reste.

---

1. Aussi appelé « Planification Koosh Kins », développée par la firme Ketchum Public Relations de San Francisco et illustrée à la figure 8.1, dans Dennis L. Wilcox, Phillip H. Ault et Warren K. Agee, *Public Relations : Strategies and Tactics*, 3e éd., New York, Harper Collins, 1992, p. 180.

Troisième règle : tenir régulièrement des réunions avec l'équipe de travail pour faire le point et assurer une coordination harmonieuse des tâches à réaliser par les membres de l'équipe. Ces réunions permettent aux personnes de travailler en étroite collaboration, ce qui est essentiel au succès de l'événement. En mettant fréquemment en contact les membres du comité organisateur, les rencontres permettent d'améliorer la cohésion et de susciter l'expression des idées. De cette idéation surgissent souvent des éléments innovateurs qui sont à l'origine des grands événements.

Au début des travaux, le calendrier des rencontres du comité organisateur est moins dense mais, plus on se rapproche de l'événement, plus les réunions deviennent fréquentes, voire quotidiennes. Elles permettent à tous les membres de suivre la progression de l'organisation et de suggérer des solutions aux problèmes qui se présentent. Les rencontres sont aussi des occasions privilégiées pour repérer à temps d'éventuelles erreurs ou les points faibles de l'équipe. Enfin, et non la moindre raison, les réunions d'équipe permettent de développer le plaisir de travailler ensemble et de réaliser un événement auquel chacun apporte sa contribution personnelle.

7.4. LA PARTICIPATION DES MÉDIAS À L'ÉVÉNEMENT

S'il s'agit d'un événement auquel les représentants des médias traditionnels sont invités, il faut prévoir leur participation en fonction du temps, toujours compté, dont ils disposent. Les journalistes souhaitent habituellement obtenir un accès rapide et privilégié aux intervenants principaux ou aux personnalités qui sont présentes sur les lieux. Ces rencontres doivent être planifiées à l'avance, en fonction d'agendas souvent surchargés. Pour organiser ces rencontres avec les principaux acteurs de l'événement, le relationniste doit alors prévenir ces derniers à l'avance, en montant un calendrier d'interviews qui devra figurer au scénario général de l'activité. De plus, des emplacements spéciaux pour les caméras de télévision (s'il y a lieu) sont prévus pour que les prises d'images puissent se faire avec aisance.

Il faut aussi que les journalistes et leur équipe technique obtiennent dès leur arrivée un laissez-passer et un scénario abrégé, signalant les temps forts de l'événement, afin qu'ils puissent organiser leur travail en fonction de leurs besoins spécifiques. Les médias doivent avoir en main tous les documents qui expliquent les diverses composantes d'un événement de manière à identifier rapidement ce qui pourrait les intéresser.

De plus, divers moyens technologiques peuvent être utilisés pour assurer l'échange d'information dans le cadre d'un événement. Du webinaire à la webdiffusion, en passant par les blogues et tout l'éventail des médias sociaux, il est possible d'étendre le rayonnement et l'interactivité des réseaux de communication autour d'un événement, comme en témoignent l'étude de cas présentée au chapitre 1 et celle que l'on trouve à la fin du présent chapitre. Sans oublier les systèmes d'interactions avec les participants durant l'événement : « tel le dispositif qui permet (grâce à des télécommandes avec clavier sans fil, un écran et une programmation préalable) de poser des questions aux spectateurs, d'enregistrer leurs votes, de compiler les réponses et d'afficher les résultats sur un écran, le tout en temps réel » (Branchaud, 2009, p. 156). Cette auteure présente également plusieurs autres moyens d'information utilisés dans le cadre de certains événements : création de microsites sécurisés (notamment pour l'inscription et le paiement en ligne), forums d'échanges, marketing viral, blogues, cyberlettres et publipostage par courrier électronique.

7.5. PRÉVOIR LES BESOINS DE TOUS LES PUBLICS

La planification rigoureuse et concertée d'un événement doit s'articuler autour des besoins de tous publics, les invités comme les participants, sans oublier les personnes à mobilité réduite ou souffrant d'un handicap. Dès les premiers contacts, par exemple au moment de l'inscription, il faut obtenir la liste des besoins spécifiques de la clientèle visée par l'événement, comme le rappelle Branchaud (2009, p. 135) :

> Lors de l'inscription, il faut demander d'indiquer si certains invités ont besoin d'équipement spécial pendant la durée de l'événement (d'un interprète pour le langage des signes, s'ils seront accompagnés d'un chien-guide, s'ils devront avoir accès à un fauteuil roulant ou à une chambre adaptée, etc.). Si c'est le cas, déterminez avec le responsable du site comment vous pourrez répondre à ces besoins particuliers. Par la suite, vous pourrez communiquer avec le participant et lui confirmer les ententes négociées.

Afin d'assurer une organisation sans faille, plusieurs auteurs dont Branchaud (2009) et Haywood (1984) suggèrent une approche qui intègre une planification tenant compte des points suivants :

- Thème : il sera conçu en lien avec les priorités de l'organisation et l'orientation de son positionnement tel qu'il est défini dans le plan de communication.

- Employés et collaborateurs: il faut prendre le temps de fournir aux employés le thème de l'événement et les objectifs à atteindre. S'assurer qu'ils peuvent travailler sous la pression du stress inhérent à ce genre d'événement et qu'ils portent attention aux moindres détails; vérifier également leurs disponibilités: l'organisation d'événements demande souvent de travailler durant la nuit et les fins de semaine.

- Embauches: si des contractuels sont intégrés à l'équipe, on doit leur remettre une copie du scénario final sur laquelle est mis en évidence le moment précis où doit intervenir chaque spécialiste (éclairagiste, responsable de la sonorisation, effets spéciaux, traiteur, etc.); chacun aura ainsi la même feuille de route mais elle devra être personnalisée en fonction de chaque catégorie de tâches.

- Cohérence: chaque partie doit refléter le tout et chaque composante de l'événement doit se rapporter au thème central.

- Date et heure. L'événement ne devrait pas être en compétition avec une autre activité importante durant la même journée.

- Lieu: les arrangements requis seront confirmés avec les responsables de la salle et avec les tous les fournisseurs (traiteur, régie technique, etc.).

- Planification: le plan de travail doit prévoir le détail des activités à réaliser ainsi que l'échéancier et un budget réalistes; étudier attentivement le plan final afin d'y déceler toute anomalie. Tenir des réunions régulièrement avec les membres de l'équipe pour s'assurer qu'ils sont à l'aise avec les responsabilités individuelles qui leur sont attribuées.

- Invitations: élaborer une liste de tous les invités d'honneur et des représentants des parties prenantes de l'organisation et des divers paliers de gouvernements ainsi que les actionnaires, les clients et les médias.

- Déplacements: confirmer tous les arrangements concernant le transport des participants, incluant un guide routier et un plan complet des lieux. Rendre disponible l'horaire des trains au cas où l'avion des conférenciers ou des V.I.P. aurait un retard considérable. Préparer des pochettes d'accueil fournissant les documents requis pour trouver les restaurants et les points d'intérêt dans la ville hôte.

- Hospitalité: prévoir un accueil chaleureux pour les invités. Confirmer la livraison des cadeaux et des fleurs à leur chambre. Planifier la remise de présents lors de dîners de gala ou à l'issue de conférences, notamment pour le président, les invités d'honneur, les conférenciers, etc. Les cadeaux-souvenirs peuvent être offerts à certaines catégories d'invités. Habituellement, on remet un produit illustrant la production artistique ou artisanale du pays hôte.

- Repas : prendre les arrangements nécessaires pour que soient bien sustentés les invités et les participants, dans le cadre d'aménagements qui permettent des contacts entre les personnes. Tenir compte des restrictions alimentaires selon les diverses cultures, tout en mettant en évidence les produits locaux.

- Relations de presse : le relationniste prévoit un scénario détaillé de l'événement qui sera remis aux journalistes ; une structure d'accueil facilitant la réalisation de conférences de presse et d'interviews sera prévue sur les lieux de l'événement.

- Documents : préparer une liste de tous les documents qui doivent être conçus et produits ; établir un échéancier et un budget pour chacun d'eux. On s'assure ainsi que tous les documents seront disponibles à temps, incluant les textes de discours et leur version pour le télésouffleur ; tous les éléments audiovisuels auront été testés pour assurer leur projection sans problème technique.

- Multimédia interactif : prévoir un site Web interactif qui sera mis à jour régulièrement pour suivre l'évolution de l'événement ; permettre aux participants d'avoir accès sur place à des espaces où ils pourront avoir accès à des ordinateurs. Ne pas négliger l'importance de la dimension interactive que fournissent les nouvelles technologies dans la diffusion des informations sur l'événement et la collecte des réactions des publics concernés.

- Création scriptovisuelle et design graphique : communiquer des attentes précises à tous les concepteurs de documents et de moyens scriptovisuels afin de réaliser une parfaite intégration visuelle avec la thématique et le contenu des textes. La même règle d'intégration s'impose entre le concept visuel de base et la thématique retenue. Ce concept graphique devra s'appliquer à tous les documents, afin de renforcer l'identification de l'événement et de l'organisation qui en est responsable. Le visuel doit mettre en évidence la thématique dans tous les documents produits pour l'événement.

- Enregistrement vidéo : préciser les éléments qui devront être conservés. Dans certains cas, il peut être intéressant de prévoir une captation d'images durant l'événement : les images seront montées sur place et projetées à la fin de l'activité (lors d'une soirée de gala, par exemple). Cette synthèse visuelle permet aux participants de revoir ensemble les moments forts de l'événement. Ce genre de finale peut également servir d'invitation pour les personnes présentes à participer à la prochaine édition de l'événement.

- Promotion : le matériel informationnel sera diffusé sur les lieux de l'événement, mettant en valeur la thématique, le logo de l'événement et ceux de ses commanditaires. Préparer du matériel d'information (affiches, brochures, etc.) pour les publics indirects et divers partenaires pouvant faire la promotion de l'événement.

- Répétitions : pour permettre aux intervenants de se préparer, prévoir plusieurs répétitions dont une répétition générale afin de relever les points à améliorer. Certains éléments qui semblent intéressants sur papier sont peut-être trop difficiles à réaliser ou ne cadrent tout simplement pas avec l'ensemble : des ajustements sont alors apportés.

- Prévoir la dimension écoresponsable de l'événement : des bacs de compostage, des couverts réutilisables, etc. Éviter les couverts jetables et non recyclables. L'organisation d'un événement vert est tout à fait possible et peut être annoncée clairement pour obtenir la collaboration des participants afin de réduire l'empreinte écologique de cette activité publique : «Communiquez votre engagement environnemental aux participants sur le formulaire d'inscription et sur l'accusé de réception» (Branchaud, 2009, p. 51), invitant par exemple les participants à utiliser le transport en commun pour se rendre sur les lieux des activités.

- Signalisation : prévoir des panneaux de signalisation à tous les points névralgiques, sur le site de l'événement, afin d'assurer le repérage facile des lieux par tous les participants. Ces affiches et affichettes doivent indiquer, dans les langues requises, tous les renseignements nécessaires à l'orientation des personnes et doivent mettre en évidence le logo et la thématique de l'activité en vue de faciliter le repérage visuel de l'événement ; une signalisation claire et adéquate facilitera également les livraisons. S'assurer de la facilité d'accès aux locaux et aux édifices pour les nombreux livreurs qui seront attendus avec le matériel nécessaire.

- Contingence: prévoir des solutions de rechange pour les imprévus, comme des réservations supplémentaires de chambres au cas où plus de participants se joindraient à l'événement.
- Budget: évaluer les coûts finaux pour chaque activité et comparer avec le budget initial.
- Suivi: envoyer le matériel d'information aux personnes qui n'auront pu se présenter.
- Évaluation: tenir des rencontres d'évaluation en cours d'événement et prévoir une session d'évaluation globale à la fin de l'événement.

On ne le répétera jamais assez, il est essentiel de procéder à l'évaluation durant le déploiement des activités ainsi qu'à la fin d'un projet, surtout s'il s'agit d'un événement de grande envergure. Il faut alors d'effectuer une analyse détaillée des facteurs de succès et d'échec: «L'évaluation doit également constituer la mémoire du projet. Elle doit permettre de consigner les informations et de réduire l'incertitude afférente à ce genre de projet. En fait, l'évaluation doit contribuer à l'accumulation des connaissances» (Théorêt, 2004, p. 125). Ainsi, avec les membres du comité organisateur d'un événement, le relationniste pourra documenter les conditions de réalisation optimale de l'événement. Il aura à rédiger un rapport synthèse sur l'activité réalisée, rapport qui facilitera l'organisation du prochain événement.

7.6. PARTICIPER À UNE EXPOSITION OU À UN SALON

Parmi les nombreux événements qu'organisent régulièrement les relationnistes, l'exposition et le salon constituent des activités intéressantes dans la mesure où elles illustrent des occasions de contacts directs entre les publics et l'organisation. Le salon et l'exposition sont «devenus un point de rencontre indispensable. Ils permettent aux producteurs et aux distributeurs d'un même secteur d'activité de prendre le pouls de leur marché, de présenter leurs nouveautés et, bien évidemment, d'enregistrer des commandes. La participation à un salon représente un acte courant dans la vie d'une entreprise quelle que soit la nature de son activité, quelles que soient ses motivations» (Westphalen, 1994, p. 171).

Ces événements peuvent en effet être des lieux privilégiés pour rencontrer des clients, des congressistes en provenance de nombreux pays, de nouveaux partenaires d'affaires, des collègues et de nouveaux collaborateurs, permettant de consolider les réseaux de l'organisation.

En plus de créer un contact personnalisé, l'exposition et le salon offrent la possibilité de présenter des produits et services ainsi que de la documentation, à des publics très bien ciblés. Ils permettent aussi d'obtenir, en temps réel, des réactions de ces publics. Ces événements sont également des occasions intéressantes pour mettre les employés en contact direct avec la réalité de leur secteur d'activité pour découvrir les produits et les approches de mise en marché des concurrents, se familiariser avec les avancées technologiques, découvrir les résultats de nouvelles recherches, etc.

7.6.1. À LA RENCONTRE D'UNE DIVERSITÉ DE PUBLICS

Les publics participant à des événements sont à la recherche d'informations précises sur l'organisation : sa politique de développement, ses nouveaux produits et services, les capacités de production d'une usine, etc. Il convient de documenter ces attentes pour y répondre et satisfaire les besoins d'information des participants aux événements organisés par le relationniste.

Au-delà des informations factuelles recherchées, les participants réclament habituellement du temps et une attention personnalisée. Le temps consacré à les écouter attentivement et à répondre à leurs questions doit constituer une priorité communicationnelle. Selon la nature de l'événement, une documentation sera produite pour intégrer à la fois le message de l'organisation et la réponse aux besoins des participants. Par exemple, lors d'une exposition ou d'un salon, le message et le visuel des documents sont conçus comme : « un vecteur d'image de l'entreprise qui reste entre les mains du visiteur quand il a quitté le stand et une source d'information qui "travaille" pour l'exposant après le salon » (Dumont, 1986, p. 12). Lors de foires industrielles, la qualité du stand est d'une grande importance pour accueillir et conclure des ententes avec les visiteurs. La structure même du stand sera utilisée pour la diffusion d'information (photographies géantes, plans d'usine, représentations graphiques d'un processus de production, projection multimédia sur écran géant, minisalle de conférence, écrans tactiles, clavardage, etc.). En fait, selon Westphalen (1994, p. 174) :

> [...] quels que soient les moyens mis en œuvre, tout stand doit remplir trois fonctions : être une vitrine élogieuse des produits et services de l'entreprise ; favoriser l'accueil et l'information rapide

des visiteurs; permettre aux responsables commerciaux de s'isoler avec leurs clients potentiels. Outre la traditionnelle zone d'accueil, vous disposerez d'un espace de travail calme, bien isolé [...] Prévoyez un bureau suffisamment grand pour que votre interlocuteur ne soit pas contraint de prendre des notes sur ses genoux.

On pourrait ajouter que ces espaces de communication doivent également permettre aux représentants de l'organisation de travailler avec aisance, d'élaborer des contrats, de consigner par écrit les commentaires des visiteurs, d'avoir accès à tous les équipements informatiques requis durant la tenue du salon ou de l'exposition, tout en ayant accès à des serveurs de courrier électronique, etc. Dans certains centres de congrès et d'exposition de grande envergure, les stands se présentent sous une forme facilitant la confidentialité des échanges: l'architecture est alors élaborée sur deux paliers, incluant une salle où les participants peuvent s'isoler avec le représentant de l'organisation.

Dans le contexte de tels événements, aussi bien internationaux que locaux, les moyens interactifs de communication multimédia contribuent à l'animation des stands comme de l'ensemble des grandes surfaces. En effet, comme le rappelle Dumas (2010, p. 237):

Si l'imprimé et l'audiovisuel conservent toujours une bonne place, les nouvelles technologies de communication s'imposent: les kiosques d'information disparaissent peu à peu au profit des écrans tactiles, les sites Web officiels sont de plus en plus développés et interactifs, l'Internet mobile permet le réseautage entre les organisateurs et les visiteurs, les caméras Web élargissent l'audience au-delà même des seuls visiteurs en offrant des visites virtuelles aux internautes du monde entier.

Mais quels que soient le type d'espace et les moyens technologiques auxquels ont recours les relationnistes, la qualité de l'accueil et de l'information repose d'abord sur le travail des personnes qui animent le stand. Ce sont elles qui entrent en interaction avec les participants et les visiteurs, permettant l'atteinte des objectifs de communication durant toute la tenue de l'événement. L'image que projette l'organisation lors d'une exposition ou d'un salon est souvent la seule que retiendront les participants à l'événement. Il ne faut donc pas lésiner sur la formation offerte aux animateurs du stand qui seront en contact privilégié avec le public. Il faut prendre le temps de préparer à l'avance les équipes qui travailleront sur place lors de l'événement: leur fournir les dernières informations sur l'organisation et tous les documents requis, notamment des fiches de format «questions-réponses» afin d'être en mesure d'apporter les renseignements requis au public.

Par ailleurs, il faut savoir que les concurrents de l'organisation se présenteront également sur les lieux et tenteront d'en savoir plus sur les activités, les produits, le service après-vente, les prix et le programme de garantie de l'organisation. Comme l'espionnage industriel a encore cours dans certains secteurs, il faut aussi prévoir les conséquences de la diffusion de l'information dans le cadre d'un événement, en termes de divulgation d'informations privilégiées ou de secrets industriels, de découvertes scientifiques, etc.

Pour certains employés, ce sera un privilège de représenter l'organisation, parfois à l'extérieur du pays; il faut alors les préparer à des interventions souvent complexes, tenant compte des spécificités culturelles des participants. En outre, il est très exigeant d'accueillir des centaines de visiteurs durant plusieurs jours, la plupart du temps debout à un stand. Par conséquent, il convient d'apporter du soutien aux employés pour leur permettre de travailler avec aisance, sans outrepasser leurs forces. Donc, prévoir plusieurs personnes pour animer un stand; des équipes pourront ainsi se relayer et apporter du renfort aux heures de pointe.

7.6.2. Recherché: expert en gestion d'événements

Le relationniste aura souvent à transiger avec des firmes spécialisées en gestion d'événements, notamment pour la conception et le montage de stands. Ces firmes peuvent concevoir un simple stand ou un événement livré clés en main. Il faut toutefois garder à l'esprit que le relationniste demeure le maître d'œuvre de la réalisation de l'événement, au nom de son organisation. Malgré la délégation de pouvoirs à des fournisseurs externes, il doit continuer d'exercer la supervision globale du dossier.

Le relationniste doit également tenir compte de l'évolution des goûts et des attentes des participants. La conception d'un stand doit permettre de le réutiliser durant quelques années, en ne modifiant que les éléments visuels et multimédias qui assurent une adaptation au contenu selon la nature de chaque type d'événement. Il est donc préférable d'éviter les structures de stand qui deviendront rapidement désuètes. En outre, si l'utilisation d'une technologie interactive est essentielle, il faut toutefois penser à sa mise à jour fréquente. Plus la conception du stand est complexe, plus il est dispendieux à entretenir, à déplacer et à monter, d'où l'importance de bien connaître les conditions contractuelles des firmes spécialisées dans ce domaine.

7.6.3. LES ÉVÉNEMENTS INTERNATIONAUX

Si une organisation participe à des expositions à l'étranger, le relationniste doit se renseigner sur les dimensions propres à la culture du pays, à son climat politique et aux conditions économiques qui y règnent, sans oublier les aspects suivants :

- conditions de déplacement des personnes et du matériel ;
- délai de transit aux douanes du pays ;
- frais d'installation et obligation syndicale d'utiliser des équipes locales pour certains aspects du travail, par exemple pour le montage et le démontage des stands ;
- habitudes d'affaires pour ce qui est des espaces privés utilisés à des fins de consultation ;
- lois et règlements, traditions religieuses ou traits culturels qui interdisent l'utilisation de certains visuels, qui prescrivent certaines vêtements ou limitent le choix des boissons et aliments à servir ; documenter également le style de négociations en vigueur selon chaque culture d'affaires.

Dans le cas des événements de très grande envergure, tels que les expositions internationales ou les jeux olympiques, le relationniste peut mettre en application les principes de la gestion de projet, tels qu'ils sont présentés dans ce chapitre. Mais une approche de coordination à plus grande échelle doit être déployée, demandant une expertise très pointue ; c'est pourquoi certains relationnistes se spécialisent dans ce genre d'événements à grand déploiement, telles les rencontres du G8, du G20, les réunions de l'ONU, etc. Un plan de communication plus complexe doit alors être prévu. Des exemples de plan de communication sont présentés dans l'ouvrage de Michel Dumas (2009) sur les expositions universelles. On y trouve de précieux conseils qui peuvent également servir pour d'autres activités internationales :

> Une exposition doit disposer d'un plan directeur de communication et s'appuyer sur une équipe de professionnels en communication publique et en communication marketing pour mener à bien ses opérations. C'est seulement à cette condition que l'exposition pourra maintenir des relations optimales avec tous ses publics et en même temps atteindre ses objectifs [...] (Dumas, 2009, p. 233).

L'organisation de tels événements et la réalisation des plans directeurs de communication s'échelonnent sur plusieurs années et requiert un investissement d'énergie et de temps considérable. Les plus jeunes relationnistes commencent habituellement à réaliser des tâches techniques dans le cadre de ces événements internationaux, sous la supervision d'une équipe de seniors. Puis, avec l'expérience, ils peuvent atteindre la maîtrise plus globale d'une grande diversité de tâches. Les professionnels en relations publiques qui œuvrent ainsi à la réalisation d'un événement d'envergure internationale travailleront au sein d'équipes chevronnées:

> Les ressources physiques, humaines et financières consacrées à la communication impressionnent aussi. Les équipes de communication comptent des dizaines de personnes auxquelles se joignent des représentants d'instances gouvernementales, d'organisations du milieu et de consultants externes. Souvent elles opèrent de grands centres de presse et gèrent même de véritables entreprises de presse: stations de télévision et de radio, journal quotidien ou agence de nouvelles. Sans oublier qu'elles font aussi de la production pour des chaînes de télévision ou de radio (Dumas, 2009, p. 236).

S'il choisit de se spécialiser dans l'organisation d'événements internationaux, le relationniste doit avoir beaucoup de disponibilité pour voyager et il lui faut maîtriser plusieurs langues, dont au moins l'anglais. Il devra également connaître les lois et les règlements qui régissent les échanges internationaux et les spécificités des cultures locales. Quant aux événements à caractère commercial, tel le Salon du Bourget, spécialisé dans le domaine de l'aéronautique et de l'espace, ils exigent une connaissance approfondie des particularités de la communication d'affaires et de l'économie globalisée. Forts de ces connaissances, les relationnistes peuvent alors participer de manière active au développement du réseautage international de l'organisation et camper de manière forte sa posture identitaire sur l'échiquier mondial, dans son secteur d'activité.

Enfin, une fois l'événement terminé, ses suites sont souvent importantes pour assurer les retombées culturelles, commerciales et économiques de l'activité, surtout dans le cas d'événement internationaux, comme le précise Dumas (2010, p. 234):

> Les expositions aujourd'hui prévoient mieux la réutilisation des pavillons et des autres bâtiments. Elles génèrent toujours des retombées socioéconomiques comme des gains de productivité et de consommation, l'augmentation du tourisme ou l'amélioration des infrastructures. Cependant, on doit se préoccuper de plus en plus de leur héritage social: rapprochement entre les peuples et les individus mais aussi avancement de la réflexion sur le thème central de l'exposition.

C'est ainsi que les activités des professionnels en relations publiques contribuent non seulement à assurer le succès d'un événement mais également à communiquer le legs social que représente la pérennité d'un événement.

7.6.4. Réseautage et collaboration

L'organisation d'événements est une excellente occasion de consolider le réseautage d'une organisation. Il permet d'établir des partenariats et de créer des alliances, soit par la commandite, la colocation d'un espace d'exposition ou la création d'un événement à l'intérieur d'une autre activité :

> Une façon originale d'exploiter un événement consiste à créer un autre événement qui s'y insère [...] La remise de bourses, de prix et l'organisation de concours sont les formules les plus utilisées pour créer «un événement dans l'événement» (Boulet, 1989, p. 118).

Le réseautage permet aussi de consolider l'ancrage d'une organisation dans son environnement social ou d'affaires. Dans le cas d'organisations disposant d'un budget restreint pour ce type d'activité, la participation cooptée permet d'assurer une présence à peu de frais lors de certains événements auxquels des organismes sans but lucratif, des organisations humanitaires ou des groupes citoyens désirent participer. En outre, la consolidation de partenariats peut donner lieu à des opérations de réseautage entre des organisations intéressées à partager leur visibilité dans le cadre d'un événement où il leur est mutuellement profitable d'être présents.

7.7. QUELQUES CONSEILS

- Il ne suffit pas de préparer un événement et d'y présenter le stand le plus intéressant, encore faut-il y attirer des visiteurs et des participants. Si un programme ou un catalogue est produit, on peut y réserver un espace publicitaire afin de maximiser la visibilité de l'organisation et de son stand auprès des milliers de participants. Il faut alors se démarquer : l'originalité du stand, la chaleur de l'accueil et la qualité des présentations contribuent à l'efficacité du positionnement institutionnel.

- Profiter d'une exposition pour solliciter l'opinion des visiteurs : cette démarche fournit des informations intéressantes sur les perceptions à l'égard du nouveau produit, du service de point ou de l'organisation en général.

- Ne pas attendre à la dernière minute pour s'inscrire à une exposition ou à un salon : plus on le fait tôt, meilleures sont les chances d'obtenir un emplacement intéressant sur le site. Le choisir près des lieux occupés par les concurrents ou les membres d'un même secteur d'activité (si possible au cœur du site, plutôt que dans un endroit isolé où peu de visiteurs se présenteront).

- Lors d'événements qui sont récurrents sur une base annuelle, il peut être intéressant de réserver le même emplacement pour que les visiteurs retrouvent facilement le stand d'une organisation. Il faut alors renouveler l'angle promotionnel pour que le public n'ait pas une impression de déjà-vu en visitant ce stand. Il faut chaque fois ménager des effets qui capteront l'attention et l'intérêt des visiteurs.

- Être soucieux de l'empreinte écologique résultant de toute activité publique et adopter des pratiques et des méthodes de travail socialement responsables :

  Plusieurs sites ou établissements sont déjà sensibilisés à la gestion écologique des matières résiduelles et ont mis en place des programmes de récupération, de recyclage et de compostage qu'ils offrent à leurs clients. Renseignez-vous auprès de la personne-ressource si le site applique un tel programme. Si ce n'est pas le cas, il est possible d'engager une entreprise spécialisée en gestion environnementale. Avec eux, vous pourrez établir des objectifs, évaluer la nature et la quantité de déchets [...], déterminer les méthodes de collecte sur le site et de transport vers les entreprises de récupération (Branchaud, 2009, p. 151).

Enfin, quel que soit l'envergure de l'événement à organiser, la contribution des relationnistes au succès ou à l'échec de l'activité est liée à l'approche stratégique qu'ils adoptent et à leur maîtrise des moyens de communication, incluant les multimédias interactifs. Ces moyens doivent faciliter la pleine participation des employés, la mise en réseaux des partenaires et l'établissement de communications dialogiques avec les publics de l'organisation.

CONCLUSION

La communication avec les parties prenantes d'une organisation ou avec de vastes segments du public peut se faire à travers des événements qui permettent aux interlocuteurs de se rencontrer et d'établir des échanges fructueux. Elle suppose des dispositifs permettant la mise en dialogue de divers publics, avec le souci d'apprendre autant que de diffuser de l'information.

Rigueur dans la gestion des contenus et créativité dans son mode de réalisation sont les bases de la gestion d'un projet événementiel, tout en tenant compte de sa dimension écoresponsable. Que ce soit au pays ou à l'étranger, la méthode de gestion du projet doit être établie à l'aide d'outils de travail fiables, en concertation avec des équipes chevronnées. Il importe d'agir en étroite collaboration avec tous les partenaires, en fonction d'un découpage minutieux des tâches à accomplir. Réalisé dans le respect de la culture organisationnelle et des attentes des publics, tout événement doit avoir comme trame de fond une thématique forte afin que l'organisation s'y investisse de manière cohérente, selon les caractéristiques de son expertise, en phase avec son positionnement idéologique.

ÉTUDE DE CAS

Entreprise ou organisation

Agence d'évaluation des technologies et des modes d'intervention en santé (AETMIS)

Campagne ou action

HTAi 2008 : Promouvoir l'évaluation des technologies de la santé pour la gouvernance des systèmes de santé

Distinction

Prix d'excellence Argent 2009 de la Société québécoise des professionnels en relations publiques (SQPRP)

Catégorie : **Événement**

Lauréats

Diane Guilbault
Responsable des communications et l'équipe des communications

Richard D. Lavoie
Consultant en communications
Agence d'évaluation des technologies et des modes d'intervention en santé (AETMIS)
<www.aetmis.gouv.qc.ca/site/index.php?accueil>

Agence d'évaluation
des technologies
et des modes
d'intervention en santé

Québec ❧❧

1. PRÉSENTATION

Du 6 au 9 juillet 2008, Montréal fut l'hôte de HTAi 2008, cinquième rencontre annuelle de Health Technology Assessment International (HTAi) et première à se tenir en Amérique. HTAi est un organisme scientifique international qui regroupe les praticiens et les utilisateurs de l'évaluation des technologies de la santé (ETS), un outil de plus en plus essentiel à la saine gouvernance des systèmes de santé. Fondé en 2003, HTAi tient depuis 2004 une rencontre scientifique internationale à l'occasion de son congrès annuel. Avant Montréal, ces rencontres avaient eu lieu à Cracovie, Rome, Melbourne et Barcelone.

Selon le cahier des charges de HTAi, la rencontre annuelle est répartie sur quatre jours. La première journée est consacrée à des ateliers de formation et de travail. La conférence scientifique en tant que telle occupe les journées suivantes. L'assemblée générale annuelle de HTAi et un ensemble d'activités sociales sont aussi au programme.

La rencontre de Montréal a été organisée par l'Agence d'évaluation des technologies et des modes d'intervention en santé (AETMIS), une agence du gouvernement du Québec qui joue un rôle-conseil auprès du ministre de la Santé et des Services sociaux et des instances décisionnelles du système de santé québécois.

Chaque rencontre annuelle est l'occasion pour HTAi de poursuivre des objectifs spécifiques, qu'ils soient d'ordre organisationnel (niveau et composition des effectifs des membres, par exemple), politique (promotion de l'évaluation des technologies de la santé auprès des instances décisionnelles) ou autre. À ces objectifs de HTAi s'ajoutent ceux de l'organisme hôte.

Ce texte concerne la tenue de HTAi 2008 et sa campagne de promotion comme opérations de relations publiques visant l'atteinte des objectifs de HTAi et de l'AETMIS. L'événement a également été l'occasion de rencontres de travail pour le conseil d'administration et certains comités de HTAi ainsi que pour l'INAHTA (International Network of Agencies for Health Technology Assessment), un réseau international d'organismes gouvernementaux, para-publics et privés engagés dans l'évaluation des technologies de la santé. Comme ces rencontres de travail ne sont pas ouvertes au public, elles ne sont pas considérées ici, bien qu'elles aient eu une incidence sur l'organisation de la partie publique de l'événement.

2. PROBLÉMATIQUE, ENJEUX ET OBJECTIFS DE RELATIONS PUBLIQUES

Depuis plus de trente ans, l'évaluation des technologies de la santé (ETS) est une activité scientifique destinée à éclairer la prise de décision dans le domaine de la santé. À l'heure où les nouvelles technologies constituent un intrant majeur pour tous les systèmes de santé, l'ETS peut fournir une information rigoureuse et transparente sur l'innocuité, l'efficacité et l'efficience des innovations technologiques et organisationnelles, en tenant compte de leur contexte d'implantation. À ce titre, elle s'avère un outil de pointe pour tous les décideurs des services de santé, du clinicien et du gestionnaire d'hôpital au décideur politique. HTAi est engagé dans la promotion de l'ETS comme fonction de gouvernance des systèmes de santé et dans le développement des meilleures pratiques en la matière. Cependant, la méconnaissance de l'ETS parmi les décideurs du milieu de la santé, la pénurie de chercheurs engagés dans le domaine, de même que la résistance exprimée par une partie de l'industrie pharmaceutique et celle des technologies médicales, qui perçoivent l'ETS comme un frein à l'introduction de nouvelles technologies, sont autant d'obstacles à son adoption généralisée.

Par ailleurs, HTAi est une organisation jeune, surtout implantée en Europe (voir graphique 1). L'atteinte de ses objectifs stratégiques passe par une extension de son aire d'influence, notamment en Amérique du Nord, et plus particulièrement aux États-Unis. De plus, les avancées rapides des systèmes de santé des pays en émergence, dont ceux d'Asie et d'Amérique latine, en font un terrain propice pour l'implantation de l'ETS comme outil de bonne gouvernance. C'est pourtant au sein de ces systèmes de santé que les ressources en ETS sont les plus rares et la culture de l'évaluation, la moins développée. L'inclusion des professionnels de ces pays à la communauté de l'ETS est donc urgente et capitale à la réalisation de la mission de HTAi.

Répartition géographique des membres, 2008 (total : 1017)

- Europe
- Asie
- Canada et É.-U.
- Amérique latine
- Océanie
- Afrique et Moyen-Orient

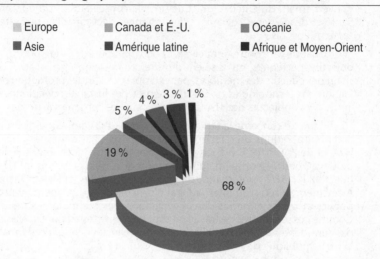

En mars 2008, avant la tenue de HTAi 2008 à Montréal, les membres individuels de HTAi provenaient pour plus des deux tiers d'Europe, comme le montre le graphique 1. Les membres du Canada et des États-Unis ne représentaient que 19 % des membres (6,8 % des États-Unis). La pénétration dans les pays en émergence était par ailleurs très faible : seulement 7 % des membres provenaient de pays autres que ceux de l'OCDE (graphique 2).

GRAPHIQUE 2
Répartition des membres, OCDE et autres, 2008 (total : 1017)

- OCDE
- Autres

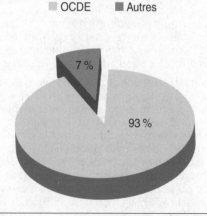

Un des objectifs de HTAi pour sa 5e rencontre annuelle était donc de consolider ses assises en Amérique du Nord, aux États-Unis notamment. L'augmentation de la participation de professionnels de pays en émergence était un autre objectif important.

Le choix de la ville et de l'organisme hôte s'est imposé de lui-même : 2008 marquait le 20e anniversaire de l'AETMIS, pionnière dans le domaine de l'ETS et toujours à l'avant-garde des pratiques en la matière. De plus, l'AETMIS a développé un réseau de collaboration avec plusieurs organismes latino-américains œuvrant dans le domaine. L'accessibilité au marché nord-américain et l'ouverture à l'Amérique latine étaient donc garantis par le choix de l'AETMIS.

L'AETMIS a été chargée à l'automne 2006 de présider à l'organisation de HTAi 2008, d'en préciser les orientations et d'en élaborer et d'en diriger la campagne de promotion. L'Agence a été appuyée dans son mandat par la firme OPUS 3.

2.1. Des buts et des enjeux multiples et complexes

Les buts de HTAi 2008, convenus entre HTAi et l'AETMIS, étaient multiples, en fonction des objectifs stratégiques de chacun des organismes. HTAi 2008 devait donc :

- promouvoir l'ETS comme fonction de gouvernance, en particulier dans les systèmes de santé en émergence (en l'occurrence, l'Amérique latine) ;
- augmenter le rayonnement et la base de HTAi dans les Amériques, en particulier aux États-Unis ;
- obtenir une participation d'un minimum de 700 personnes ;
- offrir une tribune à l'expertise québécoise et canadienne en ETS à l'occasion du 20e anniversaire de l'AETMIS ;
- favoriser une approche écoresponsable.

Les publics visés par HTAi 2008 et par sa campagne de promotion étaient les praticiens et les utilisateurs avérés et potentiels de l'ETS dans les milieux universitaires, gouvernementaux, hospitaliers et de la santé en général, principalement dans les Amériques.

Les enjeux de communication étaient également importants :

- en plus de l'anglais, langue officielle de HTAi et de sa rencontre annuelle, assurer la présence des autres langues officielles des Amériques : le français, l'espagnol et le portugais[1] ;
- démarquer HTAi 2008 à Montréal dans l'importante offre de congrès en sciences de la santé et susciter un intérêt de participation malgré la date tardive dans la saison des congrès scientifiques ;

---

1. L'AETMIS étant un organisme du gouvernement du Québec, l'utilisation du français dans les communications était impérative, bien que la langue officielle de l'événement fût l'anglais.

- rejoindre une clientèle internationale tant de scientifiques que de gestionnaires et de décideurs politiques, dans des systèmes de santé aux caractéristiques, besoins et enjeux extrêmement diversifiés.

2.2. La détermination d'un thème : L'ETS en contexte

Le thème de HTAi 2008 a été choisi par le comité organisateur local de concert avec le conseil d'administration de HTAi et le comité scientifique international, afin d'inscrire la promotion de l'ETS dans la diversité des contextes de pratique des publics visés. « *HTA in context*[2] » (L'ETS en contexte) est apparu comme un thème rassembleur. Ce thème général a été décliné en trois volets, explorant chacun un enjeu stratégique.

Le volet *HTA and Governance in the Americas* (L'ETS et la gouvernance dans les Amériques) s'intéressait aux multiples usages de l'ETS afin d'améliorer la gouvernance de systèmes de santé à des niveaux différents de développement, tant en Amérique du Nord qu'en Amérique latine.

Le volet *HTA in Hospitals* (L'ETS dans les hôpitaux) mettait en valeur la pratique d'une ETS près des réalités cliniques et de gestion des établissements de santé. L'AETMIS est au cœur d'un réseau d'unités d'ETS dans les hôpitaux universitaires québécois, modèle à la fine pointe des pratiques dans le domaine. Il s'agissait d'une vitrine unique pour l'expertise développée au Québec.

Enfin, le volet *Enabling the Introduction of Promising Technologies : The Role of HTA* (Faciliter l'introduction de technologies prometteuses : le rôle de l'ETS) illustrait comment l'industrie, les autorités de santé et la communauté de l'ETS pouvaient collaborer pour accélérer l'accès aux technologies de la santé les plus performantes. Ce volet visait à contrer la perception négative de l'ETS au sein d'une partie de l'industrie[3].

Une fois les thèmes choisis, l'élaboration du programme scientifique de HTAi 2008 a été confié à un comité international d'experts, afin d'en assurer le plus haut niveau de qualité scientifique.

3. LE PROGRAMME DE RELATIONS PUBLIQUES

Même si la campagne promotionnelle de HTAi 2008 partageait les mêmes objectifs stratégiques généraux que l'événement lui-même, la nature de ses objectifs spécifiques nous a incités à en faire une présentation distincte. La présentation du programme de relations publiques a donc été divisée en deux volets. Dans un premier temps sera présenté le programme de relations publiques entourant HTAi 2008. L'événement lui-même comme opération de relations publiques sera décrit dans un deuxième temps.

---

2. Comme la langue officielle de HTAi 2008 était l'anglais, la version officielle du programme scientifique est en anglais. La traduction française n'est pas officielle.
3. Ce volet a par la suite été précisé par le comité scientifique international chargé de l'élaboration du programme final : *Conditional coverage and evidence development for promising technologies*.

3.1. La campagne promotionnelle

La préparation de la campagne promotionnelle de HTAi 2008 s'est effectuée de janvier à juin 2007. La campagne a été lancée en juin 2007, à l'occasion de la rencontre HTAi 2007 tenue à Barcelone. Un budget de 124 000 $ y a été affecté, budget qui a été respecté.

3.1.1. Les éléments clés

• Tabler sur l'image de marque de grande qualité scientifique et d'expertise de pointe des acteurs de la scène québécoise de l'ETS afin de démarquer HTAi 2008 dans l'offre de congrès en sciences de la santé.

• Mettre en valeur les qualités de Montréal et du Québec comme destinations d'affaires et touristiques pour toute la famille (cosmopolitisme, convivialité, créativité, événements culturels, patrimoine bâti, services hôteliers de qualité, accès à la nature, 400e de Québec, etc.) afin de susciter une participation maximale malgré la date tardive dans la saison des événements scientifiques.

• Mettre l'accent sur les médias spécialisés et les événements scientifiques significatifs compte tenu des caractéristiques de la clientèle de scientifiques et de décideurs.

• Utiliser systématiquement, en plus de l'anglais, le français, l'espagnol et le portugais, afin de démontrer l'ouverture aux réalités particulières des divers publics cibles, en particulier ceux de l'Amérique latine et du Québec.

• Mettre en valeur le caractère humain et convivial de l'événement.

• Utiliser au maximum les supports et les moyens électroniques et audiovisuels, dont un site Web dynamique axé sur l'interaction avec la communauté scientifique et celle des décideurs de la santé.

• Adopter une approche graduée au cours de l'année de promotion, depuis le congrès 2007 à Barcelone jusqu'à HTAi 2008, afin de créer un *momentum* dans la communauté.

• Enfin, utiliser des moyens de promotion écoresponsables, à l'image de l'événement.

3.1.2. Les outils et les activités de promotion

La signature visuelle de l'événement, synthétisée dans l'affiche promotionnelle et reprise dans l'ensemble des moyens de communication et de promotion, visait à souligner la convivialité de l'événement et son inscription dans l'action, tout en mettant Montréal en valeur de même que le caractère écoresponsable de l'événement. L'affiche montre des personnages de professionnels de la santé en silhouette, qui semblent marcher vers une représentation du profil bâti de Montréal. L'utilisation du vert rappelle les efforts pour le développement durable de l'organisation. Le jeu de caractères est le même que celui utilisé pour les rencontres annuelles antérieures de HTAi. Enfin, on y retrouve les logos de HTAi et de l'AETMIS, de même que le thème de la conférence, « *HTA in context* » (L'ETS en contexte).

Plusieurs outils ont été élaborés et leur mise en œuvre a été graduée en fonction des dates clés de l'organisation et de la promotion de HTAI 2008, culminant avec la tenue de l'événement elle-même et les communications auprès des participants et des autres personnes intéressées :

- site Web dynamique <www.htai2008.org>, un kiosque promotionnel, une affiche promotionnelle, une invitation à participer, un aimant promotionnel (très apprécié en Europe et en Amérique latine) et une vidéo promotionnelle en quatre versions (français, anglais, espagnol et portugais), lancés lors de HTAi 2007, en juin à Barcelone. Le site Web a connu un développement tout au cours de l'année, avec l'ajout notamment de témoignages vidéo de participants potentiels sur le thème « Moi, j'y serai »/« *I'll be there*!». Le dépliant promotionnel a été mis à jour en février 2008. Les documents imprimés l'ont été sur papier recyclé à 100 % ;

- une infolettre à laquelle toute personne intéressée pouvait s'abonner pour se tenir au courant des développements entourant HTAi 2008 (total : 2320 abonnés). La fréquence de diffusion de l'infolettre a été ajustée aux dates clés de l'organisation de HTAi 2008. Cette fréquence a augmenté progressivement afin de créer un *momentum* dans les semaines précédant l'événement. L'infolettre a de plus été publiée de façon quotidienne pendant les quatre jours de HTAi 2008 ;

- un cahier spécial du quotidien *Le Devoir*, publié le week-end précédant l'événement, soulignant l'utilité de l'ÉTS pour la gouvernance, les 20 ans de l'AETMIS et la tenue de HTAi 2008 à Montréal.

Tout au cours de l'année de promotion, le matériel promotionnel a été distribué dans des événements scientifiques d'envergure, au Canada comme à l'étranger, par la tenue du kiosque promotionnel ou encore par son inclusion dans les trousses des participants. Ces activités ont pu être réalisées à faible coût, notamment par l'échange du procédé auprès d'autres organisations scientifiques. Notons qu'un effort particulier a été fait pour rejoindre les clientèles d'Amérique latine (par le biais du ministère de la Santé du Brésil et de congrès scientifiques au Mexique et dans d'autres pays hispanophones de la région) et des États-Unis (notamment au congrès AdvaMed, à Washington, en octobre 2007 et au congrès de l'ISPOR, à Toronto, en mai 2008).

3.1.3. *Les résultats*

La campagne promotionnelle de HTAi 2008 a pleinement atteint ses objectifs tout en respectant son budget et son échéancier. Déjà, le nombre d'abonnements à l'infolettre (2320) était un bon indicateur de l'intérêt que soulevait HTAi 2008 auprès des publics visés. Cet intérêt s'est concrétisé par un nombre d'inscriptions à l'événement (858) qui dépassait largement l'objectif (700). De même, la répartition des participants correspondait à ce qui était visé par HTAi et par l'AETMIS. Ainsi, 50 % des participants provenaient des Amériques, soit 31 % du Québec et du Canada, 10 % des États-Unis et un étonnant 9 % des pays d'Amérique latine. Le nombre de participants a permis à l'organisation de jouir d'une marge bénéficiaire dans la tenue de l'événement.

GRAPHIQUE 3
Provenance des participants (total : 858)

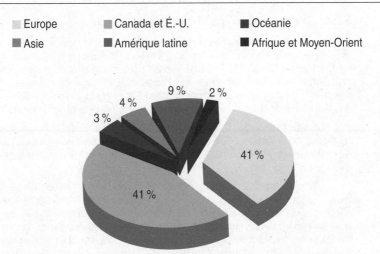

3.2. L'organisation et la tenue de l'événement

L'ensemble de la démarche d'organisation de HTAi 2008 a été considérée comme partie intégrante du programme de relations publiques.

3.2.1. La mobilisation du milieu

Le comité organisateur local, présidé par l'AETMIS, s'est dès le début fixé comme *modus operandi* de mobiliser au maximum les communautés locales et globales visées par l'événement dans l'organisation de celui-ci. Ainsi, un comité consultatif, formé de représentants des groupes professionnels, des institutions scientifiques et du milieu de l'industrie, a conseillé le comité organisateur local dans l'élaboration de la campagne promotionnelle et du programme de commandites ainsi que dans la programmation de l'événement. Les membres du comité consultatif ont aussi agi comme ambassadeurs auprès de leurs milieux respectifs et facilité le placement publicitaire gratuit auprès de leurs divers organes de communication et de liaison.

Un programme de commandite, offrant des supports publicitaires originaux (dont une clé USB contenant le livre des résumés des présentations, des bornes informatiques et Internet, etc.), a été offert avec succès tant à l'industrie pharmaceutique et des technologies médicales qu'aux institutions scientifiques. De plus, la possibilité de présenter des ateliers de formation et de travail durant la journée précédant la conférence a été offerte à la communauté. Ce programme, chapeauté par le comité scientifique international afin d'en assurer la qualité, a permis aux différents acteurs de rejoindre leurs pairs par des activités ciblées.

L'ensemble de ces mesures a contribué à faciliter l'appropriation de l'événement par la communauté.

3.2.2. Une organisation conviviale et écoresponsable

Comme dans tout événement de ce genre, la qualité des occasions de socialisation et la convivialité des activités et des installations revêtent une importance primordiale. HTAi 2008 se devait d'offrir un programme social et un environnement de conférence à la hauteur de l'image de marque véhiculée pendant la campagne promotionnelle. De plus, la préoccupation pour le développement durable était centrale pour le comité organisateur.

Le site retenu fut l'Hôtel Fairmont Le Reine Elizabeth. En plus de la qualité et de la disponibilité des installations et des équipements, la possibilité de mettre en œuvre des pratiques écoresponsables a été un facteur déterminant dans le choix du site.

L'anglais étant la langue officielle de l'événement, l'ensemble de la signalétique était en anglais. Les conférences dans les ateliers simultanés et les affiches scientifiques étaient elles aussi en anglais. Cependant, afin de concrétiser l'ouverture aux participants de l'ensemble des Amériques, un service de traduction simultanée en quatre langues (anglais, français, espagnol et portugais) a été offert pendant les sessions plénières. Les conférenciers invités ont donc pu s'exprimer dans leur langue. De même, certains ateliers préconférence ont été donnés en français, en espagnol ou en portugais, afin de répondre aux enjeux et aux besoins particuliers des participants francophones et latino-américains.

HTAi 2008 a offert un programme social varié et de qualité à ses participants. De façon générale, les activités ont tenté de mettre en valeur les qualités de Montréal comme destination touristique.

- Le dimanche 6 juillet, le président de HTAi, Dr Reiner Banken, a accueilli les congressistes lors de la réception d'ouverture tenue dans la salle de bal de l'hôtel. La musique d'ambiance était assurée par un orchestre de jazz, pour souligner la fin du Festival de jazz de Montréal, auquel plusieurs congressistes avaient pu assister durant les jours précédents.

- Le mardi 8 juillet, les participants ont été reçus dans le cadre spectaculaire du Parquet du Centre CDP Capital pour un banquet gastronomique et dansant. L'animation a mis l'accent sur la créativité et l'innovation dans les arts du cirque, fleuron de Montréal.

Tout au cours de l'événement, un train de mesures écoresponsables ont été mises de l'avant. Ces mesures ont été publicisées auprès des participants avant et pendant HTAi 2008, pour les sensibiliser aux enjeux du développement durable et les encourager à faire leur part pour l'environnement. Parmi ces mesures, notons :

- des pratiques hôtelières visant la réduction de la consommation d'énergie et de la production de déchets, l'utilisation de produits de nettoyage biodégradables et de produits alimentaires biologiques, équitables et de production locale et de saison ;

- le sac remis aux participants était fabriqué au Québec de matière recyclées et recyclables ;

- la diffusion du recueil des résumés de façon électronique seulement, sur une clé USB remise dans le sac des participants, ainsi que la disponibilité de bornes informatiques en permettant la consultation;

- l'impression en nombre limité sur papier Enviro 100 du programme final, également disponible sur les bornes informatiques;

- la distribution des produits (alimentaires et non alimentaires) non utilisés dans des banques alimentaires, des centres de bienfaisance et des refuges locaux.

3.2.3. La participation d'acteurs clés

HTAi 2008 a su s'assurer de la participation d'acteurs clés afin de porter ses principaux messages. Non seulement les trois sessions plénières thématiques ont-elles été menées par des panels d'experts internationaux de haut niveau, mais les travaux ont été inaugurés le lundi 7 juillet par le Dr Yves Bolduc, ministre de la Santé et des Services sociaux du Québec, dont c'était la première sortie officielle depuis sa nomination. Le Dr Bolduc a réaffirmé l'importance de l'ETS dans la gouvernance du système de santé québécois, et il a réitéré l'engagement du gouvernement à développer cette fonction au niveau central ainsi que dans le réseau hospitalier universitaire. Cette intervention du ministre a sans contredit donné le ton à une conférence scientifique fort relevée.

3.2.4. Qualité scientifique et pertinence sociale

Grâce au travail du comité scientifique international, HTAi 2008 a offert un programme scientifique de grande qualité. En plus des trois sessions plénières thématiques, 41 ateliers ont eu lieu en parallèle, au cours desquels plus de 200 présentations orales ont été faites. De même, plus de 325 affiches scientifiques ont été présentées les 7 et 8 juillet. Ces contributions scientifiques provenaient de plus de 55 pays différents et traitaient des multiples enjeux de la pratique et de l'utilisation de l'ETS dans le développement et la saine gestion des systèmes de santé, en particulier dans les pays émergents. Sur le plan scientifique, HTAi 2008 a donc remporté un vif succès.

3.2.5. Les résultats

L'ensemble des objectifs de HTAi 2008 ont été atteints. Non seulement le nombre et l'origine des participants correspondaient-ils aux attentes, mais les objectifs de promotion de l'ETS dans les pays émergents et de pénétration de la communauté scientifique nord-américaine ont également été poursuivis avec succès. L'atteinte de ces objectifs s'est reflétée dans la composition de la base de membres de HTAi. Ainsi, à la suite de la tenue de HTAi 2008, le nombre et le pourcentage des membres provenant d'Amérique du Nord ont atteint de nouveaux sommets (graphiques 4 et 5). En 2009, HTAi compte en effet 31 % de membres du Canada et des États-Unis (21 % du Canada et 10 % des États-Unis) contre un maigre 19 % en 2008 (dont seulement 6,8 % des États-Unis). Comme le montre le graphique 6 et grâce à la forte augmentation du nombre de membres latino-américains, le pourcentage de membres en provenance de pays émergents (non-membres de l'OCDE) atteint maintenant 11 %, contre 7 % en 2008.

GRAPHIQUE 4
Répartition géographique des membres, 2009 (total : 1042)

■ Europe   ■ Canada et É.-U.   ■ Océanie
■ Asie   ■ Amérique latine   ■ Afrique et Moyen-Orient

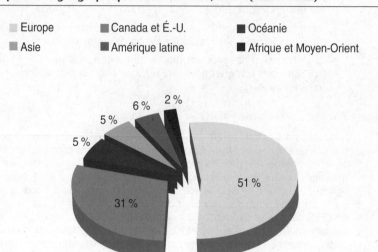

GRAPHIQUE 5
Évolution de l'origine géographique des membres

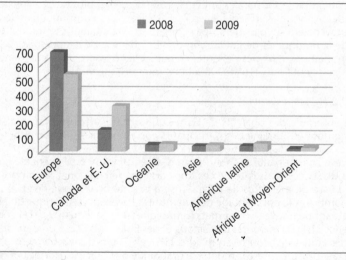

GRAPHIQUE 6
Répartition des membres, OCDE et autres, 2009 (total : 1042)

■ OCDE   ■ Autres

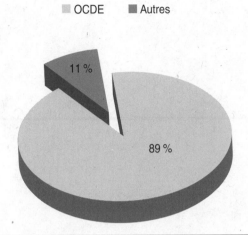

11 %

89 %

4. CONCLUSION

Le succès remporté par HTAi 2008 a permis à HTAi d'assurer l'essor de son développement organisationnel hors de son aire traditionnelle d'influence (l'Europe occidentale essentiellement) et de compter sur une meilleure représentation de la communauté de pratique nord-américaine et de celle des pays émergents. HTAi est ainsi mieux positionné pour remplir sa mission d'organisme international dans la promotion de l'ETS pour la gouvernance des systèmes de santé.

La rencontre HTAi 2008 a représenté un événement majeur pour la communauté de l'ETS, au Québec et dans le monde. Elle a jeté les bases à une véritable croissance internationale de HTAi et confirmé le rôle de leader que joue le Québec dans le domaine. C'est donc avec fierté que le comité organisateur de HTAi 2008 a pu passer le flambeau à l'organisation de HTAi 2009, à Singapour.

8

GESTION DE CRISE
Prévention, formation, intervention

*Une gestion de crise réussie repose sur l'aptitude
à prévoir les urgences et les vulnérabilités possibles,
la maîtrise de la planification stratégique
pour répondre à des scénarios d'urgence,
la reconnaissance des stades précoces de crise
et la capacité d'y répondre rapidement.*
(BROOM, 2009, p. 315. Traduction libre.)

Dans un monde où l'on tente de tout planifier et de tout contrôler, l'idée même d'une crise ou d'une catastrophe naturelle a quelque chose d'indécent. Or il n'existe aucune assurance contre les épées de Damoclès qui sont suspendues au-dessus de la tête des citoyens et des organisations où la gestion de crise peut prendre des allures d'apocalypse, surtout si on a négligé de s'y préparer. Mais peut-on réellement se prémunir contre les impacts d'une crise, laquelle survient toujours de manière impromptue? Car la crise frappe quand on l'attend le moins; elle peut déséquilibrer la société dans son ensemble ainsi que les organisations. De surcroît, les experts déclarent que l'on ne peut réellement gérer une crise: si on pouvait le faire, ce ne serait pas une crise. En effet, selon Grunig, on devrait aborder le thème de la gestion de crise de manière globale sous le terme d'activisme; c'est pour cette raison que, dans son ouvrage de 2002, il utilise l'expression plus large d'activisme et environnement, comme titre de son chapitre sur les crises:

> Nous n'avons pas donné comme titre à cette section « gestion de crise » puisque nous sommes convaincus qu'aucune organisation (du moins aucune de celles que nous avons étudiées) ne peut gérer une crise. Le mieux qui peut être attendu est que l'organisation gère sa *réponse* à une crise, de manière efficace et responsable (Grunig, Grunig et Dozier, 2002, p. 446. Traduction libre).

La réponse apportée à un état de crise représente un moment de vérité pour l'organisation, remettant en question les façons de faire traditionnelles et les zones de confort de ses gestionnaires et de ses employés, ébranlant ses réseaux de partenaires, pouvant même remettre en question sa raison d'être et sa survie. En effet, la crise peut avoir un potentiel de développement extrême, causant catastrophes (Eiken et Velin, 2006) et drames humains qui auront des répercussions sur l'ensemble de la société et sur l'organisation directement en cause (pouvant même entraîner sa disparition):

> Pour une organisation, une crise est un événement à faible probabilité ayant des impacts importants qui menacent la viabilité de l'organisation; la crise se caractérise par l'ambiguïté de ses causes, de ses effets et de ses solutions, de même que par le besoin de prendre des décisions rapides (Pearson et Clair, 1998, p. 60. Traduction libre).

Or, aussi surprenant que cela puisse paraître, la plupart des organisations n'y sont pas préparées et souffre souvent de myopie managériale face aux facteurs de risque inhérents à leurs activités (Beck, 1992, 2003, 2004). Et lorsque la crise a frappé, les organisations ne savent pas toujours en tirer des leçons qui permettraient d'effectuer une prévention efficace. Pourtant, dans toute crise, on trouve des occasions d'améliorer certaines situations, comme l'indique la langue chinoise où le mot crise s'écrit à l'aide de deux signes : « l'un signifie "Danger", l'autre "Opportunité". La langue chinoise montre bien la dualité de ce mot » (Eiken et Velin, 2006, p. 162). C'est donc dans une approche de gestion du changement que le relationniste doit aborder ses interventions en situation de risques et de crises, afin de se servir de ces contextes pour amener des changements organisationnels structurants.

8.1. *ACT OF GOD* OU NÉGLIGENCE CRIMINELLE ?

On connaît les crises touchant la santé publique, notamment les risques de pandémie ; les dernières décennies ont également confronté les sociétés à plusieurs autres types de crise : financière, écologique, industrielle, etc. Voici quelques exemples de situations pouvant amener une organisation ou la société en général à vivre une situation de crise :

- une atteinte importante à la santé et à la sécurité des personnes (désastre naturel ou écologique, pandémie, prise d'otages en milieu de travail, etc.);

- des pratiques douteuses sur le plan financier et des scandales touchant la gouvernance des organisations et des gouvernements, pouvant entraîner la perte de confiance des citoyens, des mises à pied massives ou une crise économique (faillite, récession, inflation, crise boursière, etc.);

- des défaillances opérationnelles ou technologiques portant atteinte aux systèmes de support à la vie dans la société.

En fait, les crises peuvent prendre plusieurs formes. Lagadec (1991, p. 49) en propose une typologie éclairante, telle qu'elle est illustrée à la figure 8.1.

8.2. IDENTIFICATION DE TOUS LES INTERVENANTS

La gestion d'une crise n'est pas une chose simple et elle peut impliquer la coordination entre plusieurs services et intervenants ayant à travailler en étroite collaboration, tant dans la société en général que dans les organisations. En considérant le système organisationnel, plusieurs unités ont à se concerter et à coordonner leurs efforts, en temps de crise, tels les services opérationnels directement impliqués dans la crise ainsi que les services de soutien : contentieux, ressources humaines et technologiques, relations publiques et communication, sous la gouverne de

FIGURE 8.1
Typologie des situations de crise

Techniques/économiques

Défauts de produit/service	Destruction majeure de l'environnement/accidents
Accidents dans les installations	
Panne informatique	Défaillance du système à grande échelle
Information erronée, cachée	
Faillite	Catastrophe naturelle
	OPA
	Crise gouvernementale
	Crise internationale

Interne   **Externe**

Échec pour s'adapter/changer	Projection symbolique
Défaillance organisationnelle	Sabotage
Mauvaises communications	Terrorisme
Sabotage	Enlèvements de dirigeants
Altération du produit en usine	Altération du produit hors usine
Rumeurs, diffamations	Contrefaçons
Activités illégales	Rumeurs, diffamations
Harcèlement sexuel	Grèves
Maladies du travail	Boycotts

Humaines/sociales/organisationnelles

Source : Patrick Lagadec, *La gestion des crises : outils de réflexion à l'usage des décideurs*, Paris et Montréal, McGraw-Hill, 1992, p. 49.

la haute direction. Les représentants de ces services forment habituellement la cellule de crise, responsables de «gérer la réponse à l'état de crise» (Grunig *et al.*, 2002, p. 446). Dans ce contexte, le relationniste doit assumer un rôle de coordination pour l'ensemble des communications internes et externes :

Vers l'interne : il s'agit d'identifier les différentes cibles internes de la communication et de les informer rapidement et avec la plus grande transparence possible [...]

Vers l'externe : le rôle est vaste. Il s'agit d'abord d'avoir préparé toute une série de documents sur l'entreprise, prêts à être diffusés si nécessaire ; ensuite, de bien connaître les aspirations des publics (riverains, victimes, grand public) ; de mettre en œuvre les actions de communication [...] ; enfin, de surveiller et analyser les réactions dans les médias afin de bien comprendre leur perception et y répondre. Il faut également préparer les dirigeants à la prise de parole en public (Sartre, 2003, p. 64).

Outre ces activités proprement communicationnelles, le rôle du relationniste en gestion de crise peut différer d'une organisation à l'autre, selon son style de gestion et sa culture. Dans certains secteurs d'activité tels les produits pharmaceutiques, chimiques et pétrochimiques, on est généralement très sensibilisé aux risques inhérents à ces industries. On accorde alors aux communications une grande importance décisionnelle dans les processus de gestion (Grunig *et al.*, 2002). Ce n'est pas le cas pour tous les secteurs d'activité. En effet, dans plusieurs organisations, le relationniste devra justifier son rôle dans la gestion d'une crise et dans l'identification des risques potentiels pour assurer la dimension préventive. C'est pourquoi une définition du rôle de chaque intervenant est essentielle à la coordination efficace d'une gestion de crise :

L'un des aspects les plus difficiles durant une crise est la coordination des multiples interlocuteurs qui seront concernés – les entreprises, les instances gouvernementales, centrales et locales [...] Tous les efforts doivent être faits pour créer des consensus et minimiser les divergences d'information et de perspective (Cutlip, Center et Broom, 1985, p. 248).

En matière de communication en situation de crise, le porte-parole (qui peut être le relationniste ou un autre représentant de l'organisation) sera rapidement sous les feux de la rampe. Au-delà de sa crédibilité personnelle et professionnelle, ce sera celle de toute l'organisation qu'il engagera par ses déclarations. Il devra avoir suivi une formation spécialisée pour réaliser ce genre d'intervention d'urgence, lui permettant d'être prêt à travailler en première ligne durant de nombreux jours. Le relationniste doit alors pouvoir compter sur sa connaissance des enjeux en présence, tout en ayant des nerfs d'acier : plus la tension montera, plus il devra rester calme.

8.3.   CONCEPTION DU PLAN D'URGENCE

Surtout si elle œuvre dans un secteur à risques, l'organisation doit être en mesure d'envisager le pire : d'abord réfléchir collectivement puis planifier ses actions en vue de se préparer adéquatement. L'une des manières de le faire avec rigueur est d'élaborer un plan de prévention (Eiken et Velin, 2006) et un plan d'urgence qui tiennent compte des répercussions des risques et des crises potentielles sur l'ensemble de la société :

> La modernité réflexive est une société organisée autour des risques. Mais bien qu'ils soient présents dans plusieurs interactions sociales, les risques tels que conçus dans la modernité réflexive demeurent souvent non spécifiés, universels et imprévisibles. Selon Beck (1998a), nous devons d'abord comprendre le risque comme des arguments devant être interprétés avant qu'ils puissent devenir visibles ou être perçus par les sens. Les définitions du risque au sens large ont un grand impact économique et politique. Les risques peuvent également avoir des conséquences importantes sur la société et leur acceptation amène des répercussions sur l'infrastructure sociale (Ihlen, van Ruler et Fredriksson, 2009, p. 29. Traduction libre).

Planifier les mesures de prévention et d'intervention permet de se préparer à l'action concertée, de prévoir les risques et de les réduire avant que ne survienne une crise. Lorsqu'elle fait face à une crise, l'organisation qui possède un plan d'urgence peut envisager une canalisation des énergies avec plus d'efficacité, diminuant ainsi le risque de désorganisation (Attias-Bonnivard, 2004). Par contre, si des failles existent dans le plan d'urgence, l'organisation éprouvera vite de graves difficultés (Lagadec, 1991, p. 70) :

> C'est un leitmotiv : la capacité à conduire une situation de crise dépend dans une très large mesure de ce qui a été mis en place avant l'épreuve. L'événement prend des allures d'audit brutal et cruel. En un instant, tout ce qui n'a pas été anticipé fera surgir un problème difficile et tout point faible dans la gestion va avoir tendance à ressortir sur-le-champ. La brèche ouverte par la crise fait en quelque sorte « appel d'air ».

Avec la participation des relationnistes, ou souvent sous leur instigation, plusieurs organisations ont adopté un plan d'urgence pour prévenir un certain nombre de situations de crise et y réagir lorsqu'elles surviennent. Ce plan d'urgence définit les rôles de chacun dans les processus de prises de décision et de coordination (Roux-Dufort, 2000), incluant un processus d'alerte précoce (Bérubé, 2007). Il va de soi que ces plans varieront beaucoup selon que l'on gère, par exemple, une centrale nucléaire, une entreprise de fabrication de produits chimiques, un centre hospitalier, une municipalité ou une institution financière. L'importance relative du risque pour les employés, pour la population ainsi que pour l'environnement naturel et social justifie les différences notables entre chacun des plans d'urgence. Mais un aspect central doit se retrouver dans tous ces plans : l'importance d'une communication intégrée et socialement responsable, traduisant des démarches de reddition de comptes et d'imputabilité organisationnelle envers les citoyens et les parties prenantes de l'organisation. Cette dimension de responsabilité sociale, notamment sous l'angle de la reddition de comptes (Tremblay, 2007 ; Wang, 2007) s'applique particulièrement bien à nos sociétés vivant une véritable « crise de confiance envers les grandes corporations, après l'onde de chocs déclenchée par les grands scandales financiers du début des années 2000 » (Tremblay, 2007, p. 50). Dans ce macrocontexte de crise, le relationniste doit contribuer à élaborer des mécanismes de prévention, incluant la préparation de contenus d'information au cas où une crise surviendrait, afin d'être en mesure de contribuer à assurer la sécurité du public :

> L'objectif d'un Plan de Prévention est de réduire la probabilité d'occurrence de risques connus et précisément identifiés. Ce sont des risques « avérés » de probabilité élevée. La réduction de la probabilité d'occurrence s'obtient par deux démarches complémentaires :
>
> - la première consiste en une manœuvre d'évitement du risque : il s'agit de se mettre dans une situation dans laquelle le risque ne peut pas survenir [...],
> - la seconde repose sur le déploiement de mesures de sensibilisation aux risques et d'actions sur l'une des composantes du risque (Eiken et Velin, 2006, p. 199).

En agissant à ces deux niveaux, les actions concertées de prévention contribueront à diminuer les potentiels de risques pouvant mener à une situation de crise. Mais comme on ne peut éviter toutes les crises, au moment où elles surviennent, le relationniste doit être en mesure d'intervenir rapidement, en concertation avec les différents collaborateurs de l'organisation et les intervenants sociaux. Alors, la préparation à l'état de crise peut servir de plateforme d'intervention puisque « la communication en temps de crise ne tolère pas l'improvisation d'urgence. Le contexte est grave, l'enjeu trop aigu. C'est pourquoi l'entreprise doit prévoir à l'avance différentes ripostes pour différents types de crise ; il ne restera qu'à les appliquer au moment critique » (Westphalen, 1994, p. 36).

L'expérience démontre que la qualité des communications et leur rôle pour établir une excellente coordination entre les acteurs demeurent la clé de voûte d'une résolution rapide de la crise ou, du moins, de son dénouement le plus sécuritaire possible, au regard de la sécurité des employés et des citoyens. Si l'organisation communique rapidement une information claire, juste, honnête, qu'elle ne tente pas de dissimuler des faits ou des informations et qu'elle est capable de reconnaître ses responsabilités et ses erreurs, elle joue alors son rôle de citoyen corporatif en assumant ses responsabilités sociales et en étant imputable de ses actions. Naturellement, une communication diligente et transparente n'excuse pas tout! Il ne s'agit pas d'une panacée: un déversement de pétrole en mer demeure une catastrophe, même si l'entreprise responsable reconnaît ses torts. Mais être capable de donner l'heure juste et de fournir l'information requise est déjà un grand pas de fait vers la solution du problème immédiat et sa prévention à long terme pour éviter les récidives, comme le démontrent les études de cas documentées par Kugler (2004, chapitre 3, p. 87 à 126).

8.4.   PRÉPARATION: TOUT PRÉVOIR, SURTOUT L'IMPRÉVISIBLE!

L'organisation a la responsabilité de mettre en place des dispositifs de prévention, d'alerte précoce et d'intervention afin d'être prête à faire face à toute éventualité. Dans ce contexte, le relationniste a un rôle-conseil important à jouer auprès de la haute direction: «L'une des généralisations les plus courantes en relations publiques est que la notoriété de l'organisation dépend en grande partie du comportement des membres de la haute direction [...] Ainsi, les relations publiques sont indissociables de la haute direction, tant par les conseils que le soutien communicationnel qu'elles fournissent» (Broom, 2009, p. 55-56. Traduction libre). Cette observation se révèle encore plus juste dans les cas de crise car la mobilisation des membres de la direction est alors cruciale, ainsi que le rôle-conseil joué par les professionnels en relations publiques auprès des dirigeants de l'organisation.

En outre, le relationniste doit assumer une série de tâches plus techniques en vue d'assurer une préparation adéquate à toute éventualité de crise car, comme le rappelle Dagenais (1996, p. 61), «le meilleur moyen de bien gérer une crise, c'est de préparer le terrain pendant les périodes d'accalmie». Pour ce faire, une série d'actions peut être entreprise par le professionnel en relations publiques, par exemple:

- mettre en pratique le plan de mesures d'urgence en organisant des simulations qui permettent de systématiser l'ensemble du processus d'intervention (pour plus de détails à ce sujet, voir la section 8.7. La simulation);

- identifier un certain nombre de problèmes en effectuant un monitorage des risques; préparer à l'avance des ébauches de réponses aux questions qui pourraient être posées par les médias ou par les parties prenantes de l'organisation lorsque survient une crise;
- prévoir des moyens d'alerte précoce puisque les secondes comptent lorsque survient une crise; veiller à élaborer des simulations pour en tester la mise en œuvre fonctionnelle;
- tenir à jour et à portée de la main les données importantes concernant l'organisation afin d'être en mesure de fournir toute l'information requise sur l'organisation;
- conserver également à la disposition des communicateurs une copie des communiqués émis récemment, le rapport annuel et les derniers rapports trimestriels;
- communiquer aux services de sécurité de l'organisation tous les noms et fonctions des personnes en charge des communications lors de situations de crise; faire de même auprès du personnel de la réception et du service de prise d'appels, en poste de jour comme de nuit;
- maintenir à jour une liste téléphonique des principaux intervenants au sein de l'organisation (numéros de téléphone personnels, numéros d'urgence, adresses électroniques, etc.); conserver copie de cette liste au bureau et à la maison; s'assurer que toutes les personnes en charge d'une gestion de crise en aient copie;
- vérifier fréquemment que les pyramides d'appels téléphoniques d'urgence fonctionnent efficacement et que chacun est en mesure de communiquer rapidement avec ses collègues en cas de crise, afin que la chaîne de communication demeure fonctionnelle en tout temps. Il en va de même pour les chaînes de communication électronique. Ainsi, on sera en mesure d'établir rapidement contact avec les principaux intervenants:

Les grandes entreprises de secteurs dits « à risques » établissent des listes des ingénieurs ou techniciens d'astreinte accompagnées de leurs numéros de téléphone personnels (fixe et mobile). Cette liste peut se compléter dans le même esprit pour tous les secteurs d'activités avec les noms et coordonnées de tous les membres de la cellule de crise. Les possibilités de vacances ou de maladie doivent être prévues, et une personne suppléante nommée pour relayer le membre responsable. À cette liste des ressources internes s'ajoute celle des ressources externes: avocat, expert comptable, assureur [...] (Sartre, 2003, p. 67).

- effectuer du balisage : étudier les plans de prévention de crise préparés par d'autres organisations du même secteur. Tirer les leçons de gestions de crise réalisées dans des situations ayant des points de similitude avec son organisation.

8.5.   IDENTIFIER LES POTENTIELS DE CRISE

Idéalement, l'organisation aura déjà procédé à l'identification des risques (Beck, 1992, 2003, 2004) et elle aura cartographié les enjeux industriels, économiques, politiques, sociaux et culturels bien avant l'éclatement d'une crise. Il est probable toutefois que cela n'ait jamais été fait car plusieurs organisations font preuve d'inconscience à cet égard.

Premier conseil dans ce cas : ne pas tenir pour acquis que tous les cadres et employés de l'organisation vont accorder de l'importance à l'identification des potentiels de crise. Il faut procéder avec beaucoup de circonspection et évaluer correctement les intérêts de chacun à appuyer ou à entraver la démarche de prévention de crise.

Deuxième conseil : tenir compte de la communication transversale dans le processus d'identification des risques, tout en demeurant conscient qu'il est impossible d'envisager tous les risques et encore moins de tous les éviter, comme le rappelle Lagadec dans *La fin du risque zéro* (2002). S'il le faut, retenir les services de spécialistes qui aideront à identifier les principaux facteurs de crise. Mais attention, n'est pas spécialiste qui veut ! Mieux vaut s'informer sur le sérieux des firmes offrant leur services afin de retenir l'aide d'experts réellement compétents. Il faut vérifier leur expérience dans ce type d'interventions, ainsi que le rôle qu'ils ont joué dans des cas similaires.

Troisième conseil : si l'identification des potentiels de crise n'a jamais été faite dans une organisation, il faut partir du principe que la recherche conduira probablement au constat suivant de la part des principales personnes consultées : l'organisation est bien gérée et il n'est pas possible que des situations hypothétiquement dangereuses se produisent. Il faut alors procéder par étapes et en concertation avec les principales personnes intéressées afin de réaliser un processus d'identification des risques qui ne soit pas perçu comme un tribunal d'inquisition. Il s'agit plutôt de faire participer l'ensemble de l'organisation au processus d'identification des risques et à l'élaboration de pistes de solutions pour faire face à une crise potentielle et, idéalement la prévenir, en enrayant à la source les causes d'un éventuel problème.

8.6. FORMER LES INTERVENANTS

Peut-on se préparer à la gestion de crise en formant les principaux intervenants ? Oui, mais encore faut-il savoir à quoi les former... Puisque la crise est imprévisible et qu'elle est hors normes par définition, on ne peut former les intervenants à réagir de façon spécifique et uniforme. Car il y a fort à parier que la crise fera preuve d'originalité et échappera en bonne partie au scénario envisagé !

N'étant pas expert dans tous les domaines reliés aux situations de crise, le relationniste doit se concentrer sur le secteur des communications et laisser les domaines de l'ingénierie, des technologies, etc., aux experts de ces champs d'intervention. En offrant une formation destinée aux intervenants pour les préparer à assumer le rôle de communicateur en situation de crise, le relationniste peut contribuer à l'acquisition d'habiletés de communication, essentielles à la réalisation du plan d'urgence. Voici quelques exemples de sujets pouvant faire l'objet d'un programme de formation :

- comment assurer la coordination entre les principaux acteurs par une mise en commun de l'information nécessaire à tous les intervenants ;
- planifier les contenus d'information, sur la base de renseignements exacts et validés, afin d'être en mesure de procéder à des alertes précoces et de faire des déclarations officielles, au nom de l'organisation ;
- vérifier et contre-vérifier les faits, le plus rapidement possible et auprès de sources dignes de foi ;
- en cas de doute, en dire moins, mais s'assurer de dire la vérité, en se centrant sur les informations requises pour assurer la sécurité des personnes ;
- ne pas improviser sur l'intuition du moment, encore moins interpréter ou juger une situation uniquement en fonction de ses opinions personnelles ; s'entourer d'experts pour alimenter la réflexion et les prises de décision sur la base de renseignements validés et fiables puisque, comme le rappelle Sartre (2003, p. 99), il est important de :

Ne pas confondre vitesse et précipitation

C'est un écueil très fréquent. Cédant aux pressions de tous ordres, certaines entreprises se lancent dans des explications prématurées et parfois erronées, fondées sur des diagnostics incomplets. Cela est extrêmement dangereux, puisque l'organisation se place en situation d'être démentie par les faits eux-mêmes ou par ses propres analyses ultérieures. Elle se discrédite totalement aux yeux du public. Gérer le tempo de la communication signifie occuper le terrain médiatique, même si, parfois, cela revient à dire que l'on ne dispose pas encore de toutes les informations.

- tenir compte des intérêts primordiaux de chaque partie prenante, notamment la santé et la sécurité des employés et de la population. Évaluer les conséquences de certaines décisions, telle l'interdiction d'accès aux lieux problématiques pouvant causer des atteintes à la vie, tout en divulguant l'information requise par les différents acteurs médiatiques, organisationnels, gouvernementaux et sociaux.

La formation en communication offerte aux intervenants pourra aborder plusieurs autres thématiques, en concertation avec les spécialistes de chaque sujet, tel le mode d'intervention publique visant le maintien ou le rétablissement des structures de soutien à la vie (Rinaldi, Peerenboom et Kelly, 2001; Mili, Qiu et Pahdke, 2004; Robert, 2004; Robert *et al.*, 2002). De manière générale, la formation doit offrir un lieu et un temps de réflexion pour revoir certains aspects du plan de gestion de crise avant que ne survienne le stress inhérent à ce genre de situation. La formation et la préparation prennent alors une importance particulière :

- elles permettent de faire le point sur les risques de crise dans l'organisation ;
- elles donnent l'occasion de réviser différentes approches de communication en cas de crise, en concertation avec les principaux intervenants ;
- elles permettent de mettre à jour les connaissances sur l'organisation.

Cette formation peut prendre différentes formes :
- formation des porte-parole pour les habiliter à intervenir auprès de diverses parties prenantes de l'organisation et auprès des médias ; cette formation est nécessaire puisqu'en situation de crise la réalité médiatique se teinte rapidement de dérives émotives : «dès qu'une crise éclate, il y a aussitôt un déficit d'information et une montée de l'émotion, peu importe les médias» (Char, 2005, p. 274) ;
- formation à la rédaction sous pression, durant toute la durée d'une crise ;
- formation portant sur les modes de communication interne et interorganisationnelle, afin de faciliter la collaboration entre les différents intervenants : coordination avec les corps policiers,

les services d'incendie, les municipalités, les ministères, les agences gouvernementales, les groupes de pression ou d'intérêts, etc. ;

• familiarisation avec les médias sociaux et les dispositifs de communication mobile.

Lorsque survient une crise, la formation permet d'affronter avec plus d'expertise et d'efficacité les exigences d'une situation d'urgence (Lagadec, 1991, p. 299). Il est alors moins problématique de mettre en œuvre un plan d'urgence déjà validé et de coordonner l'action d'intervenants bien préparés s'ils disposent de consignes claires, permettant d'agir selon des principes d'honnêteté, de transparence, de responsabilité sociale et d'imputabilité organisationnelle.

8.7. LA SIMULATION

En termes de prévention et de validation des mesures d'urgence, la simulation d'une situation de crise peut être réalisée avec la participation du relationniste, parfois sous sa direction ou sa coordination. Cette simulation s'appuie sur la mise en œuvre de la planification élaborée en concertation avec les principaux intervenants (Black, 1993, p. 141. Traduction libre) :

> Des exercices pratiques non annoncés devraient se tenir à intervalles réguliers avec la coopération de la police et des autres autorités. Pour que ces exercices soient valables et apportent beaucoup d'informations, il est important qu'ils demeurent aussi réalistes que possible. Si un document vidéo est produit pour l'exercice complet, il peut être diffusé ultérieurement pour susciter une discussion entre les acteurs. Cela peut devenir une bonne méthode d'entraînement à la crise.

La simulation représente un mode efficace de formation et de prévention à la gestion de crise. Cette formule peut prendre plusieurs formes :

• exercice fictif, sans déplacement d'équipements, avec ou sans la participation des intervenants externes qui seraient touchés par une telle crise ; cette simulation est plus facile à organiser à intervalles réguliers, dans tous les secteurs d'activité ;

• exercice pratique avec la participation de toutes les catégories d'intervenants touchés par une crise éventuelle et avec déplacement d'équipements ; ce genre de simulation est plus complexe à organiser et elle entraîne des coûts importants de mise en place pour la plupart des secteurs.

EXEMPLE

Une simulation d'incendie dans le métro, avec la participation des corps policiers, des pompiers, d'Urgence santé et de tous les intervenants concernés directement dans l'organisation.

Selon le secteur d'activité de l'organisation, l'envergure d'une simulation peut varier de manière importante mais, dans tous les cas, l'exercice permet de valider les processus d'intervention et de communication avec les différentes parties prenantes. Les mises en situation qui sont créées dans chacun des cas permettent de se familiariser avec les mesures d'urgence en vigueur dans l'organisation et dans l'ensemble de la société.

8.8.   ET SURVINT LA CRISE, DANS TOUTE SON HORREUR...

C'est probablement lorsque l'organisation a réussi à l'oublier que la crise surgit : elle aime d'ailleurs frapper à l'improviste, sinon... ce ne serait pas une crise. Si un plan d'urgence est établi et que chacun maîtrise bien son rôle, un processus de coordination peut être rapidement mis en place. Pour assurer une gestion efficace des interventions de communication, voici quelques embûches à éviter.

8.8.1. PIÈGE N° 1 : CROIRE QUE TOUS SERONT ACCESSIBLES

Une des principales difficultés qui surgissent fréquemment en situation de crise est un déficit sur le plan de la coordination entre les intervenants et leur manque de disponibilité. La crise prend parfois un malin plaisir à surgir au moment où le président est en voyage d'affaires à l'extérieur du pays ou lorsque le responsable de la sécurité dans l'organisation est en congé. En effet, il est souvent impossible de joindre les principaux intervenants. D'ailleurs, certains membres clés de l'organisation sont si convaincus de l'impossibilité de toute crise qu'ils ne croient pas nécessaire de faire connaître leurs coordonnées d'urgence, ce qui induit rapidement des bris dans la chaîne de communication et de prises de décision.

La pensée magique est un piège sournois : dans la manière d'envisager les interventions en situation de crise, on tient pour acquis que les ressources requises seront disponibles sur place au moment voulu. Or il peut être difficile de rassembler toutes les ressources humaines, techniques et technologiques nécessaires à la réalisation du plan de gestion de crise. Comme s'ils craignaient le stress, plusieurs équipements se volatilisent ou sont en panne au moment où l'on en a besoin, et les ressources informationnelles ne sont pas toujours disponibles. Il est donc prudent de prévoir une entente de services avec une firme spécialisée pouvant rendre disponibles les experts, les équipements et les sources d'information nécessaires pour assurer l'opérationnalisation du plan d'urgence. Par exemple, si le relationniste doit monter une salle de presse dans un local éloigné d'un grand centre urbain, la collaboration d'experts locaux s'avère très utile pour organiser un centre d'opérations intégrant une centrale téléphonique d'urgence, une salle équipée d'ordinateurs en réseau, des génératrices, etc.

8.8.2. Piège n° 2 : diffuser sans vérifier les informations ou prendre trop de temps pour le faire

Quelle que soit la nature de la crise, il faut s'assurer d'obtenir des informations validées avant de les diffuser. En principe, le relationniste doit vérifier et contre-vérifier les informations : la publication d'informations erronées pourrait mettre en danger la vie des personnes qui subissent la crise. Mais, dans les faits, le relationniste doit agir sous forte pression puisque la vitesse d'intervention est cruciale en temps de crise. Un équilibre doit donc être recherché entre la rapidité de réaction et le temps requis pour valider l'information. Avec la venue des médias sociaux et la diffusion d'information dans les réseaux citoyens, plus de pression encore est exercée sur le relationniste pour que soient rejoints rapidement les publics d'une organisation. On le rappelle, en situation de crise, le temps représente des vies sauvées ainsi que la réduction des dommages matériels, technologiques et environnementaux. Le recours aux médias sociaux et à Internet permet de gagner un temps précieux, notamment lors de la diffusion d'information touchant les alertes précoces.

De plus, si des intervenants municipaux, gouvernementaux ou policiers sont impliqués dans la gestion d'une crise, le relationniste doit confirmer les renseignements à être diffusés auprès de ces acteurs de premier plan. On évite ainsi que des informations contradictoires soient diffusées, augmentant la confusion qui règne dans l'espace public (Lagadec, 1991, p. 139) :

> Les crises sont un moment et un terrain de choix pour la prolifé-
> ration des rumeurs [...] Tous les ingrédients sont en effet réunis
> pour que se développe ce phénomène fuyant. Un déclencheur :

l'événement initiateur, réel ou supposé. Un problème d'importance. Une situation pétrie d'incertitude, d'ambiguïté, d'inconnu. Une inquiétude, productrice de besoin irrépressible d'expression et d'information.

Dans ce contexte de forte pression, médiatique et sociale, le relationniste doit faire preuve de prudence et de rigueur afin de diffuser des informations qui aideront à la résolution de la crise, au lieu d'envenimer le problème en générant de la confusion.

8.8.3. Piège n° 3 : mal évaluer l'impact médiatique

Lors d'une crise, le rôle des médias peut être crucial : soit qu'ils deviennent des diffuseurs privilégiés, permettant d'informer la population pour assurer sa sécurité, soit qu'ils adoptent une attitude critique à l'égard de l'organisation, surtout si elle détient une responsabilité évidente dans l'origine de la crise. Dans les deux cas, les médias accaparent le temps du relationniste : d'une part, il doit répondre à leurs questions et, d'autre part, il doit prendre l'initiative d'approcher les journalistes pour divulguer des informations destinées au public. Outre leur rôle d'analystes et d'enquêteurs, les médias peuvent ainsi jouer un rôle important d'intermédiaire entre l'organisation et les publics à rejoindre, dans la mesure où ils perçoivent le relationniste comme une source d'informations crédible, fiable et d'une entière disponibilité, le jour comme la nuit. Le relationniste doit souvent recadrer l'information, apporter des compléments essentiels à la compréhension des enjeux et moduler la diffusion d'information pour éviter toute surcharge qui pourrait nuire à l'efficacité et à la clarté des messages :

> En situation de crise, la communication suit des logiques peu propices à la réduction de l'effervescence : par exemple, un message choc va saturer sur-le-champ les capacités de réception de l'auditoire. Une fois l'information lancée, le correctif devient quasiment impossible, il peut même ne faire qu'aggraver la situation (Lagadec, 1991, p. 132).

C'est pourquoi il devient nécessaire, en temps de crise, de réunir une équipe d'agents de presse qui seront libérés de toute autre fonction afin de répondre promptement aux médias. Si l'organisation ne dispose pas des ressources suffisantes pour libérer un relationniste de ses autres tâches afin d'être affecté uniquement aux journalistes, on peut faire appel à des consultants ou à des cabinets de relations publiques pour être en mesure de répondre au flot d'appels et de courriers électroniques, de mettre à jour le site Web de l'organisation, notamment les informations diffusées sur la section « salle de presse en ligne » et d'analyser l'évolution des contenus publiés par l'entremise des médias, tant traditionnels que sociaux.

Au regard du Web et des médias sociaux, il faut savoir que, s'ils contribuent à la diffusion d'information par les citoyens, ils collaborent également à l'essor d'un nouveau type de crise, que Lointier et Rosé appellent « le Web de crise » (2004). En effet, certaines situations de crise peuvent être induites notamment par le cyberterrorisme et autres phénomènes de diffusion tous azimuts d'information-panique. Le principe de précaution (Godard, 1997) en communication organisationnelle doit guider le relationniste dans la complexité croissante de la gestion de l'information, notamment en situation de diffusion multicanaux par une myriade de diffuseurs citoyens. En effet, dans le foulée de ce que Proulx (2009, p. 63) qualifie d'« émergence des médias individuels de communication publique », le relationniste doit tenir compte du phénomène des médias sociaux qui restructurent complètement les jeux de rôles en interface souvent conflictuelle avec les médias traditionnels.

8.8.4. Piège n° 4 : ne pas segmenter les médias

La nature même des médias qui sollicitent l'organisation en temps de crise suggère un certain ordre de préséance. Bien que l'on convienne que tous les médias doivent être traités de la même manière, certaines situations dictent l'utilisation prioritaire des médias sociaux, d'Internet, de la radio ou de la télévision, selon le cas. Par exemple, si le relationniste doit faire un appel à la population pour l'évacuation d'une ville ou pour divulguer de nouvelles consignes de sécurité publique (tel le besoin de faire immédiatement bouillir l'eau avant de la consommer), ces informations seront diffusées plus rapidement par les médias électroniques que via la presse imprimée. Ils contribueront de ce fait à l'atteinte des objectifs d'information d'urgence auprès de la population.

8.8.5. Piège n° 5 : ne pas créer une cellule d'urgence

Il s'agit d'une erreur souvent commise : ne pas mettre en place un centre d'urgence ou une cellule de gestion de crise peut s'avérer lourd de conséquences. La coordination des effectifs et des interventions peut en effet s'en trouver fortement pénalisée. La mise sur pied d'un centre des opérations d'urgence ou cellule de crise est en effet primordiale, permettant de regrouper les personnes décisionnelles, autour d'une même table ou de forums d'échanges en ligne, afin de centraliser la coordination des prises de décisions et des informations à communi-quer par le porte-parole. Ce centre peut rapidement prendre des allures de bunker, haut lieu décisionnel de l'équipe responsable de la gestion de crise et de ses communications, en fonction jour et nuit, 7 jours sur 7.

Le relationniste ne doit pas hésiter à constituer des quarts de travail au sein de ses équipes de communicateurs affectés à la cellule de crise, évitant ainsi l'erreur de rester lui-même en poste pendant de longues heures, ce qui risque de nuire à son efficacité et d'être la source d'erreurs dans les prises de décisions et la conduite des opérations. En effet, une crise peut se poursuivre durant de nombreux jours, voire plusieurs semaines. C'est pourquoi il vaut mieux adopter une attitude de marathonien que d'essayer de soutenir un rythme de sprinter dans la gestion d'une crise. Durer, ne pas épuiser ses forces durant les premiers jours et savoir déléguer pour prendre du repos sont des éléments impor-tants pour assurer la qualité des nombreuses décisions à prendre durant la crise.

8.9. INTERVENIR ET ÉVALUER LES FAÇONS DE FAIRE

Quelle que soit la crise que le relationniste doit gérer, il lui faut prévoir une procédure d'intervention puis d'évaluation systématique des inter-ventions (Bérubé, 2005), pendant et après les événements, pour com-prendre comment évolue la situation et dresser un bilan des événements afin d'en tirer des apprentissages éclairants, en termes de correctifs et de prévention. Ne pas hésiter à consulter l'ensemble des parties pre-nantes de l'organisation, dont les représentants des groupes citoyens et des organismes de pression, de même que les médias et les gouver-nements, pour documenter leurs perceptions et leurs attentes envers l'organisation, dans le cadre des activités d'évaluation. Celles-ci per-mettront d'améliorer les méthodes d'intervention et de prises de déci-sion, ainsi que les modes de communication et de collaboration avec les divers partenaires pour résoudre la crise et surtout pour en assurer la prévention à l'avenir. Le relationniste peut ainsi identifier de nou-veaux processus qui normaliseront les façons de faire, en fonction des rapports d'évaluation. Le tableau suivant peut servir de guide dans l'établissement d'une telle méthode de travail, qui sera revue et corrigée à l'étape de l'évaluation.

8.10. LEADERSHIP ET CONTRÔLE

Une gestion de crise constitue également une mise à l'épreuve du leadership des dirigeants d'une organisation. À l'interne, l'absence de leadership peut avoir des conséquences graves. La direction des opérations et la responsabilité de la gestion de crise doivent être assumées par un leader qui prendra les décisions avec célérité. Il peut déléguer des zones décisionnelles à certains intervenants tout en supervisant étroitement le déroulement des activités. Durant une crise, des centaines de décisions doivent se prendre chaque jour et, malheureusement, il est parfois difficile de prendre le temps requis pour l'analyse des informations, la réflexion, la consultation et les discussions. Les personnes impliquées dans une crise sont unanimes à ce sujet : on prend une décision et on passe rapidement à un autre dossier tout aussi urgent.

Par conséquent, il est important que le dirigeant de l'organisation assume avec charisme la direction des opérations de gestion de crise et détermine un ordre de priorité parmi les dossiers tout aussi urgents les uns que les autres. Un leader responsable et omniprésent est essentiel durant toute la durée de la crise. Plusieurs «gérants d'estrade» peuvent se manifester pour accaparer une place de décideur qui n'est pas la leur. Par exemple, certains gestionnaires de l'organisation profiteront de la crise pour faire de l'ingérence dans des secteurs qu'ils convoitent depuis longtemps, un syndicat pourra utiliser une situation de crise pour faire valoir publiquement ses revendications, un ministère pourra en profiter pour se faire voter des pouvoirs illimités, etc. D'où l'importance de prévenir les fuites de pouvoir par une gestion intégrée de tous les aspects de la crise, tout en faisant participer les personnes concernées au processus de prise de décision : un équilibre pas toujours évident à réaliser mais dont dépend la bonne conduite de la gestion de crise.

De son côté, le relationniste doit s'assurer que les communications émanent de sources fiables ; il doit centraliser toutes les activités d'information publique en un seul centre de diffusion-réception pour son organisation. Son propre leadership est également requis au sein des équipes placées sous sa responsabilité, essentiellement liée aux communications, afin d'assurer une gestion optimale de l'information en temps de crise.

En outre, la crise peut faire surgir des manifestations de forte émotivité au sein des groupes de travail, émotions qu'il faut contrôler tout autant que les causes de la crise, si l'on veut éviter que les conflits interpersonnels nuisent à l'efficacité des équipes. Plus précisément, le relationniste doit être particulièrement attentif aux limites de ses fonctions afin de ne pas outrepasser sa marge décisionnelle. Œuvrant au

TABLEAU 8.1
Les sept étapes de la gestion d'une crise

Conduire la crise

1. L'acte fondateur : le positionnement
   - Dégager un champ opératoire
   - Arrêter des orientations de fond
   - Définir une stratégie de réponse

2. Conduire l'ensemble de la réplique
   - Prendre en charge la crise
   - Afficher options et valeurs essentielles
   - Anticiper et prendre des initiatives
   - Traquer vides, erreurs et points faibles
   - Aider le système à épouser la durée
   - Restabiliser périodiquement le système : analyses, valeurs, buts
   - Gérer contradictions et susceptibilités
   - Garder une vue sur l'après-crise

3. Piloter le système
   - Appliquer les concepts clés
   - Séparation des fonctions, pour combattre la confusion
   - Maîtrise de l'information interne
   - Appui aux unités exposées
   - Savoir faire fonctionner les cellules de crise
   - Préparation
   - Centralité, séparations, interfaces
   - Vigilance critique sur le mode de fonctionnement

4. Maîtriser la question de l'expertise
   - Mobiliser le réseau d'experts préconstitué
   - Clarifier immédiatement les limites de l'expertise
   - Anticiper résultats et options possibles
   - Assurer la quiétude des experts
   - Consolider la crédibilité de ce réseau
   - Éviter les confusions de rôle (experts/décideurs)

5. Construire la communication
   - Conduire l'information médiatique
   - Informations complètes, fréquentes, exactes
   - Non pas «rassurer», mais «informer»
   - Être la meilleure source
   - Garder la cohérence des messages dans la durée
   - Ne pas se placer à la remorque des médias : initiatives
   - Assurer l'information non médiatique
   - Définir tous ses publics cibles : interne, victimes, autres
   - Définir des traitements spécifiques
   - Traiter les rumeurs
   - Ne pas s'enfermer dans la communication

6. Conduire la crise jusqu'à son terme
   - Ni levée prématurée de la gestion de crise
   - Ni maintien artificiel du mode de crise

7. Conduire l'après-crise
   - Organiser des débriefings rigoureux
   - Conforter les équipes
   - Conforter le système général
   - Corriger les perceptions dangereuses sur le traitement de la crise
   - Prendre des initiatives finales très fortes

Source : Lagadec, 1991, p. 282.

cœur des activités de la crise, le relationniste développe une compréhension des aspects névralgiques des événements mais il n'a pas à prendre le leadership des opérations autres que dans le secteur des communications. Ce n'est pas parce qu'il est porte-parole officiel de l'organisation que le relationniste a le droit d'intervenir de manière unilatérale dans les décisions touchant la gestion de cette crise ou l'ensemble de l'organisation.

Or, il arrive souvent qu'un glissement soit observé entre la gestion des communications et la gestion de la crise elle-même. Impliqué partout, présent jour et nuit sur les lieux des opérations, le relationniste doit cependant conserver une vision claire de son rôle et ne l'outrepasser en aucune circonstance. D'ailleurs, il est suffisamment sollicité dans ses fonctions de communicateur pour ne pas avoir à chercher un élargissement de son mandat : ce temps fort d'activités ne tolère aucun relâchement dans la gestion des communications. Ces tâches laissent peu de temps pour la diversification des responsabilités. Chacun des acteurs doit jouer le rôle qui lui est assigné. Pour le relationniste, les activités en temps de crise recouvrent bien sûr la diffusion et la réception d'information, au nom de son organisation. En outre, il doit effectuer un monitorage vigilant et rapide pour être tenu au courant, en temps réel, des répercussions de la crise dans le secteur des médias, incluant Internet et les médias sociaux. Ce système de veille doit fonctionner impeccablement pour assurer un feed-back rapide à la direction de l'organisation. Celle-ci ne peut s'offrir le luxe d'attendre plusieurs heures pour obtenir les informations que véhiculent les médias à son sujet. Le relationniste doit être en mesure de fournir aux dirigeants des stratégies de réaction extrêmement rapides tout en donnant aux médias une information juste, répondant à leurs besoins et à ceux de la population. Toutefois, on pense souvent qu'en temps de crise, l'organisation doit rassurer à tout prix la population, alors qu'elle a d'abord et avant tout besoin d'être informée (Doré, 2000) de manière à être en mesure de prendre des décisions pertinentes.

> En situation de crise, la tendance naturelle est de communiquer pour rassurer, le cas échéant en niant l'ampleur des conséquences d'un événement, à grand renfort d'arguments qui ne persuadent plus : « *la situation est sous contrôle* ». Ce type de communication précipitée ne convainc pas et se montre plus nuisible, parce qu'interprétée comme un signe d'incompétence (Eiken et Vellin, 2006, p. 155).

Il faut savoir aller contre la tentation d'adopter une attitude infantilisante en voulant sur-rassurer les publics, alors que l'organisation doit plutôt avoir le courage de donner l'heure juste.

8.11. L'APRÈS-CRISE

Lorsqu'une situation de crise est terminée, la communication ne l'est pas pour autant : un autre volet d'activités débute alors pour assurer la reprise des activités, le rétablissement des systèmes et la correction des situations à l'origine d'une défaillance ou de la crise. Le relationniste doit porter une attention toute particulière aux employés de l'organisation et aux différentes parties prenantes, notamment les actionnaires. « L'information interne devra porter sur les améliorations [...] que l'entreprise met en place. Montrer aux salariés que les dirigeants s'emploient à se prémunir contre des crises futures aidera à renouer des liens de confiance entre les différentes strates hiérarchiques » (Sartre, 2003, p. 148-149), à condition que l'entreprise mette réellement en place des améliorations et que surtout l'on consulte et fasse participer les publics internes à l'élaboration des solutions et de nouveaux savoirs à l'issue d'une crise.

À l'externe, l'organisation doit également entreprendre le rétablissement de ses réseaux de communication, en plus d'assurer la reprise de ses opérations. Le relationniste aura alors à renouer le dialogue avec les parties prenantes de l'organisation, s'il y a eu bris de communication. Lorsque requis, il faudra également avouer ses erreurs et se tourner vers l'amélioration de la situation problématique, avec la participation de tous les partenaires et interlocuteurs en cause : « Faire comme si "rien ne s'était passé" [...] décrédibilisera la hiérarchie pour longtemps » (Sartre, 2003, p. 152). L'auteure recommande au contraire de capitaliser sur la crise pour entreprendre une analyse postcrise sur la base d'une démarche concertée avec les différents interlocuteurs. La prévention de crises ultérieures est largement tributaire de la capacité à établir le dialogue avec les parties prenantes et les intervenants de première ligne pour ensuite amorcer une gestion du changement sur la base d'une communication faite d'écoute et de collaboration.

On contribue ainsi à mettre en place une culture du risque et de prévention des crises, tant auprès des publics externes que des personnels de l'organisation : « les situations de crise, comme les catastrophes, se caractérisent principalement par leur complexité. La Direction de l'entreprise doit donc apprendre à anticiper sur l'inimaginable, mais elle ne peut agir seule » (Eiken et Velin, 2006, p. 189). C'est avec la participation des principaux interlocuteurs de l'organisation que le relationniste proposera des améliorations aux dispositifs de communication, permettant le travail en concertation pour qu'émergent des solutions concertées afin de prévenir les crises.

CONCLUSION

La crise : elle ne peut être prévue de manière exacte, mais la gestion des risques et la réponse aux crises se préparent. Encore là, la recherche est essentielle, afin d'identifier non seulement les risques de crise, mais également les ressources humaines, matérielles, technologiques et financières qui sont requises pour la prévenir ou y faire face. La gestion préliminaire consiste à colliger, en un corpus d'information complet, tous les éléments d'information de base pour bien comprendre l'activité de l'organisation et ses enjeux en vue de cartographier les risques et prévenir les crises, si possible.

La préparation doit être complétée par un programme de formation des employés directement concernés, notamment en communication. Élaborée souvent en collaboration avec le Service des ressources humaines de l'organisation, cette formation permet aux acteurs de développer les compétences d'intervention requises, de mieux connaître l'organisation et d'en évaluer les limites de gestion, propres à chaque contexte de travail. La formation permettra l'essor d'une culture du risque et de prévention des crises en apprenant à anticiper les situations à risques et d'envisager « la défaillance de la logique de pensée linéaire » (Eiken et Velin, 2006, p. 42). Toute crise remet en cause les fondements de contrôle et de gestion cartésienne en confrontant les pratiques avec la non-linéarité d'une situation de crise. C'est pourquoi le déploiement de simulations doit prendre en compte les hasards, les réactions émotives, les paniques éventuelles et les aléas d'interventions plus politiques qui ne manquent pas de survenir lors de crises ayant de fortes répercussions publiques. Des formations à la communication médiatique et à l'établissement de collaborations avec les partenaires, incluant les instances politiques, permettent d'améliorer les compétences des intervenants qui auront à répondre aux attentes des divers publics de l'organisation, lors d'une situation de crise, tout en permettant une parfaite coordination entre eux.

Et dans le feu de l'action (au sens figuré, mais parfois aussi au sens propre), le relationniste doit assumer une communication rapide, transparente et fiable avec tous les publics, internes et externes. En tenant compte des multiples aspects humains et sociaux de la crise, il devra satisfaire les besoins de toutes les parties prenantes et surtout les exigences du public directement concerné par la crise, les victimes, les populations déplacées, les publics sinistrés, etc.

Il prendra également en considération les répercussions de la crise et ses conséquences sur l'environnement global de l'organisation et sur la société dans son ensemble, puisqu'il est imputable de ses actions de communication auprès du corps social.

ÉTUDE DE CAS

Entreprise ou organisation

Fédération des médecins spécialistes du Québec (FMSQ)

Campagne ou action

Dénonciation du projet de loi C-484 (PL C-484)

Distinction

Prix d'excellence Platine 2009 de la Société québécoise des professionnels en relations publiques (SQPRP)

Catégorie : **Gestion des enjeux et communication de crise**

Lauréats

Nicole Pelletier, ARP
Direction des Affaires publiques et des Communications (DAPC)
Fédération des médecins spécialistes du Québec (FMSQ)

Autres membres de l'équipe :
Dr Gaétan Barrette, président et porte-parole
Dominic Armand, webmestre – infographiste (DAPC)
Richard-Pierre Caron, conseiller principal (DAPC)
Patricia Kéroack, conseillère en communication – responsable
des éditions (DAPC)
Angèle L'Heureux, bibliotechnicienne (DAPC)
Nicole Martel, adjointe à la directrice (DAPC)
Geneviève Roberge, adjointe à la direction des Affaires publiques
et des Communications (DAPC)

 FÉDÉRATION DES MÉDECINS SPÉCIALISTES DU QUÉBEC

DÉNONCIATION DU PROJET DE LOI C-484 (PL C-484)

Rappel du contexte

Déposé le 21 novembre 2007 à la Chambre des communes, le projet de loi privé C-484 franchissait dans une quasi-indifférence, le 5 mars 2008, la deuxième étape de son adoption : 147 votes en sa faveur, dont 118 conservateurs incluant le premier ministre. Les députés des partis d'opposition s'étaient majoritairement prononcés contre son adoption, mais en nombre insuffisant pour le bloquer.

Ce projet de loi visait à apporter des amendements au Code criminel afin de.sévir contre tout acte de violence entraînant la mort d'un enfant à naître. Le gouvernement canadien voulait faire en sorte qu'un individu commettant un homicide contre une femme enceinte puisse écoper d'une double peine de prison. Cette loi, si adoptée, accorderait implicitement un statut juridique au fœtus. Or, selon plusieurs experts et juristes, cette reconnaissance de droits du fœtus était de nature à ressusciter un débat clos depuis 20 ans au Québec, celui de la criminalisation de l'avortement, et, par conséquent, aurait pu ouvrir à d'éventuelles poursuites criminelles intentées contre les médecins spécialistes pratiquant des avortements. Il aurait alors appartenu aux tribunaux de trancher, provoquant, *de facto*, un flou juridique préjudiciable tant pour les femmes que pour leurs médecins traitants. Les intentions politiques étaient peut-être louables à première vue, mais le projet de loi, tel qu'il était présenté, ouvrait la porte à moult complications, notamment d'ordre social, alors qu'il était possible de modifier le Code criminel pour obliger les juges à imposer des peines plus sévères pour ce genre de crimes.

Février 2008 : La direction des Affaires publiques et des Communications (DAPC) apprend l'existence de ce projet de loi par le biais d'un échange de courriels. Le sujet est d'importance et la DAPC prend la décision d'examiner les faits et d'évaluer les retombées possibles sur les médecins spécialistes du Québec.

Avril 2008 : La Fédération des médecins spécialistes du Québec (FMSQ) entreprend une importante campagne de communication et de sensibilisation auprès du grand public pour dénoncer le projet de loi C-484 « Loi sur les enfants non encore nés victimes d'actes criminels ».

Recherche

Se renseigner sur l'historique, le cheminement législatif et la portée du projet de loi (archives de la FMSQ, Bibliothèque nationale du Québec, sites Internet), effectuer des consultations auprès de différentes instances concernées, développer des contacts avec certains députés des partis d'opposition :

- lecture et analyse du projet de loi ;
- recensement de tous les articles parus en 1988, antérieurs et postérieurs au rendu de décision de la Cour suprême du Canada en matière d'avortement ;
- recensement des mémoires présentés par les associations professionnelles et médicales lors du dépôt de projets de loi similaires traitant d'avortement ;
- recensement d'opinions juridiques en matière de criminalisation de l'avortement ;
- recensement d'articles traitant de l'adoption de lois similaires aux États-Unis ;
- lecture de certaines opinions juridiques émises à la suite du dépôt du PL C-484.

Mi-mars 2008 (à la suite du résultat du vote à la Chambre des communes) : La DAPC recommande que la FMSQ prenne publiquement position contre ce projet de loi. La stratégie de communication présentée reçoit l'aval du président, porte-parole officiel, et du conseil d'administration.

Analyse, planification

Le droit des femmes et la pratique de leurs médecins traitants sont en jeu : droit de disposer de leur corps, de recourir à un médecin, de recevoir (et de donner) les soins appropriés dans un environnement approprié :

- ce projet de loi risque de rouvrir la porte à la recriminalisation de l'avortement et, *in extenso*, aux poursuites criminelles intentées contre des médecins ;

- le débat doit se situer au niveau du principe et ne pas entrer dans une guérilla d'avis juridiques ;

- compte tenu d'exemples identiques recensés aux États-Unis, la présomption de «dommages collatéraux» est très forte si ce projet de loi est adopté au Canada ;

- au Québec, peu de gens ont entendu parler de ce projet de loi ; les quelques dénonciations faites sont passées à peu près inaperçues ;

- le temps presse ; le vote en troisième lecture du PL C-484 pourrait avoir lieu avant l'ajournement des travaux en juin 2008 ;

- dans le contexte d'un gouvernement minoritaire, les travaux législatifs sont perturbés à la Chambre des communes.

Stratégie

Organiser une mobilisation rapide de la population du Québec pour faire pression sur les élus de la Chambre des communes afin qu'ils votent contre l'adoption du projet de loi en troisième lecture, et ce, par le biais des médias, du Web 2.0 et de relations gouvernementales :

- dénoncer le projet de loi, réclamer son retrait et inviter l'opposition officielle à voter contre son adoption, à l'instar des autres partis d'opposition ;

- lancer publiquement et simultanément un microsite sur le site Internet de la FMSQ entièrement consacré à ce projet de loi et des actions entreprises par la FMSQ notamment d'une pétition électronique contre le PL C-484, des lettres types de protestation et plus ;

- s'adresser directement et par lettre, au premier ministre du Canada ;

- réclamer, par lettre, l'intervention du chef de l'opposition officielle pour bloquer l'adoption de ce projet de loi ;

- demander, par lettre, aux chefs des autres partis de prendre position contre le PL C-484 ;

- transposer le débat à l'Assemblée nationale du Québec en invitant, par lettre, les chefs de toutes les formations politiques à dénoncer unanimement ce projet de loi ;

- inciter les groupes tiers à prendre position sur la place publique afin de faire écho à notre demande.

Nos objectifs

- sensibiliser l'opinion publique québécoise à l'égard des répercussions que pourrait avoir ce projet de loi;

- forcer la classe politique, tant à Ottawa qu'à Québec, à prendre position contre ce projet de loi;

- pousser le gouvernement fédéral à battre en retraite et à s'engager à ne pas rouvrir le débat sur l'avortement.

Réalisation, production, communications

L'ensemble des opérations a été effectué par l'équipe de la DAPC dans le cadre de son mandat et de ses fonctions courantes:

- organisation et tenue d'une conférence de presse le 15 avril par le président de la FMSQ, Dr Gaétan Barrette (avis de convocation, communiqué de presse, briefing au porte-parole);

- gestion des relations de presse; suivi des demandes d'entrevues;

- lancement d'une campagne de communication virale virtuelle: mise en ligne d'un microsite Internet « Dénonciation du PL C-484 » (section dédiée ajoutée au site Internet de la FMSQ); conception, rédaction et production d'une pétition; partage d'information sur Facebook;

- intégration des outils de recherche de députés, tant au fédéral qu'au provincial;

- informations par courriel aux associations de médecins spécialistes;

- envoi de lettres personnalisées aux chefs des partis politiques du Canada (Chambre des communes) et du Québec (Assemblée nationale) et à tous les élus concernés;

- gestion des réactions; suivi de l'évolution de la pétition;

- diffusion d'un communiqué de presse le 17 avril saluant la motion unanime adoptée par l'Assemblée nationale du Québec;

- diffusion d'un communiqué de presse le 25 avril soulignant qu'en moins de 10 jours, le nombre de signataires de la pétition a atteint le cap des 25 000 signatures.

Évaluation

La FMSQ a été l'instigatrice d'une véritable prise de conscience québécoise, voire canadienne, d'un mouvement de sensibilisation et de protestation, quant aux impacts possibles du projet de loi C-484. Ce mouvement assimilable à une vague a culminé par l'adoption, à notre demande, d'une motion unanime par les membres de l'Assemblée nationale du Québec, le 17 avril. Plus de 40 000 personnes ont signé la pétition électronique lancée par la Fédération (ce qui représentait à cette date la 4e plus importante pétition électronique jamais réalisée partout dans le monde).

La position de la FSMQ a trouvé écho chez bon nombre de tiers, dont le Collège des médecins du Québec, qui ont cité ou repris le message de la FMSQ à un point tel que la question s'est traduite en un enjeu électoral. Des groupes de pression de toutes sortes, à la suite de la sortie publique de la FMSQ, ont poursuivi la dénonciation et plusieurs groupes ont organisé des manifestations publiques (à travers tout le Canada) en y invitant la FMSQ.

Le 25 août, le ministre de la Justice du Canada annonce le retrait du PL C-484 et son intention de modifier l'article 718 du Code criminel pour obliger les juges à imposer des peines plus sévères lorsqu'une femme enceinte est victime d'un crime.

Parmi les indicateurs de succès de la campagne :

- volume, ton et durée de la couverture média (quotidiens, hebdomadaires, revues spécialisées, radio et télé) ;
- couverture médiatique hors Québec ;
- nombre de signatures à la pétition ;
- nombre de mentions, d'hyperliens, de références sur d'autres sites Internet personnels et d'organisations diverses et de blogues ;
- impact auprès de nos membres et dans le milieu de la santé (partenaires) ;
- appui de l'Assemblée nationale.

Budget et ressources

L'ensemble des opérations a été effectué par l'équipe de la DAPC de la FMSQ.

- Média : 1 500 $
- Traduction : 500 $
- Divers : 100 $
- Ressources humaines : environ 25 000 $, inclus dans le budget de la direction

L'ÉVALUATION ET LES INDICATEURS MESURABLES EN RELATIONS PUBLIQUES[1]

Pierre Bérubé,
en collaboration avec Guy Litalien

Évaluer, c'est créer – écoutez, ô créateurs !
Ce sont vos évaluations qui transforment
les choses évaluées en trésors et en joyaux.
(NIETZSCHE, 2006, p. 99.)

---

1. Ce chapitre est basé en grande partie sur le mémoire de
   maîtrise de Pierre Bérubé (2005).

9.1. À LA BASE D'UNE PRATIQUE ÉCLAIRÉE DES RELATIONS PUBLIQUES

9.1.1. DE L'INTANGIBLE À LA DÉMONSTRATION DES RÉSULTATS

L'importance de la recherche, de l'évaluation et de la mesure des résultats en relations publiques est reconnue internationalement par les associations regroupant les professionnels de cette spécialité du domaine des communications. Elle est également prônée et documentée dans les principaux ouvrages de référence en usage dans les milieux académiques offrant une formation en relations publiques, dont *Cutlip and Center's Effective Public Relations* (Broom, 2009) qui en est à sa dixième édition et *Managing Public Relations* (Grunig et Hunt, 1984) qui demeure un classique dans le domaine.

Les gestionnaires résistent de plus en plus aux écrans de fumée et aux avalanches de coupures de presse (*ibid.*, p. 179). Ils s'intéressent aux résultats, ils veulent des faits, des chiffres et des prises de position éclairées. Ainsi il serait difficile de faire face à des cadres formés aux écoles de gestion, plusieurs étant détenteurs de MBA, en ayant recours à une approche prônant l'intangible et le non mesurable (Broom, 2009, p. 270). Conscient du rôle stratégique de l'information, ce type de gestionnaire attend des faits pour prendre des décisions basées sur une analyse systématique.

De plus, les nouveaux praticiens issus des programmes universitaires spécialisés en relations publiques ont reçu une formation sur les techniques de recherche et d'évaluation. Devenus clients et employeurs, ils attendent une démonstration factuelle de la valeur des interventions en relations publiques. Le mythe de la valeur intangible et non mesurable des relations publiques cède le pas au besoin de reddition de comptes, tant dans l'organisation que dans l'espace public.

Le choix judicieux des indicateurs mesurés revêt ainsi une grande importance. Bien que plusieurs indicateurs liés aux relations publiques touchent les résultats d'affaires, ils ne peuvent se limiter à ceux-ci, selon Grunig, Grunig et Dozier (2002) qui proposent notamment de tenir compte d'indicateurs témoignant de l'état des relations entre les organisations, leurs publics et leurs parties prenantes.

Alors que les relationnistes subissent les pressions et les exigences d'un monde en transformation où l'information prend une place prépondérante, il leur revient d'en saisir les ouvertures, les occasions de progrès, en tirant avantage du potentiel des nouveaux outils mis à leur disposition. Selon Broom (2009, p. 271. Traduction libre), « les ordinateurs et les spécialistes de l'information de gestion ont grandement augmenté la capacité des organisations à recueillir, traiter, transmettre et interpréter l'information». Cette ère de l'information avec laquelle doivent composer les spécialistes des relations publiques est une voie de développement pour la profession bien qu'elle apporte son lot de contraintes, dont celle de répondre aux pressions pour la livraison de données factuelles, d'informations issues de la recherche. Le Web 2.0 et les médias sociaux posent par ailleurs autant de nouveaux défis en termes d'évaluation qu'ils apportent des outils de mesure très efficaces, ce que nous verrons plus loin.

9.1.2. BIDIRECTIONNALITÉ ET ENVIRONNEMENT DE L'ORGANISATION

La notion de bidirectionnalité proposée par Grunig et Hunt (1984) est présentée comme essentielle à l'évolution des relations publiques, leur permettant de jouer un rôle important dans la relation entre l'organisation, ses parties prenantes et l'ensemble des publics. Les deux modèles bidirectionnels exigent cependant une écoute des besoins et des positions de ces groupes, de ces publics. Le recours à la recherche formative devient ainsi incontournable pour les relationnistes qui adoptent les modèles bidirectionnels dans leur pratique.

Grunig et Hunt (*ibid.*, p. 41) font toutefois une mise en garde contre l'utilisation de la recherche aux seules fins de convaincre et de manipuler les publics, une approche purement persuasive développée surtout dans les années 1940 et 1950, notamment avec les sondages d'opinion. Ils soulignent l'importance de dépasser ce modèle qu'ils qualifient d'asymétrique pour faire évoluer les relations publiques vers une prise en compte réelle des attentes et des intérêts des publics, soit la bidirectionnalité symétrique ou la communication dialogique.

Au terme de leur étude de 15 ans sur les facteurs d'excellence en relations publiques, Grunig, Grunig et Dozier (2002, p. 26. Traduction libre) affirment que :

> Les programmes jugés excellents sont [...] basés sur des recherches tenant compte de l'environnement de l'organisation, et ils sont plus susceptibles d'être évalués de multiples façons (scientifique, monitorage ou informelle) que les programmes jugés moins excellents. Les gestionnaires des départements jugés excellents sont aussi plus susceptibles de présenter des faits pour démontrer les résultats positifs des programmes, tels que l'atteinte des objectifs, les changements dans les relations ou l'évitement de conflit.

La bidirectionnalité dans la communication entre les organisations et leurs parties prenantes ne peut se faire que par une écoute active de la part de l'organisation. Les professionnels des relations publiques ont à dépasser les rôles de porte-parole pour devenir également les oreilles de leurs organisations, par le recours continu à la recherche.

9.1.3. LES PRÉOCCUPATIONS POUR LE RETOUR SUR L'INVESTISSEMENT (ROI) : LA VALEUR DES RELATIONS PUBLIQUES

La notion de rentabilité (*ROI/return on investment*) est de plus en plus présente dans les exigences posées aux relationnistes par leurs clients ou par leurs supérieurs hiérarchiques. On cherche ainsi à connaître la valeur des investissements en relations publiques (Grunig, Grunig et Dozier, 2002, p. 90). Certains vont jusqu'à attribuer un équivalent monétaire à la couverture de presse en utilisant les tarifs publicitaires comme base de comparaison, bien que cette approche soit fortement contestée (Fairchild, 2000, p. 37 ; Jeffries-Fox, 2003).

Selon Broom (2009), les relationnistes doivent présenter des résultats mesurables, puisqu'on leur demande d'apporter des bénéfices qui sont proportionnels aux budgets consacrés aux programmes :

> Les relations publiques, comme toute autre fonction de la structure hiérarchique ou fonctionnelle, sont évaluées par leur contribution à la réalisation de la mission et à l'atteinte des objectifs de l'organisation. Les gestionnaires de tous types d'organisations, des plus grandes corporations aux plus petits organismes sans but lucratif, demandent des preuves de l'*impact* des programmes, particulièrement lors des révisions budgétaires, de la négociation de nouveaux crédits ou quand les organisations réduisent leur taille par souci de compétitivité ou qu'une nouvelle direction réorganise les opérations et les priorités (Broom, 2009, p. 349. Traduction libre).

Publié au terme de 15 années d'études, l'ouvrage *Excellent Public Relations and Effective Organizations* (Grunig, Grunig et Dozier, 2002) avait parmi ses objectifs de déterminer « comment les relations publiques rendent l'organisation plus performante et [ce] que vaut cette contribution ». Cette question était associée au fait que le côté intangible des relations publiques était perçu comme une faiblesse devant les pressions budgétaires, surtout durant les périodes de crises financières, alors que d'autres fonctions pouvaient faire la démonstration systématique de leur valeur. Les relationnistes ressentaient un urgent besoin de faire la démonstration de la valeur de leurs interventions pour l'organisation. Il s'agissait d'une question de survie pour leur profession.

Les efforts de communication sont-ils une dépense ou un investissement? Pour attribuer une valeur aux relations publiques, l'équipe de Grunig propose d'en faire l'évaluation à au moins quatre niveaux: au niveau des programmes, au niveau de la fonction dans son ensemble, au niveau organisationnel et au niveau de la responsabilité sociale de l'entreprise (Grunig, Grunig et Dozier, 2002, p. 92). En élargissant ainsi la notion de valeur des relations publiques, les chercheurs tendent à démontrer que celle-ci dépasse le niveau monétaire et la rentabilité financière. Selon eux, les relations publiques sont efficaces et rentables «quand elles permettent l'atteinte d'objectifs permettant d'établir des relations réussies avec des publics ayant une valeur stratégique pour l'organisation» (*ibid.*, p. 106. Traduction libre). Selon les auteurs, les relationnistes ont besoin d'un indicateur fort, non financier, pour témoigner de la valeur des relations publiques. Leur recherche les amène à conclure que le concept de *relations* serait le plus porteur, au-delà d'autres concepts plus flous comme la réputation, l'image, la bonne volonté ou l'image de marque (*ibid.*, p. 137).

Mais combien valent les relations? Grunig, Grunig et Dozier (*ibid.*, p. 105) ont relevé quatre caractéristiques qui rendent impossible selon eux l'association directe et systématique d'une valeur monétaire aux relations[2]:

- Les relations (et leur produit, la réputation) fournissent un contexte pour le comportement des clients, investisseurs, employés, gouvernements, la communauté, les médias et autres parties liées stratégiquement, mais ne peuvent seules déterminer ces comportements et leur impact sur la performance financière.

- Les relations économisent de l'argent en évitant les situations coûteuses, les crises, les règlements, les litiges et la mauvaise publicité.

- Le retour sur investissement des relations se fait sur un horizon lointain. Plusieurs années d'investissements peuvent trouver leur rentabilité dans l'évitement d'une crise, d'un boycott ou d'un litige qui *pourrait* arriver plusieurs années plus tard.

- Le retour sur investissement des relations se fait souvent en bloc. Alors que de bonnes relations avec des consommateurs peuvent engendrer un flot continu de revenus, le bénéfice est généralement soudain, par exemple dans l'évitement de crises

---

2. Traduction et adaptation libres.

ou de mauvaise publicité. De même, de bonnes relations avec des donateurs potentiels devront être entretenues durant de nombreuses années avant qu'un don majeur soit versé. Il devient ainsi difficile d'évaluer au prorata le retour sur investissement en fonction des investissements annuels.

Bien que l'évaluation de la valeur des relations publiques dépasse la portée des mesures financières, il convient de prendre en considération le retour sur l'investissement, selon le budget consacré. Certains auteurs ont tenté de chiffrer ce retour, comme Ries et Ries (2003) ainsi que Kotler (2001), à partir d'équivalences reliées au marketing sur des bases comparatives permettant d'estimer la valeur des activités de relations publiques. Celles-ci sont cependant surtout limitées aux activités liées à la promotion de produits. Elles ne peuvent prendre en compte l'ensemble des aspects liés aux relations publiques, dont la complexité et la portée sont beaucoup plus larges.

9.1.3.1. Les équivalences en valeur publicitaire (EVP)

Une technique permettant de donner une valeur monétaire à la couverture de presse s'est répandue au fil des ans, notamment parmi les cabinets de relations publiques ayant à justifier des budgets importants. La valeur publicitaire équivalente (*Advertising Value Equivalency – AVE*) de la couverture de presse consiste à mesurer l'espace et le temps d'antenne obtenu, pour ensuite multiplier le résultat par le tarif en vigueur pour l'achat d'un espace publicitaire équivalent dans le média en question. Certains vont plus loin et appliquent un facteur de multiplication, le «facteur RP», sous prétexte que la crédibilité du contenu rédactionnel est plus élevée que celle du contenu publicitaire. La valeur de cette méthode de mesure est cependant contestée par plusieurs organisations, dont l'Institute for Public Relations aux États-Unis (Jeffries-Fox, 2003) et l'Institute of Public Relations en Angleterre (Fairchild, 2000).

Selon Broom (2009, p. 362), la démonstration du fait que les mentions venant du contenu éditorial seraient plus crédibles que les publicités n'a jamais été faite. Au contraire, plusieurs études tendraient à démontrer que les auditoires visés ne feraient pas de distinction particulière en matière de confiance ou de valeur de l'information. L'auteur présente plusieurs facteurs militant contre le fait d'utiliser une comparaison directe avec la valeur publicitaire pour mesurer les relations publiques:

- les publics rejoints par la publicité sont généralement mieux ciblés;

- les contenus éditoriaux sont souvent neutres ou peuvent même être négatifs alors que la publicité est généralement positive et plus créative;
- les contenus éditoriaux peuvent également faire mention de compétiteurs ou de positions adverses et les présenter de manière favorable;
- les contenus éditoriaux sont souvent moins bien positionnés ou moins bien mis en valeur que les publicités;
- les tarifs publicitaires utilisés dans ce contexte sont généralement ceux pratiqués pour les achats à la pièce, alors que les tarifs véritablement payés par les annonceurs sont la plupart du temps plus bas à cause de leur volume d'achat;
- finalement, l'impact de la publicité n'est jamais mesuré en fonction des coûts d'achat de l'espace médiatique, mais plutôt en fonction des résultats obtenus (auditoire rejoint, gains de notoriété, intentions d'achat, volume de ventes, etc.).

9.1.3.2. Les points d'évaluation des relations médias (PEM)

Dans le but de promouvoir l'importance de l'évaluation et prenant en compte les réserves exprimées par les milieux professionnels et académiques quant à l'usage des EVP, un comité de la Société canadienne des relations publiques (SCRP) composé d'un groupe de spécialistes du marketing et de gestionnaires de cabinets de relations publiques a cherché à développer une approche alternative. Elle a conçu et lancé en 2006 un système d'évaluation baptisé Points d'évaluation des relations médias (PEM)[3]. Ce dernier propose une approche et un outil informatique pour l'évaluation de l'exposition médiatique. L'accès au logiciel de compilation, qui fournit également les données de portée et d'auditoire des médias, exige un abonnement annuel auprès d'un fournisseur de services accrédité.

Un point d'intérêt marquant de ce système est son accès aux mesures normalisées sur la portée et l'auditoire des médias canadiens, effectuées par des fournisseurs tels BBM, ComBase, NaDbank et PMB. Autre point d'intérêt, il permet de faire un relevé des principaux éléments jugés significatifs dans la couverture de presse pour un projet donné, tels que la mention de l'entreprise ou de la marque, la présence d'une photo, l'usage de la couleur, la présence d'une citation d'un porte-parole ou une position prépondérante.

---

3. Selon le site <scrp.ca>, consulté le 21 février 2010.

Les PEM proposent, à partir des données de portée et d'auditoire, d'établir un coût par contact en divisant le coût de la campagne par le nombre de contacts. Ce type de mesure se rapproche des points d'exposition brute (PEB[4]) utilisés en publicité et auxquels on peut attribuer une valeur monétaire.

Des réserves doivent cependant être émises pour l'indice de succès des campagnes que propose le système des PEM et une mise en perspective s'impose. Cet indice de succès est établi par un pointage (sur cinq) pour le ton ainsi qu'un pointage (sur cinq) pour le respect de cinq critères d'évaluation qui doivent être établis au départ. On prévoit également la possibilité d'ajouter ou de soustraire un point aux cinq points portant sur les critères d'évaluation. Ce point «boni» ou «de démérite» est à inscrire dans certains cas jugés exceptionnellement positifs ou négatifs. La note pour les critères demeure calculée sur cinq et la note globale sur dix constitue le pointage PEM.

La représentativité de ce pointage pour attester du succès et surtout des difficultés ou des faiblesses d'une campagne est cependant discutable. Les PEM proposent un indice orienté de manière à mettre en valeur les activités de relations de presse. L'indice obtenu peut servir de base comparative entre certaines campagnes, mais il n'apporte malheureusement pas une évaluation véritablement objective et critique, dans l'esprit de l'évaluation prônée par Broom (2009), Lindenmann (2003a, 2003b) ou Grunig, Grunig et Dozier (2002).

À titre d'exemple, la manière dont les PEM structurent l'évaluation du ton des parutions a pour effet d'accentuer le poids des mentions positives et surtout de minimiser le poids des mentions négatives. Bien que le système PEM reprenne une pratique bien établie en analyse de contenu consistant à évaluer le ton (positif, neutre ou négatif), le pointage accordé dans les PEM pour chacune des tonalités induit un biais positif. On accorde cinq points pour une parution au ton positif, trois points pour une parution au ton neutre et aucun point n'est donné pour une parution au ton négatif. La moyenne obtenue est considérée comme l'indice de tonalité, sur cinq points.

Ce type de compilation ne permet pas d'évaluer correctement les éléments négatifs d'une couverture de presse. En fait, l'indice est particulièrement trompeur pour les situations polarisées où la presse se ligue contre une situation, une organisation ou une personne. On peut prendre en exemple les scandales financiers ou encore les accidents

---

4. Les PEB sont calculés en multipliant le pourcentage de la population visée (portée) par le nombre d'expositions au message.

industriels majeurs. À titre comparatif, une pratique courante en évaluation de contenu est d'attribuer une valeur nulle (0) pour un énoncé neutre et, de manière équilibrée, une valeur positive pour un énoncé positif (+1 ou +5) et une valeur négative pour un énoncé négatif (−1 ou −5). Certains vont choisir de donner une valeur médiane (2,5/5) pour un énoncé neutre, en attribuant des valeurs aux deux extrêmes pour les énoncés positifs (5) et négatifs (0). Dans le cas des PEM, la valeur neutre (notée 3/5) est déséquilibrée, inclinant du côté positif. Finalement, en additionnant la note sur 5 obtenue pour le ton avec la note sur 5 obtenue pour les autres critères afin de constituer une note globale sur 10, la notion de tonalité positive ou négative est noyée dans l'ensemble. L'important repère de neutralité est alors masqué.

En fait, les PEM peuvent sans doute constituer une balise pour comparer certaines campagnes et rendre compte d'une partie des résultats obtenus, mais il ne s'agit pas d'une évaluation rendant compte de la complexité et de la profondeur des relations avec la presse. Les PEM proposent par contre un outil qui offre l'avantage d'être convivial et pratique pour les professionnels du domaine, particulièrement pour les relations de presse promotionnelles. Pour les dossiers controversés ou les communications de crise, il serait préférable de privilégier une analyse de contenu plus scientifique (Gauthier, 2009), reflétant avec précision les éléments négatifs et le poids des enjeux qui alimentent le débat. Les relationnistes ont intérêt à bien comprendre les limites du système PEM et à diversifier leurs outils de mesure touchant les relations de presse dans le cadre du développement d'une culture d'évaluation.

9.1.3.3. La valeur monétaire des services de relations publiques

Cherchant à répondre à la demande d'équivalent monétaire pour l'ensemble des services de relations publiques, l'étude menée par Grunig, Grunig et Dozier (2002, p. 106) incluait une tentative de quantification, de détermination de la valeur monétaire des investissements en relations publiques faits par les organisations. Cette approche pourrait être utilisée dans certains cas pour établir avec les clients la valeur perçue des services obtenus. Les chercheurs se sont basés sur une approche que les économistes appellent la «variation compensatoire». Cette méthode consiste à demander à des individus combien ils seraient prêts à débourser pour obtenir une chose, un bénéfice ou un avantage quelconque.

En présentant 100% comme la moyenne, soit la valeur d'un département typique, leur étude conclut que, dans les organisations portant une faible attention aux relations publiques, le retour sur investissement estimé par les cadres supérieurs est de 140%, soit 1,40 $ pour chaque dollar investi. Dans la moyenne des organisations, le retour serait évalué à 1,86 $ alors que dans les entreprises dotées de programmes de communication jugés «excellents» selon les critères de l'étude, ce retour sur investissement a été évalué à 2,25 $. Le retour sur investissement des relations publiques serait ainsi de 140 % à 225 %, selon le degré d'excellence des programmes de relations publiques.

9.1.4. Les organismes gouvernementaux et la reddition de comptes

Des pressions se font également sentir dans l'appareil gouvernemental. Au Québec, la législation contraint la fonction publique à faire preuve de transparence dans sa gestion et à se doter d'objectifs mesurables. Les services reliés aux communications et aux relations publiques sont ainsi appelés, comme les autres services de leur organisation, à définir leurs propres objectifs ainsi que leurs indicateurs mesurables.

9.1.5. Du technicien au gestionnaire

Plusieurs organismes regroupant les professionnels du domaine ont en commun une priorité : celle de promouvoir les relations publiques comme fonction de gestion, intégrée à la haute direction des organisations. Ils visent ainsi le passage progressif d'un rôle plutôt technicien à un rôle plus stratégique (Broom, 2009 ; Grunig, Grunig et Dozier, 2002). Ces relationnistes font cependant face à de nouvelles obligations et sont appelés à présenter des faits et des résultats tangibles. Les intuitions basées sur la connaissance experte du domaine ne suffisent plus. Il faut démontrer une connaissance factuelle des situations, justifier les décisions, rendre des comptes, présenter des preuves d'efficacité et de rentabilité. Le besoin d'intégrer la recherche et de développer une culture de l'évaluation devient de plus en plus incontournable pour le domaine des relations publiques qui cherche à intégrer le cercle de la «coalition dominante» des organisations, selon une expression développée en 1967 par Thompson et reprise par Grunig et al. (1984, 2002), ou qui cherche du moins à jouer un rôle-conseil plus stratégique.

Pour jouer ce rôle et occuper une fonction de gestion, le relationniste devra disposer d'informations factuelles. Son rôle stratégique s'accroît avec l'information dont il dispose. Ainsi la collecte d'information, la recherche et l'évaluation prennent une place de premier plan et constituent en quelque sorte une voie d'accès aux fonctions de direction. Selon Cutlip, Center et Broom (1999, p. 343), les études démontrent qu'un lien étroit existe entre le recours à la recherche et la présence à la table où se prennent les décisions stratégiques dans l'organisation. Selon James Kotes, de Illinois Bell :

> Pour avoir de l'influence, vous devez être à la table où se prennent les décisions et faire partie de la gouvernance corporative. Vous pouvez y être si ce que vous faites est appuyé par des faits. C'est sur ce point que les relations publiques ont généralement été faibles et c'est pourquoi, dans la plupart des promotions, les relations publiques se retrouvent à un niveau inférieur. L'idée est de se trouver là où les décisions se prennent pour avoir un impact sur l'avenir de l'entreprise. Pour y arriver, vous devez être comme l'avocat, le responsable des finances, le responsable du personnel ou des opérations. Vous devez présenter des faits concrets! (IPRA, 1994b, p. 8. Traduction libre.)

L'évaluation et la mesure constituent ainsi des éléments clés dans la quête des relationnistes pour obtenir un statut de gestionnaire dans les organisations et faire partie de la «coalition dominante», celle qui détermine les objectifs (Grunig et Hunt, 1984, p. 120).

9.2. QUE PEUT-ON ÉVALUER ET QUAND LE FAIRE?

9.2.1. L'ÉVALUATION DANS L'APPROCHE DE GESTION DES RELATIONS PUBLIQUES

La méthode RACE (Marston, 1979) est endossée par les principales associations regroupant les professionnels du domaine. Elle prône une approche en quatre temps: la recherche, l'analyse, la communication et l'évaluation. Deux étapes sur quatre seraient ainsi consacrées à des activités de recherche. Grunig et Hunt (1984, p. 108) distinguent deux types de recherche, la recherche formative (*formative research*), qui serait surtout appliquée à la phase initiale, et la recherche évaluative (*evaluative research*), qui serait surtout appliquée à la phase finale.

La recherche formative a pour but de fournir des éléments factuels, d'abord en amont du processus décisionnel, et d'éclairer les choix stratégiques (voir chapitre 3). La recherche évaluative intervient surtout en cours de processus et en aval, au moment de la réalisation des activités de communication, afin d'en mesurer l'effet et d'évaluer le degré d'atteinte des objectifs. Cette distinction devient importante dans un contexte où sont parfois confondues les notions de recherche et d'évaluation, les deux activités étant liées, relevant souvent de préoccupations apparentées et étant même appliquées à l'aide d'outils similaires (sondages, groupes témoins, entrevues, etc.).

Broom (2009, p. 267) présente la prestation de services en relations publiques comme un processus de gestion. Il propose d'adopter une approche de résolution de problèmes articulée en quatre étapes comparables à celles indiquées dans la méthode RACE.

1. Définition du problème ou de l'opportunité (recherche et analyse de la situation).

   Question : « Que se passe-t-il maintenant ? »

2. Planification et plan d'action (définition des stratégies).

   Question : « À partir de ce que nous avons appris de la situation, que devons-nous changer, faire ou dire, et pourquoi ? »

3. Réalisation, mise en œuvre du plan d'action (communication).

   Question : « Qui devrait faire et dire quoi, quand, où et comment ? »

4. Évaluation des étapes de préparation, de réalisation, ainsi que des résultats.

   Question : « Comment réussissons-nous, ou comment avons-nous réussi ? »

L'auteur présente par ailleurs une approche en trois phases successives pour l'évaluation des programmes de communication (*ibid.*, p. 358), soit la préparation, la mise en œuvre et l'impact. Il associe une série d'indicateurs, qu'il appelle niveaux d'évaluation, pour chacune de ces phases, précisant que l'évaluation de chaque phase apporte un éclairage sur un aspect distinct de l'efficacité des programmes (voir tableau 9.1). L'évaluation de la phase de préparation détermine la qualité et la pertinence des informations recueillies et de la planification stratégique. L'évaluation de la phase de mise en œuvre témoigne de la pertinence des moyens et des efforts déployés. L'évaluation de la phase d'impact rend compte des résultats et des effets du programme.

Une mise en garde est faite par l'auteur afin d'éviter de confondre les indicateurs mesurables d'une phase avec ceux d'une autre phase. À titre d'exemple, il mentionne l'erreur fréquente de présenter des éléments tels que le nombre de communiqués expédiés, de brochures distribuées ou de rencontres tenues comme indicateurs de l'efficacité des programmes (impact), alors qu'il s'agit d'indicateurs de mise en œuvre (Broom, p. 358).

Il est à noter que plusieurs des indicateurs présentés, notamment ceux touchant l'impact, prennent en considération les comportements des individus. Se rapprochant des études béhavioristes, de tels indicateurs doivent être utilisés avec discernement et mis en perspective dans une optique de communication bidirectionnelle symétrique afin d'éviter le piège de l'action purement persuasive et de favoriser le dialogue. Des indicateurs prenant en compte les changements survenus dans l'organisation, venant d'une écoute active de l'environnement, sont à développer en fonction du principe de l'interinfluence.

TABLEAU 9.1

**Phases et niveaux d'évaluation des programmes
de relations publiques selon Broom**

Phase	Niveaux d'évaluation
Préparation	Informations disponibles: Pertinence de l'information recueillie afin de concevoir le programme.
	Contenu du programme: Organisation et pertinence des messages ainsi que du contenu des événements.
	Qualité de présentation: Valeur technique et qualité de production des messages et des événements.
Mise en œuvre	Distribution: Nombre de messages expédiés et d'événements conçus.
	Exposition: Nombre de messages diffusés dans les médias et d'événements réalisés.
	Auditoire potentiel: Nombre de personnes potentiellement exposées aux messages et aux contenus des événements.
	Auditoire attentif: Nombre de personnes qui sont réellement attentives aux messages ou qui participent aux événements.
Impact	Gain de notoriété: Nombre de personnes qui retiennent le contenu du message et de l'événement.
	Changement d'opinion: Nombre de personnes qui développent une inclinaison ou en changent (opinion).
	Changement d'attitude: Nombre de personnes qui développent une prédisposition ou en changent (attitude).
	Changement de comportement: Nombre de personnes qui ont le comportement souhaité.
	Comportement répété: Nombre de personnes qui poursuivent ou maintiennent le comportement.
	Changement social et culturel: Changements à long terme sur les plans social et culturel.

Source: Broom, 2009, p. 358. Traduction libre.

9.2.2. L'ÉVALUATION ABORDÉE PAR PHASES DU PROCESSUS

Un effort pour identifier un ensemble de règles et d'approches uniformes pour évaluer et mesurer les relations publiques a été réalisé en octobre 1996 sous l'égide de l'Institute for Public Relations and Education qui organisa à New York une rencontre sous le thème Public Relations Evaluation Summit. Cet événement entraîna la constitution d'un groupe de travail qui produisit en 1997 un document relevant ce qu'ils ont appelé des critères minimaux pour l'évaluation des réalisations et des résultats des relations publiques (*Accepted minimum criteria for evaluating PR outputs and outcomes*). Un comité permanent a ensuite été créé par l'Institute for Public Relations (IPR) afin de se pencher sur les questions d'évaluation et de mesure. Ce comité appelé Commission on PR Measurement and Evaluation qui œuvre à partir de l'université de Floride a pour mandat de stimuler la création et la diffusion de textes de réflexion sur le sujet.

Walter K. Lindenmann, qui compte parmi les membres fondateurs de ce comité, a consacré une grande partie de sa carrière à faire l'évaluation d'activités de communication dans le cadre de ses fonctions au sein d'importantes firmes-conseils. Détenteur d'un doctorat en sociologie, il est reconnu comme l'un des auteurs les plus respectés en matière d'évaluation et de mesure en relations publiques. Auteur principal de l'ouvrage de réflexion cité dans le paragraphe précédent, il publiait en 2003 une version révisée de cet ouvrage (Lindenmann, 2003a) dont nous présentons ici les principaux éléments.

Tout d'abord, Lindenmann établit une distinction entre l'évaluation et la mesure en relations publiques. Selon lui, la mesure accorde une dimension précise aux résultats, permettant d'effectuer des comparaisons avec des normes ou des balises. La mesure est généralement quantifiable ou présentée avec des données chiffrées. Il cite en exemple les quantités de brochures distribuées ou le pourcentage d'augmentation de la notoriété. Il présente l'évaluation comme étant plus subjective, nécessitant une plus grande part d'interprétation et de jugement. L'évaluation permet de déterminer la valeur ou l'importance d'un programme de relations publiques, généralement par estimation ou comparaison avec un ensemble de buts et d'objectifs.

Lindenmann insiste sur l'importance de déterminer des objectifs mesurables en début de parcours, car selon lui il est impossible de mesurer l'efficience ou le degré d'atteinte des objectifs sans connaître la balise de comparaison. Il insiste également sur le fait que ces objectifs ne doivent pas être fixés de manière isolée, dans le seul contexte des activités de communication, mais établis en fonction des buts, objectifs, stratégies et tactiques de l'organisation dans son ensemble.

Le tableau 9.2 présente les cinq éléments du processus d'évaluation des programmes de relations publiques relevés par Lindenmann ainsi que leurs principales caractéristiques.

TABLEAU 9.2

Composantes du processus d'évaluation des programmes de relations publiques

Composante du processus	Description/caractéristiques
Buts et objectifs	• Établir avec précision les buts et objectifs. • Segmenter par élément de programme ou activité.

Production (*PR Outputs*)	• Résultats immédiats, souvent apparents.
	• Parutions, exposition.
	• Publications produites et diffusées.
	• Participations aux activités.
	• Évaluation possible en quantité et en qualité
	  – contenu,
	  – pertinence,
	  – apparence, etc.

Réception (*PR Outtakes*)	• Comment les publics cibles ont-ils reçu les messages? • Ont-ils porté attention? • Qu'ont-ils compris? • Qu'ont-ils retenu? • Peuvent-ils s'en rappeler? • Ont-ils reçu favorablement les messages?
Effets des relations publiques (*PR Outcomes*)	• Les publics cibles ont-ils changé d'opinion? • Les publics cibles ont-ils changé d'attitude? • Les publics cibles ont-ils changé de comportement?
Résultats pour l'organisation (*Business and/or Organisational Outcomes*)	• Parts de marché et pénétration. • Ventes. • Rentabilité.

Source: Lindenmann, 2003a. Traduction et adaptation libres.

9.2.3. MESURER LES RELATIONS : UNE VOIE EXPLORATOIRE

Plusieurs aspects indirects ou retombées auxquelles contribuent les relations publiques ont fait l'objet de tentatives de mesure, c'est le cas de la réputation (Fombrun, 1996) ou de la valeur de l'image de marque (Kotler, 2001). Un aspect important pour les organisations demeure difficile, voire presque impossible à mesurer : l'absence de conflits, de litiges, de grèves, de contestations, de législations hostiles, etc. Devant cet ensemble mouvant et pratiquement insaisissable, Grunig et Hon (1999) et Grunig, Grunig et Dozier (2002) proposent de mesurer les relations.

Considérant que le but fondamental des relations publiques est de créer et d'améliorer les relations avec les diverses parties prenantes liées à l'organisation, Grunig et Hon (1999) offrent des lignes directrices permettant de mesurer ces relations. Ils proposent une série d'énoncés permettant d'élaborer un sondage ou un scénario d'entrevue de groupe. Contrairement aux outils et aux techniques orientés vers les mesures à court terme de la production ou des résultats, la mesure des relations se veut un outil d'évaluation à long terme. Grunig, Grunig et Dozier (2002) reprennent ce concept prônant l'importance des relations et en font un élément majeur, voire fondamental des résultats de leur étude de 15 ans sur les relations publiques. Ils présentent une série de quatre indicateurs considérés comme les plus importants afin de définir la qualité des relations. Ces indicateurs peuvent être mesurés périodiquement auprès de publics jugés stratégiques. L'évaluation de l'état des relations peut ainsi servir à démontrer la valeur des activités de relations publiques pour l'organisation et pour la collectivité.

Les auteurs distinguent au départ deux types de relations (*ibid.*, p. 552)[5] : les relations d'échanges et les relations communautaires. Les relations d'échange sont celles où un avantage est consenti par une partie, en échange d'un avantage reçu ou à recevoir. Une partie est ainsi disposée à offrir des avantages en échange d'avantages jugés équivalents en retour. Les auteurs considèrent ce type de relation comme typique des relations de marketing entre une organisation et ses clients. Ils mentionnent cependant que les publics ont souvent des attentes envers les organisations pour lesquelles celles-ci ne reçoivent pas, du moins à court terme, d'avantages équivalents.

Le second type de relations relevé par Grunig, Grunig et Dozier (*ibid.*) est la relation communautaire, dans laquelle les deux parties offrent des avantages à l'autre parce qu'elles se préoccupent mutuellement

---

5. Les auteurs indiquent que ces deux types de relations interpersonnelles ont été identifiés en 1993 par les psychologues Clark et Mills.

de leur bien-être, sans attendre de compensation directe. Les auteurs considèrent qu'il fait partie du rôle des relations publiques de convaincre les organisations d'investir dans les relations communautaires avec des publics comme les employés, la population environnante, les groupes citoyens ou les médias. En amenant les organisations à investir dans leurs relations avec tous les publics qui sont touchés par leurs activités, et non seulement avec ceux qui apportent des avantages en retour, les relations publiques contribueraient à hausser la valeur de ces organisations pour elles-mêmes et pour leurs milieux.

Les quatre indicateurs considérés comme étant les plus importants afin de définir la qualité des relations sont présentés ici en ordre décroissant d'importance (*ibid.*, p. 553. Traduction et adaptation libres) :

- Mutualité du contrôle
  - Le degré d'entente entre les parties sur leur pouvoir respectif et leur degré de contrôle de l'agenda.
- Confiance
  - Le degré d'ouverture à l'autre partie venant de la perception d'intégrité qu'elle inspire, soit le fait qu'elle soit honnête et juste ; de la perception de fiabilité, soit le fait qu'elle ait la volonté de respecter ses promesses ; et de la perception de compétence, soit le fait qu'elle ait la capacité de respecter ses promesses.
- Engagement
  - Le degré de volonté à maintenir la relation, à partir de la perception que celle-ci mérite que l'on y investisse des énergies pour la faire progresser.
- Satisfaction
  - L'existence d'un sentiment favorable envers l'autre partie venant du fait que les attentes face à la relation sont satisfaites et que les bénéfices reçus dépassent les coûts exigés.

9.3. L'ÉVALUATION INTÉGRÉE À LA PRESTATION DE SERVICES

L'évaluation ne doit pas être considérée uniquement comme une étape finale, mais plutôt comme une partie intégrante des diverses étapes de réalisation des prestations (Broom, 2009 ; Fairchild, 2000). Des indicateurs mesurables doivent ainsi être établis pour chaque étape, et non seulement au début ou à la fin. Cette section propose une typologie inspirée notamment de Lindenmann (2003), Broom (2009) et Macnamara (1997). Elle présente une synthèse et des regroupements visant une meilleure identification des indicateurs mesurables, en tenant compte de leurs limites en termes de pertinence.

Le cheminement d'un projet de relations publiques est divisé en cinq volets successifs pouvant faire l'objet d'une évaluation spécifique. Ces étapes séquentielles ont été identifiées en tenant compte des outils de mesure et des données généralement disponibles dans le domaine des communications. En suivant cette structure, les relationnistes s'assurent de couvrir tous les aspects déterminants pour une évaluation méthodique de leurs programmes de relations publiques.

FIGURE 9.1

Les volets successifs du processus de prestation de services en relations publiques et les types d'indicateurs mesurables pouvant leur être associés

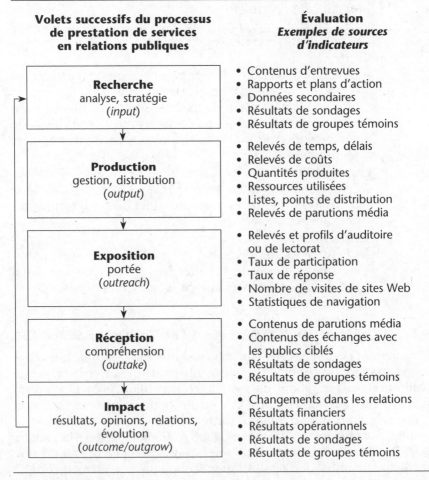

Volets successifs du processus de prestation de services en relations publiques	Évaluation *Exemples de sources d'indicateurs*
Recherche analyse, stratégie (*input*)	• Contenus d'entrevues • Rapports et plans d'action • Données secondaires • Résultats de sondages • Résultats de groupes témoins
Production gestion, distribution (*output*)	• Relevés de temps, délais • Relevés de coûts • Quantités produites • Ressources utilisées • Listes, points de distribution • Relevés de parutions média
Exposition portée (*outreach*)	• Relevés et profils d'auditoire ou de lectorat • Taux de participation • Taux de réponse • Nombre de visites de sites Web • Statistiques de navigation
Réception compréhension (*outtake*)	• Contenus de parutions média • Contenus des échanges avec les publics ciblés • Résultats de sondages • Résultats de groupes témoins
Impact résultats, opinions, relations, évolution (*outcome/outgrow*)	• Changements dans les relations • Résultats financiers • Résultats opérationnels • Résultats de sondages • Résultats de groupes témoins

Source: Bérubé, 2005.

9.3.1. RECHERCHE, ANALYSE, PLANIFICATION (*INPUT*)

Dans quelle mesure les informations pertinentes ont-elles été recueillies et analysées ? Dans quelle mesure les objectifs ont-il été clairement identifiés et les actions ont-elles été planifiées ? Première étape proposée par la méthode RACE (Marston, 1979, p. 185-203), la recherche est reconnue par plusieurs auteurs comme étant la première phase du processus de réalisation d'activités de relations publiques. Broom (2009, p. 269) considère la recherche ainsi que l'analyse de la situation comme les premières étapes du processus. Pour fins d'évaluation des programmes, il appelle la première phase «préparation» (*ibid.*, p. 358). Le *Gold Paper* n° 11 de l'International Public Relations Association (IPRA, 1994b) présente les intrants (*inputs*) comme la première de trois phases.

Lindenmann (2003a) de son côté insiste de manière générale sur l'importance de la recherche, mais sans en faire l'objet d'un volet distinct. Il mentionne comme étape préliminaire la définition claire des buts et objectifs par élément de programme ou activité, impliquant la recherche et la planification ainsi que l'obtention d'un consensus entre intervenants.

Ce volet inclut la recherche contextuelle, l'analyse des éléments recueillis, la réflexion stratégique et la planification. Il est généralement conclu par la présentation d'un plan de communication.

Techniques d'évaluation applicables au volet recherche[6] :

- analyse de données existantes (données secondaires) ;
- étalonnage (*benchmarking*) ;
- groupes témoins ;
- questionnaire pilote (prétest) ;
- audit de communication ;
- études de cas ;
- avis d'experts ;
- sondages ;
- analyse des réseaux de communication, incluant ceux du Web social ;
- analyse de plaintes ;
- analyse de contenu des médias écrits, électroniques et diffusés sur le Web ;
- analyse de contenu des commentaires publiés sur le Web (blogues, forums, etc.).

---

6. Certaines de ces techniques sont présentées en détail au chapitre 3.

Quelques indicateurs types applicables au volet recherche :
- pertinence de l'information recueillie ;
- exhaustivité de l'information recueillie ;
- justesse des analyses ;
- temps consacré à la recherche ;
- ressources consacrées à la recherche ;
- pertinence des choix stratégiques et tactiques proposés dans le plan de communication ;
- pertinence des balises d'évaluation proposées dans le plan de communication.

9.3.2. PRODUCTION, GESTION, DISTRIBUTION (*OUTPUT*)

Dans quelle mesure les activités de réalisation du mandat ont-elles été menées selon les attentes, prévisions ou critères de qualité adoptés ? Le volet production inclut l'ensemble des activités de mise en œuvre du mandat. Les résultats en sont généralement tangibles, palpables. Ce volet inclut par exemple la réalisation d'événements ou d'activités de représentation, la rédaction, la conception et la réalisation d'outils d'information ou de promotion, la supervision de fournisseurs, la distribution de documents ou de communiqués, etc. Il s'agit en fait d'évaluer tout ce qui est produit et réalisé par les relationnistes ou par les ressources agissant sous leur supervision, dans le contexte de mise en œuvre des stratégies. L'évaluation de ce volet peut en partie s'inspirer des outils et pratiques développés dans le domaine des normes de qualité ou de l'amélioration continue.

Techniques d'évaluation applicables au volet production :
- analyse des statistiques de distribution des outils de communication ;
- analyse des statistiques de diffusion de contenu sur Internet ;
- monitorage de presse (parutions) ;
- analyse statistique des données de production ;
- test de lisibilité ;
- rapport d'étape.

Quelques indicateurs types applicables au volet production :
- quantités produites ;
- quantités distribuées ;
- nombre de contacts ou d'appels ;
- nombre de parutions ;

- indices de lisibilité ;
- degré de respect des délais ;
- degré de respect des budgets ;
- analyse de résultats sectoriels (par activité, cible ou projet) ;
- degré d'atteinte des objectifs spécifiques.

Quelques indicateurs généraux touchant plus particulièrement les relations d'affaires entre les firmes-conseils et leurs clients (IPRA, 1994a) :

- pertinence et ponctualité des rapports ;
- précision et équité de la facturation, respect des budgets ;
- réponse aux demandes et directives ;
- ponctualité lors des rencontres et des retours d'appels ;
- compréhension du domaine d'affaires du client ;
- prise en charge des travaux par le personnel qualifié dans les firmes-conseils ;
- stabilité du personnel-conseil (faible renouvellement de personnel) ;
- disponibilité des ressources nécessaires au sein de la firme-conseil (personnel de soutien, outils informatiques, listes de presse à jour, etc.).

9.3.3. Exposition, portée (*OUTREACH*)

Dans quelle mesure les publics cibles ont-ils été rejoints, tant à l'interne qu'à l'externe ? Le volet exposition prend en compte le nombre d'individus qui ont été atteints ou mis en contact avec les messages émis et les activités réalisées. Il implique de prendre en considération le nombre de personnes qui ont été exposées aux messages, aux activités de communication et aux événements ainsi que le nombre de celles qui ont posé un geste de participation ou de réaction. Cette attention portée aux individus rejoints prend une importance déterminante dans un contexte où les relations publiques ont pour objectif l'amélioration des relations entre l'organisation et ses différents publics et parties prenantes (Grunig et Hon, 1999 ; Grunig, Grunig et Dozier, 2002). L'évaluation de ce volet peut être abordée en tirant profit des outils méthodologiques développés dans le domaine de la publicité et des mesures d'auditoire.

Pour les interventions touchant le Web participatif, une vigie efficace permettra d'obtenir des signes avant-coureurs, par exemple lorsqu'un blogueur influent traite d'un enjeu touchant l'organisation et qui est susceptible d'intéresser les médias de masse. Une configuration adéquate de la recherche formative permettra à l'organisation de s'adapter rapidement à la mouvance des informations. Le suivi des échanges sur Internet en continu devient donc un incontournable.

Techniques d'évaluation applicables au volet exposition :
- analyse des relevés d'auditoire ;
- analyse des statistiques de participation ou de réponse aux activités ;
- analyse des relevés de visite des sites et outils Web ;
- analyse des comportements de navigation des visiteurs des sites et outils Web.

Quelques indicateurs types applicables au volet exposition :
- mesures et profil de l'auditoire, du lectorat ou des participants ;
- nombre de participants/taux de participation ;
- nombre de réponses/taux de réponse ;
- nombre, profil et comportement de navigation des visiteurs de sites et outils Web ;
- les références conduisant au site Web de l'organisation ;
- les liens suivis à partir du site Web.

9.3.4. Réception, compréhension (*OUTTAKE*)

De quelle manière les publics cibles ont-ils perçu les communications ou les actions qui leur étaient destinés ? Pour Lindenmann (2003a, p. 6), il importe de déterminer si les publics cibles ont reçu les messages qui leur étaient destinés, y ont porté attention et les ont bien compris. On vérifiera également ce que les publics cibles ont retenu des messages et jusqu'à quel point ils peuvent se rappeler de leur contenu. Il s'agit de déterminer ce qui a été capté par les publics cibles exposés à l'effort de communication qui leur était destiné, ainsi que ce qu'ils en ont fait, comment ils ont réagi.

Dans un contexte de diffusion par la presse, la compréhension et l'interprétation données par les intervenants que sont les journalistes seront relevées. Les perceptions des publics devront être traitées distinctement, sans présumer de leur correspondance aux positions de la presse.

Dans un contexte de diffusion sur le Web, le succès ou l'échec de l'interactivité planifiée peut faire l'objet d'analyses et de tests spécifiques. Les tests d'ergonomie, de qualité d'interface et de comportements de navigation sont à considérer comme des évaluations de réception (Charest et Bédard, 2009).

Techniques d'évaluation applicables au volet réception :
- analyse de contenu des parutions dans la presse ;
- analyse de partialité de la presse ;
- études d'image et de perception ;
- étude de culture organisationnelle ;
- analyse de comportement et d'utilisation des sites et des outils Web.

Quelques indicateurs types applicables au volet réception :
- partialité et orientation du contenu des parutions dans les médias ;
- perceptions des publics et des parties prenantes ;
- contenus des échanges avec les publics et des parties prenantes ;
- degré d'accueil favorable des messages ;
- fluidité et facilité de consultation des sites et outils Web.

9.3.5. IMPACT, RÉSULTATS, OPINIONS, RELATIONS, ÉVOLUTION (*OUTCOME/OUTGROW*)

Dans quelle mesure les choses ont-elles changé ? Le but ultime des activités de communication étant de produire des résultats, ceux-ci font l'objet de la phase finale d'évaluation. En fonction des objectifs fixés au départ, on cherchera à évaluer ce qui a été accompli. Il est important de ne pas confondre les résultats stratégiques pour l'organisation, dont il est question ici, avec les résultats opérationnels comme le nombre de parutions ou le nombre de participants qui relèvent du volet production. Les résultats qui sont à évaluer pour ce volet du processus concernent par exemple les changements d'opinion, les changements de comportement ou encore l'influence sur la qualité des relations entre l'organisation et ses publics cibles et parties prenantes. L'impact des communications sur les résultats opérationnels touchant l'organisation, sa mission et ses objectifs est également suivi. Ce volet est généralement conclu par un rapport ou une présentation formelle des résultats.

Techniques d'évaluation applicables au volet impact :
• groupes témoins ;
• entrevues en profondeur ;
• sondages ;
• tests avant/après ;
• tests de navigation des sites et outils Web ;
• analyse de plaintes ;
• études d'image et de perception ;
• collecte de données non intrusive (observation anthropologique) ;
• analyse des résultats globaux de l'organisation.

Quelques indicateurs types applicables au volet impact :
• état des relations ;
• variation des opinions ;
• variation des comportements ;
• taux de satisfaction ;
• ventes et parts de marché ;
• résultats financiers ;
• résultats opérationnels ;
• variation de notoriété ;
• variation de la réputation ;
• recommandations.

9.4. VERS LA RECONNAISSANCE DE LA VÉRITABLE VALEUR DES RELATIONS PUBLIQUES

Comme on l'a vu précédemment, les relations publiques peuvent contribuer au succès et à l'intégration des organisations dans leurs milieux. La valeur de cette contribution est cependant difficile à établir clairement dans un monde où les relations ne sont pas souvent évaluées. Les relations évoluent, elles s'améliorent, se dégradent, se renforcent ou s'étiolent, mais la plupart du temps sans que l'on perçoive clairement ce qui les fait vivre. En fait, les relations entre les organisations et leurs parties prenantes se construisent et c'est là le domaine d'exercice fondamental des relations publiques (Grunig, Grunig et Dozier, 2002).

Pour que notre société progresse, les organisations et leurs parties prenantes doivent harmoniser leurs attentes respectives et leurs contributions mutuelles. Or la communication est au cœur de cette harmonisation et la raison d'être des relationnistes.

L'évaluation des relations publiques est essentielle pour permettre un ajustement éclairé des interventions qui permettent de faire évoluer positivement ces relations, dans un esprit de réalisation, de partage et de vie démocratique. Les relationnistes peuvent faire apprécier à sa juste valeur l'importance de leur contribution par une démonstration claire et factuelle de leur apport. Ils y gagneront non seulement une meilleure compréhension de leur champ d'intervention par l'ensemble des intervenants, mais ils contribueront ainsi à développer une culture de respect mutuel entre toutes les parties prenantes.

ÉTUDE DE CAS

Entreprise ou organisation
Bombardier

Campagne ou action
Prix annuel d'accomplissement – Édition 2008
Un programme de reconnaissance pour les employés
de Bombardier Aéronautique

Distinction
**Prix d'excellence Or 2009 de la Société québécoise
des professionnels en relations publiques (SQPRP)**
Catégorie : **Programme interne de relations publiques**

Lauréate
Lisa Neufeld
Conseillère en communications
Bombardier Aéronautique

BOMBARDIER

Initiative des services des communications internes et des ressources humaines, les Prix annuels d'accomplissement – un nouveau programme de reconnaissance des employés de Bombardier Aéronautique – a vu le jour en 2007. La première édition du programme a été implantée globalement dans toute l'organisation et elle s'est avérée une étape cruciale pour susciter l'intérêt, mettre à l'épreuve les caractéristiques du programme, établir les normes et définir les bases de référence en vue de l'évaluation. Tout au long du processus, la rétroaction a été encouragée ; celle-ci a d'ailleurs été soigneusement prise en considération lors de la planification de l'édition 2008 faisant l'objet de cette étude de cas.

Bombardier Aéronautique est un chef de file mondial dans le domaine de la conception et de la fabrication de produits d'aviation des plus innovateurs et un fournisseur de services connexes pour les marchés des avions d'affaires, commerciaux, amphibies et spécialisés. En 2008, Bombardier Aéronautique comptait 29 000 employés à l'échelle mondiale.

1. RECHERCHE

1.1. Contexte

La stratégie de croissance agressive de l'entreprise, fondée sur les acquisitions et l'élaboration de nombreux programmes de développement de nouveaux appareils, a été interrompue par une crise dans l'industrie aéronautique au début des années 2000 (crise économique, événements du 11-Septembre, concurrence féroce et attentes de plus en plus exigeantes de la clientèle). Cette crise a forcé l'entreprise à entreprendre une transformation culturelle et à adopter un système d'amélioration continue beaucoup plus structuré.

Faisant face à la nécessité de revoir et d'améliorer l'organisation, Bombardier Aéronautique a instauré un sondage annuel (en 2004) afin de recevoir de la rétroaction formelle de ses employés. Les principales constatations étaient :

- objectifs organisationnels méconnus ;
- cloisonnements étanches entre les unités d'affaires, entravant les opérations et les initiatives d'amélioration continue ;
- employés se sentant désengagés et ayant l'impression que le bon travail n'était pas reconnu.

La rétroaction recueillie a indiqué la direction à prendre avec la transformation culturelle et a conduit à l'adoption de trois priorités organisationnelles et quatre caractéristiques de leadership.

1.2. Une occasion en or

Étant déjà un joueur clé de l'industrie aéronautique – reconnu pour ses produits innovateurs –, l'entreprise a saisi l'occasion qui se présentait pour améliorer sa position de leader en favorisant l'alignement et l'engagement des employés.

En fonction des nouvelles priorités et des caractéristiques de leadership, plusieurs initiatives ont été proposées – une de ces propositions était un programme de reconnaissance.

1.3. Recherche

La recherche effectuée en vue de l'instauration du programme de reconnaissance des employés a été mise en œuvre principalement à partir des résultats du sondage des employés – mené en collaboration avec CROP, une firme montréalaise offrant une gamme complète de services de recherche. Les résultats du sondage ont démontré que l'indice d'engagement des employés était relativement faible en 2006.

En parallèle, un exercice élaboré d'analyse comparative a été mené afin d'aider à déterminer la nature du programme de reconnaissance devant être instauré.

2. ANALYSE, PLANIFICATION ET STRATÉGIE

2.1. Mandat

Le mandat : instaurer un programme de reconnaissance, à la grandeur de l'entreprise, qui tienne compte des priorités organisationnelles et de la transformation culturelle, et qui, de plus, influence positivement l'engagement des employés.

C'est ainsi que les Prix annuels d'accomplissement, ayant pour but de reconnaître les efforts remarquables qui résultent en des améliorations durables pour nos employés, nos clients et nos affaires, a vu le jour. Les buts du programme sont de :

- célébrer l'accomplissement des employés et renforcer les attitudes et les actions qui répondent aux trois priorités organisationnelles et aux quatre caractéristiques de leadership ;

- reconnaître l'effort supplémentaire qui entraîne des améliorations durables de la performance de l'entreprise ;

- promouvoir et partager les meilleures pratiques.

2.2. Analyse des parties prenantes

Ambassadeurs du programme – Le programme a bénéficié du soutien de deux exécutifs des ressources humaines et de l'appui du vice-président principal, Ressources humaines et du vice-président, Affaires publiques, Communications et Responsabilité sociale d'entreprise. Ils ont tous été d'ardents défenseurs du programme au sein de l'équipe de direction d'aéronautique.

Nouveau président et chef de l'exploitation – L'édition 2008 du programme a connu un changement de leadership avec l'arrivée d'un nouveau président et chef de l'exploitation de Bombardier Aéronautique, Guy C. Hachey. M. Hachey croyait déjà fermement à la pertinence de la reconnaissance, il s'est rapidement intégré dans le processus du programme, ce qui a eu pour résultat de renforcer le positionnement des Prix annuels d'accomplissement au sein de l'organisation.

Principaux dirigeants – Les exécutifs représentent une partie prenante clé pour l'implantation d'un programme de reconnaissance. Sans leur soutien indéfectible et visible, il serait difficile de convaincre les employés, et leur équipe de gestion locale, de la valeur et de l'intégrité du programme. La promotion active de la part de l'équipe de direction en faveur du programme ainsi que sa participation aux activités de reconnaissance sont essentielles. Bien que tous les dirigeants aient été d'accord avec l'instauration d'un programme de reconnaissance, il y avait une certaine préoccupation de leur part quant à la possibilité d'intégrer les activités de reconnaissance dans leur agenda.

L'équipe de leadership en Ressources humaines (RH) et les partenaires d'affaires en RH – Les exécutifs des ressources humaines sont des ambassadeurs importants en faveur de l'instauration du programme de reconnaissance. Nous avons capitalisé sur leur influence auprès des membres de la direction pour stimuler la participation à la grandeur de l'entreprise. Ils ont eu pour mandat de superviser la transformation culturelle, ils étaient donc des partenaires naturels pour la mise en place du programme. Nos ambassadeurs se sont assurés que des mises à jour au sujet du programme de reconnaissance soient intégrées à l'ordre du jour des rencontres clés des dirigeants en RH afin que ces derniers demeurent bien informés en tout temps.

Les gestionnaires – Le soutien des gestionnaires envers le programme est essentiel puisqu'ils peuvent influencer directement la participation des employés. Leur intervention est axée principalement vers la production, spécialement à la fin de l'exercice financier. De plus, les gestionnaires sont reconnus pour privilégier les initiatives locales plutôt que les programmes corporatifs. Cela étant dit, les gestionnaires sont de plus en plus impliqués dans la transformation culturelle et le système d'amélioration continue et ils adoptent progressivement les caractéristiques de leadership. Ainsi, le soutien ferme des Ressources humaines et la consigne claire d'«aller de l'avant» de la part de l'équipe de direction sont considérés comme étant cruciaux.

Réseau interne de communicateurs – Un réseau de communicateurs locaux à la grandeur de l'organisation exploite les outils de communication clés dans leur milieu respectif. Leur participation est importante afin de donner au programme la visibilité recherchée. Le réseau interne de communicateurs a été bien établi et leur participation est prévue. On s'attend à ce que les activités de communication et la couverture locale s'accroissent au fur et à mesure que les employés de l'endroit commencent à manifester leur intérêt et participent au programme.

Les employés – Les employés représentent la principale partie prenante. Selon les résultats du sondage auprès des employés, le désir actuel de reconnaissance favorise naturellement la participation des employés.

2.3. Analyse FFOM

Forces

- En 2008, la transformation culturelle va bon train et l'équipe de direction est mobilisée quant au besoin de changement, aux trois priorités et aux quatre caractéristiques de leadership.
- L'implication du président et chef de l'exploitation envers la reconnaissance et les ardents ambassadeurs du programme.
- Le système d'amélioration continue de Bombardier Aéronautique a déjà commencé à favoriser plusieurs attitudes et comportements souhaités.
- Un grand désir de reconnaissance au sein de l'organisation (comme indiqué dans le sondage des employés).

Faiblesses

- Une surcharge de travail générale à l'échelle de l'organisation, plus particulièrement à la fin de l'année financière. Aussi, le programme pourrait être considéré comme une distraction pouvant inciter les employés à moins se concentrer sur la production.
- Le peu de ressources disponibles pour gérer et promouvoir le programme.

Occasions

- Mettre en valeur et promouvoir les meilleures pratiques au sein de l'entreprise.

- Soutenir la transformation culturelle en démontrant les comportements souhaités – nous privilégions la personne, nous avons la passion du succès, nous travaillons en équipe, nous sommes stimulés par l'atteinte des résultats.

Menaces

- Cloisonnements étanches.

- Préférence pour les programmes locaux au sein des unités individuelles.

- Moment de l'introduction du programme et reconnaissance en temps opportun.

3. COMMUNICATION, EXÉCUTION ET PRODUCTION

3.1. Description du programme

Les *Prix annuels d'accomplissement* ont pour but de reconnaître des projets qui mènent à une réalisation durable et de calibre supérieur pour Bombardier Aéronautique, mettant en valeur les priorités organisationnelles et les caractéristiques de leadership.

Les employés inscrivent leurs projets dans l'une des deux catégories suivantes : projets de petite envergure ou projets de grande envergure. Les candidatures sont d'abord étudiées par un comité de validation ayant le mandat de vérifier que les projets répondent aux critères du programme. Les candidatures conformes sont alors soumises au comité de présélection afin d'être évaluées ; trois finalistes sont sélectionnés dans chacune des catégories. Les employés dont les candidatures ont été étudiées par le comité de présélection mais qui ne sont pas retenues pour la finale reçoivent une mention honorable. Dans la dernière manche du programme, les six équipes finalistes présentent leur projet au président et chef de l'exploitation et aux membres de l'équipe de direction d'aéronautique. Un gagnant est alors choisi dans chaque catégorie ; les autres finalistes reçoivent un prix *Mérite*.

3.2. Buts/objectifs des communications

- Diffuser l'information de base sur les Prix annuels, à savoir que le succès du programme repose entre les mains des employés qui doivent choisir d'y prendre part ou d'encourager la participation – *Obtenir au moins 60 candidatures*.

- Promouvoir les priorités organisationnelles et les caractéristiques de leadership par le biais des critères du programme – *Aider à augmenter le niveau de qualité des candidatures*.

- S'assurer que tous les secteurs d'affaires sont représentés parmi les participants.

- Faire la promotion des diverses activités de reconnaissance et favoriser le partage des meilleures pratiques.

3.3. Indicateurs clés de performance

L'objectif primaire du programme de reconnaissance est d'accroître le niveau d'engagement des employés, mesuré au moyen du sondage annuel des employés. Puisque plusieurs activités au sein de l'organisation ciblent ce même objectif, les mesures spécifiques suivantes ont été sélectionnées afin d'évaluer, plus précisément, le succès du programme. La première édition du programme (2007) a permis d'établir les bases de référence pour chacun de ces indicateurs clés de performance.

3.3.1. Intérêt suscité par le programme

Une mesure basée sur le nombre de candidatures et sur le trafic sur l'intranet de l'entreprise (Bnet).

3.3.2. Qualité des candidatures

Le pourcentage de candidatures qui respectent les exigences de base du programme et leur acceptation par le comité de validation.

3.4. Messages, slogan et imagerie visuelle

Messages

- Bombardier cherche à intégrer les plus hauts standards d'excellence et à devenir une entreprise de classe mondiale.

- Le programme des Prix annuels d'accomplissement reconnaît les projets qui :
  - mettent en valeur les priorités organisationnelles et les caractéristiques de leadership de l'entreprise ;
  - font appel à des employés à l'extérieur de l'équipe naturelle ou vont au-delà d'au moins deux unités d'affaires, services ou sites ;
  - se traduisent par des économies durables/récurrentes ;
  - ont un impact positif sur nos clients et nos employés ;
  - mènent à une réalisation durable et de calibre supérieur pour Bombardier Aéronautique.

- Le fait de reconnaître une performance de calibre supérieur et de partager les meilleures pratiques à l'échelle de l'organisation représente un pas en avant vers la réalisation de notre objectif de devenir une entreprise de classe mondiale.

- Les bons comportements et les bonnes attitudes sont ceux qui respectent les trois priorités et les caractéristiques de leadership.

Slogan

- *Sous les feux de la rampe*, le slogan du programme, vise à mettre la responsabilité de l'action entre les mains des employés. Cette « invitation à passer à l'action » a été inscrite en titre de la plupart de nos outils de communication.

Imagerie visuelle

- Le programme est conçu pour être amusant. Bien que la préparation d'une candidature exige du travail, le but est de rendre le processus (et chacune des transactions) plaisant. Une imagerie simple et ludique a été utilisée pour diffuser l'information – tout en étant prudent pour éviter que l'imagerie ne devienne enfantine ou anodine. L'apparence et le sentiment qui en ressort se distinguent facilement des autres formats utilisés pour les communications de l'entreprise, et cela, pour aider à accroître la visibilité. Un caricaturiste d'un journal quotidien local a fourni les dessins personnalisés pour le programme.

3.5. L'approche

L'approche a intégré les six points suivants :

3.5.1. *Promotion constante et régulière des trois priorités et des quatre caractéristiques de leadership.*

- Les projets inscrits dans chacune des catégories (projets de petite envergure et projets de grande envergure) doivent démontrer qu'ils s'alignent sur les trois priorités et démontrent les quatre caractéristiques de leadership. Une feuille de conseils a été fournie pour guider les équipes dans la préparation de leur candidature.

- Le comité de validation a reçu le mandat de vérifier chacune des candidatures en tenant compte des exigences et d'attribuer la mention « acceptable » ou « rejetée » à chacune d'elle.

- Le comité de présélection, dont le mandat est d'évaluer les candidatures acheminées par le comité de validation et de choisir les finalistes pour chaque catégorie, est composé de hauts dirigeants de l'entreprise (directeurs principaux et vice-présidents) représentant chacune des priorités ainsi que les divers aspects de l'entreprise. Les outils d'évaluation comprennent les priorités organisationnelles et les quatre caractéristiques de leadership.

3.5.2. *Reconnaissance à de nombreuses reprises et à divers niveaux au cours du processus*

Outre les notes de service annonçant les noms des gagnants, un certain nombre d'activités sont organisées pour accentuer l'importance du programme et multiplier les occasions de reconnaître véritablement les employés. Les points suivants ont été incorporés au processus :

- Les employés qui inscrivent un projet doivent obtenir une lettre d'appui de la part d'un des vice-présidents en lien avec leur candidature – ce qui permet à la direction locale de prendre connaissance des projets en plus de fournir une occasion d'exprimer de la reconnaissance envers les employés.

- Tous les chefs de projet reçoivent une note du vice-président Ressources humaines reconnaissant la participation de leur équipe – une première reconnaissance de la part de l'organisation globale.

- Remise de certificats et de médailles
  - *Mentions honorables*: pour tous les projets qui sont acceptés par le comité de validation mais qui n'atteignent pas la finale. Les certificats de mention honorable sont remis au vice-président qui a appuyé la candidature et qui est mandaté pour organiser une activité de reconnaissance localement. En 2008, plus de 1 000 certificats ont été remis dans tous les secteurs de l'entreprise.
  - *Prix mérite*: les projets choisis pour la finale mais qui ne reçoivent pas le *Prix annuel d'accomplissement*. Les certificats de Prix mérite et les médailles à Ruban Noir personnalisées sont remis au vice-président qui a appuyé la candidature et qui est mandaté pour organiser une activité de reconnaissance localement. En 2008, plus de 150 certificats et médailles *Prix mérite* ont été remis.
  - *Prix annuel d'accomplissement*: un projet dans chaque catégorie sélectionné par l'équipe de direction d'Aéronautique (le président et chef de l'exploitation et ceux qui relèvent directement de lui). Les certificats de *Prix annuel d'accomplissement* et les médailles à Ruban Bleu personnalisées sont remis par le président et chef de l'exploitation lors d'un souper reconnaissance spécialement organisé dans le but d'honorer les membres de chaque équipe. En 2008, plus de 75 certificats et médailles ont été remis.
- Les finalistes et gagnants de prix sont annoncés lors de la vidéoconférence trimestrielle avec tous les gestionnaires. Un vidéofilm de l'événement est systématiquement ajouté à l'intranet de l'entreprise (Bnet).
- Les finalistes et gagnants de prix sont mentionnés dans tous les outils de communications formels de l'organisation (intranet, télévision en circuit fermé et les bulletins d'information de l'entreprise)

3.5.3. Temps passé face à face avec les principaux dirigeants de l'organisation

- L'occasion de passer du temps en présence des principaux dirigeants augmente l'importance de la reconnaissance. Tous les finalistes ont l'occasion de présenter leur projet aux membres de l'équipe de direction d'Aéronautique – la vidéoconférence est utilisée lorsque nécessaire.
- Les lauréats du *Prix annuel d'accomplissement* présentent leur projet lors du Séminaire annuel de leadership – un événement qui regroupe les 100 plus hauts dirigeants de l'organisation. Des représentants des équipes recevant un *Prix mérite* et les équipes gagnantes du *Prix annuel d'accomplissement* sont invités au banquet du séminaire. En 2008, environ 30 employés étaient présents au séminaire.
- Les dirigeants locaux organisent des activités de reconnaissance afin d'honorer ceux qui ont reçu un prix mérite et d'une mention honorable.

3.5.4. Validation et évaluation des candidatures acheminées aux dirigeants de l'organisation

- Les membres des comités de validation et de présélection sont choisis parmi les dirigeants de l'entreprise et les employés reconnus comme ayant un haut potentiel. Leur principale responsabilité consiste à discuter, évaluer, réviser et approuver les outils de validation et d'évaluation et de les appliquer quand vient le temps de valider et de sélectionner les candidatures. En 2008, environ 18 employés à haut potentiel, directeurs principaux et vice-présidents sont intervenus dans les comités.

3.5.5. Partage des meilleures pratiques au sein de l'entreprise

- Les projets récompensés sont annoncés par le président lors de la vidéoconférence trimestrielle avec les gestionnaires et sont promus dans les outils de communication formelle de l'entreprise. Les employés sont encouragés à prendre connaissance des projets et à partager les meilleures pratiques.

- Les représentants des équipes finalistes sont invités au Centre administratif d'aéronautique (à Montréal) pour prendre part à une session de partage des meilleures pratiques qui dure une journée complète. Pour conclure la session, les participants identifient les 10 conditions gagnantes pour la réussite d'un projet chez Bombardier Aéronautique. La liste de recommandations est distribuée au banquet offert lors du Séminaire de leadership d'aéronautique. Le document a aidé à alimenter les discussions entre les principaux dirigeants et les représentants des équipes finalistes présents au banquet.

- Les gagnants du *Prix annuel d'accomplissement* ont présenté leur projet au Séminaire annuel de leadership, donnant ainsi l'occasion aux 100 plus hauts dirigeants de l'organisation de prendre connaissance des meilleures pratiques de chacun des projets primés. Il est à noter que les membres du comité de présélection sont présents à cet événement et peuvent être témoins des résultats de leur contribution au programme.

- Finalement, une des activités les mieux réussies de partage des meilleures pratiques réside dans les comités de validation et de présélection. En lisant tous les projets, les membres de ces comités enrichissent leur compréhension des affaires, prennent connaissance des meilleures pratiques chez Bombardier Aéronautique et identifient les nouveaux experts sur lesquels ils peuvent miser. Pour les éditions 2007 et 2008 combinées, plus de 25 parmi les 100 plus hauts dirigeants ont participé à l'un des comités. Notre objectif est d'accroître le nombre de membres sur ces comités pour les prochaines éditions et de voir à ce que chacun des 100 plus hauts dirigeants participent à au moins un de ces comités au cours des cinq prochaines années.

3.5.6. Promotion du programme par les participants antérieurs – création d'un effet d'entraînement dans l'organisation

- Comme autre forme de reconnaissance, les expériences des participants antérieurs ont été mises de l'avant lors de la campagne de communication 2008 pour promouvoir le programme. Ces employés ont été considérés comme les ambassadeurs les plus crédibles pour le programme. Cette initiative les a également motivés à contribuer davantage à la promotion du programme auprès de leurs collègues.

3.7. Campagne promotionnelle (outils)

Les outils de communication suivants ont été utilisés à trois moments clés au cours du programme : le lancement et l'appel des candidatures, l'annonce des finalistes et l'annonce des gagnants des prix.

- **Courriels** – Pour le coup d'envoi, une note de service a été acheminée par courriel à tous les employés, suivie d'une série de courts rappels, également par courriel.

- **Affiches** – Une série d'affiches imprimables, chacune mettant en valeur des participants antérieurs. Un lien permettant de télécharger une affiche a été envoyé avec chaque rappel par courriel. Les affiches étaient imprimables localement en couleur et avaient une dimension de 11 × 17. Aucun inventaire n'a été tenu.

- **Btv (télévision en circuit fermé)** – Cet outil a été utilisé pour rejoindre les employés d'usine. Toutes les annonces y ont été diffusées : l'annonce du programme, la date limite d'inscription, un compte à rebours menant à la date limite d'inscription, un rapport du nombre de candidatures, l'annonce des finalistes et des gagnants des prix.

- **Bnet (intranet de l'entreprise)** – Bnet est la principale source d'information pour tous les détails touchant le programme. Les bannières mettant en valeur les participants antérieurs, le lien pour les formulaires et documents pour l'inscription, le lien pour les affiches, tout s'y trouvait. Pour faciliter l'accès aux pages en lien avec le programme, un bouton de lien direct a été placé sur la page d'accueil de Bnet à tous les moments clés de communication (appel des candidatures, compte à rebours, annonce des finalistes et annonce des gagnants).

- *Bfocus* **(bulletin d'information de l'entreprise)** – Des annonces ont été placées dans deux des quatre éditions annuelles du *Bfocus* et un article portant sur un gagnant de prix a été publié dans une édition.

3.8. Plan d'action/calendrier et budget

- Le calendrier pour le projet 2008 était très rigide, étant donné qu'il avait été décidé que les annonces importantes seraient faites lors des vidéoconférences trimestrielles de l'équipe de direction d'Aéronautique et du séminaire annuel avec les 100 plus hauts dirigeants. Aussi, il était particulièrement important d'avoir un échéancier bien défini afin de pouvoir coordonner les efforts de plus de 30 intervenants impliqués dans les différents comités. Des communications régulières et fréquentes avec toutes les personnes concernées ont été essentielles pour aider à respecter chacune des échéances.

- À l'exception du dépliant publié en l'an un (2007), aucun autre imprimé n'a été créé ; il s'agit aussi bien d'une considération économique que d'une décision volontairement responsable.

- La plus grande partie du budget a été consacrée aux articles dédiés à la reconnaissance (certificats et médailles).

4. ÉVALUATION

Selon les résultats suivants, nous pouvons affirmer que le programme des *Prix annuels d'accomplissement*, édition 2008, a atteint ses objectifs de communication et ses buts en général.

4.1. Réaction des parties prenantes : intérêt manifesté pour le programme

79 projets ont été inscrits au programme, soit 32 % de plus que la cible établie, et tous les secteurs de l'organisation étaient représentés.

Lors de la première édition du programme (2007), 83 candidatures avaient été reçues. Le haut niveau de participation a été attribué en partie à la nouveauté du programme et à l'enthousiasme démesuré pour la reconnaissance qui, malheureusement, a fait en sorte que certaines candidatures ne répondaient pas aux exigences du programme. C'est en se basant sur les résultats de cette première année qu'une cible de 60 candidatures avait été fixée pour l'édition 2008.

Une augmentation de 15 % de la consultation du programme sur le portlet Bnet lors du lancement de l'édition 2008 (novembre 2007).

- Selon les statistiques, le trafic sur les pages intranet associées au programme s'est accru, atteignant jusqu'à 1 145 consultations d'approximativement 1 min 53 s (édition 2008) comparativement à 996 consultations d'approximativement 2 min (édition 2007).

- Toutefois, le trafic a été plus faible que prévu juste avant l'échéance pour soumettre les candidatures, soit une réduction de 40 % comparativement à l'édition 2007. L'entreprise avait déjà fait l'expérience d'une édition et plusieurs employés s'étaient déjà engagés dans le processus. Nous estimons que les participants antérieurs s'avéraient une bonne source d'information pour les employés qui préparaient leur candidature, réduisant ainsi le besoin de se référer aux sources de communication formelles.

- Le trafic s'est accru lors de l'annonce des finalistes – une augmentation de 5 % comparativement à 2007.

4.2. Ce qui a été retenu des messages : qualité des candidatures

La proportion des projets qui ont été acceptés par le comité de validation a augmenté de 31 % en 2008 par rapport à l'édition 2007.

- Cette mesure qui calcule le nombre de projets ayant été acceptés par le comité de validation indique que la proportion des projets répondant à toutes les exigences et respectant les critères de base du programme s'est accrue de 31 % (ces projets avaient un lien avec les trois priorités organisationnelles, satisfaisaient aux caractéristiques de leadership, comprenaient une équipe multifonctionnelle et produisaient des résultats durables).

- 83 projets ont été inscrits en 2007 dont 28 ont été acceptés, comparativement à 79 projets inscrits en 2008 et dont 37 avaient été acceptés.

- De plus, la rétroaction verbale des membres qui participaient pour la deuxième fois au comité de validation a confirmé que, selon leur évaluation, la qualité avait augmenté de façon générale.

4.3. Impact sur l'entreprise : engagement des employés

L'engagement des employés enregistre une augmentation.

- Bien que nous ne puissions cerner de façon spécifique l'impact de notre programme sur l'engagement de nos employés, nous pouvons affirmer que, en tant que partie intégrante d'un plan global d'engagement des employés, le programme de reconnaissance a contribué à l'augmentation du niveau d'engagement des employés.

- L'engagement des employés a augmenté de 5,6 % en 2007 et de 7,1 % en 2008 – ce qui est perçu comme une augmentation significative selon la firme de sondage.

Le programme contribue au partage des meilleures pratiques entre les employés.

- Nos communications ont eu pour résultat direct que l'équipe du projet a reçu des appels d'employés intéressés à en savoir davantage sur les projets figurant sur la liste des mentions honorables. Ces employés ont été mis en contact avec les représentants des équipes concernées pour lesquelles des employés manifestaient un intérêt.

- Lorsque nous avons recueilli la rétroaction des membres du comité de présélection par le biais de réunions postmortem, nous avons constaté qu'ils étaient unanimement d'accord sur l'impact qu'a eu la lecture des projets sur leur propre niveau d'engagement. Plusieurs d'entre eux étaient impressionnés par les initiatives accomplies au sein de l'organisation, moussant ainsi leur propre fierté ; et plusieurs ont profité de ces idées/meilleures pratiques pour leur propres activités.

Les objectifs de communication et les buts du programme ont été atteints. L'engagement des employés est à la hausse et le programme est maintenant considéré par tous les intervenants clés internes en tant que composante essentielle de notre plan d'engagement des employés.

QUELLE ÉTHIQUE POUR LES RELATIONS PUBLIQUES?

Ritha Cossette, Ph.D.

C'est parce que la communication, sous toutes ses formes,
n'est pas un aimable cataplasme posé sur une réalité
sociale, ni un narcotique plus ou moins subtil qui anesthésie
les revendications des citoyens-consommateurs,
qu'elle a cet impact critique. Dans la durée,
c'est un formidable accélérateur de conscience critique.
Dès que l'on voit, et que l'on peut faire des comparaisons,
l'esprit critique travaille, à tous les niveaux de la vie
personnelle, à toutes les échelles de la société.
C'est pourquoi la communication, en dépit de ceux
qui souhaitent la cantonner à sa dimension fonctionnelle,
est en réalité un processus dangereux parce que catalyseur
de prises de conscience. Communiquer fait penser.

(WOLTON, *Sauver la communication*, 2005, p. 110.)

Heureux qui communique! Croyance naïve s'il en est une, tant il est vrai que le phénomène de la communication est loin d'être aussi radieux que nous le souhaiterions. Difficile communication en effet, que nous cherchions à l'établir dans nos relations les plus intimes – familiales, amicales ou amoureuses –, en milieu de travail, dans le domaine privé ou dans l'espace public, entre les cultures ou entre les nations. Phénomène fondamental et structurant, la communication est partout agissante. C'est elle qui, jouant sur tous les registres possibles, donne à l'échange social ses infinis reliefs et sa physionomie propre : parole pour exprimer, parole pour informer, parole pour simplement soigner la relation, parole pour prescrire et engager l'action. Belle parole aussi, stylisée et poétique. Parole vitale, enfin, pour qui veut connaître, s'expliquer, comprendre et se comprendre. Phénoménale communication !

Tout le monde social coïncide, en fait, avec le système de communication, celui-là porteur de normes et de valeurs, de rituels et de schémas relationnels. Une phénoménologie de la communication indique d'ailleurs assez jusqu'à quel point celle-ci participe d'une interminable quête identitaire et de l'établissement anthropologiquement nécessaire de la juste distance (Arendt, 1983).

Aussi le phénomène est-il appréhendé par les sciences humaines depuis différents modèles et suivant différentes logiques. La logique linéaire du modèle télégraphique, la communication comme processus d'influence, la forme plus standardisée du modèle marketing, puis tous les autres modèles pensant la communication en termes de transaction, d'interaction ou de processus. Autant de tentatives théoriques pour comprendre sa logique propre et ses ressorts internes. Si totale et si globale, d'ailleurs, que nous parlons aujourd'hui de la *communication-monde*. Parler, écouter, répondre, interroger, qui peut aujourd'hui faire l'économie d'une compétence communicationnelle ?

Reste que les limites intrinsèques du langage – les mots manquent pour dire la complexité du monde – et l'ambiguïté indépassable des messages, l'incompréhension et les malentendus, la mauvaise foi, les tromperies et les manipulations sournoises toujours menaceront la qualité et la pérennité des relations. Aussi, n'est-il pas étonnant de voir apparaître, ici et là, des démarches thérapeutiques et pédagogiques pour protéger la vie toujours fragile et incertaine du dialogue (Salomé, 1993). L'écologie relationnelle est, à n'en point douter, vouée à une prestigieuse carrière !

Notre intérêt pour la communication ne portera pas tant cependant sur les différentes théories explicatives de la communication[1] que sur les enjeux et les exigences éthiques liés à la communication publique, plus précisément, à la communication propre aux relations publiques. La question centrale de ce chapitre *Quelle éthique pour les relations publiques ?* sera abordée, dans un premier temps, sous l'angle du principe logique qui lie citoyenneté démocratique et relations publiques. Nous mettrons alors en relief leur importance et leur fonction spécifique, eu égard aux valeurs et à la complexité des sociétés démocratiques.

Nous croyons par ailleurs utile de rappeler, quoique brièvement, ce qu'il en est de l'exigence éthique, des principes et de la spécificité du domaine de l'éthique. Ce détour plutôt théorique s'explique par une profonde confusion sémantique en cette matière aussi bien dans le langage populaire que dans les institutions ou dans les milieux professionnels. Ainsi rappellerons-nous que l'éthique renvoie à une forme de régulation des conduites irréductible aux règles contraignantes du droit, aux codes de déontologie ou à la force déterminante des traditions culturelles.

L'habituelle réduction des relations publiques à un discours douteux et frivole témoigne, par ailleurs, de l'importance de maintenir une réflexion éthique, non seulement sur les standards déontologiques de la profession – son savoir-faire et ses méthodes – mais aussi sur ce qui en assure sa pleine légitimité. Il apparaît donc plus que jamais nécessaire de mettre l'accent sur le cadre normatif et les valeurs structurantes du métier de relationniste, troisième temps de notre démarche, telles qu'elles apparaissent dans les codes déontologiques auxquels il peut désormais référer. Aussi évoquerons-nous, au passage, les subtiles ramifications du phénomène de la confiance au fondement même de l'éthique professionnelle des relationnistes.

Aucun code de déontologie ne nous épargnera cependant l'exercice responsable du jugement dans ce monde plutôt fluide et à l'esprit sautillant. Nous consacrerons donc la dernière partie de cet exposé à l'importance de savoir juger des situations et de la valeur morale des actions. Compétence aujourd'hui d'autant plus vitale que les professionnels de la communication publique, et cela est encore

---

1. Pour qui s'intéresse à ces questions, le récent ouvrage de Philippe Cabin et Jean-François Dortier, *La communication : État des savoirs* aux Éditions Sciences humaines, 2008, 414 pages, présente de manière exhaustive l'état actuel des connaissances sur les différentes théories de la communication.

plus vrai pour les relationnistes, évoluent dans des contextes inédits, affrontent et composent avec des tendances contradictoires, gèrent et tempèrent des crises de toutes sortes.

Le plan de cet exposé se décline donc ainsi :
- vie démocratique et relations publiques ;
- l'exigence éthique ;
- la fonction et les exigences éthiques du métier de relationniste ;
- l'exercice responsable du jugement.

10.1. VIE DÉMOCRATIQUE ET RELATIONS PUBLIQUES

> *On ne le dira jamais assez : au bout des réseaux et des satellites, il y a des hommes et des sociétés, des cultures et des civilisations. Cela change tout et explique l'importance et la complexité de la communication qui est bien autre chose que du marketing ou de la manipulation.*
>
> (WOLTON, *Sauver la communication*, 2005, p. 12).

Ce n'est qu'une opération de relations publiques ! Cette formule lapidaire irrite à juste titre les professionnels des relations publiques. Et ce cliché est devenu d'autant plus inquiétant qu'il assimile la communication publique à un propos léger et racoleur, ou pis encore, à une rhétorique mensongère et outrageusement manipulatrice. Toute société qui se prétend ouverte doit pourtant assurer la mise en relation publique des milieux de vie, des organisations et des institutions politiques. Aussi est-il difficile de concevoir une vie démocratique sans la possibilité pour les citoyens d'interagir dans l'espace public, sans occasion de se parler, de juger et de comprendre les défis qu'ils doivent collectivement relever. Et la reconnaissance de la fonction de relationniste passe assurément par le rappel du lien qu'elle entretient désormais avec les grandes valeurs démocratiques : le respect de la dignité, les droits à l'égalité, à la sécurité de son être, à la libre disposition et expression de soi. Là se trouve la base éthique des relations publiques, lesquelles présupposent, en toute logique, un espace public où elles peuvent se construire, se réaliser, se reconduire.

Aussi le premier défi, pour qui veut établir des relations avec et entre différents publics, est-il de maîtriser ce concept d'espace public. Un concept aujourd'hui en crise et particulièrement déroutant. Comprendre aussi ce qu'on y trouve et ce qui s'y joue, à commencer par la liberté d'expression, le droit à l'échange et à l'information.

Le principe de la libre expression et d'une nécessaire publicité des pensées n'est pas neuf et s'établit au XVIIIᵉ siècle en même temps que la démocratie elle-même. Elles s'élaborent d'abord conceptuellement avec Kant dans un texte court mais dense, *Qu'est-ce que les Lumières ?* (Kant, 1991). Kant, fervent lecteur du journal d'où cette question a surgi, y a répondu en philosophe sérieux et déjà gagné à la cause démocratique. Rien d'étonnant alors à ce que la libre parole et la communication publique des pensées fournissent l'architecture de cette première théorie de l'espace public selon laquelle l'ampleur et la justesse de la pensée dépendent largement de la possibilité de penser publiquement et en présence des autres. Tant et si bien, qu'empêcher les hommes de partager avec les autres leurs pensées – et dirions-nous aujourd'hui, leurs problèmes, leurs programmes et leurs projets – revient à les priver, à terme, de la capacité de penser elle-même. La libre circulation des idées – la mise en relation des citoyens – participe ce faisant d'une formidable quête de lucidité.

La discussion ainsi conduite dans l'espace public devient le moment de questionner les idées reçues et la valeur des opinions, leur cohérence, leur pertinence et leur crédibilité. Elle fournit une occasion privilégiée d'enrichir les perspectives et d'élargir les horizons. Aussi bien dire d'ailleurs qu'une société qui sait raisonner – qui s'éclaire elle-même dans l'espace public – se conduira plus raisonnablement et plus lucidement. Ce qui, en toute logique, ne peut que se répercuter positivement sur l'état d'esprit de ceux qui le gouvernent.

L'enjeu, ainsi que l'a fait voir Kant, est à la fois éthique et anthropologique dans la mesure où l'humanité, par-delà ce processus toujours laborieux et incertain, peut et doit progresser vers une meilleure compréhension du monde, vers plus de connaissances et une plus grande intelligence des choses. C'est pourquoi, précisera-t-il, chaque génération doit ménager les acquis de civilisation et léguer une « plus-value » intellectuelle et morale aux générations suivantes. Il n'y a pas lieu de plonger ici trop profondément dans les analyses kantiennes[2]. Retenons toutefois que ce texte décisif a planté durablement le décor pour une véritable éthique de la communication publique.

---

2. Les personnes désireuses d'approfondir la perspective kantienne sur ces questions pourront avantageusement consulter les ouvrages suivants : Michel Courdacher, *Kant pas à pas*, Ellipses, 2008, 316 pages ; Michaël Foessel et Raphaël Enthoven, *Kant*, Les Éditions Perrin, 2009, 200 pages ; Ralph Walker, *Kant*, Éditions du Seuil, 2000, 91 pages.

Cette notion cardinale de l'espace public occupe aujourd'hui largement les sciences humaines et les sciences de la communication. On la retrouve, grandiose, dans les travaux de Habermas lequel comprendra la notion de publicité – la diffusion des informations et la tenue médiatique des débats – en termes de contrôle du pouvoir politique (Habermas, 1963). Le principe de publicité d'abord défendu par des élites cultivées et soucieuses de la protection d'un espace privé s'imposait, a-t-il rappelé, en contrepoint de la pratique du secret typique des régimes dominateurs. La population générale, à la faveur d'une presse naissante, ne tardera d'ailleurs pas à revendiquer pour elle-même le double droit de façonner les débats publics et de s'émanciper des pouvoirs arbitraires et de formes de vie autoritaires.

Hannah Arendt prolongera à son tour et à sa façon la réflexion kantienne sur l'espace public, lieu pour elle d'exercice du jugement et d'élaboration d'un monde commun. L'idée de l'espace public renvoie alors concrètement à l'élaboration transparente de ses lois, à l'établissement et au fonctionnement de ses institutions communes. Il est ce lieu symbolique où les citoyens, leurs idées et leurs valeurs, s'exposent au jugement des uns et des autres. Espace dialogique en quelque sorte pour que soient surmontés les différends, pour que soient abordées, avec tout le sérieux qu'elles méritent, les questions qui travaillent la vie en commun et les manières politiques. Et cette théorie de l'espace public repose, en toute logique, sur le principe d'une séparation symbolique radicale entre vie publique et vie privée. Celle-ci tient à la proximité sentimentale et aux impératifs économiques de la survie, celle-là repose sur le principe de la juste distance absolument nécessaire à l'exercice du jugement, à la délibération et à la communication. À la démocratie, pour le dire d'un mot. La juste distance est d'ailleurs à comprendre ici comme la seule manière d'éviter que les individualités ne s'écrasent les unes sur les autres, pour empêcher que les différences soient gommées au profit de fraternités oublieuses de la justice et du respect des identités singulières.

Mais la théorie de l'espace public largement inspirée par Hannah Arendt ne va plus de soi, tant il est vrai que nos existences concrètes se déploient aujourd'hui dans un espace public pluriel, éclaté. Communautés et espaces partiels accueillant désormais l'opinion aussi bien sur les modes de vie que sur les manières plus intimes d'être ensemble (Foessel, 2008). De fait, l'espace public contemporain, à la faveur du développement d'une culture consumériste et des techniques de communication toujours plus puissantes et invasives, est de plus en plus sociétal et non simplement politique (Lipovetsky, 2006). Ce concept problématique de l'espace public devrait peut-être même être revisité, enrichi des nouvelles catégories du public, de l'intime et du privé. Plusieurs croient, à ce propos, à la nécessité de repenser le rapport de continuité entre les liens intimes – ce qui est soustrait au regard social – et les relations politiques, publiques par définition. Certains voient même l'intime – la fameuse liberté des liens – comme une possibilité intrinsèque de la démocratie. Vie intime et vie démocratique seraient d'ailleurs, à y regarder de près, pareillement fragiles, vulnérables ; l'une et l'autre supposent une tension vers l'inconnu, le défi de se mettre en jeu, d'exposer ses convictions et ses croyances au conflit et au différend (Foessel, 2008).

La démocratie suppose cependant un langage commun, une grammaire politique, de façon à ce que ces différends et les oppositions idéologiques qui ne manqueront pas de s'exprimer puissent être jouées sur un mode communicationnel et non plus de manière sournoise ou violente (Wolton, 2008). La question est alors de savoir si le métier de relationniste tel qu'il est pratiqué aujourd'hui compromet ou au contraire contribue à cet effort de pacification par la communication. La réponse positive à cette question se trouve dans le respect des valeurs fondamentales d'égalité et de liberté propres aux sociétés modernes dans lesquelles les relations publiques se négocient et s'établissent. Contribution à l'humus démocratique dans la mesure où elles se plient aux normes et aux valeurs propres à l'éthique plus générale de la communication publique. Ce qui ne va pas sans peine dans la mesure où elles doivent, comme pour tous les autres domaines professionnels, affronter des dilemmes moraux toujours complexes par définition. Mais discipline sémantique oblige et le moment est venu de clarifier, ne serait-ce que dans ses grandes lignes, ce qu'il en est du domaine de l'éthique à proprement parler. Qu'est-ce que l'éthique ? Quelle différence entre l'éthique, la déontologie ou le droit ? Quel rapport énigmatique l'éthique entretient-elle avec la politique ?

10.2. L'EXIGENCE ÉTHIQUE

Le souvenir du fruit défendu est ce qu'il y a de plus ancien dans la mémoire de chacun de nous, comme dans celle de l'humanité. Nous nous en apercevrions si ce souvenir n'était recouvert par d'autres, auxquels nous préférons nous reporter. Que n'eût pas été notre enfance si l'on nous avait laissés faire ! Nous aurions volé de plaisirs en plaisirs. Mais voici qu'un obstacle surgissait : une interdiction.

(BERGSON, *Les deux sources de la morale de la religion*, 1963, p. 981)

Nous aurions, sans l'interdiction, volé de plaisirs en plaisirs... Cette citation inaugurale de Bergson nous amène vers l'éthique et son corollaire obligé, la conscience morale. Elle évoque cette tension de la conscience toujours tenaillée entre son vouloir subjectif et l'univers symbolique des normes. Que dois-je faire pour bien faire ? Voilà la grande question éthique depuis Aristote. Question redoutable et exigeante s'il en est une, tant il est vrai que l'idée du bien est par essence contraignante. Elle produit, contrairement au beau, à l'utile ou à ce qui est agréable, une obligation. Et cette question ne vient jamais seule s'accordant avec des questions subsidiaires qui toujours défieront la conscience des uns et des autres. Des questions qui se conjuguent d'ailleurs toujours à la première personne : À quoi vais-je m'obliger dans la vie ? Qu'est-ce qui me crée une obligation à l'égard d'autrui ?

L'obligation morale suppose à sa face même un nécessaire dépassement de soi et de l'impulsion naturelle qui pousse spontanément les humains dans le sens de leurs intérêts. L'éthique ? C'est elle qui, par-delà notre rapport aux autres, nous confronte à nos propres limites, nous déprend et nous décentre de nous-mêmes. C'est l'éthique qui empêche de nous excepter des règles que l'on voudrait applicables à tous les autres. C'est le souci éthique encore qui nous enjoint, dans nos gestes et dans nos paroles, de traiter les autres dignement, humainement. « Serait-il vraiment humain, l'homme qui ne respecterait rien ni personne ? » (Kirscher, 1993, p. 1675.)

L'éthique, qui participe, par définition, d'un effort pour construire un monde plus rationnel et moins brutal, tient, comme il faut s'y attendre, aux actions justes, prudentes et responsables. Celui qui agit doit étudier les effets potentiellement bénéfiques ou au contraire délétères de ses actions sur les autres. L'éthique soulève, par essence, la question des valeurs et de ce qui est moralement digne d'être désiré et d'être recommandé à l'action d'autrui. Étant bien sûr entendu que certaines choses ou certains actes sont plus valables et plus désirables que d'autres. Les fameuses échelles des valeurs. Conscience morale : conscience déchirée, conscience angoissée. Le dilemme moral et le redoutable conflit dans des situations données entre raison ou sentiments, entre des valeurs ou des principes concurrents. Et la faute morale qu'il faut assumer et dont il faut répondre pour avoir transgressé les règles ! Et la crise morale où tout est soudainement remis en question, où est mis à l'épreuve tout son système de valeurs.

L'éthique, manifestement, est conscience, souci et exigence éthique dans le mesure où il faut bien agir, décider selon la situation de faire ou de ne pas faire ceci ou cela. Comment juger alors de ce qu'il faut faire ? Comment fonder adéquatement, d'un point de vue éthique, le raisonnement moral ? La fin poursuivie justifie-t-elle toujours les moyens ? Décidément, la réflexion avant l'action en quoi consiste le souci éthique n'a de cesse d'attraper et de retourner inlassablement les questions. Questions fondamentales, récurrentes, insistantes. Seule la raison pratique d'ailleurs peut se saisir de ces questions fondamentales.

La raison pratique, forme de compétence éthique soucieuse du sort réservé aux semblables, joue ici contre la rationalité instrumentale qui par définition ne regarde qu'aux moyens. Charles Taylor en donne une claire définition : « Le type de rationalité sur lequel nous misons pour calculer l'application la plus économique en vue d'une fin donnée » (Taylor, 1992, p. 15). Cette notion est essentielle pour qui veut comprendre et expliquer notre façon de se lier aux autres. La raison en tant qu'elle est purement stratégique, instrumentalise en quelque sorte des personnes, des groupes, une organisation ou des publics entiers ; elle transforme ou exploite l'expression d'un sentiment ou d'une culture en un procédé en vue d'une fin personnelle ou en appui à l'intérêt privé. Et aussi bien dire que la rationalité instrumentale est, à plusieurs égards, apaisante. C'est ce qui la rend si attrayante et parfois même arrogante. Elle n'a pas à se soucier de principes philosophiques compliqués. Elle n'a que faire de ce qui est bien ou mal, vrai ou faux. Seul l'intéresse, ce qui est efficace ou opératoire. Le problème éthique ? Nous ne pouvons traiter les autres comme s'ils étaient au service de nos plans et de nos objectifs, comme s'ils étaient une sorte de matière première, des objets manipulables ou de la pâte à modeler. Ce principe renvoie bien évidemment au très redoutable impératif catégorique de Kant.

Mais l'éthique, comme chacun le sait, n'est pas la seule forme de régulation sociale des conduites. Elle compose avec d'autres catégories de l'action. Qu'ont en commun la morale et le droit par-delà leur évolution historique conjointe ? À quelles logiques obéissent-ils ? En quoi ces logiques s'opposent-elles ?

La morale ou le droit ont en commun de reposer non pas sur des déductions rationnelles (du type 2 + 2 = 4) mais sur le principe des justifications plausibles et crédibles, celles-là ordonnées au sens commun. Les deux participent aussi à leur façon d'un effort soutenu de rationalisation : alors que la loi codifie et structure formellement des relations sociales, l'éthique (ou la morale) rationalise un ensemble de valeurs majoritairement admises et partagées.

On ne saurait cependant gommer les différences et les divergences importantes entre les deux. Alors que l'ordre du droit est contraignant, il est toujours possible dans l'ordre de l'éthique de modifier un choix ou une décision morale individuelle. Ils divergent aussi dans la mesure où l'on retrouve dans toute société une codification et une interprétation du droit par des autorités officiellement mandatées. L'éthique, même si elle est culturellement proposée par les figures influentes, ne peut s'imposer à l'individu qui bénéficie alors d'une certaine latitude individuelle. Éthique et liberté fonctionnent toujours à double renvoi. Il y a enfin un principe de continuité du droit assuré en grande partie par la logique jurisprudentielle, par opposition à la dynamique plus aléatoire du choix moral, celui-là adapté au caractère et aux circonstances. Aussi ne juge-ton pas de la même manière un acte d'un point de vue légal et d'un point de vue moral. Si quelqu'un brûle un feu rouge, la loi s'occupera d'établir si la personne a bel et bien brûlé ce feu rouge ; l'éthique interrogera si cette même personne avait l'intention ou non de brûler ce feu rouge.

Éthique et politique ont, par ailleurs, en commun la gestion conjointe de la conduite humaine. Celle-ci est l'art de la direction d'une société, l'organisation de la Cité et la gestion de la chose publique ; celle-là recherche, affirme et applique des principes de conduite nécessaire au respect de la dignité humaine. L'éthique dans son rapport consubstantiel à la politique embrasse donc la question plus large de la meilleure société possible, celle qui peut le mieux respecter l'essence de l'homme, sa conscience et sa rationalité intrinsèques.

La déontologie, enfin, s'inscrit quelque part entre l'éthique et le droit dans la mesure où elle répond à la fois de valeurs morales et du respect d'une certaine normativité légale. Tant et si bien que le non-respect des codes et des lois en vigueur entraîne des sanctions professionnelles et, à terme, blâme ou désapprobation sociale. Il va de soi que cette forme de régulation repose sur l'identification et le respect des valeurs ambiantes. C'est ce qui structure les différents codes de déontologie et oblige en principe tous les professionnels qui s'en réclament.

La forte demande sociale de l'éthique que nous connaissons aujourd'hui se traduit très concrètement par l'insistance sur l'élaboration des codes d'éthique, sur l'éthique publique en général, éthique de la gestion et de la gouvernance et toutes les éthiques professionnelles que l'on connaît. La communication, avec sa dimension normative, affirme Wolton, « échappe à ceux qui la mobilisent et veulent l'instrumentaliser. Pourquoi ? Parce qu'elle met en jeu des valeurs qui obligent plus ou moins les partenaires à se respecter. On ne peut pas impunément afficher l'idée que l'on reconnaît à l'autre l'égalité de point de vue, la volonté de partager avec lui sans que cela ait des conséquences » (*Sauver la communication*, 2005, p. 106).

Revenons maintenant, après cette brève clarification conceptuelle, à la question centrale de ce chapitre : quelles sont les exigences proprement éthiques du métier de relationniste ?

10.3. LA FONCTION ET LES EXIGENCES ÉTHIQUES DU MÉTIER DE RELATIONNISTE

> *Au cœur de cette toile, où le jugement de l'opinion peut s'abattre comme un couperet, les conseillers en relations publiques savent gérer la complexité ; cartographier l'ensemble des publics utiles pour leurs clients, décoder la psychologie de l'opinion, en identifier les éléments favorables ou contraires à leurs intérêts, formuler et mettre en œuvre les stratégies relationnelles gagnantes.*
>
> (CHOUCHAN et FLAHAUT, *Les Relations publiques*, 2005, p. 11-12.)

Les relations publiques professionnelles accomplissent aujourd'hui une fonction exceptionnelle. Chouchan et Flahaut en donnent une définition on ne peut plus claire :

> Ce sont elles qui associent, légitiment et crédibilisent les messages, les images, les notoriétés des individus, des entreprises ou des institutions. Ce sont elles qui préparent, installent puis amplifient nombre de démarches ou de discours publicitaires. Elles, enfin, qui sont sans doute le plus à leur place dans une société « communicante » quand on se rapporte à l'étymologie même du mot « communiquer » : être en relation avec (Chouchan et Flahaut, 2005, p. 3).

Partageant l'espace public avec les médias plus traditionnels, la presse généraliste, la presse commerciale et les médias audiovisuels, elles informent, promeuvent et influencent différents publics. Elles ont développé des techniques, des méthodes et des stratégies de communication concernant aussi bien les petites que les grandes organisations, les entreprises, les administrations, les associations, les syndicats, les églises, etc. Les relations publiques interviennent dans des systèmes ou des organisations de plus en plus complexes, interagissant et s'influençant mutuellement (Maisonneuve *et al.*, 2003).

La mise en œuvre de stratégies relationnelles gagnantes réfère par ailleurs à des impératifs de performance et d'efficacité. Toutefois, le critère d'efficacité ne suffit pas, en ces matières, à qualifier la pratique. C'est pourquoi le domaine d'expertise occupé par les relationnistes renvoie, comme pour toute autre profession, à des valeurs fondamentales, objet de leur expertise et fonction des besoins des mandataires.

Et c'est bien d'ailleurs l'identification à ces valeurs qui met en confiance et assure la légitimité et la respectabilité de la profession. Aussi, ces valeurs structurantes des relations publiques sont-elles consignées dans différents codes de déontologie[3].

Le premier cadre normatif des relationnistes – le *Code d'Athènes* – s'inscrit d'entrée de jeu dans le schéma plus général de la *Déclaration universelle des droits de l'homme*. Fondant l'action sur le respect de la dignité humaine[4] et des droits fondamentaux, il décline un certain nombre de devoirs professionnels : aménager les conditions d'une libre circulation des informations essentielles ; créer et aménager des conditions favorables au dialogue et à la libre expression des points de vue ; respecter le droit pour chacun de forger son propre jugement ; agir de façon à mériter et à obtenir la confiance des gens. L'éthique professionnelle des relationnistes est donc d'entrée de jeu jouxtée au principe même de la vie démocratique.

Le *Code de déontologie de la société canadienne des relations publiques* insiste, pour sa part, sur huit devoirs dont certains recoupent le code international d'Athènes : respect des standards professionnels, droiture et équité à l'égard des employeurs passés et présents, des médias et des différents publics ; honnêteté, exactitude, intégrité et véracité des communications ; transparence quant à l'identité des mandataires ; protection des informations confidentielles ; évitement des conflit d'intérêts ; réalisme des engagements et respect des attributions, et, enfin, refus d'honoraires, commissions, gratifications en dehors des prix convenus pour services rendus.

Le *Code de déontologie de la Société québécoise des professionnels en relations publiques* se réfère enfin aux devoirs généraux suivants : favoriser l'intérêt public, ne pas nuire à l'exercice des relations publiques, à la collectivité ou à la société ; respecter les valeurs d'honnêteté, d'exactitude, de véracité et de la vérité objective des faits ; protéger les confidences des clients ; ne pas corrompre l'intégrité des moyens de communication publique ; éviter toute concurrence déloyale en sollicitant les clients d'un autre membre relationniste ; être solidaire dans l'application du code de déontologie.

Outre le devoir de contribuer au maintien de la vie démocratique qui s'affirme résolument en toile de fond de ces trois codes normatifs, on peut dégager les principales exigences éthiques du métier de

---

3. Nous en présentons ici le contenu de façon succincte. Ces codes pourront être consultés à la fin du présent ouvrage.
4. La valeur intrinsèque, inconditionnelle, incomparable et inaliénable reconnue à tout être humain.

relationniste en cinq points comme autant d'exigences éthiques assignées aux relations publiques. Ces exigences ne sont évidemment pas propres ou exclusives au métier de relationniste dans la mesure où toute personne qui prend la parole, communique ou informe, doit assumer le principe de la véracité du discours, tâcher de comprendre ce qui mérite d'être dit ou d'être tu, ce qu'il faut respecter de l'honneur et de la réputation des personnes physiques et morales, et, enfin, donner et inspirer confiance. Autant de points qui, sans être exclusifs aux relations publiques, forment la grammaire éthique ou l'éthique professionnelle des relationnistes:

- parler vrai;
- résister à la tentation manipulatrice;
- comprendre la problématique du secret et de la transparence;
- respecter les réputations;
- donner et inspirer confiance.

10.3.1. Parler vrai

«Le même homme est capable de mentir et de dire vrai», affirmait Socrate (Platon, 1967, p. 72). Notre rapport à la vérité reste toujours complexe, exigeant et ambivalent. Il est aussi d'autant plus incertain que nous reconnaissons appartenir à une société de l'opinion, que nous renonçons aux vérités absolues et contraignantes. En démocratie, cela va de soi, la vérité de l'opinion se mesure et se plie à l'épreuve du débat. Et la vérité, affirmait Nietzsche, ne s'est jamais accrochée au bras d'un intransigeant! Mais la vérité, toute discutable qu'elle soit en démocratie, doit demeurer la *mesure étalon* de la communication publique. Il est facile de comprendre ici le double enjeu éthique et épistémologique du discours vrai: la confiance dans l'interlocuteur et la crédibilité des messages. Seule l'information correcte et la plus impartiale possible permet le questionnement et augmente le savoir; elle seule donne des clés pour juger, pour comprendre, pour agir et s'orienter.

Et l'établissement de la confiance, centrale dans toute démarche de relations publiques, a dans les faits tout à voir avec la qualité de l'information. Nous entrons ici au cœur d'un redoutable problème: le caractère trompeur du langage, ses possibilités infinies de manipulation et de mensonge. Tellement infinies qu'il est même possible d'en dresser une typologie: mensonge *dissimulation* et mensonge *invention*, mensonge *égoïste* visant à se protéger soi-même ou mensonge *altruiste* et généreux visant la protection d'autrui. Mentir, sauf à référer aux menteurs pathologiques, serait une stratégie courante d'adaptation à des contextes normaux ou plus dramatiques (Dortier, 2009). Une sorte de compétence universelle!

Et si nous considérons le mensonge d'un strict point de vue anthropologique, ainsi que nous y invite Dortier, nous pouvons départager trois mobiles au mensonge. Soit il est commis pour protéger notre individualité, une sorte de mécanisme de défense. Ce mobile atteste en fait de notre capacité à nous émanciper des multiples contrôles sociaux, des règles innombrables et des contraintes morales qui s'imposent à nous. Le mensonge *poli*, deuxième cas de figure, serait foncièrement nécessaire à la vie sociale. Quel couple pourrait tenir, sans quelques cachoteries accommodantes? Quel groupe pourrait fonctionner sous la règle absolue de la franchise totale? Il serait manifestement impossible pour tout individu ou pour toute société d'agir sans un certain degré d'opacité, de non-dit. Il y a enfin le mensonge *artistique* ou la supercherie subtile, celui qui embellit la réalité ou dore l'image de celui qui ment. Cette surenchère des exploits et des événements passés s'expliquerait d'ailleurs par ce fort penchant humain pour la gloriole, les honneurs. La fureur de se distinguer, pour le dire dans les termes de Rousseau.

Ces trois cas de figure nous aident certes à expliquer pourquoi les humains mentent. Ils aident à saisir un phénomène social courant. Mais que faut-il en comprendre d'un point de vue logique? Tout un ensemble de questions clés travaillent alors les philosophies ou théories du langage: À quoi sert le langage? Que n'a-t-on pas dit lorsque nous avons parlé? La vérité n'exige-t-elle qu'une simple adéquation du discours au réel? Ne faudrait-il pas enrichir le sens du «vrai» ainsi que le propose le courant pragmatique qui jouxte la vérité à l'utile et à l'univers des croyances? Comment départager clairement et distinctement le vrai et le faux? Sur quoi reposent nos capacités à énoncer le vrai? Que serait aussi un abus ou un excès de langage? etc. Reste à comprendre aussi en quoi le fait de mentir relèverait d'une conduite répréhensible sur un plan éthique. Une autre série de questions réfère ici le langage à l'éthique. Le mensonge suppose-t-il, par exemple, une intention délibérée de tromper l'autre? Comment distinguer le mensonge de l'insincérité ou de l'erreur? Le mensonge ne serait-il qu'un usage pervers ou maladroit du langage? Pourquoi serait-il immoral de mentir? Ne pourrait-on l'accepter du moment qu'il sert une bonne intention? Nous entrons là dans le domaine de l'éthique et du statut de la vérité dans le cadre des échanges sociaux. Quelques faits indéniables plaident alors en faveur du principe éthique de l'honnêteté intellectuelle, de la franchise et de la véracité.

Premier fait: comme nous dialoguons sous l'idée de vérité, l'usage même du langage exige un lien structurel entre parole et vérité (Conche, 1993). Puis un deuxième: une chose est de mentir pour s'en sortir ou pour se grandir, autre chose est de le justifier quand il est ou risque d'être préjudiciable aux autres. L'expérience courante indique bien d'ailleurs que le mensonge – au-delà de nos soucis théoriques au sujet du langage, de ses promesses et de ses ratés – irrite, voire blesse toujours celui qui en fait les frais et qu'il embarrasse immanquablement celui qui se fait prendre en flagrant délit de mensonge. Si donc nous nous en tenons strictement au plan éthique, la véracité – le discours vrai – relève d'une ferme obligation morale à l'égard d'autrui.

C'est sans doute Kant qui a donné au devoir formel et incondi-tionné de vérité, de véracité et d'honnêteté, la version la plus exigeante et la plus impitoyable: «La vérité n'est pas un bien qu'on possède et sur lequel un droit serait reconnu à l'un et refusé à l'autre» (Kant, 1994, p. 101). Faire de la vérité le seul et unique critère de l'énoncé n'interdit cependant pas, même du point de vue kantien, certains ménagements. La différence établie par Kant entre dire la vérité et ne dire que la vérité ouvre ainsi la voie à des stratégies toujours possibles – comme celle de choisir de se taire –, à la condition toutefois de ne jamais falsifier le propos. L'enjeu, si on veut le comprendre dans la perspective kantienne, est qu'il faut être véridique dans toutes ses déclarations ou affirmations: «Je pense avec la conviction la plus claire et pour ma plus grande satis-faction beaucoup de choses que je n'aurai jamais le courage de dire, mais jamais je ne dirai quelque chose que je ne pense point» (Kant, 1991, p. 514). Kant nous invite à résister en cette matière à la tentation de se traiter comme une exception: je ne veux pas que l'on me mente mais moi c'est pas pareil!

Le problème éthique lié au mensonge est le fait qu'il est toujours potentiellement dommageable, et parfois même destructeur. Des images fabriquées peuvent, affirme Arendt, «devenir une réalité pour chacun et avant tout pour les fabricateurs eux-mêmes qui, tandis qu'ils sont encore en train de préparer leurs "produits", sont encore écrasés par la seule pensée du nombre de leurs victimes possibles... Le résultat est que tout un groupe de gens, et même des nations entières, peuvent s'orienter d'après un tissu de tromperies» (Arendt, 1974, p. 324-325).

Arendt évoque ici le lourd problème de la propagande et de l'idéologie. La propagande est une stratégie de «communication» rude et invasive dans la mesure où elle travaille les émotions, les sensibilités et les mentalités. Figure la plus redoutable et la plus sombre de la mani-pulation, elle relève de l'abus de pouvoir d'une autorité, la plupart du temps politique ou militaire. La propagande, contrairement au discours publicitaire qui s'adresse à des publics restreints, mobilise des idées et des valeurs à grande échelle, systématiquement. Elle propage insidieusement des informations fausses ou partielles mettant ainsi à mal le raisonnement et le jugement des *publics cibles* ou des premiers concernés. Il ne s'agit donc plus d'un effort pour convaincre et expliquer – posture démocratique normale – mais d'une habile manœuvre pour modifier les perceptions et la compréhension des choses. La propagande, contrairement à la censure, est excès d'informations, une sorte de publicité de démonstration et de manipulation vouée à la défense des intérêts privés (Habermas, 1963).

Mais ce sont des stratégies de communication plus douces et sans doute plus subtiles qui nous intéressent ici dans la mesure où faire métier d'établir des relations, utiliser des stratégies de communication, des méthodes et des techniques professionnelles pourrait disposer les esprits à une instrumentalisation des relations, à leur réification (Honneth, 2005). On ne peut «faire des relations» comme si nous étions à construire un plan ou un pont. Voilà bien un deuxième défi éthique, non seulement des relations publiques, mais de tous les groupes ou organisations qui veulent sensibiliser, informer, surprendre et influencer les autres. Le défi en est un de respect de l'intelligence des individus, des groupes, des publics et des auditoires. Il faut de ce point de vue prendre acte d'une nouvelle façon d'influencer, de se rapporter au pouvoir et de prendre les décisions. Le fonctionnement moderne, démocratique des organisations procède en effet aujourd'hui d'une nouvelle philosophie de gestion. Il est lié à «la libération des intelligences par la démocratisation de l'information. La révolution du savoir au sein des organisations transforme les employés en partenaires, véritables récepteurs actifs qui reconstruisent les informations en fonction de leur vision de l'organisation et de la société» (Maisonneuve *et al.*, 2003). Aussi, les rapports de communication dans la vie des organisations relèvent-ils davantage d'un état d'esprit que d'une simple compétence technique (Chouchanet Flahaut, 2005). Nous ne *faisons* pas des relations, nous *sommes* en relation. Comment protéger alors la communication dans une société où les techniques de communication deviennent omniprésentes, envahissantes, déterminantes. Fragile communication qui ne saurait se réaliser sans le respect des autres. L'enjeu éthique lié à la réification des relations, à leur instrumentalisation, renvoie ainsi d'entrée de jeu à la tentation manipulatrice.

10.3.2. Résister à la tentation manipulatrice

Rien de nouveau sous le soleil! La manipulation est un thème ancien. Déjà on le retrouve chez Platon qui distingue la *parole belle* de la *parole vraie*. Et sans doute faut-il comprendre la manipulation en lien avec une phénoménologie plus générale de l'influence. La manipulation, qu'elle relève d'une action mécanique ou discursive, vise toujours pour l'essentiel, à maintenir ou à modifier un état de chose; elle travaille à orienter des actions, à induire des sentiments ou des croyances à l'insu ou sans l'accord des individus ainsi manipulés. Une espèce d'influence occulte par laquelle ceux-ci ne connaissent pas ou ne comprennent pas les stratégies mobilisées pour les orienter dans un sens voulu. L'interlocuteur, dans le processus manipulatoire, se croit sur la voie de la vérité alors qu'en fait il est dans l'erreur. Tout le problème éthique est alors que les interlocuteurs ciblés sont empêchés de comprendre ce qui arrive, de juger en toute lucidité de ce qu'il faut faire.

Aussi, le manipulateur adopte-t-il deux postures intellectuelles possibles. Soit il désinforme, retient l'information, cache ce qui est essentiel. L'information diffusée est alors accessoire ou partielle. Et bien qu'elle soit fragmentaire, elle donne néanmoins aux interlocuteurs l'impression d'être informés. Nous sommes ici devant une stratégie de contrôle relativement efficace. Carfantan explique: «Quand les gens ne savent plus où est le vrai et où est le faux, ils finissent par seulement chercher le rassurant et sur ce registre, il est facile de donner le change[5].» L'effet délétère de cette posture sera cette impression générale du public visé qu'on lui cache quelque chose. Deuxième posture: le manipulateur surinforme par-delà un étalage exubérant de ce qui est futile et sans intérêt. Cette stratégie bien connue de l'écran de fumée conduit tout droit à l'ignorance par confusion! Bombarder d'informations étourdit le public et décourage les efforts de compréhension.

L'information correcte, en contrepoint de ces deux postures manipulatrices, développe les connaissances et donne les clés de ce qui doit être compris. Le souci épistémologique double donc ici le souci éthique du droit de l'autre – du public – à la vérité et au partage de l'information. Le manipulateur ne saurait cependant se griser trop longtemps de son efficacité et de ses exploits. Il y a toujours à l'œuvre une vague et désagréable impression dans l'esprit dubitatif de la personne manipulée que quelque chose ne va pas.

---

5. <sergecar.club.fr/cours/langag7.htm>, consulté le 29 mai 2008.

Mais qui manipule qui ? A-t-on raison de penser que le manipulateur, ainsi que l'affirme Carfantan, « fait partie de la galerie de personnages virtuels que nous appelons la personnalité[6] » ! Quelle est, du reste, la différence entre l'influence, dynamique relationnelle fondamentale, et la manipulation comme stratégie de communication douteuse ou irrespectueuse ? Le concept de manipulation, comme c'est le cas pour la plupart des concepts, prête à controverse. Il est possible de départager, pour qui veut réfléchir davantage sur le phénomène de la manipulation, deux orientations théoriques contradictoires : la première pense le phénomène de la manipulation dans une logique causaliste, voire *mécaniste* ; la seconde, plus critique ou plus sceptique, la coule dans un phénomène large de fixation commune du sens, en fonction d'un travail à plusieurs de construction de significations. Cette façon de voir la manipulation est très affirmée chez Mucchielli, lequel critique les explications classiques de l'influence par la manipulation des émotions ou des intérêts (Mucchielli, 2009). « Quelque chose prend un sens par rapport à ce qui l'entoure et c'est l'esprit qui fait cette mise en relation, laquelle fait naître le sens » (Mucchielli, 2009, p. 23). Influencer, dira-t-il, c'est manipuler les contextes de la situation, créer et orienter le sens. Ce sont des normes, des relations, des perspectives, des projets, des enjeux qui font alors l'objet de manipulation.

Il n'y a pas lieu de trancher ici le litige étant entendu que les théories s'élaborent depuis des postulats différents et parfois irréconciliables. Et peut-être faudrait-il, en dernière analyse, référer le problème de la manipulation à certains contextes très particuliers, là où on retrouve la fragilité, la précarité, la vulnérabilité de certains individus : l'immaturité du jugement comme dans le cas de la publicité à destination des enfants ; les relations de pouvoir où l'ascendant hiérarchique de l'un peut contraindre l'autre à des concessions involontaires ; l'imposition d'un rapport de force brutale qui s'exerce sur une personne physiquement plus faible que soi ; l'impuissance caractérisée où une personne appauvrie sur le plan matériel, intellectuel ou culturel subit la volonté particulière d'un individu opportuniste ; l'exclusion sociale qui prive des individus d'un accès aux ressources culturelles, symboliques voire matérielles d'une société hostile à sa présence.

Il est possible de convenir cependant, au-delà de ce débat théorique sur le phénomène de la manipulation, d'un invariant qui paraît faire consensus : la manipulation toujours suppose un travail caché sur les composantes de la situation (Mucchielli, 2009).

---

6. *Ibid.*

Par ailleurs, si l'art de la manipulation suppose une réserve de secret, toute réserve de secret est-elle pour autant manipulatoire? Du silence ou du secret? Du secret ou de la transparence? La culture consumériste moderne induit, comme chacun sait, les désirs de tout exhiber, de tout voir, de tout dire, de tout entendre. Mais alors, comment dire les choses? Quoi dire et quoi taire? Peut-on tout dire et tout partager? Il y a donc nécessité supplémentaire pour les professionnels des relations publiques de comprendre et de composer avec l'idéal, voire le fantasme de la transparence, qui font la mouture de l'époque (Lipovetsky, 2006).

10.3.3. COMPRENDRE LA PROBLÉMATIQUE DU SECRET ET DE LA TRANSPARENCE

Toute personne a droit, devant la loi, de garder le silence et ce droit est enchâssé dans les chartes. Le droit au secret est plus complexe. Il n'est, par essence, connu que d'un petit nombre de personnes. Il recouvre un «quelque chose» qui fait l'objet d'un interdit de diffusion, qui doit être dérobé au regard public. Le secret est dissimulation de projets ou d'actes prohibés, dissimulation de la réussite de certaines actions ou lié à l'exercice du pouvoir.

Le secret, il est facile d'en convenir, peut être aussi tout à fait légitime dans le cadre de l'exercice d'une profession – médecins, avocats, prêtres – pour préserver l'intérêt du professionnel ou des individus bénéficiaires de services, pour protéger l'industrie, auquel cas il faut parler de secrets de fabrication. Le secret est aussi parfois nécessaire pour assurer la protection de l'individu comme dans le cas de protection de témoin ou de confection d'identité secrète ou dans le cas d'une nécessaire égalité des chances dans une épreuve, comme dans le cas des examens académiques et dans les soumissions de marché.

L'éthique professionnelle des relationnistes ne fait pas exception à ce devoir de réserve, au respect de la confidentialité à la base même de la relation professionnelle – relation de confiance – avec les organisations mandataires. Il est d'ailleurs surprenant de voir que le refus de tout divulguer des projets ou de la dynamique interne des organisations au nom desquelles et pour lesquelles agissent souvent les relationnistes soit frappé de suspicion par le monde journalistique. Cette exigence éthique professionnelle est, nous semble-t-il, largement incomprise, non seulement des journalistes mais également de la population. Aussi, la collision est-elle inévitable entre l'éthique journalistique qui repose sur le devoir d'informer et l'éthique professionnelle des relationnistes qui ont pour mandat de plaider la cause d'une organisation devant le tribunal de l'opinion publique, de protéger et de promouvoir l'image de marque et éventuellement les réputations. Il n'est pas exagéré de dire aussi que faillir à cette tâche reviendrait à de l'imposture, voire à de la trahison des mandataires qui ont, en toute confiance, rendu disponibles de larges pans de leur vie ou dynamique interne.

Le secret bien sûr peut être lié au mensonge et s'oppose alors à un idéal de transparence. Mais, la transparence est-elle toujours souhaitable ? Est-elle-même possible ? Qu'est-ce qui, dans cette société travaillée par une visibilité sans reste, est véritablement d'intérêt public ? Qu'est-ce qui échappe au regard public et qui pourtant mériterait d'être entendu ? Certes les médias véhiculent aujourd'hui une immense quantité d'informations. Ils offrent une visibilité exceptionnelle à qui veut et peut s'exprimer. Mais tout ne s'y dit pas en raison du recoupement espace public-espace médiatique. Une large partie de la réalité échappe ainsi aux regards et à la discussion publics dans la mesure où n'entre pas qui veut dans l'espace médiatique, lequel fonctionne selon un principe d'exclusion, selon la crédibilité et la place que les médias accordent ou n'accordent pas à ce qui cherche à sortir ou à se dire . Mais tout peut-il se dire ? Comment répondre à une attaque à la réputation par exemple ? Comment la défendre ? Nous abordons ici une quatrième exigence éthique du métier de relationniste : la défense et le respect des réputations.

10.3.4. Respecter les réputations

Il s'agit d'une double exigence éthique et juridique dans la mesure où la liberté démocratique reconnue à un individu, un groupe ou une profession de pouvoir exprimer, de recevoir ou de communiquer des informations implique des devoirs et des responsabilités. Le droit à la réputation occupe une place importante dans la série des droits démocratiques, creuset où se pratiquent, par définition, les relations publiques.

« Toute personne est titulaire de droits de la personnalité, tels le droit à la vie, à l'inviolabilité, à l'intégrité de sa personne, au respect de son nom, de sa réputation et de sa vie privée » (*Code civil du Québec*, articles 1 à 3). L'idée de personne recouvre ici la notion de personne morale et les citoyens corporatifs que sont les organisations. C'est à ce titre qu'elles ont, sur le plan juridique, droit de personnalité, d'inviolabilité, d'intégralité, de respect et de réputation. Ce qui autorise en toute logique le droit de faire valoir leur point de vue dans l'espace public. Il apparaît évident que la fonction des relations publiques a tout à voir, non seulement avec la constitution et la diffusion d'images, mais bien davantage avec l'épineuse question de l'établissement et de la protection de la réputation des individus, groupes, organisations ou institutions. Rappelons que la réputation composante sociale essentielle et qui fait appel à l'opinion publique est à la base de la relation de confiance avec et entre les différents publics. Elle renvoie au droit à la vie privée et à la protection contre des allégations diffamatoires soit par le mensonge, par l'invention, par la décontextualisation ou la dénaturation des propos d'une personne et/ou par une utilisation inappropriée de son image. L'éthique professionnelle des relationnistes commande à cet égard une conduite prudente et un solide jugement. Elle exige un souci de véracité des informations rendues publiques ; elle demande de ne pas céder à une intention de nuire ou d'injurier. Les stratégies de communication doivent, de plus, éviter d'induire dans le public des perceptions négatives, d'exposer un individu à la haine et au mépris, ce qui conduit à une perte d'estime ou de la confiance du public. Difficile de nier les dommages subis par un individu que l'on aurait malignement livré en pâture à l'opinion publique.

Par ailleurs, la qualité des communications et l'exigence de transparence reposent, et cela est encore plus vrai dans le domaine des relations publiques, sur la franchise des explications fournies, sur des informations pertinentes et complètes, sur la constance de la communication. Aussi peut-on nommer une éthique spécifique aux relations publiques laquelle repose dans l'énoncé même de la mission des relationnistes, à savoir l'établissement et le maintien d'une relation de confiance entre une organisation et ses différents publics. La confiance cependant ne va pas de soi. Et il est bien sûr impossible de circonscrire ici ce phénomène que la philosophie sociale et la sociologie tout entières ont peine à définir. C'est pourquoi nous nous en tiendrons à quelques données liminaires de façon à en faire voir les enjeux et la complexité.

10.3.5. DONNER ET INSPIRER CONFIANCE

Nous assistons assurément à un renouveau éthique et épistémologique du phénomène de la confiance[7]. Partout agissante on la retrouve dans les relations interindividuelles, dans les familles, dans les organisations, dans les grands systèmes abstraits. Nous misons sur elle en politique, en économie, en droit, en gestion, en statistiques et dans les relations

---

7. Pour qui veut mieux comprendre la profondeur et les enjeux de ce phénomène complexe : Robert Damien et Christian Lazzeri, *Conflit, confiance*, Presses universitaires de Franche-Comté, 2006, 392 pages ; Niklas Luhman, *La confiance*, Economica, 2006, 123 pages ; Louis Quéré, *La confiance*, Hermès, 2001, 238 pages ; Vincent Mangematin et Christian Thuderoz, *Des mondes de confiance*, CNRS Éditions, 2003, 296 pages ; Albert Ogien et Louis Quéré, *Les moments de la confiance : Connaissance, affects et engagements*, Economica, 2006, 232 pages ;

internationales. Concept fédérateur mais parfois ambigu, complexe et multidimensionnel aussi, dans la mesure où il couvre les aspects affectifs, cognitifs et éthiques de notre vie de relation. Concept confus s'il en est un, il s'adresse aussi bien à nos capacités rationnelles, intuitives, spirituelles et sociales. Ainsi peut-on la comprendre ou l'appréhender en termes *d'attitude* (être confiant), d'*acte* (faire confiance) ou de *résultat* (avoir confiance). On peut la dire *assurée* et/ou rationnellement *décidée*, ainsi que l'a théorisée N. Luhman (2001). La notion de confiance est rebelle au calcul d'intérêt, au mesurable et au « tenu pour acquis ». La relation de confiance, toujours incertaine et parfois aveugle, toujours conditionnelle et parfois sélective, soit se donne, soit se refuse. Autant elle se mérite, autant elle peut être trahie. Autrui en effet peut toujours mentir, dissimuler, tromper, décevoir les attentes mises en lui. Le *faire confiance* repose sur l'espoir que les autres renonceront à la trahison toujours possible des attentes.

Et bien sûr la confiance ne vient jamais seule. Elle entretient une étroite connivence avec le risque et le danger, la sécurité et la familiarité surtout. Elle s'appuie sur un certain nombre d'annexes sémiologiques telles la confidence et la fiabilité. Elle concerne l'univers mental de la croyance et de la foi. Bonne foi, mauvaise foi, foi dans les capacités d'une autre personne et dans la prévisibilité de son comportement. Strict contraire de la méfiance, la confiance est rapport d'ouverture et de collaboration. Phénomène majeur et indispensable lubrifiant des relations humaines, tout bloque, tout grince sans elle !

Plusieurs autres éléments essentiels composent cette phénoménologie de la confiance. La relation de confiance se construit ou, au contraire, se décompose dans un processus interactif, creuset en quelque sorte dans lequel les individus puisent les catégories mentales nécessaire pour percevoir, comprendre et interpréter le monde. Confiance et liberté vont aussi manifestement toujours ensemble : volonté libre de celui qui la donne et de celui qui en devient dépositaire. Effrayante liberté cependant, tant il est vrai que les autres ont la capacité potentielle de causer du tort (Hobbes, 1971). Il est impossible de connaître ou d'anticiper avec certitude leurs motivations à agir. C'est bien parce que les autres sont libres et que leurs motivations restent toujours foncièrement opaques qu'il y a lieu de faire confiance. La confiance aurait alors pour fonction de réduire la peur, le sentiment de vulnérabilité tout autant que la complexité sociale. Le fait est que nous sommes rarement capables de savoir par avance ce que les autres feront de nous et des espoirs mis en eux. Fragile et incertaine confiance qui peut à tout moment être réduite à néant.

Le phénomène de la confiance s'explique et se justifie sous plusieurs aspects. D'abord, nous sommes tous, jusqu'à un certain point, dépendants de la parole des autres. C'est bien d'ailleurs cette dépendance épistémique foncière qui nous prédisposerait à la crédulité. Connaître implique l'aide des autres, la médiation d'institutions sociales, des technologies inventées par d'autres. C'est ce que l'on pourrait appeler une division du travail cognitif. Rien ne pourra jamais nous dispenser cependant de devoir assumer les retombées cognitives de ce travail conjoint de production du sens. La confiance enveloppe, enfin, les valeurs d'intégrité, l'habilitation, les compétences, le jugement, la puissance de penser et d'agir de l'autre en qui nous mettons toute notre confiance. À tort ou raison.

Le jugement est ici largement en cause. Mais l'aptitude à bien juger ne va pas de soi dans la mesure où l'application mécanique des règles ne suffit pas à orienter l'action ; non plus l'application de catégories ou de formules toutes faites à des réalités, mouvantes par définition.

10.4. L'EXERCICE RESPONSABLE DU JUGEMENT

> *Comment penser et même, ce qui est le plus important dans le contexte actuel qui est le nôtre, comment juger sans se cramponner à des standards, à des normes préconçues et à des règles générales sous lesquelles subsumer les cas particuliers ? Ou pour le dire différemment, qu'arrive-t-il à la faculté humaine de jugement quand elle est confrontée à des circonstances qui signifient la chute de toutes les normes coutumières et sont donc sans précédent au sens où les règles générales ne les prévoient pas, pas même comme exception à ces règles ?*
>
> (ARENDT, *Responsabilité et jugement*, 2005, p. 58).

Tout questionnement éthique sur des pratiques professionnelles ne peut faire l'économie, nous semble-t-il, d'une réflexion sur le jugement, cette faculté vitale qui permet de discerner le vrai du faux et le juste de l'injuste. La fluidité des contextes actuels (Bauman, 2009) indique d'ailleurs assez la nécessité de ressaisir la question cruciale du jugement. Cette faculté, forme d'intelligence pratique et autonome vis-à-vis de l'opinion publique, se conjugue d'abord à la première personne. On reconnaîtra ici la fameuse injonction kantienne : « Aie le courage de te servir de ton propre entendement » (Kant, 1985, p. 209). Le jugement, fort d'une certaine distanciation critique, synthétise les contenus perceptuels, interroge et statue sur le sens de ce qui arrive ; il permet de s'expliquer la nature des crises et des événements, ce qu'ils ont d'inédit, leur radicale nouveauté. C'est pourquoi il faut savoir juger à nouveau, frais, spontanément, chaque fait, chaque geste et en toute occasion. Si on exerce son jugement, dira Arendt, «on rencontre les phénomènes de "plein fouet" dans leur réalité contingente» (Arendt, 2005, p. 25).

Aussi est-il plus facile, à en croire les théoriciens du jugement, de se laisser conditionner que de penser et de juger :

> Malheureusement, il semble être bien plus facile de conditionner le comportement humain et d'inciter les gens à se conduire de la façon la plus inattendue et la plus scandaleuse que de convaincre qui que ce soit de tirer les leçons de l'expérience, comme on dit : c'est à dire, d'appliquer des catégories et des formules qui sont profondément implantées dans l'esprit (Arendt, 2005, p. 68).

Le jugement se décline d'ailleurs en plusieurs registres ou modalités. La première modalité – le jugement de fait – suppose un examen attentif au réel. Il est structurellement et logiquement lié au principe d'une vérité contraignante. Le jugement concerne, dans sa version la plus épurée, l'idéal scientifique de décrire les faits ou les phénomènes tels qu'ils sont, de dire le monde tel qu'il est. Ainsi faut-il s'assurer dans nos vies personnelles aussi bien que professionnelles de la véracité des faits, chercher à connaître les faits et non pas les imaginer. Il faut se soucier sans relâche de ce qui est de l'ordre de la rumeur et des fausses allégations ; il faut savoir juger et composer avec la délicate question du témoignage et de la partialité des perspectives, débusquer un cas de mauvaise foi. La connaissance des faits et ce qui peut en être affirmé à travers le jugement soulève ici, à l'évidence, un certain nombre de problèmes ou d'enjeux épistémologiques. Celui notamment de l'insuffisance ou de la pauvreté culturelle du langage de même que l'épineux problème de la définition des termes.

La deuxième modalité, le jugement de valeur, jouxte la dimension à la fois subjective – les valeurs assumées et promues – et la dimension objective dans la mesure où les valeurs demandent à être partagées. Cette modalité s'oppose radicalement en cela au fameux jugement de préférence, lequel repose sur la pure expression des goûts personnels, sur la prédominance de l'agréable et du «ce qui me plaît». Le jugement de prescription, contrairement aux trois autres types de jugement, propose un engagement vers l'action. Il affirme ou nie quelque chose qui prend alors la forme d'un ordre ou d'un commandement.

Évoquons pour illustrer le propos, le cas largement médiatisé du jeune Omar Khadr retenu depuis plusieurs années dans une prison américaine pour avoir présumément tué un soldat américain. Si nous sommes d'abord soucieux des faits – le souci épistémologique –, nous pourrions affirmer ou nier la culpabilité de Khadr. Le jugement s'énoncerait alors ainsi : Omar Khadr est bel et bien celui qui a lancé la fameuse grenade en direction du soldat américain. C'est lui et nul autre qui est à l'origine de cette mort. Le jugement de fait contraire pourrait évidemment être énoncé, tant et aussi longtemps qu'une preuve n'a pas établie. Les enquêteurs chevronnés savent bien qu'à cet égard les faits sont têtus et qu'une tonne de doutes ne valent pas une once de vérité! On peut aussi se rapporter à ce cas sous l'angle des valeurs, celles-là toujours discutables. Ainsi pourrait-on affirmer : il est injuste que nous retenions ainsi celui qui n'était à l'époque du méfait qu'un jeune enfant-soldat. L'idée de justice et la notion de responsabilité morale font jour dans cette affirmation. Et cela se discute. Autre chose serait d'affirmer : je préfère que Khadr soit rapatrié car je n'aime pas trop que la réputation du Canada soit entachée à l'étranger. Ce qui plaît ou déplaît est plus problématique ici. Les goûts ou les préférences, dit on, ne se discutent pas. Le jugement de prescription pourrait, enfin, s'énoncer ainsi : il faut rapatrier (ou non) le citoyen Khadr.

On voit bien que la posture intellectuelle est profondément modifiée par la structure énonciative propre à chacune des formes de jugement. Et le métier de communicateur public requiert, à l'évidence, la nécessité de maîtriser cette structure langagière. Un souci épistémologique et une sorte de compétence linguistique doivent jouxter ici les habiletés stratégiques et les compétences techniques.

Mais le jugement a beau se vouloir autonome, il n'en a pas moins besoin des autres pour s'élaborer; il n'en est pas moins dépendant du langage, d'un ordre symbolique, de formes politiquement et socialement instituées. Difficile ou impossible jugement, en fait, sans des repères stabilisés, fondés et cohérents, sans des catégories et des concepts que seule la culture libère et rend disponibles. C'est en effet par l'exercice du jugement que les hommes s'engagent et s'intègrent dans un système structurant de signes et d'échanges sociaux. Il y a, par conséquent, nécessité anthropologique de mettre sa capacité de penser à l'épreuve de la réalité et du jugement des autres. Et c'est à ce titre qu'il s'annexe le bon sens – le sens commun – et la civilité. Nous nous lions en définitive aux autres par le jugement, faculté pour ainsi dire essentiellement communautaire (Arendt, 2005). Le jugement a donc tout à voir avec la mentalité élargie et l'ouverture d'esprit. Êtres de culture essentiellement, nous avons besoin de prendre en considération le point de vue des autres : «C'est parce que nous sommes des êtres humains, élevés comme des humains, que nous pouvons apprécier la façon dont nos congénères voient les choses. Nous avons acquis une capacité de penser le monde "de" leur place» (Mucchielli, 2009, p. 45). Vecteur de sens, effort de compréhension et d'ajustement au réel, le jugement est toujours déjà assigné à une fonction régulatrice de l'action et de la vie en général.

Responsabilité et jugement sont d'ailleurs ici indissociables dans la mesure où ils structurent notre rapport aux autres. C'est pourquoi d'ailleurs son exercice est souvent associé à certains traits moraux, tels que la rectitude de la conscience, la prudence, la force, la justice et le respect. Le problème consiste ici à distinguer ce qui relève de la responsabilité individuelle et ce qui relève d'une responsabilité plus collective. La vie des groupes et des organisations rend souvent cette question indécidable. Aussi, est-il difficile d'établir parfois où commence et où s'arrête la responsabilité professionnelle du relationniste qui reçoit un mandat. Il va de soi que la responsabilité professionnelle, si elle doit être d'abord assumée en première personne, n'a de valeur et de sens que reliée à un réseau complexe d'interactions en milieu de travail. Et tant mieux quand tout va pour le mieux dans le meilleur des mondes possibles, pour le dire dans les termes de Leibniz. Mais il est plus juste de dire que le métier de communicateur s'inscrit, par définition, dans des dynamiques organisationnelles hiérarchiques et souvent problématiques. Les théories de la gestion n'ont de cesse d'attirer l'attention sur la conflictualité interne des milieux de travail, sur les cultures organisationnelles et la vie toujours très compliquée et incertaine des organisations. Les pratiques professionnelles – engagées dans un réseau d'échanges complexes et immaîtrisables par définition – ne cessent de buter contre des obstacles de tout ordre, y compris l'incompréhension et les limites de l'éthique. L'homme, affirmait Kant, a été fait dans un bois noueux !

Rien n'empêche alors de reconnaître la responsabilité sociale et morale des mandataires eux-mêmes qui, comme les relationnistes à qui ils confient des mandats de toutes sortes, doivent à leur tour et pour eux-mêmes d'abord, rencontrer la fameuse interdiction bergsonnienne ! Mais l'éthique professionnelle ouvre sur un plus large horizon. Un horizon de sens. Comprendre, juger, agir n'implique pas le pouvoir de tout régenter. Cela se fait à plusieurs et tous, dans une organisation ou dans une institution, ont à gagner à assumer et produire de la valeur, pour le dire dans les termes de Chouchan et Flahaut. «La production de la valeur par les relations publiques s'effectue par principe au bénéfice des publics en même temps qu'au bénéfice de l'entreprise. Ce double bénéfice est en phase avec l'attente générale de communication qui se manifeste aujourd'hui par la montée en puissance des concepts de responsabilité sociale d'entreprise et de développement durable» (Chouchan et Flahaut, 2005, p. 12).

CONCLUSION

Quelle éthique pour les relations publiques ? Cette question témoigne à l'évidence d'un souci de reconnaissance et de légitimité. Légitimité qui repose, pour l'essentiel, sur la capacité pour tout groupement professionnel de répondre de ses méthodes et de ses pratiques. Il est vrai que le métier dans ses premières et lointaines manifestations a été associé à l'univers glauque de pouvoirs politiques ou économiques malveillants. L'évolution historique des pratiques de relations publiques montre cependant assez clairement que le métier a largement dépassé ces pratiques douteuses de manipulation des consciences. Autres temps, autres mœurs. Le métier serait aujourd'hui impensable, impossible s'il ne s'était adapté aux nouvelles règles du jeu démocratique. S'il ne prenait pas acte, fait et cause, d'une éthique de la discussion garantissant la possibilité pour chacun de participer aux débats publics, d'agir, de s'exprimer, d'informer et d'*influencer* les décisions collectives. Serait menacée, incertaine et peu crédible toute pratique professionnelle qui ne souscrirait pas aux valeurs démocratiques de partage, de respect mutuel et d'intercompréhension. La démocratie, avons-nous aussi rappelé, est indissociable d'un espace public ordonné à ce principe de l'échange entre des citoyens, libres et égaux en parole et en droit. Le défi alors posé n'est plus tant pour les relationnistes de s'alléger des pesanteurs de l'histoire qui lui ont fait mauvaise réputation, mais de faire face à un présent problématique et difficilement maîtrisable. Un effort supplémentaire de compréhension s'impose donc aux relationnistes dans la mesure où ils doivent désormais composer avec une profonde crise des catégories de l'intime, du privé et du public. Les frontières sont aujourd'hui brouillées et l'espace public est bien encombré. Les relationnistes exercent, à l'instar de tous les communicateurs publics, dans des contextes de vie inédits, bigarrés. Et non seulement doivent-il s'adapter au jour le jour à des cibles bougeantes, saisir des réalités instables, mais aussi composer avec la sourde suspicion à l'égard des élites, des organisations et des institutions. Ils doivent pouvoir contrer la rumeur, gérer les scandales et les crises. Ils doivent savoir se retourner rapidement et prendre la mesure d'événements toujours surprenants qui percutent les organisations. Ils devront aussi bien sûr, résilience oblige, apprendre à survivre eux-mêmes à leurs impacts ! Comment se situer et tenir sous la pression toujours plus forte de l'impératif d'efficacité et des valeurs compétitives ? Quoi dire, quoi faire, quoi taire ? Comment résister aux consommateurs d'intimité insatiables, friands de tout voir et de tout savoir ? Quoi penser ? Quoi défendre ? Comment s'assurer de la valeur des mandats et des buts poursuivis ?

Ces questions graves, difficiles et sans cesse reconduites dans le quotidien des organisations nous renvoient certes à un ensemble de compétences intellectuelles et techniques que les milieux de formation ont pour mission de développer. Toutefois, les relationnistes, comme tous les autres professionnels armés de connaissances spécialisées et de techniques, sont exposés au risque de l'instrumentalisation, la tendance lourde des sociétés modernes. Difficile de nier, en effet, que la mentalité technique plonge aujourd'hui profondément dans les milieux de pratique, oriente puissamment les manières de voir et de faire les choses. Elle réifie ou règle les rapports sociaux sur le souci stratégique – à toute fin les bons moyens – neutralisant ou reléguant au second plan le souci éthique, la raison pratique qui toujours nous lie à des idéaux et à des principes. C'est pourquoi à la compétence intellectuelle et technique s'ajoute, comme il se doit, la compétence éthique. Une compétence fondée, pour l'essentiel, sur le respect des individus, des groupes et des publics. C'est la relation de confiance elle-même qui est d'ailleurs en jeu ici. Et cela est encore plus déterminant, essentiel pour tout dire, en éthique des relations publiques. Et c'est parce que tout ne peut être codifié, prévisible et réglé au quart de tour qu'il faut aiguiser non seulement les arguments, mais avec eux le jugement, la capacité de mettre les choses en perspective. Aussi bien dire en passant que le monde doit gagner en jugement et en lucidité ce qu'il a perdu en évidences de toutes sortes! Et c'est bien le jeu croisé des compétences à la fois épistémologiques, linguistiques, intellectuelles, techniques et éthiques qui fera en définitive d'une opération de relations publiques une démarche crédible et valable sur un plan éthique. Le fantasme de la maîtrise dans l'univers des relations, toujours précaires et incertaines, ne convient pas à une culture authentiquement démocratique. Le temps des stratégies de contrôle à sens unique et sans égard pour les individus et les publics concernés est bel et bien révolu!

CONCLUSION
L'imputabilité sociale des relations publiques

Avec le développement des théories postmodernes (Lyotard, 1979 et 1992; Deetz, 2001) et leurs applications aux relations publiques (Holtzhausen et Voto, 2002), un nouveau regard critique est posé sur cette pratique de communication, mettant en évidence l'importance de considérer les relations publiques d'un point de vue social, culturel et politique plutôt que de les envisager uniquement comme une pratique organisationnelle. Dans la foulée des travaux de Holtzhausen et Deetz, il se développe en effet une conscience sociale et éthique plus aiguë des relations publiques: une plus grande imputabilité au regard du bien commun est exigée des organisations et de leurs relationnistes.

Les nouvelles réalités économiques, sociales et technologiques restructurent la pratique des relations publiques qui s'inscrivent dans l'avènement d'un nouveau «vivre ensemble» (Perraton et Bonenfant, 2009), en fonction d'approches communicationnelles plus socialement responsables. Les relationnistes participent à l'émergence d'une communication qui joue un rôle de premier plan dans l'essor d'une démocratie plus citoyenne. Or cette citoyenneté active doit être envisagée comme inclusive de tous les groupes de citoyens, dont les organisations en tant que personnes morales. Celles-ci sont en effet des acteurs prépondérants dans l'espace médiatique et dans l'espace public, notamment comme membres de réseaux où les relationnistes exercent des fonctions qui modulent les flux d'information. De la sorte, ils participent à l'expression de la position organisationnelle dans la gestion des enjeux sociaux, comme le précise Létourneau (2009, p. 83):

> La manière d'arriver selon nous à cette prise en charge du «vivre ensemble» serait de commencer par y développer une approche de gouvernance, faisant appel à la multiplicité des acteurs concernés dans la société en général. Cette gouvernance en acte supposerait un agir continu et planifié de communications discursives susceptibles de construire de nouveaux «sens communs», c'est-à-dire des consensus émergents capables de rallier une pluralité

d'acteurs. Ce qui rejoint de près une approche de concertation et de médiation mutuelle, qui sait s'appuyer sur le pluralisme axiologique.

Cette prise en compte du pluralisme doit amener les professionnels en relations publiques (et les organisations) à prendre acte des dissensus, comme le rappelle Holtzhausen (2002). En contribuant à l'expression d'une multiplicité de points de vue, les relationnistes permettent à l'organisation et aux acteurs sociaux de s'ouvrir à la communication dialogique, l'un des fondements sur lequel développer les relations entre citoyens et organisations. Pour ce faire, les bases éthiques de la pratique des relations publiques se doivent d'être précisées. Au-delà du Code d'Athènes et de ses applications nationales plus ou moins normatives (voir les annexes 1, 2 et 3), ce sont les rapports du citoyen à l'exercice du pouvoir informationnel, structuré à des fins stratégiques par les organisations, qui doivent être recadrés. Cette nouvelle approche s'est d'ailleurs enrichie des travaux menés par les communicologues, notamment ceux réalisés par Solange Tremblay, directrice du Centre d'études Développement durable, éthique et communications, à la Chaire de relations publiques et communication marketing de l'Université du Québec à Montréal (se référer au code d'éthique proposé à l'annexe 4). Selon les principes d'une imputabilité accrue et de la reddition de comptes, les relationnistes ont désormais à envisager leurs responsabilités au sens large et les conséquences précises de leurs activités de communication, non seulement en fonction des organisations, mais également et surtout au regard du bien commun dans la société :

> Ultimement, les relations publiques sont jugées par leur impact sur la société. La valeur des relations publiques consiste à 1) promouvoir les échanges d'idées, de manière libre et éthique, pour contribuer à la formation de l'opinion publique ; 2) le relationniste doit révéler les sources et les buts des participants aux débats publics ; et 3) il doit viser l'atteinte de hauts critères de conduite. La valeur du travail des relationnistes est diminuée aux yeux de la société lorsqu'il 1) fait obstruction ou limitent les débats d'idées ; 2) cache ou impute à d'autres ses interventions de relations publiques ; et 3) compose avec des pratiques de gestion incompétentes ou non éthiques, sans les remettre en question (Broom, 2009, p. 132-133 ; traduction libre).

Or la voie que trace Broom pour une pratique des relations publiques plus socialement responsable rejoint les pistes théoriques émergentes. Remontant aux sources de la démocratie et de l'agora grecque, les approches théoriques aident à comprendre les phénomènes communicationnels en cause dans les dispositifs et les processus développés par les relationnistes :

On peut retracer l'origine de la théorie critique de la communication à la conception qu'avait Platon de la dialectique socratique en tant que méthode d'atteinte de la vérité par l'échange d'idées se produisant dans le débat lorsque sont posées des questions qui provoquent la réflexion critique sur les contradictions qui sont soulevées dans le processus. Selon Habermas (1984), la théorie critique de la communication souligne une certaine instabilité inhérente à tout acte de communication orienté vers l'atteinte d'une compréhension mutuelle, un télos intégré vers l'articulation, le questionnement et la transcendance des présupposés qui sont jugés faux, malhonnêtes ou injustes. La communication qui n'implique que la transmission-réception ou le partage rituel de sens est fondamentalement erronée, déformée et incomplète. La communication authentique ne se produit qu'au sein d'un processus de réflexion discursive qui vise une transcendance qui ne pourra jamais être totalement et définitivement atteinte, mais le processus réflexif est en soi progressivement émancipatoire (Craig, 2009, p. 28).

Cette émancipation par la communication réflexive doit être considérée comme partie intégrante de la contribution des relations publiques à l'ancrage organisationnel dans la société. En mettant en place et en animant des processus de dialogue qui font progresser les débats dans l'espace public et dans les organisations, les relationnistes contribuent à l'atteinte d'objectifs (télos) qui vont au-delà des seuls intérêts de l'organisation. Cette orientation téléologique des relations publiques s'exerce par l'enrichissement des échanges entre les citoyens (individuels et institutionnels). Ainsi, les relations publiques permettent à tous les acteurs de coélaborer des solutions aux problèmes que posent les enjeux organisationnels et sociaux touchant l'ensemble de la société. Ce faisant, les relations publiques contribuent à exprimer l'*agir communicationnel* (Habermas, 1987 et 2005) des organisations et de leurs parties prenantes dans l'espace public. Cette approche globale de la communication (touchant le discours et l'activité de l'organisation) permet d'envisager l'influence normative du travail des relationnistes. Leur rôle dans l'élaboration des normes sociales influe sur le comportement des employés et des parties prenantes des organisations de même que sur l'ensemble des citoyens dans la société.

Cette influence normative se construit par la participation des relationnistes aux échanges entre les acteurs sociaux, dans un espace public marqué de l'empreinte communicationnelle des organisations qui expriment leur idéologie et leurs valeurs. Les professionnels en relations publiques contribuent ainsi à la réalisation de ce processus normatif par-delà l'élaboration de la posture discursive des acteurs organisationnels dans l'espace public. Il y participe également en concevant des dispositifs communicationnels qui établissent la mise en relations entre l'organisation et l'ensemble des interlocuteurs sociaux.

C'est pourquoi la responsabilité des relationnistes doit transcender leur seule contribution à l'atteinte des objectifs des organisations pour atteindre un niveau d'imputabilité sociale et d'intersubjectivité avec les différents publics de l'organisation puisque, comme il a été évoqué au chapitre précédent, la communication suppose :

> une capacité d'ouverture, d'écoute, de respect des idées et induit la possibilité d'inter*influence* : un processus de communication basée sur l'interaction, l'interpénétration et l'interdépendance entre l'organisation et ses publics permettant à l'organisation d'être influencée à son tour par ses publics (Tremblay, 2007, p. 5).

Nous n'insisterons jamais assez sur l'éthique de la pratique des relations publiques et sur les valeurs d'intégrité, d'empathie, de loyauté et de respect des personnes, en fonction du bien commun :

> C'est le bien suprême de la communauté, d'où se déduisent [...] toutes les prescriptions éthiques individuelles et sociales qui lui sont subordonnées comme à la plus haute finalité de l'agir. Le bien commun réfère à des valeurs et des intérêts partagés et publics ; il oriente vers la réalisation d'objectifs partagés comme éléments normatifs décisifs de la vie sociale et comme conditions d'une vie digne de l'être humain et de tout être humain (Simard, 2003).

Par conséquent, toute stratégie de communication doit reposer sur le principe kantien fondamental selon lequel l'être humain est une fin en soi, jamais un moyen. La personne doit être le sujet de la communication, non son objet et encore moins la cible d'une manipulation. En ce sens, l'éthique de la pratique des relations publiques s'appuie sur la notion du respect de tous interlocuteurs de l'organisation, pour l'établissement d'un véritable dialogue.

Ce postulat éthique entraîne souvent un recadrage du rôle des relations publiques dans les organisations et dans la société. Plus d'importance est accordée aux communications transversales, au respect des employés et à l'écoute des besoins de toutes les parties prenantes de l'organisation. Ainsi, les relationnistes peuvent devenir un agent de changement organisationnel et social (Holtzhausen et Voto, 2002) puisque, selon l'expression de Jacques Chaize (1992), la porte du changement s'ouvre de l'intérieur. En permettant à l'organisation de se transformer pour être en phase avec les attentes de ses parties prenantes, les relationnistes ne se contentent pas d'améliorer l'image institutionnelle : il permet d'améliorer les pratiques de communication et de gestion à l'intérieur de l'organisation. Le rôle-conseil qu'ils jouent auprès de la direction des organisations enrichit le style de gestion, par la consultation, l'innovation et la pleine participation de toutes les parties prenantes. Sur le plan des communications internes, les relations publiques peuvent aussi contribuer à donner un sens au travail des employés, en mettant l'organisation à l'écoute de leurs besoins et en créant une structure de communication permettant à chacun d'obtenir les informations dont il a besoin et d'exprimer ses idées. La cohésion des organisations et leur survie en dépendent directement.

Outre les communications avec les publics internes, la polyvalence des relationnistes les amène à intervenir dans tous les types d'organisation. En effet, les relations publiques sont loin d'être cantonnées aux entreprises commerciales. Les OSBL[1], les ONG[2] et tous les groupes citoyens de même que les organismes syndicaux, gouvernementaux et parapublics ont, eux aussi, recours aux relationnistes pour établir des relations de confiance avec leurs publics, définir leur positionnement public, concevoir des stratégies de communication, entrer en relation avec leurs parties prenantes, etc. Rôle varié et contrasté, mais avec une constante : établir une communication interpersonnelle, interorganisationnelle, médiatique et sociale, sur la base de relations multi-directionnelles, reposant sur un climat de confiance et favorisant la compréhension mutuelle. Rôle en pleine évolution avec la généralisation des médias sociaux (Millerand, Proulx et Rueff, 2010) et l'incidence d'Internet sur l'univers journalistique (Char et Côté, 2009), situant l'ancrage du travail de relations publiques au cœur du développement des réseaux sociaux de communication.

L'ouverture sur l'environnement global de l'organisation, un processus auquel contribuent les relationnistes, leur confère une position privilégiée dans la réalisation des responsabilités sociales de l'organisation. Exerçant une fonction de communication dialogique (Ledinghan, 2000) et de communication engagée (Heath, 1992), les relationnistes peuvent devenir des acteurs de premier plan dans le développement de relations durables entre les interlocuteurs sociaux et les organisations (Tremblay, 2007). Ils peuvent contribuer à remettre en cause certaines pratiques, entre autres l'approche autoritaire associée aux pratiques langagières (publics cibles, campagnes d'information, stratégie offensive, etc.), qui sont incompatibles avec la perspective

---

1. Organisme sans but lucratif.
2. Organisme non gouvernemental.

dialogique pour le développement de relations de confiance avec les publics de l'organisation. D'ailleurs, comme le soulignent très justement Ihlen, van Ruler et Fredriksson (2009, p. 330. Traduction libre):

> plusieurs auteurs voient dans le développement de la confiance et de la légitimité des organisations une fin en soi ou un moyen pour elles de survivre ou de se développer. Il convient toutefois de noter que selon les perspectives ontologiques de plusieurs théories, la communication, la légitimité et la confiance ne peuvent pas réellement être *gérées*. Plusieurs théoriciens voudraient voir les relations publiques devenir une fonction de gestion et plusieurs définitions du métier vont dans le sens de la gestion de la communication ou la gestion des relations. D'autres théoriciens soulignent la futilité de cet idéal. Wehmeier, par exemple, affirme que la légitimité est accordée aux organisations par différents publics, et que donc, cela ne peu être géré (Wehmeier, 2006). Selon la théorie sociale actuelle, la situation est beaucoup plus complexe, voire frustrante, mais elle procure un ancrage plus réaliste au métier de relations publiques qui ont à s'occuper davantage de la négociation du savoir, du sens et du comportement.

Cette dimension du travail des relations publiques, touchant la coconstruction des savoirs dans la société, est envisagée non pas seulement comme une fonction de gestion, mais comme une fonction sociale qui va au-delà du rôle de gardien de l'image des organisations. Cette imputabilité sociale légitimise et crédibilise le travail des relationnistes. Ainsi, l'exercice des relations publiques doit se faire sur la base d'un engagement moral envers la réalisation d'ajustements mutuels parmi les acteurs de notre société (Broom, 2009, p. 27. Traduction libre), un objectif soutenu par les associations professionnelles en relations publiques dans plusieurs pays ainsi que par les programmes de formation universitaire. Les professionnels en relations publiques sont eux-mêmes nombreux à souhaiter un élargissement de leurs fonctions pour apporter une authentique contribution citoyenne qui participe pleinement à l'essor d'un espace public plus démocratique.

CODE D'ATHÈNES
Code d'éthique international
des praticiens
de relations publiques

CODE D'ATHÈNES[1]

Le Code d'Athènes, qui est le Code d'Éthique International des praticiens de relations publiques, fut adopté par l'International Public Relations Association lors de son Assemblée Générale qui eut lieu à Athènes le 12 mai 1965 et modifié à Téhéran le 17 avril 1968[2].

CONSIDÉRANT que tous les pays membres de l'Organisation des Nations unies ont accepté de respecter la Charte proclamant «sa foi dans les droits fondamentaux de l'homme, dans la dignité et la valeur de la personne humaine…» et que, de ce fait, comme par la nature même de leur profession, les praticiens des Relations Publiques de ces pays doivent s'engager à connaître et à respecter les principes contenus dans cette Charte;

CONSIDÉRANT que l'homme, à côté de ses «Droits», a des besoins qui ne sont pas seulement d'ordre physique ou matériel mais aussi d'ordre intellectuel, moral et social et que l'homme peut réellement jouir de ses droits dans la mesure où ces besoins – dans ce qu'ils ont d'essentiel – sont satisfaits;

CONSIDÉRANT que les praticiens des Relations Publiques peuvent, dans l'exercice de leur profession, suivant la façon dont ils l'exercent, contribuer largement à satisfaire ces besoins intellectuels, moraux et sociaux des hommes;

CONSIDÉRANT enfin que l'utilisation des techniques qui permettent d'entrer simultanément en contact avec des millions d'individus donne aux praticiens des Relations Publiques un pouvoir qu'il est nécessaire de limiter par le respect d'une stricte morale;

POUR TOUTES CES RAISONS, tous les membres de l'Association Internationale de Relations Publiques déclarent qu'ils se donnent pour Charte morale les principes du Code d'Éthique ci-après et que toute violation de ce Code, par l'un de ses membres, dans l'exercice de sa profession, dont les preuves pourraient être produites devant le Conseil, serait considérée comme une faute grave entraînant une sanction adéquate.

---

1. <prosi.intnet.mu//Athenes.htm> (reproduction intégrale).
2. L'auteur de ce code est Lucien Matrat, membre émérite français de l'IPRA.

En conséquence, tout membre

Doit s'efforcer

1. De contribuer à la réalisation de ces conditions morales et culturelles qui permettent à l'homme de s'épanouir et de jouir des droits imprescriptibles qui lui sont reconnus par la «Déclaration Universelle des Droits de l'Homme»;

2. De créer les structures et les canaux de communication qui, en favorisant la libre circulation des informations essentielles, permettront à chaque membre du groupe de se sentir informé, concerné, responsable et solidaire;

3. De se comporter en toutes occasions et en toutes circonstances de façon à mériter et à obtenir la confiance de ceux avec lesquels il se trouve en contact;

4. De tenir compte que, du fait du caractère public de sa profession, son comportement, même privé, aura une répercussion sur les jugements portés sur la profession dans son ensemble.

Doit s'engager

5. À respecter, dans l'exercice de sa profession, les principes et les règles morales de la «Déclaration Universelle des Droits de l'Homme»;

6. À respecter et à sauvegarder la dignité de la personne humaine et à reconnaître à chaque individu le droit de former, lui-même, son propre jugement;

7. À créer les conditions morales, psychologiques, intellectuelles du vrai dialogue, à reconnaître le droit aux parties en présence d'exposer leur cas et d'exprimer leur point de vue;

8. À agir, en toutes circonstances, de façon à tenir compte des intérêts respectifs des parties en présence : ceux de l'organisation qui utilise ses services, comme ceux des publics concernés;

9. À respecter ses promesses, ses engagements, qui doivent toujours être formulés dans des termes qui ne prêtent à aucune confusion et à agir honnêtement et loyalement en toutes occasions afin de maintenir la confiance de ses clients ou employeurs, présents ou passés, et de l'ensemble des publics concernés par ses actions.

Doit s'interdire

10. De subordonner la vérité à d'autres impératifs;

11. De diffuser des informations qui ne reposeraient pas sur des faits contrôlés et contrôlables;

12. De prêter son concours à toute entreprise ou à toute action qui porterait atteinte à la morale, à l'honnêteté ou à la dignité et à l'intégrité de la personne humaine;

13. D'utiliser toute méthode, tous moyens, toute technique de manipulation en vue de créer des motivations inconscientes qui, en privant l'individu de son libre arbitre, ne l'obligeraient plus à répondre de ses actes.

CODE DE DÉONTOLOGIE DE LA SOCIÉTÉ CANADIENNE DES RELATIONS PUBLIQUES

CODE DE DÉONTOLOGIE DE LA SOCIÉTÉ CANADIENNE DES RELATIONS PUBLIQUES

Les membres de la Société canadienne des relations publiques s'engagent à respecter la lettre et l'esprit du présent Code de déontologie.

1. Tout membre doit pratiquer les relations publiques conformément aux plus hauts standards professionnels.

2. Tout membre doit se conduire avec équité et droiture dans ses relations avec les médias et le grand public.

3. Tout membre doit s'astreindre aux plus hautes normes d'honnêteté, d'exactitude, d'intégrité, de vérité et ne doit pas sciemment diffuser des informations qu'il sait fausses ou trompeuses.

4. Tout membre doit agir avec équité avec ses employeurs et clients, passés ou présents, ses collègues relationnistes et les membres des autres professions.

5. Tout membre doit être disposé à divulguer le nom de l'employeur ou du client au nom de qui il fait des communications publiques et éviter de s'associer avec quiconque ne respecterait pas ce principe.

6. Tout membre doit protéger la confidentialité de ses rapports avec ses employeurs ou clients passés, actuels ou potentiels.

7. Tout membre ne doit pas représenter des intérêts conflictuels ou concurrentiels sans que les personnes directement concernées l'y autorisent après avoir pris connaissance de tous les faits.

8. Tout membre ne doit pas garantir un résultat qui dépasse ses compétences ou attributions.

9. Les membres ne doivent accepter personnellement pour leurs services professionnels ni honoraire, commission, gratification ou autre considération de quiconque, sauf des employeurs ou clients à qui ils ont effectivement rendu de tels services.

CODE DE DÉONTOLOGIE
DE LA SOCIÉTÉ QUÉBÉCOISE
DES PROFESSIONNELS
EN RELATIONS PUBLIQUES

CODE DE DÉONTOLOGIE DE LA SOCIÉTÉ QUÉBÉCOISE DES PROFESSIONNELS EN RELATIONS PUBLIQUES

Tous les membres s'engagent à appuyer l'esprit et les idéaux sous-jacents aux principes de conduite énoncés ci-dessous, et à les juger essentiels à l'exercice des relations publiques :

a) Le membre favorisera d'abord l'intérêt public et ne fera rien qui puisse être nuisible à l'exercice des relations publiques, à la collectivité ou à la société et il n'induira personne à le faire.

b) Le membre se conformera aux normes les plus strictes d'honnêteté, d'exactitude et de véracité et il ne diffusera pas sciemment d'information fausse ou trompeuse.

c) Le membre protégera les confidences de ses clients et employeurs actuels, antérieurs ou éventuels.

d) Le membre ne représentera pas des intérêts qui sont en conflit ou en concurrence les uns avec les autres, sans le consentement explicite des intéressés, une fois que les faits leur ont été exposés dans leur totalité.

e) Le membre ne fera rien qui ait pour objet de corrompre l'intégrité des moyens de communication publique.

f) Le membre se conformera aux normes les plus strictes de la déontologie et de la pratique en sollicitant des clients et il ne sollicitera pas sciemment les clients d'un autre membre, sauf sur invitation spécifique desdits clients.

g) Le membre appuiera le présent code, collaborera avec les autres membres à cette fin et mettra en vigueur les décisions relatives à toute question découlant de son application. Si un membre a lieu de croire qu'un autre membre est impliqué dans des pratiques injustes ou contraires à la déontologie, y compris des pratiques enfreignant le présent code, il en informera les responsables de la Société afin que ceux-ci prennent les dispositions prévues dans les règlements de la Société.

IV

QUELQUES PISTES DE RÉFLEXION POUR UN NOUVEAU CODE DE DÉONTOLOGIE EN RELATIONS PUBLIQUES

Les questions d'éthique en relations publiques suscitent un niveau élevé de préoccupations au sein du milieu professionnel tant au Québec, au Canada qu'ailleurs dans le monde. Touchant directement les valeurs, l'intégrité et la crédibilité des professionnels, il n'est pas étonnant de compter une foule d'écrits sur le sujet, de voir se multiplier les conférences et formations à leur intention, sans oublier la création de cours en éthique dans les programmes universitaires.

Si aujourd'hui la plupart des associations professionnelles ont un code de déontologie, des comités éthiques ont aussi vu le jour soulignant un souci d'amélioration des règles de conduite dans la pratique des relations publiques. Mais force est de constater que l'instauration de modalités d'application efficaces des codes de déontologie ainsi que de procédures de plaintes adéquates pour protéger la réputation et l'image de la profession est l'un des thèmes récurrents les plus importants observés au sein de ce milieu au fil des ans. À cet égard, Cutlip, Center et Broom résument de nombreux commentaires sur le sujet : « [...] *having a code usually reflects a sincere desire among a vast majority of leaders and members to raise standards of ethical practice and to provide criteria to guide and judge individual behaviour. But a code without commitment, training, and enforcement means little in practice* » (Cutlip, Center et Broom, 2001, p. 171).

En fait, pour être pertinent et utile, un code de déontologie doit être revu et régulièrement mis à jour. Pour demeurer actuel et toujours vivant, il doit refléter la réalité et les attentes du milieu professionnel pour lequel il existe.

L'équipe de recherche[1] responsable de l'élaboration de cette *Proposition d'un nouveau cadre de référence en matière d'éthique et de déontologie en relations publiques* a initié son étude par l'analyse du Code de déontologie en vigueur à la Société canadienne des relations publiques (SCRP) en 2007 et d'une documentation diversifiée. Souscrivant au principe de la continuité et de l'amélioration continue, cette proposition prend appui sur de nombreuses consultations et s'inspire des contenus de versions de codes de conduite en relations publiques, en usage dans différentes associations, à l'échelle internationale en 2007.

Solange Tremblay
2010

---

1. Équipe de recherche : Christian Saint-Germain, Gabrielle Collu, Deanna Drendel, Hélène Gagné et Solange Tremblay.

PROPOSITION D'UN NOUVEAU CODE DE DÉONTOLOGIE POUR LES PROFESSIONNELS EN RELATIONS PUBLIQUES[2]

CODE DE DÉONTOLOGIE DES PROFESSIONNELS EN RELATIONS PUBLIQUES

Proposition[3]

Préambule

Le présent Code trace les balises à l'intérieur desquelles le professionnel en relations publiques doit intervenir afin d'établir, maintenir et promouvoir des relations de confiance fondées sur la connaissance et la compréhension mutuelle entre l'organisation qu'il représente et ses différents publics, internes et externes, le tout conformément à l'intérêt public.

Il vise en outre à assurer le public de la véracité du contenu des informations communiquées dans l'exercice de cette fonction. En conséquence, tout membre de la Société canadienne des relations publiques (SCRP) et de ses constituantes doit pratiquer les relations publiques conformément aux plus hauts standards professionnels.

La poursuite de cette finalité implique qu'à toutes les étapes de son action le professionnel en relations publiques cherche à « créer un climat de confiance mutuelle » en visant le développement d'un « double processus d'influence entre une organisation et ses divers publics » permettant à l'organisation « d'influencer, mais aussi d'être influencée en retour » (Maisonneuve, Lamarche et Saint-Amand, 1998, p. 44).

SECTION 1
Devoirs et obligations

1. Le présent Code édicte les normes éthiques applicables à la fonction de professionnel en relations publiques. Il détermine les obligations et devoirs de ces professionnels dans l'exercice de leur fonction.

---

2. S. Tremblay (dir.) (2008). *Vers une révision du code de déontologie de la Société canadienne des relations publiques : Proposition d'un nouveau cadre de référence en matière d'éthique et de déontologie en relations publiques – Rapport de recherche*, Centre d'études sur les responsabilités sociales, le développement durable et l'éthique, Chaire de relations publiques et de communication marketing, UQAM, p. 13-16.
3. Le contenu de cette proposition ne représente d'aucune manière les normes présentement en cours au sein de la SCRP ou de ses constituantes. Il représente le résultat d'une étude et est soumis sous forme de proposition, comme mentionné dans la présentation du document.

2. Est réputé être un membre de la SCRP ou de l'une de ses constituantes et accepter pour lui-même, les dispositions du présent
   Code, tout professionnel en relations publiques qui verse le
   montant de la cotisation annuelle de la SCRP ou l'une de ses
   constituantes et signe le Code.

3. Les membres doivent exercer leur profession conformément à
   l'intérêt du public et connaître tous les aspects de la position
   présentée.

4. Le professionnel en relations publiques doit observer les règles
   de la probité intellectuelle. Sans être détenteur d'une expertise
   scientifique, il doit s'assurer de prendre tous les moyens disponibles pour vérifier l'exactitude, la précision quant au contenu
   et à la validité des informations transmises.

5. En regard du Comité permanent d'examen des questions
   éthiques[4], il ne peut se dégager de cette obligation en invoquant
   son devoir contractuel de loyauté vis-à-vis de son employeur ou
   client[5].

6. Advenant que le professionnel en relations publiques découvre,
   en cours d'exécution de son mandat, que certains éléments
   éthiques, ou faits importants lui ont été cachés, et qu'ils auraient
   changé sa décision d'agir pour son employeur ou son client si
   ces éléments avaient été connus, il doit se dessaisir du dossier
   après avoir notifié[6] son employeur ou son client.

7. Dans la transmission d'informations aux divers publics auxquels
   il s'adresse, le professionnel en relations publiques ne peut faire
   usage de formules vagues, tronquées ou, à ce point techniques,
   qu'elles ne puissent être comprises par les destinataires, qu'ils
   soient spécialisés ou non.

8. Le professionnel en relations publiques ne doit pas soutenir de
   prétentions exagérées ou faire des comparaisons injustes, ni
   s'approprier la paternité d'idées ou de déclarations d'autrui.

9. Le professionnel en relations publiques ne doit pas promettre
   ou garantir un résultat qui dépasse ses compétences ou
   attributions.

---

4. Voir section 2, art. 25 et suiv.
5. Dans le présent Code, les obligations et devoirs s'appliquent indistinctement à un
   professionnel en relations publiques sans égards au fait qu'il puisse être un salarié
   ou un travailleur autonome.
6. Le mot « notifié » signifie spécifiquement ici « averti par écrit ».

10. En cours d'exécution d'un mandat, le professionnel en relations publiques doit aussi tenir son employeur ou client informé de tout changement aux conditions de réalisation du mandat initial, d'éventuels dépassements de coûts et des motifs qui y sont associés.

11. Le professionnel en relations publiques doit être disposé à divulguer publiquement le nom de l'employeur ou du client dont il représente les intérêts et éviter de s'associer avec quiconque ne respecterait pas ce principe.

12. Le professionnel en relations publiques ne doit être associé à quiconque qui prétend représenter tels intérêts, ou qui affirme son indépendance ou son impartialité alors qu'il représente en réalité des intérêts autres ou inavoués.

13. Le professionnel en relations publiques doit éviter une conduite professionnelle désinvolte ou négligente qui jette le discrédit sur la pratique des relations publiques, sur la SCRP ou l'une de ses constituantes.

14. Le professionnel en relations publiques doit se comporter avec équité et courtoisie envers ses employeurs, ses clients et ses collègues passés ou présents de même qu'avec les médias et les représentants de tous les publics auxquels il s'adresse dans le cadre de ses fonctions.

15. Le professionnel en relations publiques a l'obligation d'informer dans les meilleurs délais le Comité permanent d'examen des questions éthiques[7] de toute conduite dont il est témoin qui constitue un manquement important aux articles du présent Code.

16. Le professionnel en relations publiques ne doit, en aucune manière, causer préjudice à la pratique d'un collègue ou nuire à sa réputation professionnelle à l'exception d'une dénonciation au Comité permanent d'examen des questions éthiques pour des comportements dérogatoires décrits au présent Code.

17. Le professionnel en relations publiques ne doit conseiller ni poser des actes dans le but d'influencer indûment les médias, les organismes gouvernementaux ou le processus législatif, en offrant par exemple des cadeaux, privilèges ou toutes autres formes de gratification en échange de faveurs ou de considérations futures.

---

7. Voir les articles 25 et suiv.

18. Dans le cadre de ses fonctions, le professionnel en relations publiques ne doit accepter aucun honoraire, commission, gratification ou autre considération de quiconque, sauf des employeurs ou clients pour lesquels il travaille.

19. Le professionnel en relations publiques ne peut recevoir, pour lui-même, des employeurs ou clients pour lesquels il travaille que des cadeaux dont la valeur est infime et symbolique et ne compromet pas son indépendance.

20. Le professionnel en relations publiques doit tenir compte dans l'exercice de ses fonctions du code de déontologie des membres d'autres professions avec qui il est appelé à travailler.

21. Le professionnel en relations publiques doit observer la plus grande discrétion quant aux informations qu'il détient conséquemment à des emplois ou mandats antérieurs ou encore, à des contacts privilégiés. À moins d'en avoir obtenu l'autorisation explicite par la source elle-même, il ne peut utiliser ces informations ou contacts privilégiés à l'encontre d'un ancien employeur et/ou dans l'exercice de futures fonctions à titre de professionnel en relations publiques.

22. Le professionnel en relations publiques doit éviter toute confusion entre ses intérêts personnels et ceux de ses clients.

23. Le professionnel en relations publiques doit également éviter toute forme de conflit d'intérêts et apparence de conflit d'intérêts dans l'accomplissement de ses tâches.

24. Le professionnel en relations publiques peut consulter confidentiellement le Comité permanent d'examen des questions éthiques pour toute question éthique dans le cadre de sa profession qui lui paraît susceptible d'entrer en conflit avec le présent Code.

La liste des prescriptions éthiques énumérée ci-dessus n'est pas exhaustive.

SECTION 2
Modalités d'application du Code

25. La SCRP confie au Comité permanent d'examen des questions éthiques le mandat d'assurer le respect des normes du présent code. Le comité a pour fonction de sanctionner par des blâmes ou des réprimandes nominales diffusées dans son bulletin, sur son site Internet ou dans tout autre média qu'il jugera approprié, des comportements professionnels dérogatoires à l'esprit et/ou

à la lettre des articles contenus dans le présent Code. Il peut, si nécessaire, radier le membre contrevenant pour tout manquement grave ou répétitif au Code. La SCRP se porte responsable de l'application du présent Code.

26. Le Comité permanent d'examen des questions éthiques est créé par le conseil d'administration de la SCRP. Il est composé d'un président et de membres choisis selon les critères de compétence suivants : (2) membres agréés de la SCRP ou l'une de ses constituantes comptant chacun plus de 20 ans d'expérience et reconnus pour leur sensibilité à la question déontologique (ex : formation, enseignement, recherche en semblable domaine), (1) avocat membre du Barreau du Canada, (1) éthicien professionnel, (2) membres du public provenant de professions ou de métiers (autres que les relations publiques) également assujettis à un code de conduite professionnel et éthique. Les membres sont nommés pour une période de cinq ans et leur nomination est renouvelable une fois. Le mode de rémunération est fixé par le conseil exécutif.

27. Le Comité d'examen reçoit les plaintes sous forme écrite et les communique d'abord à la société membre concernée. Si la société membre ne réussit pas à régler la situation, le cas est soumis au Comité national.

28. Le Comité communique en tout temps et dans les meilleurs délais à la personne concernée les motifs de la plainte.

29. Le Comité entend le membre visé par la plainte si ce dernier en manifeste le désir par écrit.

30. Le refus de répondre, sans motif valable, à la correspondance et aux questions du Comité constitue un manquement éthique sanctionnable par le Comité.

DÉCLARATION DES COMMUNICATEURS ET DES PROFESSIONNELS EN RELATIONS PUBLIQUES DU QUÉBEC À L'ÉGARD DU DÉVELOPPEMENT DURABLE

DÉCLARATION
DES COMMUNICATEURS ET DES PROFESSIONNELS
EN RELATIONS PUBLIQUES DU QUÉBEC
À L'ÉGARD DU DÉVELOPPEMENT DURABLE

Dans la foulée des travaux des Nations Unies en 2002, à Johannesburg,
dans le cadre du Sommet mondial sur le développement durable,
les communicateurs et les professionnels en relations publiques du Québec
prennent l'engagement de contribuer à la promotion et au respect du développement durable
dans les sphères relevant de leurs responsabilités et de leurs activités
au sein de la société québécoise.

Ce faisant, ils font leur la définition du développement durable
proposée par le Rapport Brundtland en 1987 :

*« Le développement durable est un développement qui répond aux besoins du présent
sans compromettre la capacité des générations futures de répondre aux leurs. »*

Les communicateurs et les professionnels en relations publiques du Québec s'engagent

À prôner une vision fondée sur le respect des personnes, des systèmes vivants et
de l'environnement qui favorise une économie respectueuse des impacts de ses activités,
une société juste et un environnement sain pour les générations actuelles et à venir, dans
une perspective d'amélioration de la vie des personnes et de préservation des ressources.

À apporter leur contribution professionnelle à la sensibilisation des différentes collectivités,
organisations et entreprises de la société québécoise envers des pratiques respectueuses
des principes du développement durable.

À stimuler l'acquisition et le partage des savoirs et des savoir-faire sur l'aspect
communicationnel du développement durable.

À mettre en évidence les enjeux reliés au développement durable et à encourager le dialogue
avec les groupes citoyens et les différentes parties prenantes des organisations et des entreprises.

À ne négliger aucun effort de communication pour favoriser la concertation, la collaboration
et l'imputabilité des décideurs face à ces questions.

À favoriser l'essor du développement durable dans les différents réseaux où ils interviennent.

En prenant cet engagement,
les communicateurs et professionnels en relations publiques du Québec
entendent rendre hommage aux nombreuses personnes et aux nombreux groupes
qui ont tracé la voie du développement durable au Québec
et, avec eux, ils souhaitent participer activement au renforcement
des trois fondements interdépendants du développement durable,
le développement économique, le développement social et la protection de l'environnement,
dans la poursuite de l'œuvre du pionnier du développement durable du Québec,
Monsieur Pierre Dansereau

Signé à Montréal, le 4 octobre 2006

Alliance des cabinets de relations publiques du Québec

Association des communicateurs municipaux du Québec

Association internationale des professionnels en communication – Montréal

Société québécoise des professionnels en relations publiques

Colloque *Développement durable et communications*
Centre d'études sur les responsabilités sociales, le développement durable et l'éthique
Chaire en relations publiques
Faculté de communication
Université du Québec à Montréal

Source : Tremblay, Solange (dir.), *Développement durable et communications : au-delà des mots, pour un véritable engagement,* Québec, Presses de l'Université du Québec, p. 218-219.

BIBLIOGRAPHIE

Abravanel, Harry, *La culture organisationnelle: aspects théoriques, pratiques et méthodologiques*, Boucherville, Gaëtan Morin Éditeur, 1988, 280 p.

Agee, Warren, Phillip H. Ault et Adwin Emery, *Introduction to Mass Communications*, New York, Harper & Row, 1988, 589 p.

Agranoff, Robert, *Managing within Networks: Adding Value to Public Organization*, Washington, D.C., Georgetown University Press, 2007, 274 p.

Aïm, Olivier et Yves Jeanneret, «L'encyclopédie de la parole possible: édition et scénographie politique sur l'Internet», *Hermès*, n° 47, «Paroles publiques – Communiquer dans la cité», 2007.

Akrich, Madeleine, «Les formes de la médiation technique», *Réseaux*, n° 60, 1993, p. 87-98.

Aktouf, Omar, *Le management entre tradition et renouvellement*, 3e éd. mise à jour, Montréal, Gaëtan Morin Éditeur, 1999, 710 p.

Albalat, Antoine, *L'art d'écrire*, Paris, Armand Colin, 1992, 314 p.

Albarello, Luc, *Apprendre à chercher: L'acteur social et la recherche scientifique*, 3e éd., Bruxelles, De Boeck, 2007, 209 p.

Albarello, Luc, *Devenir praticien-chercheur: comment réconcilier la recherche et la pratique sociale*, Bruxelles, De Boeck, 2004, 146 p.

Aldrich, Howard E., *Organizations and Environments*, Englewood Cliffs, Prentice-Hall, 1979, 384 p.

Alix, François-Xavier, *Une éthique pour l'information, de Gutenberg à Internet*, Paris, L'Harmattan, 1997, 223 p.

Allab, Slimane, Nicolas Swyngedauw et Dominique Talandier, *La logistique et les nouvelles technologies de l'information et de la communication*, Paris, Economica, 2000, 172 p.

Alonzo, Philippe, *Initiation à la statistique descriptive en sciences sociales*, Paris, Vuibert, 2006.

Anidjar, Gil, *Semites: Race, Religion, Literature*, Stanford, Stanford University Press, 2008, 139 p.

Antoine, Jacques, *Le sondage, outil du marketing*, Paris, Dunod, 1990, 208 p.

Arendt, Hannah, *Crise de la culture*, Paris, Gallimard, 1974.

Arendt, Hannah, *Condition de l'homme moderne*, Paris, Calmann-Lévy, 1983, 406 pages.

Arendt, Hannah, *Responsabilité et jugement*, Paris, Payot, 2005.

Argyris, Chris, *Personality and Organization*, New York, Harper, 1957, 291 p.

Argyris, Chris, *Participation et organisation*, Paris, Dunod, 1970, 315 p.

Aristote, *Rhétorique*, Paris, Librairie générale française, coll. «Classiques de la philosophie», 1991, p. 162.

Aronson, Merry, *The Public Relations Writer's Handbook: The Digital Age*, San Francisco, Jossey-Bass, 2007, 349 p.

Arrington, Michael, *The Last Has Fallen. The Embargo is Dead*, TechCrunch, 2010. <techcrunch.com/2009/09/23/the-last-has-fallen-the-embargo-is-dead/>, consulté le 16 février 2010.

Artisans des arts graphiques de Montréal (les), *L'ABC graphique*, édition québécoise du *Pocket Pal*, Montréal, Chenelière, 1999, 279 p.

Ascah, Robert et Luc Rainville, *Les relations publiques à l'école: document à l'intention des directions d'école*, Montréal, Commission des écoles catholiques de Montréal, 1988, 18 p.

Attias-Bonnivard, Danilè, *Crise et désorganisation de l'entreprise: L'organisation comme espace*, Paris, L'Harmattan, 2004.

Austin, Erica Weintraub, *Strategic Public Relations Management: Planning and Managing Effective Communication Programs*, Mahwah, Lawrence Erlbaum Associates, 2006, 411 p.

Avrich, Barry, *Events & Entertainment Marketing: A Must Guide for Corporate Event Sponsors and Entertainment Entrepreneurs*, Chicago, Probus Pub., 1994, 249 p.

Bachmann, Philippe, *Communiquer avec la presse écrite et audiovisuelle*, Paris, Centre de formation et de perfectionnement des journalistes, 1994, 175 p.

Bachmann, Philippe et Marie-Claude Schultz, *Concevoir et produire un document audiovisuel*, Paris, Centre de formation et de perfectionnement des journalistes, 1991, 117 p.

Badillo, Patrick-Yves, «De la parfaite adéquation du journalisme à "la société de l'information"», *Les enjeux de l'information et de la communication*, Groupe de recherche sur les enjeux de la communication (Gresec), Laboratoire de l'Université Stendhal-Grenoble III, 2005.

Badjo-Monnet, Bernadette et Marc Bertier, «Indexation pour la recherche d'information dans des documents techniques structurés multimédias», *Les enjeux de l'information et de la communication*, Groupe de recherche sur les enjeux de la communication (Gresec), Laboratoire de l'Université Stendhal-Grenoble III, 2002.

Baines, Paul, *Public Relations: Contemporary Issues and Techniques*, Boston, Elsevier/Butterworth-Heineman, 2004, 431 p.

Baldwin, Thomas *et al.*, *Convergence: Media, Information and Communication*, Thousand Oaks, Sage Publications, 1996.

Band, William A., *Creating Values for Customers: Designing and Implementing a Total Corporate Strategy*, New York, John Wiley, 1991, 340 p.

Banks, Stephen P., *Multicultural Public Relations: A Social-interpretive Approach*, Ames, Iowa State University Press, 2000, 144 p.

Barbe, Raoul, *Les entreprises publiques*, Montréal, Wilson, Lafleur et Sorey, 1985, 737 p.

Barnes, Roscoe, *Public Relations Made Easy*, Irvine, Entrepreneur Press, 2007, 171 p.

Barrier, Guy, *Internet, clefs pour la lisibilité: Se former aux nouvelles exigences de l'hypermédia*, Thiron, ESF éditeur, coll. «Formation permanente», 2000, 143 p.

Bartoli, Annie, *Communication et organisation: pour une politique générale cohérente*, Paris, Éditions d'Organisation, 1990, 175 p.

Barton, Laurence, *Crisis in Organizations: Managing and Communicating in the Heat of Chaos*, Cincinnati, South-Western, 1993, 256 p.

Batifoulier, Christian et Marie-Hélène Du Pasquier, *Organiser sa documentation et savoir consulter d'autres sources*, 3ᵉ éd., Paris, Centre de formation et de perfectionnement des journalistes, 1993, 109 p.

Baudrillard, Jean, *L'ombre des majorités silencieuses, la fin du social*, Paris, Gonthier, 1982, 115 p.

Bauer, Martin W., *Journalism, Science and Society: Science Communication between News and Public Relation*, New York, Routledge, 2007, 286 p.

Bauman, Zygmunt, *L'éthique a-t-elle une chance dans un monde de consommateurs?*, Paris, Flammarion, 2009, 293 pages.

Bazage, Benoît et Paul Dell'Aniello, *Comment réussir des prestations managériales percutantes: guide pratique*, Montréal, Guérin, 1992, 98 p.

Beattie, K., «Public relations in Canada», *Public Relations Journal*, vol. 9, nᵒ 6, juin 1953.

Beauchamp, Michel *et al.*, *Communication publique et société: repères pour la réflexion et l'action*, Boucherville, Gaëtan Morin Éditeur, 1991, 403 p.

Beaudet, Céline, *Stratégies d'argumentation et impact social: le cas des textes utilitaires*, Québec, Nota bene, 2005, 158 p.

Beck, Ulrich, *Risk Society: Towards a New Modernity*, Londres, Sage, 1992.

Beck, Ulrich, *Risksamhället: Pa Väg mot en annan modernitet [Risk Society: Towards a New Modernity]*, Göteburg, Suède, Daidalos, 1998.

Beck, Ulrich, Wolfgang Bonss et Christoph Lau, «The theory of reflexive modernization: Problematic, hypotheses, and research program», *Theory, Culture & Society*, vol. 20, nᵒ 2, 2003, p. 1-33.

Beck, Ulrich et Johannes Willms, *Conversations with Ulrich Beck*, Cambridge, Polity Press, 2004.

Becker, Howard S., «Problems of inference and proof in participant observations», dans William J. Filstead (dir.), *Qualitative Methodology: Firsthand Involvement with the Social World*, Chicago, Rand McNally College Pub., 1970.

Bédard, Brigitte, Lise Dubois et Rosanna Baraldi *et al.*, *L'alimentation des jeunes québécois: un premier tour de table. Enquête sur la santé dans les collectivités canadiennes* (cycle 2.2 – Nutrition), Québec, Institut de la statistique du Québec, 2008.

Bell, David V.J., *Power, Influence, and Authority: An Essay in Political Linguistics*, New York, Oxford University Press, 1975.

Bender, Peter Urs, *Présentations et conférences: comment les réussir*, Paris, Top Éditions, 1994, 220 p.

Bennis, Warren et Burt Nanus, « La prise en charge : leadership et partage du pouvoir », dans W. Bennis et B. Nanus, *Diriger: les secrets des meilleurs leaders*, Paris, InterÉditions, 1985.

Benson, J. Kenneth, « Organizations : A dialectical view », *Administration Science Quarterly*, vol. 22, n° 1, mars 1977, p. 1-21.

Berger, Bruce K., *Gaining Influence in Public Relations: The Role of Resistance in Practice*, Mahwah, Lawrence Erlbaum Associates, 2006, 276 p.

Berger, Peter L. et Thomas Luckmann, *The Social Construction of Reality: A Treatise in the Sociology of Knowledge*, Garden City, New York, Anchor Books, 1967, 288 p.

Bergier, Bertrand, *Repères pour une restitution des résultats de la recherche en sciences sociales*, Paris, L'Harmattan, 2000, 306 p.

Bergman, Eric, « The fallacy of staying on message : Destined to become an outdated paradigm in an information-driven world », San Francisco, International Association of Business Communication, 2009, <www.iabc.com/education/pdf/S8-EricBergman.pdf>.

Bernard, Françoise, « Contribution à une histoire de la communication des organisations », dans R. Boure, *Les origines des sciences de l'information et de la communication. Regards croisés*, Lille, Presses universitaires du Septentrion, 2002.

Bernard, Harvey R., *Social Research Methods, Qualitative and Quantitative Approaches*, Thousand Oaks, Sage Publications, 2000.

Bernays, Edward L., *Crystallizing Public Opinion*, New York, Liveright, 1923.

Bernays, Edward L., *Public Relations*, Norman, University of Oklahoma Press, 1952.

Bernays, Edward L., *Crystallizing Public Opinion*, New York, Liveright, 1961.

Bernays, Edward L., « Public relations education is hampered by too close affiliation with journalism program », *Public Relations Quarterly*, 1980.

Bernier, Marc-François, François Demers, Alain Lavigne, Charles Moumouni et Thierry Watine, *Pratiques novatrices en communication publique: journalisme, relations publiques et publicité*, Québec, Les Presses de l'Université Laval, 2005.

Bernier, Marc-François, François Demers, Alain Lavigne, Charles Moumouni et Thierry Watine, «Repères nouveaux sur l'identité des messages médiatiques: programme de recherche du Groupe de réflexion sur les pratiques novatrices en communication publique (PNCP)», *Communication*, vol. 2, automne/hiver, 2005.

Bérubé, Pierre, *Les indicateurs mesurables en relations publiques dans un contexte de tableau de bord de gestion*, Mémoire de maîtrise, Faculté de communication, Université du Québec à Montréal, 2005.

Bérubé, Pierre, «Les usages sociaux des nouvelles technologies de communication en situation de crise», conférence prononcée dans le cadre du Ve Symposium national sur les télécommunications d'urgence, Industries Canada et Université du Québec à Montréal, 27 septembre 2007.

Bittendiebel, France et Marie-Claude Schultz, *Être interviewé par un journaliste*, Paris, Dunod, 1994, 148 p.

Bivins, Thomas H., *Mixed Media: Moral Distinctions in Advertising, Public Relations, and Journalism*, Mahwah, Lawrence Erlbaum Associates, 2004, 229 p.

Black, Sam, *The Essentials of Public Relations*, Londres, Kogan Page, 1993, 192 p.

Blais, André et Claire Durand, «Le sondage», dans B. Gauthier (dir.), *Recherche sociale: de la problématique à la collecte de données*, Québec, Presses de l'Université du Québec, 2009, p. 445-488.

Blair, Cassandra, «Scanning the corporate horizon: Public affairs in the strategically managed organization», *Canadian Business Review*, automne 1986.

Blanc, Michelle, *Communiqués de presse optimisés*, <www.michelleblanc.com/2009/11/04/communiques-de-presse-optimise/>, consulté le 8 novembre 2009.

Blanco, Lorenzo, *Le destin des relations publiques: essais*, Montréal, F.L. de Martigny, 1977, 310 p.

Blouin, Nicole *et al.*, *Communication et relations publiques*, Montréal, Leméac/Commerce, 1971, 367 p.

Blummer, Herbert, *Symbolic Interactionism, Perspective and Method*, Englewood Cliffs, Prentice-Hall, 1969.

Boiry, Philippe A., *Les relations publiques ou La stratégie de la confiance*, Paris, Eyrolles, 1989, 125 p.

Boiry, Philippe A., *Des public-relations aux relations publiques : la doctrine européenne de Lucien Matrat*, Paris, L'Harmattan, 2003, 387 p.

Boivin, Dominique, *Le lobbying*, Montréal, Méridien, 1987, 241 p.

Boily, Lise et Marcel A. Chartrand, *Conjuguer avec les médias. Les défis inédits du relationniste*, Québec, Les Presses de l'Université Laval, 2010, 232 p.

Bok, Sissela, *Lying : Moral Choice in Public and Private Life*, New York, Vintage Books, 1979.

Bol, Jean Marie et William Ugueux, *Les relations publiques : responsabilité du management*, Bruxelles et Paris, Labor et Nathan, 1987, 384 p.

Bollinger, Lee, « The press and public relations : An exploratory study of editors' perceptions of public relations specialists », *Web Journal of Mass Communication Research*, vol. 3, no 3, juin 2000.

Bollinger, Lee, « The public relations profession, Business practices and editors' perceptions », *Web Journal of Mass Communication Research*, vol. 6, no 2, mars 2003.

Bonnafous-Boucher, Maria et Yvon Pesqueux (dir.), *Décider avec les parties prenantes : Approches d'une nouvelle théorie de la société civile*, Paris, La Découverte, 2006, 274 p.

Bonneville, Luc, Sylvie Grosjean et Martine Lagacé, *Introduction aux méthodes de recherche en communication*, Montréal, Gaëtan Morin Éditeur, 2006, 256 p.

Bonnet, Christophe, *Technologie Push*, Paris, Eyrolles, 1998, 264 p.

Bonnet, Yannick, *Acteurs dans l'entreprise*, Paris, Liaisons, 1990, 263 p.

Boorstin, Daniel J., *The Image : A Guide to Pseudo-Events in America*, New York, Vintage Books, 1992.

Booth, Simon A.S., *Crisis Management Strategy : Competition and Change in Modern Enterprises*, Londres, Routledge, 1993, 313 p.

Bordeau, Jeanne, *Le déjeuner et la rencontre avec un journaliste*, Paris, Éditions d'Organisation, 2008, 78 p.

Bordeleau, Yvan, *La fonction conseil auprès des organisations*, Ottawa, Agence d'Arc, 1986, 473 p.

Botan, Carl H., *Public Relations Theory II*, Mahwah, Lawrence Erlbaum Associates, 2006, 528 p.

Bouchard, Stéphane et Caroline Cyr (dir.), *Recherche psychosociale: Pour harmoniser recherche et pratique*, Québec, Presses de l'Université du Québec, 2005, 641 p.

Boulet, Yves, *La commandite d'événements*, Ottawa, Agence d'Arc, 1989, 175 p.

Boulianne, Clara, « Les blogues: Sauveteurs ou fossoyeurs des médias traditionnels? », dans A. Char et R. Côté, *La révolution Internet*, Québec, Presses de l'Université du Québec, 2009, 122 p.

Bower, Joseph L. et Yves Doz, « Strategy formulation: A social and political process », dans D.E. Schendel et C.W. Hofer (dir.), *Strategic Management: A New View of Business Policy and Planning*, Boston, Little, Brown & Company, 1979.

Branchaud, Deirdre, *PR 2.0: New Media, New Tools, New Audiences*, Upper Saddle River, FT Press, 2008, 284 p.

Branchaud, Line, *L'organisation d'un événement: Guide pratique*, Québec, Presses de l'Université du Québec, 2009, 192 p.

Breton, Philippe, *L'utopie de la communication: Le mythe du « village planétaire »*, Paris, La Découverte, 1995, 171 p.

Breton, Philippe, *La parole manipulée*, Paris, La Découverte, 2000.

Breton, Philippe et Serge Proulx, *L'explosion de la communication*, Montréal et Paris, Boréal et La Découverte, 1994, 340 p.

Breton, Philippe et Serge Proulx, *L'explosion de la communication: À l'aube du XXIe siècle*, Montréal et Paris, Boréal et La Découverte, 2002.

Brien, Michèle, *Parlez pour qu'on vous écoute: Réussir à parler en groupe et en public*, Montréal, Éditions de l'Homme, 1987, 15 p.

Brissard, Françoise, *Le manager et les médias*, Paris, Éditions d'Organisation, 1988, 112 p.

Brodeur, France, *Vocabulaire du prépresse*, Montréal, Institut des communications graphiques du Québec, 1993, 57 p.

Broom, G., *Cutlip and Center's Effective Public Relations*, Englewood Cliffs, Prentice-Hall, 2008, 504 p.

Broom, G., *Cutlip and Center's Effective Public Relations*, Englewood Cliffs, Prentice-Hall, 2009, 486 p.

Brouillet, *Aide-mémoire pour l'animation des «groupes focus»*. *Recueil de textes du cours COM-1133 – Animation et observation des groupes restreints,* Montréal, Département des communications, Université du Québec à Montréal, 1998.

Brouillette, Pierre et Guy Leroux, *Vendre aux entreprises: La communication d'entreprise à entreprise,* Montréal, Transcontinental, 1992, 356 p.

Brown, G., «What Is Public Relations?», dans W.B. Herbert et J.R.C. Jenkins (dir.), *Public Relations in Canada: Some Perspectives,* Markham, Fitzhenry and Whiteside, 1984.

Brunel, Gilles et Claude-Yves Charron, *La communication internationale: mondialisation, acteurs et territoires socioculturels,* Montréal, Gaëtan Morin Éditeur, 2002.

Bruning, Stephen D., Janessa D. Castle et Erin Schrepfer, «Building relationships between organizations and publics: Examining the linkage between organization-public relations, evaluations of satisfaction, and behavioral intent», *Communications Studies,* 2004, vol. 55.

Burson, Harold, Allocution prononcée au congrès de la Société canadienne des relations publiques, Montréal, juin 1989.

Cabin, Philippe et Jean-François Dortier, *La communication: État des savoirs,* Paris, Éditions Sciences humaines, 2008, 414 pages.

Cadoz, Claude, *Les réalités virtuelles,* Paris, Flammarion/Dominos, coll. «Michel Serres», 1996, 125 p.

Calabro, Sara, «Get the smarts: Using multimedia releases», *PR News,* 3 novembre 2003, p. 26.

Callon, Michel (dir.), *La science et ses réseaux. Genèse et circulation des faits scientifiques,* Paris, La Découverte, 1988.

Cantor, Bill, *Experts in Action: Inside Public Relations,* New York, Longman, 1984, 460 p.

Carey, James W. *Communication as Culture Essays on Media and Society,* Boston, Unwin Hyman, 1989, 241 p.

Carfantan, Serge, <http://sergecar.club.fr/cours/langag7.htm>.

Carletto, Jacques, *Écrire pour être cru: pourquoi et comment mesurer l'impact des publications d'entreprise,* Paris, Eyrolles, 1993, 178 p.

Carney, William Wray, *In the News: The Practice of Media Relations in Canada*, Edmonton, University of Alberta Press, 2008, 265 p.

Carroll, Jim et Rick Broadhead, *The Canadian Internet Advantage: Opportunities for Business and Other Organizations*, Scarborough, Prentice-Hall, 1995, 522 p.

Carstarphen, Meta G. et Richard A. Wells, *Writing PR: A Multimedia Approach*, Boston, Pearson/Allyn and Bacon, 2004.

Casey, Steven, *Selling the Korean War: Propaganda, Politics, and Public Opinion in the United States*, New York, Oxford University Press, 2008, 476 p.

Castells, Manuel, *The Information Age: The Rise of the Network Society*, Vol. I, 2e éd., Oxford, Blackwell Publishers, 2000a, 594 p.

Castells, Manuel, *The Information Age: Economy, Society and Culture. End of Millennium*, Vol. III, 2e éd., Oxford, Blackwell Publishers, 2000b, 448 p.

Cayrol, Roland, *Sondages Mode d'emploi*, Paris, Presses de la Fondation nationale des sciences politiques, 2000, 138 p.

Cayrol, Roland et Pascal Delanoy, *La revanche de l'opinion: Médias, sondages, Internet*, Paris, Jacob-Duvernet, 2007, 210 p.

Cédro, Jean-Michel, *Le Multimédia*, Toulouse, Éditions Les Essentiels Milan, 1995, 97 p.

Centre d'études générales et d'organisation scientifique – CEGOS, *Les relations publiques au service du développement de l'entreprise*, Puteaux, Éditions Hommes et techniques, 1971, 39 p.

Chaize, Jacques, *La porte du changement s'ouvre de l'intérieur*, Paris, Calmann-Lévy, 1992, 258 p.

Chamberlain, Neil W., *Entreprise and Environment: The Firm in Time and Place*, New York, McGraw-Hill, 1968, 223 p.

Chanquoy, Lucille, *Statistiques appliquées à la psychologie et aux sciences humaines et sociales*, Paris, Hachette, 2005.

Char, Antoine, *La guerre mondiale de l'information*, Québec, Presses de l'Université du Québec, 1999.

Char, Antoine, *Comme on fait son lead, on écrit*, Québec, Presses de l'Université du Québec, 2002.

Char, Antoine, «L'éthique de l'émotion», dans P. Mongeau et J. St-Charles (dir.), *Communication, horizons de pratique et de recherche*, Québec, Presses de l'Université du Québec, 2005.

Char, Antoine et Roch Côté, *La révolution Internet*, Québec, Presses de l'Université du Québec, 2009, 122 p.

Charest, Francine et François Bédard, *Les racines communicationnelles du Web*, Québec, Presses de l'Université du Québec, 2009, 126 p.

Charest, Marie-Claude et Suzanne Douesnard, «La vérité sort de la bouche des enfants», *PRISM*, vol. II, n° 4, Montréal, été 1992, p. 471-480.

Charron, Claude-Yves et George Sciadas, *L'observatoire de la fracture numérique et au-delà*, Montréal, Orbicom, 2003.

Chartier, Lise, *Mesurer l'insaisissable, méthode d'analyse du discours de presse*, Québec, Presses de l'Université du Québec, 2003, 280 p.

Chartier, Lise, *Gérer une revue de presse*, Québec, Presses de l'Université du Québec, coll. «Communication – Relations publiques», 2005, 178 p.

Chaumely, Jean et Denis Huisman, *Les relations publiques*, Paris, Presses universitaires de France, 1967, 128 p.

Chenu, Robert, «Le sens de la communication est la réponse qu'elle déclenche», dans R. Chenu, *Favoriser la relation*, Paris, Chotard, 1992.

Chenu, Robert, *Favoriser les relations*, Paris, Chotard, 1992, 137 p.

Chouchan, Lionel et Jean-François Flahaut, *Les relations publiques*, Paris, Presses universitaires de France, 2005, 125 pages.

Chouchan, Lionel et Jean-François Flahault, *Les relations publiques*, Paris, Presses universitaires de France, 2007, 126 p.

Christien-Gueissaz, Éliane (dir.), *Recherche-action: processus d'apprentissage et d'innovation sociale*, Paris, L'Harmattan, 2006, 235 p.

Clark, Thomas D., Sherrie E. Human, Heidi Amshoff, et Mike Sigg, «Getting up to speed on the information highway: Integrating Web-based resources into business communication pedagogy», *Business Communication Quarterly*, vol. 64, p. 38-56, janvier 2001.

Clerc, Isabelle, *La démarche de rédaction*, Québec, Nota Bene, 2000, 179 p.

Club de presse Blitz, *La liste de presse détaillée*, Montréal, 1987- .

Coclet-Grégoire, Jacqueline, Maryvonne Hargous et le Centre régional de documentation pédagogique de Lille, *Lire, écrire, produire avec les médias*, Lille, Centre régional de documentation pédagogique, 1996, 181 p.

Cohen, Louis, Lawrence Manion et Keith R.B. Morrison, *Research Methods in Education*, Londres, Crosshelm, 1980.

Colette, Dominique, *Stratégie documentaire dans la presse*, Paris, ESF, 1991, 122 p.

Colinon, Marie-Christine, *La communication: relations publiques, publicité et journalisme*, Paris, Bayard, 1990, 158 p.

Colombain, Jérôme, *La Cyberculture*, Toulouse, Éditions Les Essentiels Milan, n° 79, 1997, 64 p.

Combalbert, Laurent, *Négociation de crise et communication d'influence: résoudre les situations difficiles par la négociation influente*, Issy-les-Moulineaux, ESF, 2006, 207 p.

Conche, Marcel, *Fondement de la morale*, Paris, Presses universitaires de France, 1993, 149 pages.

Conde, Philippe de et Michel Sikora, *Les métiers de l'information et de la communication: journalisme, publicité, relations publiques*, Malesherbes, Génération, 1983, 184 p.

Coombs, W. Timothy, *It's Not Just PR: Public Relations in Society*, Malden, Blackwell, 2007, 144 p.

Cordelier, Benoit et Karine Turcin, « Utilisations du lien social sur l'Internet comme élément fidélisant à une marque – Les exemples de Coca-Cola et d'ESP », *Communication & Organisation*, n° 27, 2005, p. 46-60.

Corman, Seven R. et Marshall Scott Poole (dir.), *Perspectives on Organizational Communication*, New York, The Guilford Press, 2000, 268 p.

Cormerais, Franck et Alain Milon, *La communication ouverte*, Paris, Liaisons, 1994, 243 p.

Cormier, Solange, *La communication et la gestion*, Québec, Presses de l'Université du Québec, 1995, 255 p.

Costes, Florian, *La stimulation de crise: outil d'apprentissage de la gestion de crise et vecteur de communication pour les organisations*, Paris, CELSA, 2004, 145 p.

Cottle, Simon, *News, Public Relations and Power*, Londres, Thousand Oaks, Sage, 2003, 187 p.

Courants, « De la clarté », mars 1987, p. 6

Courdacher, Michel, *Kant pas à pas*, Paris, Ellipses, 2008, 316 pages.

Courtois, Jean et Aurelio Peccei, *Stratégies psychologiques d'entreprises: politiques internationales de relations publiques et d'information*, Paris, Dunod, 1970, 509 p.

Courtright, Jeffrey L. et Peter M. Smudde, *Power and Public Relations*, Cresskill, Hampton Press, 2007, 294 p.

Craig, Robert T., « La communication en tant que champ d'études », *Revue internationale de communication sociale et publique*, n° 1, hiver 2009, p. 1-42.

Creswell, John W., *Research Design: Qualitative, Quantitative and Mixed Methods*, Thousand Oaks, Sage, 2003.

Croft, Alvin C., *Managing a Public Relations Firm for Growth and Profit*, New York, Best Business Books, 2006, 301 p.

Croussy, Guy, *La communication audiovisuelle: en 6 questions, 23 exemples, 160 exercices, 51 conseils pratiques*, Paris, Éditions d'Organisation, 1990, 174 p.

Culligan, Matthew J., *Getting Back to the Basics of Public Relations & Publicity*, New York, Crown Publishers, 1982, 111 p.

Curtin, Patricia A., *International Public Relations: Negotiating Culture, Identity, and Power*, Thousand Oaks, Sage, 2007, 304 p.

Cutlip, Scott M., Allen H. Center et Glen M. Broom, *Effective Public Relations*, Englewood Cliffs, Prentice-Hall, 1985.

Cutlip, Scott M., Allen H. Center et Glen M. Broom, *Effective Public Relations*, 8e éd., Englewood Cliffs, Prentice-Hall, 2001.

Cutlip, Scott M., Allen H. Center et Glen M. Broom, *Effective Public Relations*, 9e éd., Englewood Cliffs, Prentice-Hall, 2005, 624 p.

Dagenais, Bernard, *Le communiqué ou l'art de faire parler de soi*, Montréal, VLB Éditeur, 1990, 166 p.

Dagenais, Bernard, *La conférence de presse ou l'art de faire parler les autres*, Québec, Les Presses de l'Université Laval, 1996, 241 p.

Dagenais, Bernard, *Le plan de communication, l'art de séduire ou de convaincre les autres*, Québec, Les Presses de l'Université Laval, 1998, 370 p.

Dagenais, Bernard, *Le métier de relationniste*, Québec, Les Presses de l'Université Laval, 1999, 252 p.

Dagenais, Bernard, «Communiquer sa différence ou se fondre à un réseau: le cas de Sainte-Pétronille au Québec», *Communication et organisation*, nᵒ 25, 1ᵉʳ semestre 2004, p. 97-110.

Dagenais, Bernard, «Les relations publiques, véritable instrument de démocratie», *Revue Communication*, vol. 23, nᵒ 1, printemps/été 2004.

Dagenais, Bernard, «Gérer le développement touristique pour éviter les crises», *Revue Espaces, Cahier Risques et crises dans le tourisme*, 2005, p. 76-81.

Daigle, Jean-François, *Le management en période de crise: aspects stratégiques, financiers et sociaux*, Paris, Éditions d'Organisation, 1991, 190 p.

Damien, Robert et Christian Lazzeri, *Conflit, confiance*, Paris, Presses universitaires de Franche-Comté, 2006, 392 pages.

Davenport, Thomas H. et John C. Beck, *The Attention Economy: Understanding the New Currency of Business*, Boston, Harvard Business School Press, 2001, 256 p.

Davis, Aeron, *Public Relations Democracy: Public Relations, Politics and the Mass Media in Britain*, Manchester, Manchester University Press, 2002, 222 p.

Davis, Aeron, *The Mediation of Power: A Critical Introduction*, Londres, Routledge, 2007, 218 p.

Davis, Anthony, *Mastering Public Relations*, Basingstoke, Palgrave Macmillan, 2004, 216 p.

Deacon, B., *An Outline of Canadian Public Relations History*, non publié, Ottawa, Archives de la Société canadienne des relations publiques, non daté.

Deal, Robert, «The concept of power», dans R. Jervis, *Political and Social Life*, Boston, Houghton Mifflin, Éd. N. Polsby, 1963.

Deal, Terrence E. et Allen A. Kennedy, *Corporate Cultures: The Rites and Rituals of Corporate Life*, Reading, Addison-Wesley, 1982, 232 p.

Decaudin, Jean-Marc, *La communication interne: Stratégie et techniques*, 2e éd., Paris, Dunod, 2006, 200 p.

De Certeau, Michel, *L'invention du quotidien, Vol. 1. Arts de faire*, Paris, Gallimard, coll. «Folio», 1990, 390 p.

De Corte, Chantal, *Communication publique et coopération à l'échelle internationale. Le projet de communication institutionnelle de Développement international Desjardins*, Thèse du Département d'information et de communication, Faculté des lettres, Québec, Université Laval, 2008, 317 p.

Deetz, Stanley A. «Conceptual foundations», dans F.M. Jablin et L.L. Putnam (dir.), *The New Handbook of Organisational Communication: Advances in Theory, Research, and Methods*, Thousand Oaks, Sage, 2001, p. 3-46.

Defren, Ted, *Version 1.5 du gabarit de son Social Media Release*, <www.pr-squared.com/2008/04/social_media_release_template.html>, consulté le 26 février 2010.

Defren, Ted, *Blogger Relations: Quick and Critical Tips*, <www.shiftcomm.com/downloads/bloggerrelations.pdf>, consulté le 9 janvier 2010.

Degen, Clara, *Understanding and Using Video: A Guide for the Organizational Communicator*, New York, Longman, 1985, 220 p.

Deglaise, Fabien, «Les "francoroutes" se développent inégalement», (collaboration spéciale) *Le Devoir*, 14 mars 1998.

Delecourt, Nicolas, *Vivez mieux vos relations avec les journalistes: élus, chefs d'entreprises, responsables d'associations*, Héricy, Puits Fleuri, 1996, 168 p.

Deleu, Christophe, François Demers et Mylène Paradis, «Internet, les médias et les journalistes. Les expériences nord-américaines», *Cahier-Média*, no 4, Québec, Centre d'études sur les médias, Université Laval, 1998, 72 p.

Delforce, B., «Les journalistes et l'évolution des instruments de connaissance du public: enjeux d'identité et de pouvoir», *Les Cahiers du journalisme*, no 1, juin 1996.

Demers, François, «La communication publique, un concept pour repositionner le journalisme contemporain», *Les Cahiers du journalisme*, no 18, printemps 2008, p. 207-230.

Demol, Charles, *Vous saurez tout sur les relations publiques : les relations humaines au sein et autour de l'entreprise*, Bruxelles, Éditions C.I.B., 1967.

De Narbonne, Aimery, *Communication d'entreprise : conception et pratique*, Paris, Eyrolles, 1990, 144 p.

De Rosnay, Joël, *L'Homme symbiotique*, Paris, Seuil, 1995, 398 p.

Desanti, Raphaël et Philippe Cardon, *L'enquête qualitative en sociologie*, Paris, Éditions ASH, 2007.

Descamps, Marc-Alain, *Le langage du corps et la communication corporelle*, Paris, Presses universitaires de France, 1989.

Descarie, François, « Les marques et les médias devront eux-mêmes camper le rôle de chercheurs », *Cyberpresse*, 10 mars 2010, <ww2.infopresse.com/blogs/actualites/archive/2010/03/10/article-34104.aspx>, consulté le 20 mai 2010.

Descarpentries, Jean-Marie, *La gestion de crise*, La Plaine-Saint-Denis, AFNOR, 2006, 178 p.

De Schepper, Jacques, *Pratique des médias audiovisuels : diapositive, film, vidéo*, Paris, Eyrolles, 1992, 180 p.

De Schepper, Séverine, Nadia Kouamé-Kodia, Christine Lacerte et Yannick Richer, « Étude des relations entre journalistes et relationnistes : le point de vue des journalistes », Montréal, Chaire de relations publiques et communication marketing, Université du Québec à Montréal, 2006 (document non publié).

Desnoyers, Luc, *La communication en congrès : Repères ergonomiques*, Québec, Presses de l'Université du Québec, 2005.

Desnoyers, Luc, « Les images dans Power Point », *Studies in Communication Sciences*, vol. 7, n° 2, 2007, p. 85-98.

Desnoyers, Luc, « Le point sur Power Point. Dérives et confusion », *Revue internationale de communication sociale et publique*, n° 1, hiver 2009.

Destrez, Thierry, *Demain, je parle en public : être à l'aise et réussir l'oral*, Paris, Dunod, 2001, 242 p.

Deuschl, Dennis E., *Travel and Tourism Public Relations : An Introductory Guide for Hospitality Managers*, Burlington, Elsevier Butterworth-Heinemann, 2006, 183 p.

Deutsch, Karl W., *The Nerves of Government: Models of Political Communication and Control*, New York, The Free Press, 1966, 316 p.

Devirieux, Claude Jean, *Pour une communication efficace: entre les personnes, dans les groupes, avec les médias, en temps de crise*, Québec, Presses de l'Université du Québec, 2007, 195 p.

DeVito, Joseph A., *Les fondements de la communication humaine*, Boucherville, Gaëtan Morin Éditeur, 1993, 427 p.

Dewey, John, *The Public and Its Problems*, Denver, A. Swallow, 1920.

Dewey, John, *Democracy and Education*, New York, The Free Press, 1944, 426 p.

Dewulf, Yves, *La communication audiovisuelle au service des entreprises*, Paris, Eyrolles, 1991, 119 p.

d'Haenens, Leen, « Les TIC dans une société pluriculturelle : les Pays-Bas, un contexte pour une politique des médias saine et multiforme ? », dans Groupe de recherche sur les enjeux de la communication (Gresec), *Les enjeux de l'information et de la communication*, laboratoire de l'Université Stendhal-Grenoble III, 2003.

D'Huy, P., « Power Point, la rhétorique universelle », *Medium,* vol. 11, 2007, p. 12-25.

Dinan, William et David Miller, *Thinker, Faker, Spinner, Spy: Corporate PR and the Assault on Democracy,* Londres, Pluto Press, 2007.

Doin, Richard et Daniel Lamarre, *Les relations publiques: une nouvelle force de l'entreprise moderne*, Montréal, Éditions de l'Homme, 1986, 219 p.

Doise, Willem, Augusto Palmonari et Marie-Josée Chambart, *Les représentations sociales*, Neuchâtel, Delachaux et Niestlé, 1996.

Donoghue, J., *Public Relations: Fifty Years in the Field*, Toronto, Dundurn Press, 1993.

Donovan, Rob, et Nadine Henly, *Social Marketing: Principles and Practice*, Melbourne, IP Communications, 2003.

Doré, Michel, *Factors Affecting Household Disaster Preparedness: A Study of the Canadian Context*, Thèse de doctorat, Denton, University of North Texas, 2000.

Dortier, Jean-François, *Les humains modes d'emploi*, Paris, Éditions des Sciences humaines, 2009, 292 pages.

Douesnard, Suzanne et Marie-Claude Charest, «La vérité n'appartient à personne: réflexion de deux cliniciennes entre deux rendez-vous», *Frontières*, vol. 6, nᵒ 1, 1993, p. 17-21.

Doury, Marianne et Michel Marcoccia, «Forum Internet et courrier des lecteurs: l'expression publique des opinions», *Hermès – Paroles publiques communiquer dans la cité*, CNRS communication, nᵒ 47, 2007.

Dorval, Martine, «Les relations de presse», Notes de cours, Université du Québec à Montréal (document non publié), 2010.

Droesbeke, Jean-Jacques et Ludovic Lebart (dir.), *Enquêtes, modèles et applications*, Paris, Dunod, 2001, 584 p.

Drucker, Peter, *Managing a Time of Great Change*, New York, Truman Talley, 1995, 371 p.

Dubuc, Monique et Pierre Levasseur, *La PME dans tous ses états: gérer les crises de l'entreprise*, Montréal et Charlesbourg, Transcontinental et Fondation de l'entrepreneurship, 1996, 150 p.

Dudezeret, Jean-Pierre, *Les techniques d'information et de communication en formation: une révolution stratégique*, Paris, Economica, 2002, 163 p.

Dufour, Arnaud, *Internet*, Paris, Presses universitaires de France, coll. «Que sais-je?», nᵒ 3073, 1995.

Duhé, Sandra C., *New Media and Public Relations*, New York, Peter Lang, 2007, 472 p.

Dumas, Jean, *Séduire par les mots: Pour des communications publiques efficaces*, Montréal, Presses de l'Université de Montréal, 2007, 509 p.

Dumas, Michel, *Les expositions internationales: Un univers de communication*, Québec, Presses de l'Université du Québec, 2010, 278 p.

Dumont, Benoît, *Le stand d'exposition*, Paris, Chotard Éditeur, coll. «Actions communications», 1986.

Dumont-Frenette, Paul, «L'origine des relations publiques», dans Nicole Blouin *et al.* (dir.), *Communication et relations publiques*, Montréal, Leméac/Commerce, 1971, p. 39-47.

Dupuy, Emmanuel, Thomas Devers et Isabelle Raynaud, *La communication interne: vers l'entreprise transparente*, Paris, Éditions d'Organisation, 1988, 159 p.

Dupuy, Emmanuel, *L'entreprise à la une : communiquer avec la presse*, Paris, Éditions d'Organisation, 1990, 158 p.

Dupuy, Jean-Philippe, « Structure de la page Web : texte et paratexte », *Revue des interactions humaines médiatisées*, vol. 9, n° 1, 2008, p. 25-42.

Dussault, Louis, *Le protocole – Instrument de communication*, Québec, Presses de l'Université du Québec, coll. « Communication – Relations publiques », 2009, 200 p.

Duval, Laurent, *Communication et relations publiques*, Montréal, Commerce et Leméac, 1971.

Edelman Trust Barometer, <www.edelman.com/trust/2010/>, consulté le 5 février 2010.

Edwards, Derek, « Discourse, cognition and social practices : The rich surface of language and social interaction », *Discourse Studies*, vol. 8, n° 1, 2006, p. 41-49.

Eaton, Angela, « Technology-supported pedagogy in business, technical and professional communication », *Business Communication Quarterly*, vol. 66, janvier 2003, p. 113-117.

Eiken, Simone et Olivier Velin, *Gestion de crise*, Paris, Éditions EFE, 2006, 326 p.

Einstein, Albert et Leopold Infeld, *L'évolution des idées en physique*, Paris, Flammarion, 1948.

Ellsworth, Jill H. et Matthew V. Ellsworth, *The Internet Business Book*, New York, John Wiley, 1994, 376 p.

Ellsworth, Jill H. et Matthew V. Ellsworth, *Marketing on the Internet : Multimedia Strategies for the World Wide Web*, New York, John Wiley, 1995, 404 p.

Ellul, Jacques, *Propagande*, Paris, Armand Colin, 1962, 335 p.

El Mzem, Abdellah et Sylvain Larouche, « Pratiques de communication par Le Progrès de Villeray et les organismes de quartier : analyse et recommandations », document photocopié, Montréal, mars 1995.

Emery, Vince, *Faire des affaires sur Internet*, Repentigny, Reynald Goulet, 1997, 459 p.

Emms, Merle, *The Origins of Public Relations as an Occupation in Canada*, Thèse de doctorat, Département des études en communication, Montréal, Université Concordia, décembre 1995.

Environnement Canada, *La gestion des crises dans un environnement politique*, Ottawa, Division de la gestion des crises, 1995, 50 p.

Erickson, Richard *et al.*, *Visualizing Deviance: A Study of News Organization*, Toronto, University of Toronto Press, 1987, 390 p.

Erickson, Richard V., Patricia Baranek et Janet Chan, *Negotiating Control: A Study of News Sources*, Toronto, University of Toronto Press, 1989, 428 p.

Etchegoyen, Alain, *La valse des éthiques*, Paris, François Bourin, 1991, 244 p.

Ettema, James S. et D. Charles Whitney, *Individuals in Mass Media Organizations*, Beverly Hills, Sage, 1982.

Euske, N.A. et K.H. Roberts, «Evolving perspective in organization theory: Communication implications», dans F.M. Jablin, L.L. Putman, K.H. Roberts et L.W. Porter (dir.), *Handbook of Organizational Communication: An Interdisciplinary Perspective*, Beverley Hills, Sage Publications, 1987.

Fairchild, Michael, *The IPR Toolkit: Planning, Research and Evaluation for Public Relations Success*, 2e éd., Londres, The Institute of Public Relations, 2000, 25 p.

Farace, Richard V., Peter R. Monge et Harnish Bernard, *Communicating and Organizations*, Toronto, Addison-Wesley, 1977.

Farard, Roger, *Communications écrites et orales: comment les fabriquer: l'exposé écrit, la dissertation, l'exposé oral, le discours*, Montréal, Agence d'Arc, 1991, 298 p.

Feather, Frank, *The Future Consumer*, Willowdale, Firefly Book, 1997, 148 p.

Fedler, Fred et Denise Delorme, «Journalists' hostility toward public relations: An historical analysis», *Public Relations Review*, vol. 29, no 2, juin 2003, p. 99-124.

Feingenbaum, Armand, Extrait de conférence devant l'American Society for Quality, mai 1994.

Feinglass, Art, *The Public Relations Handbook for Nonprofits: A Comprehensive and Practical Guide*, San Francisco, Jossey-Bass, 2005, 311 p.

Felteau, Cirille, *Un journaliste dans son siècle*, Québec, Varia, 2000.

Fernau, Curt N., *Initiation aux relations publiques pour permanents syndicaux : une aide didactique à l'usage des formateurs dans l'éducation ouvrière et des syndicalistes*, Genève, Bureau international du travail, 1980, 70 p.

Ferréol, Gilles et Noël Flageul, *Méthodes et techniques de l'expression écrite et orale*, Paris, Armand Colin/Masson, 1996, 191 p.

Ferron, Jacques, *Comprendre, interpréter et évaluer les sondages*, Montréal, Info-Éditique Ferron, 1994, 218 p.

Festinger, Leon, *A Theory of Cognitive Dissonance*, Stanford, Stanford University Press, 1962, 291 p.

Feuillard, Josyane, *Comment communiquer avec la presse : les relations de presse business to business*, Noisiel, Presses du management, 1991, 151 p.

Finch, Elsie Freeman, *Advocating Archives : An Introduction to Public Relations for Archivists*, Lanham, Society of American Archivists and the Scarecrow Press, 2003, 195 p.

Fitzpatrick, Kathy, *Ethics in Public Relations : Responsible Advocacy*, Thousand Oaks, Sage Publications, 2006, 241 p.

Flatley, Marie E., « Teaching the virtual presentation », *Business Communication Quarterly*, vol. 70, septembre 2007, p. 301-305.

Fleisher, Craig S., « Public affairs management performance : An empirical analysis of evaluation and measurement », dans J. Post (dir.), *Research in Corporate Social Performance and Policy*, vol. 14, 1993, p. 139-163.

Fleisher, Craig S., *Assessing, Managing and Maximizing Public Affairs Performance*, Washington, D.C., Public Affairs Council, Management Handbook Series, 1997.

Fleisher, Craig S., « The trade-offs in developing public affairs metrics », *Journal of Public Affairs*, 2003.

Fleisher, Craig S. et Darren Mahaffy, « A balanced scorecard approach to public relations management and assessment », *Public Relations Review*, vol. 23, n° 2 (été), 1997, p. 117-142.

Foessel, Michaël et Raphaël Enthoven, *Kant*, Paris, Perrin, 2009, 200 pages.

Fogg, B.J., *Persuasive Computing : Using Technology To Change Attitudes and Behaviours*, Morgan Kaufman Publishers, 2003, 283 p.

Follett, Mary Parker, *Creative Experience*, New York, Peter Smith, 1951.

Fombrun, Charles J., «*Reputation: Realizing Value from the Corporate Image*», Boston, Harvard Business Press, 1996.

Foster, John, *Effective Writing Skills for Public Relations*, Londres, Kogan Page Ltd., 2005, 258 p.

Fournier, Brigitte, *L'entreprise en état de choc: gérer les crises économiques et sociales, faire face aux médias*, Paris, Institut de l'environnement, 1993, 218 p.

Fraser, Roxane, *Baie James: le guide touristique*, Montréal, VLB éditeur, 1995, 204 p.

Freeman, E.R., *Strategic Management: A Stakeholder Approach*, Boston,, Pitman, 1984, 274 p.

Frenette, Micheline, *La recherche en communication: Un atout pour les campagnes sociales*, Québec, Presses de l'Université du Québec, 2010, 252 p.

Fusaro, Magda, *Un monde sans fil: Les promesses des mobiles à l'ère de la convergence*, Québec, Presses de l'Université du Québec, 2002, 242 p.

Gabay, Michèle, *La nouvelle communication de crise: Concepts et outils*, Issy-les-Moulineaux, Éditions Stratégies, 2001, 234 p.

Gabay, Michèle, *Communiquer dans un monde en crise: Images, représentations et médias*, Paris, L'Harmattan, 2005, 152 p.

Galibert, Olivier, «Vendre, donner, discuter: une approche communicationnelle des communautés virtuelles sur Internet», dans Groupe de recherche sur les enjeux de la communication (Gresec), *Les enjeux de l'information et de la communication*, Grenoble, Laboratoire de l'Université Stendhal-Grenoble III, 2004.

Gans, Hubert J., *Deciding What's New: A Study of CBS Evening News, NBC Nightly News, Newsweek and Time*, New York, Pantheon Books, 1979.

Garand, Dominique, «Propositions méthodologiques pour l'étude du polémique», dans D. Garand et A. Hayward (dir.), *États du polémique*, Québec, Nuit blanche, 1998.

Gates, Bill, *La route du futur*, Paris, Robert Laffont, 1995, 359 p.

Gauthier, Benoît (dir.), *Recherche sociale: de la problématique à la collecte des données*, Québec, Presses de l'Université du Québec, 1984, 529 p.

Gauthier, Benoît (dir.), *Recherche sociale: de la problématique à la collecte des données*, 5ᵉ éd., Québec, Presses de l'Université du Québec, 2009, 767 p.

Genova, Gina L., «Crisis communication practices at an international relief agency», *Business Communication Quarterly*, vol. 69, septembre 2006, p. 329-337.

Geoffrion, Paul, «Le groupe de discussion», dans B. Gauthier (dir.), *Recherche sociale: de la problématique à la collecte de données*, 5ᵉ éd., Québec, Presses de l'Université du Québec, 2009.

George, Eric, «Du concept d'espace public à celui de relations publiques généralisées», *COMMposite*, vol. 99, n° 1, 1999.

George, Eric et Fabien Granjon (dir.), *Critiques de la société de l'information*, Paris, L'Harmattan, 2008.

Geyer, R. Felix et Johannes van der Zouwen, *Sociocybernetics Complexity, Autopoiesis, and Observation of Social Systems*, Westport, Greenwood Press, 2001, 250 p.

Gibson, D., «Public relations in a time of change, suggestions for academic relocation and renovation», *Public Relations Quarterly*, vol. 32, 1987.

Gicquel, Yohan, *Le marketing tribal*, Chambéry, Le génie des glaciers, 2006, 62 p.

Gillis, Tamara L., *The IABC Handbook of Organizational Communication: A Guide to Internal Communication, Public Relations, Marketing, and Leadership*, San Francisco, Jossey-Bass, 2006, 546 p.

Gillmor, Dan, *We the Media. Grassroots Journalism by the People for the People*, Sebastopol, O'Reilly Media, 2004, 320 p.

Gingras, Anne-Marie, «Les médias comme espace public: enquête auprès de journalistes québécois», *Communication*, vol. 16, n° 2, 1995, p. 15-36.

Girard, Francine, *Apprendre à communiquer en public*, Mont-Saint-Hilaire, La Lignée, 1985, 277 p.

Girardot, Jean-Luc, *Communiquer avec la presse: Comment une entreprise peut-elle informer et séduire?*, Paris, Nathan, 1992, 207 p.

Giroux, Nicole et Lisette Marroquin, «L'approche narrative des organisations», *Revue française de gestion*, vol. 159, n° 6, 2005, p. 15-42.

Glasser, Theodore et Charles T. Salmon, *Public Opinion and the Communication of Consent*, New York, The Guilford Press, 1995, 475 p.

Godard, Olivier, *Le principe de précaution dans la conduite des affaires humaines*, Paris, Éditions de la Maison des sciences de l'homme, 1997.

Godin, Seth, *Tous les marketers sont des menteurs,* Paris, Maxima, 2007.

Goffman, Erving, *La mise en scène de la vie quotidienne*, Paris, Minuit, 1973, 373 pages.

Goldhaber, Gerald M., Osmo Wiio *et al.*, *Information Strategies: New Pathways to Corporate Power*, Englewood Cliffs, Prentice-Hall, 1979, 323 p.

Gollner, Andrew B., *Corporate Public Affairs in Canada*, Montréal, Université Concordia, 1984.

Gondrand, François, *L'information dans les entreprises et les organisations*, Paris, Éditions d'Organisation, 1990, 375 p.

Goulding, Christina, *Grounded Theory: A Practical Guide for Management, Business and Market Researchers,* Londres, Sage Publications, 2002.

Gower, Karla K., *Legal and Ethical Restraints on Public Relations*, Prospect Heights, Waveland Press, 2003, 119 p.

Gower, Karla K., *Public Relations and the Press: The Troubled Embrace*, Evanston, Northwestern University Press, 2007, 300 p.

Gower, Karla K., *Legal and Ethical Considerations for Public Relations*, Long Grove, Waveland Press, 2008, 112 p.

Granjon, Fabien, «Une critique de l'égalitarisme numérique», dans C. Agbobli (dir.), *Quelle communication pour quel changement?*, Québec, Presses de l'Université du Québec, 2009.

Grawitz, Madeleine, *Méthodes des sciences sociales,* 10e éd., Paris, Dalloz, 1996.

Grawitz, Madeleine, *Méthodes des sciences sociales,* 11e éd., Paris, Dalloz, 2001.

Green, Andy, *Effective Communication Skills for Public Relations*, Philadelphie, Kogan Page, 2005, 176 p.

Green, Andy, *Creativity in Public Relations*, Philadelphie, Kogan Page, 2007, 244 p.

Gregory, Anne, *Public Relations in Practice*, Londres, Kogan Page, 2004, 210 p.

Griffin, Andrew, *New Strategies for Reputation Management: Gaining Control of Issues, Crises & Corporate Social Responsibility*, Londres, Kogan Page, 2008, 176 p.

Groupe de Lisbonne, *Les limites de la concurrence*, Lisbonne, Fondation Gulbenkian, 1994.

Groupe Innovation, en collaboration avec l'Association des professionnels en ressources humaines du Québec, *Le point sur la communication interne au Québec*, Montréal, Publi-Relais, 1992, 79 p.

Groupe Innovation, en collaboration avec l'Association des professionnels en ressources humaines du Québec, *La performance des organisations québécoises. Du discours à la réalité*, Montréal, Publi-Relais, 1993, 87 p.

Groupe Innovation, en collaboration avec l'Association des professionnels en ressources humaines du Québec, *Gérer la révolution du savoir*, Montréal, Publi-Relais, 1996.

Groupe Léger et Léger, *Les perceptions des dirigeants d'affaires à l'égard des relations publiques au Québec*, sondage, Montréal, mai 1991.

Groupe Rédiger (sous la direction d'Isabelle Clerc et d'Éric Kavanagh), *De la lettre à la page Web: pour communiquer avec le grand public*, Québec, Les Publications du Québec, 2006, 368 p.

Grunig, James E. et Todd Hunt, *Managing Public Relations*, New York, Rinehart and Winston, 1984, 549 p.

Grunig, James E., *Excellence in Public Relations and Communication Management*, Hillsdale, Lawrence Erlbaum Associates Publishers, 1992, 666 p.

Grunig, James E., *The Future of Excellence in Public Relations and Communication Management: Challenges for the Next Generation*, Mahwah, Lawrence Erlbaum Associates, 2007, 629 p.

Grunig, James E., *The Shifting Paradigm of Public Relations Under Digitalization*, Présentation Power Point lors d'une conférence au Hong Kong School of Communication, 5 septembre 2009, <www.prconversations.com/>, 592 p.

Grunig, James E. et Linda Hon, *Guidelines for Measuring Relationships in Public Relations*, Gainesville, The Institute for Public Relations/ University of Florida, 1999, 40 p.

Grunig, Larissa A., *Women in Public Relations: How Gender Influences Practice*, New York, Guilford Press, 2001, 424 p.

Grunig, Larissa A., James E. Grunig et David M. Dozier, *Excellent Public Relations and Effective Organizations: A Study of Communication Management in Three Countries*, Mahwah, Lawrence Erlbaum Associates, Publishers, 2002, 653 p.

Guédon, Jean-Claude, *La planète Cyber, Internet et cyberespace*, Paris, Découvertes Gallimard/Techniques, 1996, 128 p.

Guerin-Talpin, Gilles, *Communication de crise*, Bordeaux, Préventique, 2003, 160 p.

Guth, David, *Public Relations: A Values-Driven Approach*, Boston, Pearson/ Allyn and Bacon, 2009, 580 p.

Guth, David et Bonnie Poovey Short, *Strategic Writing: Multimedias Writing for Public Relations, Advertising and More*, Boston, Pearson/ Allyn and Bacon, 2009.

Habermas, Jürgen, *Strukturwandel der Öffentlichkeit: Untersuchungen zu einer kategorie der bürgerlichen Gesellschaft*, Neuwied, Hermann Luchterhand, 1962.

Habermas, Jürgen, *L'espace public: archéologie de la publicité comme dimension constitutive de la société bourgeoise*, Paris, Presses universitaires de France, 1963.

Habermas, Jürgen, *Communication and the Evolution of Society*, Boston, Beacon Press, 1979, 239 p.

Habermas, Jürgen, *The Theory of Communicative Action*, vol. 1 et 2, Boston, Beacon Press, 1984.

Habermas, Jürgen, *Théorie de l'agir communicationnel*, Paris, Fayard, 1987.

Habermas, Jürgen, *L'éthique de la discussion et la question de la vérité*, Paris, Grasset , 2003.

Habermas, Jürgen, *De l'usage public des idées: écrits politiques*, Paris, Fayard, 2005, 262 p.

Hahn, Harley et Rick Stout, *The Internet Complete Reference*, Berkeley, McGraw-Hill, 1996, 817 p.

Hall, Phil, *The New PR: An Insider's Guide to Changing the Face of Public Relation*, Potomac, Larstan, 2007, 181 p.

Hall, Stuart, «The rediscovery of ideology: Return of the repressed in media studies», *Mass Communication and Society*, New York, Metheon, 1982.

Hampton, Kim et Brad Hampton, *Creating Commercial Web Sites*, Indianapolis, Sams Publishing, 1996, 434 p.

Hallahan, Kirk, «Enhancing motivation, ability, and opportunity to process public relations messages», *Public Relations Review*, vol. 26, n° 4, 2000a, p. 463-480.

Hallahan, Kirk, «Inactive publics: The forgotten publics in public relations», *Public Relations Review,* vol. 26, n° 4, 2000b, p. 499-515.

Hallahan, Kirk, «The dynamics of the issue activation and response: An issue processes model», *Journal of Public Relations Research,* vol. 13, n° 1, 2001, p. 27-59.

Hansen-Horn, Tricia, *Public Relations: From Theory to Practice*, Boston, Pearson A and B, 2008, 395 p.

Harrington, James, *Le nouveau management selon Harrington: gérer l'amélioration totale*, traduit de l'américain par Jean-Jacques Hechler – *Total Improvement-Management*, Montréal, Transcontinental, 1997, 593 p.

Harris, Thomas L., *The Marketer's Guide to Public Relations in the 21st Century*, Mason, Thomson, 2006, 287 p.

Harvey, Pierre-Léonard, *La démocratie occulte: rapports de force, gouvernance et communautique dans la société de l'information*, Québec, Les Presses de l'Université Laval, 2004, 274 p.

Haskins, G. et J.F. Poncet, *Des nouvelles stratégies sociétales*, Harvard, L'Expansion, n° 30, 1983.

Hayes, Richard et Daniel Grossman, *A Scientist's Guide to Talking with the Media*, New Brunswick, Rutgers University Press, 2006.

Haywood, Roger, *All About PR: What to Say, When to Say it*, Londres, McGraw-Hill, 1984, 263 p.

Haywood, Roger, *Manage Your Reputation: How to Plan Public Relations to Build & Protect the Organization's Most Powerful Asset*, Londres, Kogan Page, 2002, 276 p.

Hawes, Leonard, *The Communication Management of Social Collectivities*, congrès annuel, Association internationale de communication, 1974.

Heath, Robert L., *Issues Management Corporate Public Policymaking in an Information Society*, Beverly-Hills, Sage, 1986.

Heath, Robert L., *Strategic Issues Management How Organizations Influence and Respond to Public Interests and Policies*, San-Francisco, Jossey-Bass, 1988.

Heath, Robert L., «Critical perspectives on public relations», dans E.L Toth et R.L. Heath (dir.), *Rhetorical and Critical Approaches to Public Relations*, Hillsdale, Lawrence Erlbaum Associates, 1992.

Heath, Robert L., *Management of Corporate Communications: From Interpersonal Contacts to External Affairs*, Hillsdale, Lawrence Erlbaum, 1994, 306 p.

Heath, Robert L., *Encyclopedia of Public Relations*, Thousand Oaks, Sage, 2006.

Heath, Robert L. et Gabriel M. Vasquez, *Handbook of Public Relations*, Thousand Oaks, Sage Publications, 2001.

Hébert, Nicole, *L'entreprise et son image. La publicité institutionnelle: pourquoi, comment?*, Paris, Dunod et Bordas, 1987, 205 p.

Heller, Thomas, *La communication audiovisuelle d'entreprise: le discours des apparences*, Paris, Éditions d'Organisation, 1990, 223 p.

Hendrix, Jerry A., *Public Relations Cases*, Belmont, Wadsworth, 1988, 484 p.

Henslowe, Philip, *Public Relations: A Practical Guide to the Basics*, Londres, Sterling, Kogan Page, 2003, 152 p.

Hills, Melanie, *Intranet as Groupware*, New York, John Wiley & Sons, 1996.

Hills, Melanie, *Intranet Business Strategies*, New York, John Wiley & Sons, 1996.

Hobbes, Thomas, *Leviathan*, trad. française F. Tricaut, Paris, Sirey, 1971.

Holtz, Shel, *Public Relations on the Net*, New York, Amacom, 2002.

Holtz, Shel, *Corporate Conversations: A Guide to Crafting Effective and Appropriate Internal Communications*, New York, Amacom, 2003, 288 p.

Holtzhausen, Derina R., « Postmodern values in public relations », *Journal of Public Relations Research*, vol. 12, n° 1, 2000, p. 93-144.

Holtzhausen, Derina R. et Rosina Voto, « Resistance from the margins: The postmodern public relations practitioner as organizational activist », *Journal of Public Relations Research*, vol. 14, n° 1, 2002, p. 57-84.

Honneth, Axel, *La réification*, Paris, Gallimard, 2005, 139 pages.

Hoos, Ida R., « Management information systems », dans I.R. Hoos, *Systems Analysis in Public Policy*, Los Angeles, University of California Press, 1973.

Horton, James L., *Online Public Relations: A Handbook for Practitioners*, Westport, Quorum Books, 2001, 296 p.

Hubert, François, *Mieux écrire dans Internet*, Montréal, Éditions Logiques, 1997, 91 p.

Huët, Romain, « Régulation sociale et communication des entreprises », dans Groupe de recherche sur les enjeux de la communication (Gresec), *Les enjeux de l'information et de la communication*, Grenoble, Laboratoire de l'Université Stendhal-Grenoble III, 2006.

Hughes, Larry W., *Public Relations for School Leaders*, Boston, Allyn and Bacon, 2000, 230 p.

Huisman, Denis, *Le dire et le faire: pour comprendre la persuasion, propagande, publicité, relations publiques. Essai sur la communication efficace*, Paris, Société d'édition d'enseignement supérieur, 1983, 201 p.

Huitema, Christian, *Et Dieu créa l'Internet...*, Paris, Eyrolles, 1995, 212 p.

Husserl, Edmund, *Idées directrices pour une phénoménologie* (trad. de l'allemand par Paul Ricoeur), Paris, Gallimard, 1950, 567 pages.

Ihlen, Oyvind, Betteke van Ruler et Magnus Fredriksson, *Public Relations and Social Theory*, Londres, Routledge, 2009.

International Public Relations Association – IPRA, *Quality, Customer Satisfaction, Public Relations – New Directions for Organisational Communication*, Gold Paper n° 10, Genève, 1994a, 59 p.

International Public Relations Association – IPRA, *Public Relations Evaluation: Professional Accountability*, Gold Paper n° 11, Genève, 1994b, 29 p.

Institut canadien des comptables agréés, *L'information à inclure dans le rapport annuel aux actionnaires*, Toronto, ICCA, 1992, 296 p.

Institut des relations publiques et de la communication (Ircom), *Le guide pratique de la communication*, Paris, Eyrolles, 1990, 167 p.

Institut national de santé publique du Québec, *Niveau d'activité physique de loisirs, population de 18 ans et plus selon le sexe*, Québec, INSPQ, 2005.

Iris, Antoine, *Les autoroutes de l'information*, Paris, Presses universitaires de France, coll. «Que sais-je?», n° 3097, 1996, 98 p.

Iqbal, Romaina, Sonia Anand, Stephanie Ounpuu, Shofiqul Islam, Xiaohe Zhang, Sumathy Rangarajan, Jephat Chifamba, Ali Al-Hinai, Matyas Keltai et Salim Yusuf, «Dietary patterns and the risk of acute myocardial infarction in 52 countries», *Circulation*, vol. 118, 2008.

Jablin, Frederic M., «Formal organizational structure», dans F.M. Jablin, L.L. Putman, K.H. Roberts et L.W. Porter (dir.), *Handbook of Organizational Communication: An Interdisciplinary Perspective*, Beverley Hills, Sage Publications, 1987.

Jacobson, E, *Essais de linguistique générale*, Paris, Minuit, 1981.

Jacquart, Hugues, *Qui? quoi? comment? ou La pratique des sondages*, Paris, Eyrolles, 1988, 307 p.

Jallot, Nicolas, *Manipulation de l'opinion*, Paris, Stock, 2007, 164 p.

Jarboe, Greg, *The 100th Birthday of the Press Release*, 30 octobre 2006. <searchenginewatch.com/3623806>, consulté le 26 février 2010.

Jeanneney, Jean-Noël, *Une histoire des médias: des origines à nos jours*, Paris, Seuil, 1996, 374 p.

Jebb, John F., «The crisis posting: Scenarios for class discussion and creation», *Business Communication Quarterly*, vol. 68, décembre 2005, p. 457-478.

Jeffries-Fox, Bruce, *Advertising Value Equivalency (AVE)*, Gainesville, The Institute for Public Relations/University of Florida, 2003, 4 p.

Jodelet, Denise, *Les représentations sociales*, Paris, Presses universitaires de France, 2003, 447 p.

Johansen, Peter et Sherry Devereaux Ferguson, «History of public relations in Canada», dans R. Heath (dir.), *Encyclopedia of Public Relations*, Thousand Oaks, Sage Publications, 2005.

Johnston, Jane, *Public Relations: Theory and Practice*, Crows Nest, Allen & Unwin, 2004, 466 p.

Jouve, Daniel, *10 conseils pour vos relations publiques personnelles*, Paris, Publi-Union, 1992, 94 p.

Julien, Mariette, *Publicité et relations publiques*, Montréal, École supérieure de mode de Montréal, 1999.

Jurkowsky, Thomas J., et Mark A. van Dyke, *Vision 21: A Study of U.S Navy Public Affairs in the 21st Century*, Washington, D.C., Department of the Navy, 2000.

Kahn, Louis L., *Tout pour monter son site Web*, Paris, Microsoft Press, 1996.

Kant, Emmanuel, *Correspondance*, Paris, Gallimard, 1991.

Kant, Emmanuel, *Qu'est-ce que s'orienter dans la pensée?*, Paris, Garnier-Flammarion, 1991, 206 pages.

Kant, Emmanuel, *D'un prétendu droit de mentir par humanité*, Paris, Garnier-Flammarion, 1994, 190 pages.

Kant, Emmanuel, *Qu'est-ce que les Lumières?*, Paris, Gallimard, 1995, 1601 pages.

Kaplan, Daniel, *Les médias électroniques: vidéotex, audiotex, multimédias: connaître et exploiter les nouveaux outils de communication de l'entreprise*, Paris, Dunod, 1993, 336 p.

Karp, Rashelle S., *Powerful Public Relations: A How-to Guide for Libraries*, Chicago, American Library Association, 2002, 86 p.

Kelleher, Tom, *Public Relations Online: Lasting Concepts for Changing Media*, Thousand Oaks, Sage Publications, 2007, 161 p.

Kermoal, François, *Mieux connaître ses lecteurs: les méthodes d'analyse du lectorat et des supports*, Paris, Centre de formation et de perfectionnement des journalistes, 1994, 111 p.

Kessler, Emmanuel, *La folie des sondeurs*, Paris, Denoël Impacts, 2002, 210 p.

Khamès, Djamel, *Le multimédia: du CD-ROM aux autoroutes de l'information*, Paris, Les Éditions du Téléphone, 1994, 209 p.

Kilian, Crawford, *Writing for the Web (Writers' Edition)*, Vancouver, Self-Counsel Press, 2000-2001, 139 p.

Kirby, John, « Helping shape today's battlefield : Public affairs as an operational function », document non publié, Newport, U.S, Naval War College, 2000.

Kirscher, Gilber, *Respect, Dictionnaire d'éthique et de philosophie morale*, sous la direction de Monique Canto Sperber, Paris, Presses universitaires de France, tome 2, 1996, 2199 pages.

Klepper, Michael M., *Getting Your Message Out : How to Get, Use, and Survive Radio & Television Air Time*, Englewood Cliffs, Prentice-Hall, 1984, 174 p.

Knott, Leonard L., *The PR in Profit : A Guide to Successful Public Relations in Canada*, Toronto, McClelland and Stewart, 1955, 254 p.

Kotler, Philip, *Kotler on Marketing*, Londres, Simon & Schuster, 2001.

Kowalski, Theodore J., *Public Relations in School*, Upper Saddle River, Pearson Merrill Prentice Hall, 2008, 374 p.

Kreps, Gary L., *Organizational Communication, Theory and Practice*, New York, Longman, 1986, 339 p.

Kugler, Marianne, *Des campagnes de communication réussies : 43 études de cas primés*, tome 1, Québec, Presses de l'Université du Québec, 2004, 283 p.

Kugler, Marianne, « What can be learned from case studies in public relations ? An analysis of eight Canadian lobbying campaigns », *Journal of Communication Management,* vol. 9, n° 1, 2004.

Kugler, Marianne, « The practice of public relations in Canada : Does a genuine Canadian way of doing things exists or is it a copy of the U.S. or the European way ? », *BledCom 2002*, Slovenie, Bled, 4-7 juillet 2003.

Kugler, Marianne, *Des campagnes de communication réussies*, tome 2, Québec, Presses de l'Université du Québec (parution prévue en 2011).

Laborde, Genie Z., *Influencing with Integrity*, Palo Alto, Syntony, 1987, 227 p.

Lacroix, Guy, *Le mirage Internet : Enjeux économiques et sociaux*, Paris, Éditions Vigot, coll. « Essentiel », 1997, 156 p.

Laperrière, Anne, « L'observation directe », dans B. Gauthier (dir.), *Recherche sociale : de la problématique à la collecte de données*, 5ᵉ éd., Québec, Presses de l'Université du Québec, 2009.

Lafrance, André A., « Les relations transpubliques : le relationniste confronté à l'effet-rebond d'un message », *Communication*, vol. 23, nᵒ 1, printemps-été, 2004, p. 75-92.

Lafrance, André A., *Réseaux et programmes de communication interne : Pour comprendre et améliorer le fonctionnement*, Montréal, Éditions Nouvelles, 1996, 133 p.

Lafrance, Jean-Paul, « Les médias face à la communication sociale : le paradoxe canadien », *Hermès – Racines oubliées des sciences de la communication*, nᵒ 48, CNRS communication, 2007.

Lagadec, Patrick, *La gestion des crises : outils de réflexion à l'usage des décideurs*, Paris et Montréal, McGraw-Hill, 1991, 326 p.

Lagadec, Patrick, *Apprendre à gérer les crises : société vulnérable, acteurs responsables*, Paris, Éditions d'Organisation, 1993, 120 p.

Lagadec, Patrick, *La fin du risque zéro*, Paris, Eyrolles, 2002.

Lahanque, Sylvie et Fabienne Soulages, *Les relations publiques : guide pratique*, Paris, Éditions d'Organisation, 1991, 118 p.

Lamb, Larry F., *Applied Public Relations : Cases in Stakeholder Management*, Mahwah, Lawrence Erlbaum Associates, 2005, 258 p.

Lambert, Jacques, *Politiques globales de communication interne*, Paris, Entreprise moderne d'édition, 1981, 198 p.

Lambert, Jacques, *La presse d'entreprise*, Paris, Presses universitaires de France, 1993, 127 p.

Landriault, Roch, *Guide de relations publiques : volet relations de presse*, Montréal, Société des musées québécois, 1991.

Landry, S., G. Tremblay, P.C. Robert *et al.*, *Projet de baccalauréat en relations publiques*, Montréal, Université du Québec à Montréal, 1992, 99 p.

Langevin Hogue, Lise, *Communiquer : Un art qui s'apprend*, Saint-Hubert, Les éditions Un monde différent, 1991, 180 p.

Laramée, Alain, *La communication dans les organisations : une introduction théorique et pragmatique*, Québec, Télé-université, 1989, 302 p.

Laramée, Alain, *La communication environnementale*, Québec, Télé-université, 1997.

Laramée, Alain et Bernard Vallée, *La recherche en communication : éléments de méthodologie*, Québec, Télé-université, 1991, 377 p.

Larouche, Sylvain et Denis Gonthier, *Villeray quartier en santé, une idée à partager pour agir ensemble. Un portrait de quartier*, Montréal, Ville de Montréal, 1992.

Larson, Eric V., *Misfortunes of War : Press and Public Reactions to Civilian Deaths in Wartime*, Santa Monica, RAND Project Air Force, 2007, 263 p.

Latour, Bruno, *Reassembling the Social. An Introduction to Actor-Network Theory*, Oxford, OUP, 2005 ; trad. *Changer de société. Refaire de la sociologie*, Paris, La Découverte, «Armillaire», 2005.

Lavallée, Pierre et Louis-Paul Rivest (dir.), *Méthodes d'enquêtes et sondages : Pratiques européenne et nord-américaine*, Paris, Dunod, 2006, 436 p.

Lavigne, Alain, «Relations publiques et dynamique d'interinfluence dans les organisations publiques», *Communication*, vol. 20, n° 2, hiver-printemps 2001.

Lavigne, Alain, «Journalisme, relations publiques et publicité : produits et médias d'hybridation dans l'univers de l'écrit», *Les Cahiers du journalisme*, n° 10, printemps-été 2002a.

Lavigne, Alain, «La communication institutionnelle vue en temps que 6 grands réseaux institutionnels», *Communication & Organisation*, vol. 21, 2002b, p. 154-173.

Lavigne, Alain, «La communication institutionnelle vue par l'entremise de six grands systèmes relationnels : proposition d'une typologie», *Communication & Organisation*, n° 21, 1er semestre 2002c.

Lavigne, Alain, «La problématique de l'hybridation dans l'univers de l'électronique et d'Internet : un inventaire des produits et des médias», *Les Cahiers du journalisme*, n° 12, automne 2003.

Lavigne, Alain, «Concentration des médias et rapports entre les journalistes, leurs dirigeants et leurs sources apparentées : exploration d'impacts potentiels», *Les Cahiers du journalisme*, n° 14, printemps/été 2005.

Lavigne, Alain, «L'omniprésence des relationnistes. Des pratiques de relations de presse stratégiques aux pratiques hors du contrôle des journalistes», dans M.-F. Bernier, F. Demers, A. Lavigne, C. Moumouni et T. Watine, *Pratiques novatrices en communication publique: journalisme, relations publiques, publicité*, Québec, Les Presses de l'Université Laval, 2005.

Lavigne, Alain, «Hebdos régionaux et médias écrits communautaires au Québec: quelques réflexions sur une adéquation réussie entre les besoins des lecteurs et des annonceurs», dans M. Beauchamp et T. Watine, *Médias et milieux francophones*, Québec, Les Presses de l'Université Laval, 2006.

Lavigne, Alain, «Les partenariats entre médias et organisations. *L'Université Laval au cœur de votre quotidien*: l'exemple d'un produit médiatique novateur», *Les Cahiers du journalisme*, no 16, automne 2006.

Lavigne, Alain, «Proposition d'une modélisation de la communication publique: principales formes discursives et exemples de pratiques», dans *Les Cahiers du journalisme*, no 18, 2008.

Lavin, Michael R., *Business Information: How to Find It, How to Use It*, Phoenix, Oryx Press, 1987, 299 p.

Lavoie, Sylvie et Marcel Béliveau, *Misez sur l'intelligence de vos employés et osez communiquer: 8 règles pour réussir la négociation d'une convention collective*, Québec, Presses de l'Université du Québec, 2005.

Law, John et John Hassard (dir.), *Actor Network Theory and After*, Oxford, Blackwell and Sociological Review, 1999

Lecoq, Bernard, *Les relations publiques: pourquoi, comment*, Paris, Entreprise moderne d'édition, 1970, 108 p.

Ledingham, John A. «Explicating relationship management as a general theory of public relations», *Journal of Public Relations Research*, vol. 15, no 2, 2003, p. 181-198.

Ledingham, John A. et Stephen D. Bruning, «Relationship management in public relations: Dimensions of an organization-public relationship», *Public Relations Review*, vol. 24, no 1, 1998, p. 55-65.

Ledingham, John A. et Stephen D. Bruning (dir.), *Public Relations as Relationship Management: A Relational Approach to the Study and Practice of Public Relations*, Mahwah, Lawrence Erlbaum Associates, 2000.

Lefebvre, Suzie, *Guide de relations publiques : volet intégration touristique*, Montréal, Société des musées québécois, 1991, 61 p.

Legault, Maryse et Eric Soucy, *Comment créer des pages Web*, Montréal, Éditions Logiques, 1996, 149 p.

Léger Marketing, «Sondage Omnibus», document non publié, avril 2007.

Léger Marketing, *Sondage Omnibus*, Question posée : «Avez-vous vu, lu ou entendu parler du Défi Santé 5/30?», document non publié 2008.

Léger Marketing, *Enquête auprès des participants au Défi Santé 5/30, pré et post Défi*, document non publié, 2008.

Le Marec, Joëlle et Igor Babou, «Words and figures of the public : The misunderstanding in scientific communication», dans D. Cheng, M. Claessens, T. Gascoigne, J. Metcalfe, B. Schiele et S. Shi (dir.), *Communicating Science in Social Contexts : New Models, New Practices*, New York, Springer, 2008, p. 39-54.

Lemay, Michel, *Les services aux entreprises – les besoins du milieu : recherche documentaire*, Québec, Ministère de l'Enseignement supérieur et de la Science, 1991, 37 p.

Lemieux, Vincent, *Les coalitions. Liens, transactions et contrôles*, Paris, Presses universitaires de France, 1998.

Lemieux, Vincent, *Les réseaux d'acteurs sociaux*, Paris, Presses universitaires de France, 1999.

Lemieux, Vincent, *À quoi servent les réseaux sociaux ?*, Québec, Les Presses de l'Université Laval, 2000.

Leng, Shao Chuan, *Coping with Crises : How Governments Deal with Emergencies*, Lanham, University Press of America, 1990, 226 p.

Lessard-Hébert, Michelle, Gabriel Goyette et Gérald Boutin, *Recherche quantitative : fondements pratiques*, Montréal, Agence d'Arc, 1990.

Lesly, Philip, *Lesly's Public Relations Handbook*, Englewood Cliffs, Prentice-Hall, 1971, 557 p.

L'Etang, Jacquie, *Public Relations : Concepts, Practice and Critique*, Londres, Sage, 2008, 290 p.

L'Etang, Jacquie et Magda Pieczka, *Public Relations : Critical Debates and Contemporary Practice*, Mahwah, Lawrence Erlbaum Associates, 2006, 513 p.

Létourneau, Alain, « Le "vivre ensemble", une finalité à recréer », dans Charles Perraton et Maude Bonenfant (dir.), *Vivre ensemble dans l'espace public*, Québec, Presses de l'Université du Québec, 2009, p. 81-99.

Libaert, Thierry, *La communication de proximité*, 2e éd., Paris, Éditions Liaisons, 2001, 276 p.

Libaert, Thierry, *Le plan de communication: Définir et organiser votre stratégie de communication*, 2e éd., Paris, Dunod, 2003, 256 p.

Libaert, Thierry, *La communication de crise,* 2e éd., Paris, Dunod, 2005, 125 p.

Libaert, Thierry, *Communiqué dans un monde incertain*, Paris, Pearson Education, 2008, 225 p.

Licoppe, Christian, « De la communication interpersonnelle aux communautés épistémiques: le développement des TIC et l'enracinement du paradigme de la distribution », *Hermès – Paroles publiques communiquer dans la cité*, no 47, 2007.

Likely, Fraser, *Performance Measurement: Can PR/Communication Contribute to the New Bottom Line of Intangible, Non-financial Indicators*, Gainesville, Florida, The Institute for Public Relations/University of Florida, 2002a, 4 p.

Likely, Fraser, « Communication and PR: Made to measure », *Strategic Communication Management*, 2002b.

Lindenmann, Walter K., *Guidelines for Measuring the Effectiveness of PR Programs and Activities*, Gainesville, The Institute for Public Relations/ University of Florida, 2003a, 27 p.

Lindenmann, Dr. Walter K., *Public Relations Research for Planning and Evaluation*, Palmyra, Lindenmann Research Consulting, 2003b, 31 p.

Lindon, Denis, *Marketing politique et social*, Paris, Dalloz, 1976, 240 p.

Lindsay, Anita Rothwell, *Marketing and Public Relations Practices in College Libraries*, Chicago, College Library Information Packet Committee, Association of College and Research Libraries, 2004, 182 p.

Lionberger, Herbert F., *Adoption of New Ideas and Practices*, Ames, Iowa State University Press, 1960.

Lipovetsky, Gilles, *Le bonheur paradoxal*, Paris, Gallimard, 2006, 466 pages.

Liu, Xi, *Multinational Corporations' Public Relations in Host Countries: An Interpretive Study of Public Relations Culture*, Singapore, Marshall Cavendish Academic, 2005, 164 p.

Levine, Rock, Christopher Locke, Doc Searls et David Weinberger, *The Cluetrain Manifesto*, New York, Basic Books, 2001, 190 p.

Lointier, Pascal et Philippe Rosé, *Le Web de crise*, Paris, Les Éditions Demos, 2004.

Lohr, Steve, «This boring headline is written for Google», *New York Times*, <www.nytimes.com/2006/04/09/weekinreview/09lohr.html>, consulté le 9 novembre 2009.

Loubier, Christiane et Hélène L'Heureux, *Vocabulaire anglais-français de l'édition et de la reliure. Cahiers de l'Office de la langue française*, Montréal, Office de la langue française, 1987, 54 p.

Lougovoy, Constantin, *Action psychologique et relations publiques*, Paris, Dunod Économie, 1971, 115 p.

Lougovoy, Constantin et Denis Huisman, *Traité de relations publiques*, Paris, Presses universitaires de France, 1981, 646 p.

Lougovoy, Constantin et Michel Linon, *Les relations publiques: fonction de gouvernement de l'entreprise et de l'administration*, Paris, Dunod, 1969, 400 p.

Lozier, Anne-Marie, *L'industrie et la profession des relations publiques au Québec*, Mémoire de maîtrise, Montréal, Université de Montréal, 1992.

Luhmann, Niklas, *Social Systems*, Stanford, Stanford University Press, 1995, 627 p.

Luhman, Niklas, *Confiance et familiarité*, Paris, Hermès, 2001, 238 pages.

Luhman, Niklas, *La confiance*, Paris, Economica, 2006, 123 pages.

Lyotard, Jean-François, *La condition postmoderne*, Paris, Minuit, 1979.

Lyotard, Jean-François, «Answering the question: What is postmodernism?», dans C. Jencks (dir.), *The Postmodern Reader*, Londres, Academy Editions, 1992.

McCombs, Maxwell E. et Donald L. Shaw, «The agenda-setting function of mass media», *Public Opinion Quarterly*, vol. 36, 1972, p. 176-187.

McDowall, Duncan, *Advocacy Advertising: Propaganda or Democratic Right?*, Ottawa, The Conference Board of Canada, 1982.

McGee, Blaine K., B. Nayman Oguz et Dan L. Lattimore, « How public relations people see themselves », *Public Relations Journal*, novembre 1975, p. 47-52.

McGovern, Gerry et Rob Norton, *Content Critical: Now Everyone's a Publisher: What Makes Your Content Better?*, Financial Times Prentice Hall , 2001, 224 p.

McKie, David, *Reconfiguring Public Relations: Ecology, Equity, and Enterprise*, Londres, Routledge, 2007, 180 p.

MacKenzie, Kenneth D., *Organizational Design: The Organizational Audit and Analysis Technology*, Norwood, Ablex, 1986, 292 p.

Mackenzie, Margaret A., *Courting the Media: Public Relations for the Accused and the Accuser*, Westport, Praeger Publishers, 2007, 190 p.

Mackowski, Chris, *The PR Bible for Community Theatres*, Portsmouth, Heinemann, 2002, 188 p.

Macnamara, Jim R., *Research in Public Relations: A Review of the Use of Evaluation and Formative Research*, CARMA International Asia Pacific, 1997, 20 p.

Mahy, Isabelle, « Innovation organisationnelle : comment passer au XXIe siècle en ranimant la flamme par des pratiques collectives inspirantes », dans C. Agbobli (dir.), *Communication et changement social : les sphères théoriques, technologiques, médiatiques et franco-phones*, Québec, Presses de l'Université du Québec, 2009.

Maisonneuve, Danielle, *Politisation de l'agir communicationnel dans les entreprises publiques au Québec*, Thèse de doctorat, Montréal, Université Concordia, 1993.

Maisonneuve, Danielle, *Les relations publiques : le syndrome de la cage de Faraday*, Québec, Presses de l'Université du Québec, 2004a, 311 p.

Maisonneuve, Danielle, « Relations publiques B2B et prises de décisions : influence sur les publics institutionnels », dans *Communication*, 2004b, vol. 23, no 1.

Maisonneuve, Danielle, *La communication des risques : un nouveau défi*, Québec, Presses de l'Université du Québec, 2005, 192 p.

Maisonneuve, Danielle, Jean-François Lamarche et Yves St-Amant, *Les relations publiques dans une société en mouvance*, Québec, Presses de l'Université du Québec, 2003, 405 pages.

Maisonneuve, Danielle, Lise Renaud, Christian Leray, Lise Chartier, Mandoline Royer et Deena Drendel, «Santé et médias: modélisation du processus décisionnel», *Communication & Langages*, n° 159, mars 2009.

Maisonneuve, Danielle, Catherine Saouter et Antoine Char, *Communications en temps de crise*, Québec, Presses de l'Université du Québec, 1999, 392 p.

Maisonneuve, Danielle, Solange Tremblay et André A. Lafrance, *Résultats de la recherche sur l'état des relations publiques au Québec: Faits saillants, Société des relationnistes du Québec*, Chaire en relations publiques de l'UQAM, 2004a.

Maisonneuve, Danielle, Solange Tremblay et André A. Lafrance, *Les relations publiques: une profession à géométrie variable – Rapport*, Montréal, Chaire en relations publiques de l'Université du Québec à Montréal, 2004b.

Maisonneuve, Danielle, Solange Tremblay et André A. Lafrance, *Les relations entre journalistes et relationnistes*, Montréal, Chaire de relations publiques et communication marketing de l'Université du Québec à Montréal, 2006.

Maisonneuve, D. *et al.*, «Sources scientifiques et profanes dans les médias: leur rôle dans la construction des normes en santé», dans L. Renaud (dir.), *Les médias et la santé: de l'émergence à l'appropriation des normes sociales*, Québec, Presses de l'Université du Québec, 2010.

Majello, Carlo, *Organiser vos manifestations de presse*, Paris, Éditions d'Organisation, 1993, 93 p.

Malavoix, Sophie, *Guide pratique de vulgarisation scientifique*, Montréal, Association francophone pour le savoir – Acfas, 1999.

Mangematin, Vincent et Christian Thuderoz, *Des mondes de confiance*, Paris, CNRS Éditions, 2003, 296 pages.

Mankin, Don *et al.*, *Teams and Technology: Fulfilling the Promise of the New Organization*, Boston, Harvard Business School Press, 1996, 284 p.

Marconi, Joe, *Public Relations: The Complete Guide*, Mason, American Marketing Association, 2004, 386 p.

Marion, Gilles, *Les images de l'entreprise*, Paris, Éditions d'Organisation, 1988, 156 p.

Marissal, Vincent, « Au-delà du "photo-op" », *La Presse*, février 2010, p. A14.

Marlow, Eugene, *Electronic Public Relations*, Belmont, Wadsworth Series in Mass Communication and Journalism, 1997, 217 p.

Marston, John, *The Nature of Public Relations*, New York et Toronto, McGraw-Hill, 1963, 393 p.

Marston, John E., *Modern Public Relations*, New York, McGraw-Hill, 1979.

Martinet, Bruno et Yves-Michel Marti, *L'intelligence économique : les yeux et les oreilles de l'entreprise*, Paris, Éditions d'Organisation, 1995.

Mathias, Paul, *La cité Internet*, Paris, Éditions Presses de Sciences Po, 1997, 134 p.

Maturana, Humberto et Francisco Varela, *L'arbre de la connaissance : racines biologiques de la compréhension humaine*, Paris, Addison-Wesley, 1994.

Maturana, Humberto et Francisco Varela, *Autopoiesis and Cognition: The Realization of the Living*, Dordrecht, D. Reidel Pub, 1980.

Mayer, Robert et Fernand Ouellet, *Méthodologie de recherche pour les intervenants sociaux*, Boucherville, Gaëtan Morin Éditeur, 1991.

Mehrabian, Albert, *Silent Messages*, Florence, Wadsworth Publishing, 1971.

Meynaud, Hélène Y. et Denis Duclos, *Les sondages d'opinion*, Paris, La Découverte, 1985, 127 p.

Mickey, Thomas J., *Deconstructing Public Relations: Public Relations Criticism*, Mahwah, Lawrence Erlbaum Associates, 2003, 167 p.

Middleberg, Don, *Winning PR in the Wired World*, New York, McGraw-Hill Professional Publishing, 2000, 235 p.

Mili, L., Q. Qui et A.G. Pahdke, « Risk assessment of catastrophic failures in electric power systems », *International Journal of Critical Infrastructures*, vol. 1, n⁰ 1, 2004, p. 38-63.

Miller, David, *A Century of Spin: How Public Relations Became the Cutting Edge of Corporate Power*, Londres, Pluto, 2008, 232 p.

Millerand, Florence, « Usages des NTIC : les approches de la diffusion, de l'innovation et de l'appropriation (1re partie) », *COMMposite*, vol. 98, no 1, 1998.

Millerand, Florence, Serge Proulx et Julien Rueff, *Web social. Mutation de la communication*, Québec, Presses de l'Université du Québec, 2010, 372 p.

Ministère des Communications du Québec, *Répertoire, événements en communication*, périodique, Québec, MCQ, 1988.

Mintzberg, Henry, *Le pouvoir dans les organisations*, Paris, Éditions d'Organisation, 1986, 679 p.

Mintzberg, Henry, *The Rise and Fall of Strategic Planning*, Englewood Cliffs, Prentice-Hall, 1994, 443 p.

Mogel, Leonard, *Making it in Public Relations: An Insider's Guide to Career Opportunities*, Mahwah, Lawrence Erlbaum Associates, 2002, 349 p.

Moloney, Kevin, *Rethinking Public Relations: PR Propaganda and Democracy*, Londres, Routledge, 2006, 228 p.

Monet, Dominique, *Le Multimédia*, Paris, Éditions Flammarion/Dominos, coll. « Michel Serres », 1996, 126 p.

Mongeau, Pierre, *Réaliser son mémoire ou sa thèse : côté jeans et côté tenue de soirée*, Québec, Presses de l'Université du Québec, 2008.

Mongeau, Pierre et Johanne Saint-Charles, *Communication – Horizons de pratiques et de recherche*, Québec, Presses de l'Université du Québec, 2005.

Mongeau, Pierre et Johanne Saint-Charles, « Network centrality and similarity of discourse : A sociosemantic approach to leadership », Communication présentée dans le cadre du congrès annuel de l'International Communication Association (ICA), Singapour, 2010.

Monnoyer-Smith, Laurence, « Instituer le débat public : un apprentissage à la française », *Hermès – Paroles publiques communiquer dans la cité*, no 47, 2007.

Montaigne, Michel de, *Pages choisies des essais*, Paris, Hachette, 1935.

Montpetit, Caroline, *Le Devoir*, Montréal, 22 mars 1996.

Morel, Philippe, *Relations publiques, relations de presse : une communication élargie*, Montréal, Boréal, 1991, 109 p.

Morgan, Gareth, « Creating social reality : Organizations as cultures », dans G. Morgan, *Images of Organization*, Beverly Hills, Sage, 1986, 556 p.

Morgan, Gareth, *Images of Organization*, Beverly Hills, Sage, 1986, 556 p.

Morin, Claude, « La décision politique », dans A. Riverin (dir.), *Le management des affaires publiques*, Chicoutimi, Gaëtan Morin Éditeur, 1984.

Morin, Violette, *L'écriture de presse*, Paris, Mouton & Co. et École pratique des Hautes Études en sciences sociales, 1969, 157 p.

Morrison, H.W., « Personal attributes and education », dans W.B. Herbert et J.R.C. Jenkins, *Public Relations in Canada : Some Perspectives*, Markham, E. Fitzhenry and Whiteside, 1984.

Moscovici, Serge, « Notes towards a description of social representations », *European Journal of Social Psychology*, vol. 18, n° 3, 22 février 2006, p. 211-250.

Moscovici, Serge et Fabrice Buschini (dir.), *Les méthodes des sciences humaines*, Paris, Presses universitaires de France, 2003, 482 p.

Motulsky, Bernard et René Vézina, *Comment parler aux médias*, Montréal, Transcontinental, 2006, 136 p.

Mucchielli, Alex, *Communication interne et management de crise*, Paris, Éditions d'Organisation, 1993, 207 p.

Mucchielli, Alex, *L'art d'influencer*, Paris, Armand Colin, 2000.

Mucchielli, Alex, *La communication interne*, Paris, Armand Colin, 2001, 208 p.

Mucchielli, Alex, *L'art d'influencer*, Paris, Armand Colin, 2009, 174 pages.

Mucchielli, Roger, *Opinions et changement d'opinion*, Paris, Librairies techniques, 1969, 47 p.

Mueller, Claus, *The Politics of Communication : A Study in the Political Sociology of Language, Socialization and Legitimation*, New York, Oxford University Press, 1973, 226 p.

Mumby Dennis K., « Modernism, postmodernism, and communication studies : A rereading of an ongoing debate », *Communication Theory*, vol. 7, n° 1, 1997, p. 1-28.

Murphy, Dennis K., « Communication media, ethics and responsibility », *Cybernetics and Systems : Present and Future*, Actes du VIIe Congrès international de cybernétique et systèmes, Lytham St. Anne, Thales Publications, 1987.

Murphy, Dennis, « Taking media on their own terms : The integration of the human and the technological », Allocution présentée à l'occasion du IVe Congrès international de recherches en systèmes, informatique et cybernétique, Baden-Baden, août 1988.

Murphy, Dennis, « Ethical choice and communication media », Allocution présentée à l'occasion du IIe Congrès international de recherches en systèmes, informatique et cybernétique, Baden-Baden, août 1989.

Muzi Falconi, Toni, « What comes after Grunig ? », *PR Conversations*, 12 septembre 2009, <www.prconversations.com/?p=592>, consulté le 26 février 2010.

Naisbitt, John, *Megatrends : Ten New Directions Transforming Our Lives*, New York, Warner Books, 1982.

Naville-Morin, Violette, *L'écriture de presse*, Québec, Presses de l'Université du Québec, 2003.

Negroponte, Nicholas, *L'homme numérique*, Paris, Robert Laffont, 1996, 295 p.

Nelson, Joyce, *Sultans of Sleaze : Public Relations and the Media*, Toronto, Between the Lines, 1989, 160 p.

Nevitt, Barrington, *The Communication Ecology*, Toronto, Butterworth, 1982, 183 p.

Newsom, Doug, *Public Relations Writing : Form & Style*, Belmont, Thomson Wadsworth, 2005, 441 p.

News Canada, juin 2008.

Ni, Lan, *Exploring the Value of Public Relations in Strategy Implementation [electronic resource] : An Exploratory Study of Boundary-spanning Government Relations Professionals in Maryland*, College Park, University of Maryland, 2006.

Nielsen, Jakob, *Design Web Usability: The Practice of Simplicity*, 3ᵉ éd., Indianapolis, New Riders Publishing, 2000, 419 p.

Nietzsche, Friedrich, *Ainsi parlait Zarathoustra*, traduction G. Bianquis, Paris, Flammarion, 2006, 477 p.

Niro, Perry, «Les relations publiques, une fonction stratégique», *Bilans*, octobre 1988.

Noelle-Neumann, Elisabeth, *The Spiral of Silence*, Chicago, The University of Chicago Press, 1984, 208 p.

Nouteau, Jean-Noël, *Les relations de presse: entreprises, collectivités, associations et syndicats professionnels, comment communiquer avec les journalistes? Comment vous faire connaître auprès du public?*, Paris, Demos, 2002, 196 p.

Oestreich, Karl, Entrevue accordée à Shel Hotlz: *Embargoes live on, TechCrunch notwithstanding*. <blog.holtz.com/index.php/weblog/comments/embargoes_live_on_techcrunch_notwithstanding/>, consulté le 17 février 2010.

Ogien, Albert et Louis Quéré, *Les moments de la confiance: Connaissance, affects et engagements*, Paris, Economica, 2006, 232 pages.

Ohmae, Kenichi, *The Evolving Global Economy*, Boston, Harvard Business School Press, 1995.

Olasky, Marvin N., *Corporate Public Relations: A New Historical Perspective*, Hillsdale, Lawrence Erlbaum Associates, 1987.

Olivier, Lawrence, Guy Bédard et Julie Ferron, *L'élaboration d'une problématique de recherche: Sources, outils et méthode*, Paris, L'Harmattan, 2005, 102 p.

Oliver, Sandra M., *Handbook of Corporate Communication and Public Relations: Pure and Applied*, Londres, New York, Routledge, 2004, 456 p.

Oliver, Sandra, *Public Relations Strategy*, Londres, Kogan Page, 2007, 146 p.

Ornstein, Norman J. et Shirley Elder, «Interest groups, lobbying and policy making», dans *Politics and Public Series, Congressional Quarterly Press*, Washington, D.C., 1978.

Osborne, J., «Canadian public relations, education and training», dans W.B. Herbert et J.R.C. Jenkins (dir.), *Public Relations in Canada, Some Perspectives*, Markham, Fitzhenry & Whiteside, 1984.

Paquet-Sévigny, Thérèse *et al.*, *Communication et développement international*, Québec, Presses de l'Université du Québec, 1996, 196 p.

Paquin, Louis-Claude. *Comprendre les médias interactifs*, Montréal, Isabelle Quentin, coll. «Somme», 2006.

Paquiensiéguy, Françoise, «Comment réfléchir à la formation des usages liés aux technologies de l'information et de la communication numériques?», dans Groupe de recherche sur les enjeux de la communication (Gresec), *Les enjeux de l'information et de la communication*, Laboratoire de l'Université Stendhal-Grenoble III, 2007.

Parker, Roger C., *One-Minute Designer*, New York, MIT Press, 1997, 288 p.

Parkinson, Michael G., *International and Intercultural Public Relations: A Campaign Case Approach*, Boston, Pearson/Allyn & Bacon, 2006, 384 p.

Parkinson, Michael G., *Law for Advertising, Broadcasting, Journalism, and Public Relations: A Comprehensive Text for Students and Practitioners*, Mahwah, Lawrence Erlbaum Associates, 2006, 511 p.

Parkinson, Michael G., *Public Relations Law: A Supplemental Text*, New York, Routledge, 2008, 161 p.

Parsons, Patricia, *Ethics in Public Relations: A Guide to Best Practice*, Londres, Sterling, Kogan Page, 2004, 187 p.

Pasquero, Jean, «L'environnement sociopolitique de l'entreprise», dans R. Miller, *La direction des entreprises, concepts et applications*, Montréal, McGraw-Hill, 1985.

Pauchant, Thierry C. et Ian I. Mitroff, *La gestion des crises et des paradoxes: prévenir les effets destructeurs de nos organisations*, Montréal, Québec/Amérique, 1995, 332 p.

Pavlik, John V., *New Media Technology: Cultural and Commercial Perspectives*, Needham Heights, Allyn & Bacon Series in Mass Communication, 1997, 400 p.

Pearson, Chrsitine M. et Judith A. Clair, «Reframing crisis management», *Academy of Management Review*, vol. 23, n° 2, janvier 1998, p. 60.

Peek, Lucia, George Peek, Maria Roxas, Yves Robichaud et Huguette Blanco, «Team learning and communication: The effectiveness of email-based ethics discussions», *Business Communication Quarterly*, vol. 70, juin 2007, p. 166-185.

Pelou, Pierre (dir.), *La documentation administrative*, Paris, La Documentation française, 1988, 267 p.

Peron, Daniel, *Relations publiques et information dans les communes*, Paris, Sirey, 1983, 324 p.

Perraton, Charles et Maude Bonenfant, *Vivre ensemble dans l'espace public*, Québec, Presses de l'Université du Québec, 2009, 224 p.

Pesmen, Sandra, *Writing for the Media: Public Relations and the Press*, Chicago, Crain Books, 1983, 162 p.

Pessis, Georges, *Film et vidéo: miroirs de l'entreprise*, Paris, Éditions d'Organisation, 1989, 174 p.

Péters Van Deinse, Sophie, *Les supports d'information dans l'entreprise*, Paris, Les guides du centre de formation et de perfectionnement des journalistes, 1992, 95 p.

Petterson, Rune, *Visuals for Information: Research and Practice*, Englewood Cliffs, Educational Technology Publications, 1989, 315 p.

Phillips, David, Philip Young et Chartered Institute of Public Relations, *Online Public Relations: A Practical Guide to Developing an Online Strategy in the World of Social Media*, 2e éd., Londres, Kogan, 2009, 274 p.

Philpott, T., «Enforcing peace in Bosnia», *The Retired Officer Magazine*, septembre 1996, p. 60-66.

Pignier, Nicole, «Sémiotique du webdesign: quand la pratique appelle une sémiotique ouverte», *Communication & Langages*, no 159, mars 2009, p. 91-109.

Plamondon, Agathe, extrait d'un exposé de formation donné le 11 mars 1998 devant les membres du réseau Exec-U-net Canada.

Plante, Émilie, *Relations publiques et diversité culturelle: analyse de la pratique du relationniste québécois à l'international*, Montréal, Université du Québec à Montréal, 2005.

Plante, Pierre, Lucie Dumas et André Plante, *Sémato. Logiciel d'analyse sémantique des documents textuels*, <semato.uqam.ca>, consulté en février 2010.

Platon, *L'apologie de Socrate*, Paris, Garnier-Flammarion, 1965, 187 p.

Platon, Premiers dialogues, *Hippias mineur*, Paris, GF-Flammarion, 1967, 442 pages.

Popcorn, Faith, *Le rapport Popcorn – Comment vivrons-nous en l'an 2000?*, Montréal, Les Éditions de l'Homme, 1994, 268 p.

Portero, David, *Internet Culture*, Londres, Routledge, 1997.

Poupart, Jean *et al.*, *La recherche qualitative: enjeux épistémologiques et méthodologiques*, Boucherville, Gaëtan Morin Éditeur, 1997, 417 p.

Pourtois, Jean-Pierre et Huguette Desmet, *Épistémologie et instrumentation en sciences humaines*, Liège, P. Mardaga, 1988, 235 p.

Prabu, David, « Extending symmetry: Toward a convergence of professionalism, practice and pragmatics in public relations », *Journal of Public Relations Research*, vol. 16, n° 2, 2004, p. 185-211.

Pratte, André, *Les oiseaux de malheur: essai sur les médias d'information d'aujourd'hui*, Montréal, VLB, 2000.

Prédal, René, *Les médias et la communication audiovisuelle*, Paris, Éditions d'Organisation, 1995, 348 p.

Primeau, Jean-Guy et Le réseau Caisse-Chartier, *L'analyse d'impact des couvertures de presse selon la méthode Caisse-Chartier*, brochure s.d., s.l.

Prost, Eugene, *Le temps des relations publiques*, Paris, CELSE, 1967.

Proulx, Serge, « L'émergence des médias individuels de communication de masse. Vers une coopération conflictuelle avec les médias *mainstream?* », dans A. Char et R. Côté, *La révolution Internet*, Québec, Presses de l'Université du Québec, 2009, 122 p.

Proulx, Serge, Stéphane Couture et Julien Rueff (dir.), *L'action communautaire québécoise à l'ère du numérique*, Québec, Presses de l'Université du Québec, 2008.

Proulx, Serge, Louise Poissant et Michel Sénécal, *Communautés virtuelles: penser et agir en réseau*, Québec, Les Presses de l'Université Laval, 2006.

Proulx, Serge et André Vitalis, *Médias et mondialisation: vers une citoyenneté nomade*, Rennes, Apogée, 1998.

Prozorov, Valérie Vladimirovitch, «Qu'apporte l'Internet au développement de la personne?», dans A. Char et R. Côté, *La révolution Internet*, Québec, Presses de l'Université du Québec, 2009, 122 p.

Putnam, Linda et Michael E. Pacanowsky, *Communications and Organizations*, Beverly Hills, Sage, 1983.

Quéré, Louis, *Des miroirs équivoques aux origines de la communication moderne*, Paris, Aubier-Montaigne, 1982.

Quéré, Louis, *La confiance*, Paris, Hermès, 2001, 238 pages.

Raboy, Marc, *Média Québécois, presse radio, télévision, inforoute*, Gaétan Morin Éditeur, 2000.

Raboy, Marc et André Roy, *Les médias québécois: presse, radio, télévision, câblodistribution*, Boucherville, Gaëtan Morin Éditeur, 1992, 280 p.

Raffard, Jean-Philippe et Michel Cumet, *L'audiovisuel des entreprises et des collectivités*, Paris, Dixit, 1993, 259 p.

Ravault, René-Jean, «Défense de l'identité culturelle par les réseaux traditionnels de "coerséduction"», *International Political Science Review*, vol. 7, no 3, 1986.

Ravault, René-Jean, «Les États-Unis en question», *Cahiers de recherche sociologiques*, no 15, automne 1990, 135 p.

Ray, Michael L., «Marketing communication and the hierarchy of effects», dans P. Clarke (dir.), *New Models for Communication Research*, Beverley Hills, Sage Annual Reviews of Communication Research, vol. 2, 1973.

Reber, Bryan H. et Jun K. Kim, «How activist groups use web sites in media relations: Evaluating online press rooms», *Journal of Public Relations Research*, vol. 18, no 4, 2006, p. 313-333.

Rebillard, Franck, «L'image d'Infonie dans la presse française ou la "divergence" des visions de la convergence des nouvelles technologies de communication», *COMMposite*, vol. 98, no 1, 1998.

Rechenmann, Jean-Jacques, *L'audit du site Web. Mode d'emploi*, Paris, Éditions d'Organisation, 2000.

Redding, Charles W., «Stumbling toward identity, the emergence of organizational communication as a field of study», *Organizational Communications*, vol. 13, 1985.

Regester, Michael, *Crisis Management: How to Turn a Crisis Into an Opportunity*, Londres, Business Books, 1989, 160 p.

Reich, Robert, *The Next American Frontier*, New York, Markham Penguin Book, 1984.

Renaud, Lise, *La santé s'affiche au Québec*, Québec, Presses de l'Université du Québec, 2005, 257 p.

Renaud, Lise (dir.), *Les médias et la santé: de l'émergence à l'appropriation des normes sociales*, Québec, Presses de l'Université du Québec, 2010.

Renaudin, Hervé, *Gestion de crise: mode d'emploi. Principes et outils pour s'organiser et manager les crises*, Paris, Liaisons, 2007, 168 p.

Resnick, Rosalind et Dave Taylor, *The Internet Business Guide*, 2e éd., Indianapolis, Sams Publishing, 1995, 470 p.

Richard, Ginette *et al.*, *Villeray d'hier à aujourd'hui*, Montréal, Association des locataires de Villeray, 1992.

Richards, W.D., *Organizational Communication: Traditional Themes and New Directions*, Londres, Sage Publications, 1985.

Ries, Al et Laura Ries, *La pub est morte? Vive les RP!* Paris, Village mondial, 2003, 280 p.

Rinaldi, Steven M., James P. Peerenboom et Terrence K. Kelly, « Identifying, understanding, and analyzing critical infrastructure interdependencies », *IEEE Control Systems Magazine*, décembre 2001, p. 11-25.

Robert, Benoît, « A method for the study of cascading effects within lifeline networks », *International Journal of Critical Infrastructures*, vol. 1, no 1, 2004, p. 64-75.

Robert, Benoît, Jean-Pierre Sabourin, Mathias Glaus, Frédéric Petit, Marie-Hélène Senay, « A new structural approach for the study of domino effects between life support networks », dans *The Disaster Risk Management Working Paper Series*, Washington, World Bank, 2002, p. 276-310.

Robert, Patrick C., « La rentabilité des relations publiques: "de l'efficacité à l'efficience" », Allocution présentée au Congrès des relationnistes du Québec, Magog, mai 1991.

Robert, Patrick C., «La fonction des affaires publiques: une fonction en mutation», *Revue internationale de gestion*, vol. 15, nº 1, février 1990.

Rosart, Jean-Paul, *L'entreprise et les médias*, Paris, Armand Collin, 1992, 207 p.

Ross, Dina, *Surviving the Media Jungle: A Practical Guide to Good Media*, Londres, Mercury, 1990, 214 p.

Rouquette, Michel-Louis, *La communication sociale*, Paris, Dunod, 1998, 115 p.

Roux-Dufort, Christophe, *Gérer et décider en situation de crise: outils de diagnostic de prévention et de décision*, Paris, Dunod, 2000.

Ruler, Betteke van, *Public Relations and Communication Management in Europe: A Nation-by-Nation Introduction to Public Relations Theory and Practice*, Berlin, New York, Mouton de Grouter, 2004, 502 p.

Saffir, Leonard, *Power Public Relations*, Chicago, NTC Business Books, 1993.

Saint-Amand, Magali et Gilles Pronovost, «Usages et usagers d'Internet: l'état des lieux», dans Groupe de recherche sur les enjeux de la communication (Gresec), *Les enjeux de l'information et de la communication*, Laboratoire de l'Université Stendhal-Grenoble III, 2001.

Saint-Charles, Johanne et Pierre Mongeau, «L'étude des réseaux humains de communication» dans J. Saint-Charles et P. Mongeau, *Communication: horizons de pratiques et de recherches*, Québec, Presses de l'Université du Québec, 2005, p. 73-99.

Saint-Charles, Johanne et Pierre Mongeau, «Different relationships for coping with ambiguity and uncertainty in organizations», *Social Networks*, vol. 31, 2009, p. 33-39.

Salançon, André, «La médiatisation technologique défiée», dans Groupe de recherche sur les enjeux de la communication (Gresec), *Les enjeux de l'information et de la communication*, Laboratoire de l'Université Stendhal-Grenoble III, 2001.

Sallot, Lynn, Thomas M. Steinfatt et Michael B. Salwen, «Journalists and public relations practitioners news values: Perceptions and cross-perceptions», *Journalism and Mass Communication Quarterly*, vol. 75, été 1998, p. 366-377.

Salmon, C., *Storytelling: La machine à fabriquer des histoires et à formater les esprits*, Paris, La Découverte, 2007.

Sartre, Véronique, *La communication de crise*, Paris, Démos, 2003, 156 p.

Saucier, Jocelyne, « La conférence de presse », dans J. Saucier, *Guide d'utilisation des médias*, Québec, Les Publications du Québec, 1991.

Saucier, Jocelyne, *Guide d'utilisation des médias*, Québec, Conseil du Trésor, 1996, 108 p.

Saul, John Ralston, *Les bâtards de Voltaire : la dictature de la raison en Occident*, trad. de l'anglais par Sabine Boulongne – *Voltaire's Bastards : The Dictatorship of Reason in the West*, Paris, Payot, 1993, 653 p.

Schiele, Bernard (dir.), *Quand la science se fait culture : La culture scientifique dans le monde*, Québec, Multimondes, 1994.

Schiller, Herbert, *Communication and Cultural Domination*, New York, International Cuts and Science Press, 1976, 126 p.

Schneider, Bertrand, *Les relations publiques : dialogue ou manipulation*, Paris, France-Empire, 1976, 250 p.

Schneider, Christian, *Communication : nouvelle fonction stratégique de l'entreprise*, 2ᵉ éd., Paris, Delmas et P. Belfond, 1993, 271 p.

Schneider, Christian, *Principes et techniques des relations publiques*, Paris, J. Delmas, 1970.

Schramm, Wilbur, « The nature of communication between humans », dans W. Schramm et D. Roberts (dir.), *The Process and Effects of Mass Communication*, Urbana, University of Illinois Press, 1971.

Schwebig, Philippe, *Les communications de l'entreprise : au-delà de l'image*, Auckland et Montréal, McGraw-Hill, 1988, 170 p.

Scott, David Meerman, *The New Rules of Marketing and PR: How to Use News Releases, Blogs, Podcasting, Viral Marketing, & Online Media to Reach Buyers Directly*, Hoboken, John Wiley & Sons, 2007, 275 p.

Seitel, Fraser P., « The public », dans F.P. Seitel, *The Practice of Public Relations*, Colombus, Merrill, 1984, 545 p.

Siegel, David, *Créer des sites Web spectaculaires*, New York, Simon & Schuster/Macmillan, Repentigny, Éditions Reynald Goulet (traduction française), 1996.

Silem, Ahmed et Gérard Martinez, *Information des salariés et stratégies de communication*, Paris, Éditions d'Organisation, 1983.

Simard, G., *La méthode du groupe focus*, Laval, Mondia, 1989, 102 p.

Simard, Noël, Propos tenus dans le cadre d'une table ronde de l'Association des praticiens en éthique du Canada le 29 janvier 2003, <www.ustpaul.ca/EthicsCenter/documents/activities-notion_interet _public.pdf>, consulté en février 2010.

Simonet, Renée et Jean Simonet, *Savoir argumenter*, 3e éd., Paris, Éditions d'Organisation, 2004, 160 p.

Smith, Ronald D., *Strategic Planning for Public Relations*, Mahwah, Lawrence Erlbaum Associates, 2009, 382 p.

Sohier, Danny, *La nouvelle vague Internet*, Montréal, Éditions Logiques et Éditions de l'Homme, 1996, 143 p.

Sokuvitz, Sydel et Amiso M. George, « Teaching culture : The challenges and opportunities of international public relations », *Business Communication Quarterly*, vol. 6, janvier 2003, p. 97-111.

Solis, Brian et Deirdre Breakenridge, *Putting the Public Back in Public Relations : How Social Media Is Reinventing the Aging Business of PR*, Upper Saddle River, FT Press, 2009, 314 p.

Sriramesh, Krishnamurthy et Dejan Vercic (dir.), *The Global Public Relations Handbook. Theory, Research, and Practice*, New York et Londres, Routledge, 2009, 95 p.

Staats, Arthur W., « Paradigmatic behaviorism : Unified theory for social-personality psychology », dans L. Berkowitz (dir.), *Advances in Experimental Social Psychology*, vol. 16, 1976, p. 126-173.

Stacks, Don W., *Primer of Public Relations Research*, New York, Guilford, 2002, 318 p.

Statistique Canada, *Nutrition : Résultats de l'enquête sur la santé dans les collectivités canadiennes. Vue d'ensemble des habitudes alimentaires des Canadiens*, Ottawa, Gouvernement du Canada, 2004.

Stephenson, Howard, *Handbook of Public Relations. The Standard Guide to Public Affairs an Communications*, 2e éd., New York, McGraw Hill, 1971, 836 p.

Sterne, Jim, *Marketing sur Internet*, Repentigny, Éditions Reynald Goulet (traduction française), 1997, 298 p.

Stoetzel, Jean et Alain Girard, *Les sondages d'opinion publique*, Paris, Presses universitaires de France, 1973, 283 p.

Stoiciu, Gina, *Comment comprendre l'actualité, communication et mise en scène*, Québec, Presses de l'Université du Québec, 2006, 250 p.

Stoldt, G. Clayton, *Sport Public Relations: Managing Organizational Communication*, Champaign, Human Kinetics, 2006, 365 p.

Stole, Inger L., *Advertising on Trial: Consumer Activism and Corporate Public Relations in the 1930s*, Urbana, University of Illinois Press, 2006, 290 p.

Stoquart, Jacques, *Le marketing événementiel*, Paris, Éditions d'Organisation, 1991, 129 p.

Sullivan, Michelle. *Facilitez-vous la vie: bâtissez des liens de confiance*, <michellesullivan.ca/2009/09/facilitez-vous-la-vie-batissez-des-liens-de-confiance/>, consulté le 15 octobre 2009.

Suraud, Marie-Gabrielle, «Communication ou délibération: les échanges dans la société civile», *Hermès – Paroles publiques communiquer dans la cité*, nº 47, 2007.

Swann, Patricia, *Cases in Public Relations Management*, Boston, McGraw-Hill, 2008, 388 p.

Syd Matthews & Partners Limited, *Annuaire des médias Matthews*, Toronto, 1992- .

SYNTEC ingénierie, *Entreprises & relations publiques en France*, Paris, Syntec, 2006.

Taylor, Charles, *Grandeur et misère de la modernité*, Paris, Bellarmin, 1992, 151 pages.

Taylor, James R., *Organizational Communication*, Montréal, Département de communication, Université de Montréal, 1979.

Taylor, James R., «New communication technologies and the emergence of distributed organization», dans L. Thayer, *Organization Communication: Emerging Perspectives*, Norwood, Ablex, 1986.

Taylor, James R., *Communication Theory: Can It Explain the Organizational Paradigm Revolution?*, Montréal, Université de Montréal, 1988.

Taylor, James R., *Une organisation n'est qu'un tissu de communications*, Essais théoriques, cahiers de recherches en communication, Montréal, Faculté des arts et des sciences, Département de communication, Université de Montréal, 1988.

Thayer, Lee, *Communication and Communication Systems*, Homewood, Irwin, 1968, 375 p.

Thayer, Lee, *Organization – Communication, Emerging Perspectives*, Norwood, Ablex, 1986.

Thayer, Lee, *On Human Communication*, Norwood, Ablex, 1988.

Théoret, Yves, *Gérer son projet en sciences humaines et au quotidien*, Québec, Presses de l'Université du Québec, 2004.

Timimi, Ismaïl et Jacques Rouault, «La veille sur Internet: Une avancée dans la recherche de l'information stratégique», dans Groupe de recherche sur les enjeux de la communication (Gresec), *Les enjeux de l'information et de la communication*, Laboratoire de l'Université Stendhal-Grenoble III, 2000.

Tixier, Maud, *La communication de crise: enjeux et stratégies*, Paris et Montréal, McGraw-Hill, 1991, 268 p.

Toledano, Margalit, «Challenging accounts: Public relations and the tale of two revolutions», *Public Relations Review*, vol. 31, n° 4, 2005, p. 463-470.

Toth, Elizabeth L. et Robert L. Heath, *Rhetorical and Critical Approaches to Public Relations*, Hillsdale, Lawrence Erlbaum Associates, 1992.

Tompkins, Philipp K., «On the desirability of an interpretive science of organizational communication», Allocution présentée au Congrès annuel de la Speech Association, Washington, D.C., 1983.

Treadwell, Donald, *Public Relations Writing: Principles in Practice*, Thousand Oaks, Sage Publications, 2005, 517 p.

Tremblay, Solange (dir.), *Développement durable et communications: Au-delà des mots, pour un véritable engagement*, Québec, Presses de l'Université du Québec, 2007, 274 p.

Tremblay, Solange (dir.). *Vers une révision du code de déontologie de la Société canadienne des relations publiques: Proposition d'un nouveau cadre de référence en matière d'éthique et de déontologie en relations publiques – Rapport de recherche*, Centre d'études sur les responsabilités sociales, le développement durable et l'éthique, Chaire de relations publiques et de communication marketing, Université du Québec à Montréal, 2008.

Trudel, Pierre, *Droit du cyberespace*, Montréal, Éditions Thémis, 1997.

Tuchman, Gaye, *Making News: A Study in the Construction of Reality*, New York, The Free Press, 1978.

Tufte, Edward R., *Beautiful Evidence*, Cheshire, Graphics Press, 2006.

Tuite, Leah Simone, *Public Relations in a «Jolted» Political Environment [Electronic Resource]: An Exploratory Study of Boundary-Spanning Government Relations Professionals in Maryland*, College Park, University of Maryland, 2006.

Turchet, Philippe, *La Synergologie*, Montréal, Éditions de l'Homme, 2000.

Turchet, Philippe, *Le langage universel du corps*, Montréal, Éditions de l'Homme, 2009.

Turow, Joe, *Media Industries*, New York, Longman, 1984.

Uber Grosse, Christine, «Managing communication within virtual intercultural teams», *Business Communication Quarterly*, vol. 65, janvier 2002, p. 22-38.

Ugeux, William, *Les relations publiques*, Verviers, Éditions Gérard & Cie, 1973, 256 p.

Uguay, Huguette, *Bien parler? Pourquoi pas?*, Recueil UQAM, Études théâtrales, 2003.

United States, Department of Education, Office of Inspector General, *Review of Department Identified Contracts and Grants for Public Relations Services [Electronic Resource]: Final Inspection Report*, Washington, D.C., U.S. Department of Education, Office of Inspector General, 2005.

University Microfilms International, *Dissertation Abstracts International*, Ann Arbor, University Microfilms International, 1861- .

Ura, Mike, *Making the News: A Guide to Using the Media*, Vancouver, West Coast Environmental Law Research Foundation, 1980, 36 p.

Usbourne, Nick, *Net Words: Creating High-Impact Online Copy*, Montréal, Hightstown, 2001, 224 p.

Vaillancourt, Raymond, *Le temps de l'incertitude: Du changement personnel au changement organisationnel*, Québec, Presses de l'Université du Québec, 2003, 218 p.

Val Bol, Jean-Marie, *Les relations publiques: responsabilité du management*, Paris et Bruxelles, Nathan et Labor, 1987, 384 p.

Van Dyke, M.A., *NATO Military Public Information: IFOR Lessons Learned. Presentation to Ministry of Defense*, Bucharest, Romania, 1997.

Van Dyke, M.A., *Toward a Theory of Just Communication [Electronic Resource]: A Case Study of NATO, Multinational Public Relations, and Ethical Management of International Conflict*, College Park, University of Maryland, 2005.

Van Vracem, Paul, *Études de marchés et sondages d'opinion*, Bruxelles, De Boeck, 1988, 307 p.

Venne, Michel, *Ces fascinantes inforoutes*, Québec, Institut québécois de recherche sur la culture, 1995, 141 p.

Verhoeven, Joe, *La reconnaissance internationale dans la pratique contemporaine: les relations publiques internationales*, Paris, A. Pedone, 1975, 861 p.

Verreault, Lucie et JeanneTaussig, *Relations publiques et communication documentaire: revue de la littérature*, Montréal, ASTED, 1983, 51 p.

Viau, Emmanuel, *Multimédia et CD-ROM*, Paris, Sybex, 1992, 280 p.

Virilio, Paul, *Cybermonde, la politique du pire*, Paris, Éditions Textuel, 1996, 110 p.

Walker, Ralph, *Kant*, Paris, Seuil, 2000, 91 pages.

Wallstein, René, *Les vidéocommunications*, Paris, Presses universitaires de France, 1989, 127 p.

Wang, Alex, «Priming, framing, and position on corporate social responsibility», *Journal of Public Relations Research*, vol. 19, n° 2, 2007, p. 24.

Watson, Tom, *Evaluating Public Relations: A Best Practice Guide to Public Relations Planning, Research and Evaluation*, Londres, Kogan Page, 2007, 252 p.

Watzlawik, Paul, *Pour une logique de la communication*, Paris, Seuil, 1972.

Wehmeier, Stefan, «Dancers in the dark: The myth of rationality in public relations», *Public Relations Review*, vol. 32, n° 3, 2006, p. 213-220.

Weinberg, Tamar, *The New Community Rules: Marketing on the Social Web*, Beijing, Sebastopol, O'Reilly, 2009, 346 p.

Weinberg, Tamar, publié dans le blogue de Brian Solis: *Blogger Relations is a Two-Way Street* <www.briansolis.com/2009/09/blogger-relations-is-a-two-way-street/>, consulté le 20 novembre 2009.

Weinberger, David, *Small Pieces Loosely Joined: A Unified Theory of the Web*, New York, Perseus, 2003, 240 p.

Weiner, Richard, *Webster's New World Dictionary of Media and Communications*, New York, MacMillan General Reference, 1996, 533 p.

Westphalen, Marie-Hélène, *Le communicator: guide opérationnel pour la communication d'entreprise*, 2e éd., Paris, Dunod, 1994, 366 p.

Wigand, Rolf T., *Handbook of Organizational Communication*, Norwood, Ablex Publishing, 1988.

Wilcox, Dennis L., *Public Relations: Writing and Media Techniques*, Boston, Pearson/Allyn & Beacon, 2005.

Wilcox, Dennis L., Philip H. Ault et Warren K. Agee, *Public Relations: Strategies and Tactics*, 3e éd., New York, Harper Collins, 1992, 708 p.

Wilcox, Dennis L., Glen T. Cameron, Philip H. Ault et Warren K. Agee, *Essentials of Public Relations*, New York, Longman, 2001, 470 p.

Williams, R.M., «Values», dans R.M. Williams, *International Encyclopedia of Social Sciences*, New York, Macmillan, 1968.

Williams, Robin, *The Non-Designer's Design Book*, Berkeley, Peatchpit Press, 1994, 144 p.

Wilson, Graham K., *Interest Groups*, Oxford, Blackwell, 1990, 198 p.

Wolton, Dominique, *Sauver la communication*, Paris, Flammarion, 2005, 224 pages.

Woodside, Arch G., Suresh Sood et Kenneth E. Miller, «When consumers and brands talk: Storytelling theory and research in psychology and marketing», *Psychology and Marketing*, vol. 25, no 2, 2008, p. 97-145.

Wolfe, Lisa A., *Library Public Relations, Promotions, and Communications: A How-To-Do-It Manual*, New York, Neal-Schuman Publishers, 2005, 326 p.

Wolgensinger, Jacques, *L'histoire à la Une: la grande aventure de la presse*, Paris, Gallimard, 1989, 192 p.

Wolton, Dominique, « À la recherche du public – réception, télévision, médias », *Hermès*, nᵒˢ 11/12, 1993.

Wolton, Dominique, « L'opinion publique – perspectives anglo-saxonnes », *Hermès*, nᵒ 31, 2001.

Wolton, Dominique, « Les sciences de l'information et de la communication – savoirs et pouvoirs », *Hermès*, nᵒ 38, 2004.

World Cancer Research Fund and American Institute for Cancer Research, *Food, Nutrition, Physical Activity, and the Prevention of Cancer: A Global Perspective*, Washington, D.C., AICR, 2007.

Yun, Seong-Hun, *Toward Theory Building for Comparative Public Diplomacy from the Perspectives of Public Relations and International Relations [Electronic Resource]: A Macro-Comparative Study of Embassies in Washington, D.C.*, College Park, University of Maryland, 2005.

Zorn, Theodore E., « Converging within divergence : Overcoming the disciplinary fragmentation in business communication, organizational communication, and public relations », *Business Communication Quarterly*, vol. 65, janvier 2002, p. 44-53.

Zouari, Khaled, « La presse en ligne : vers un nouveau média ? », dans Groupe de recherche sur les enjeux de la communication (Gresec), *Les enjeux de l'information et de la communication*, Laboratoire de l'Université Stendhal-Grenoble III, 2007.

Les expositions internationales, un univers de communication
Meilleures pratiques
de communication et de marketing
pour les grands événements
Michel Dumas
2009, ISBN 978-2-7605-2468-2, 288 pages

Le protocole
Instrument de communication
Louis Dussault
2009, ISBN 978-2-7605-1586-4, 222 pages

L'organisation d'un événement
Guide pratique
Lyne Branchaud
2009, ISBN 978-2-7605-1608-3, 204 pages

La communication en congrès
Repères ergonomiques
Luc Desnoyers
2005, ISBN 978-2-7605-1338-9, 472 pages

Gérer une revue de presse
Lise Chartier
2005, ISBN 2-7605-1343-2, 196 pages

La communication des risques
Un nouveau défi
Danielle Maisonneuve (dir.)
2005, ISBN 2-7605-1339-4, 204 pages

Les relations publiques
Le syndrome de la cage de Faraday
Danielle Maisonneuve
2004, ISBN 2-7605-1299-1, 332 pages

Des campagnes de communications réussies
43 études de cas primées
Marianne Kugler
2004, ISBN 2-7605-1165-0, 304 pages

L'écriture de presse
Violette Naville-Morin
Réédition dirigée par Lise Chartier
2003, ISBN 2-7605-1211-8, 186 pages

Mesurer l'insaisissable
Méthode d'analyse du discours
de presse pour les communicateurs
Lise Chartier
2003, ISBN 2-7605-1220-7, 280 pages

Les relations publiques dans une société en mouvance – 3ᵉ édition
Danielle Maisonneuve, Jean-François Lamarche et Yves St-Amand
2003, ISBN 2-7605-1217-7, 428 pages

Un monde sans fil
Les promesses des mobiles
à l'ère de la convergence
Magda Fusaro
2002, ISBN 2-7605-1183-9, 258 pages

Comme on fait son lead, on écrit
Antoine Char
2002, ISBN 2-7605-1155-3, 218 pages

Le commerce électronique
Y a-t-il un modèle québécois?
Jean-Paul Lafrance et Pierre Brouillard
2002, ISBN 2-7605-1154-5, 310 pages

Communications en temps de crise
Danielle Maisonneuve,
Catherine Saouter
et Antoine Char (dir.)
1999, ISBN 2-7605-1028-X, 410 pages

La guerre mondiale de l'information
Antoine Char
1999, ISBN 2-7605-1029-8, 168 pages

Recyclé
Contribue à l'utilisation responsable
des ressources forestières
www.fsc.org Cert no. SGS-COC-003153
© 1996 Forest Stewardship Council

Marquis imprimeur inc.

Québec, Canada
2010

Imprimé sur du papier Silva Enviro 100% postconsommation
traité sans chlore, accrédité Éco-Logo et fait à partir de biogaz.